UNE DOUCE FLAMME

La Tour d'Abraham, 1993.
Cinq ans de réflexion, 1998.
Le Sang des hommes, 1999.
Le Chiffre de l'alchimiste, 2007.
La Paix des dupes, 2007.
La Trilogie berlinoise, 2008.
La Mort entre autres, 2009.

www.lemasque.com

Philip Kerr

UNE DOUCE FLAMME

Traduit de l'anglais par Philippe Bonnet

ÉDITIONS DU MASQUE
17, rue Jacob 75006 Paris

Titre original
A Quiet Flame
publié par Quercus.

Ouvrage publié sous la direction de
Marie-Caroline Aubert

ISBN : 978-2-7024-3433-8.

Para los desaparecidos

1

BUENOS AIRES, 1950

Le navire était le SS *Giovanni*, ce qui semblait tout à fait approprié puisque trois au moins de ses passagers, moi y compris, avaient appartenu à la SS. De dimension moyenne, le bateau possédait deux cheminées, une vue sur la mer, un bar bien garni et un restaurant italien. Le rêve si vous aimiez la cuisine italienne, mais, au bout de quatre semaines à se traîner à la vitesse de huit nœuds depuis Gênes, je ne pouvais plus la voir en peinture et je n'étais pas mécontent de débarquer. Ou bien je suis un piètre marin, ou bien j'avais un truc qui ne tournait pas rond, exception faite de mes fréquentations ces temps-ci.

Nous pénétrâmes dans le port de Buenos Aires, le long du morne Río de la Plata, ce qui nous fournit l'occasion, à mes deux compagnons de voyage et à moi, de méditer sur la glorieuse histoire de notre invincible marine allemande. Quelque part au fond du fleuve, près de Montevideo, gisait l'épave du *Graf Spee*, un cuirassé de poche invinciblement sabordé par son capitaine en décembre 1939 pour éviter qu'il ne tombe aux mains des Britanniques. À ma connaissance, c'était la seule et unique incursion de la guerre en Argentine.

Nous accostâmes dans le bassin Nord, en face des bureaux de la douane. Une cité moderne hérissée de tours en béton se dressait à notre gauche, par-delà les kilomètres de voies ferrées, de hangars et de parcs à bestiaux formant les abords de Buenos Aires, où le bétail de toutes les pampas de l'Argentine arrivait par train et était abattu à une échelle industrielle. Une activité typiquement germanique. Sauf que les carcasses étaient congelées et expédiées dans le monde entier. Les exportations de bœuf argentin avaient rendu le pays prospère et fait de Buenos Aires la troisième plus grande ville des Amériques après New York et Chicago.

Les trois millions d'autochtones se considéraient comme des *porteños* – des habitants du port –, ce qui avait quelque chose de plaisamment romanesque. Mes deux amis et moi nous considérions comme des réfugiés, ce qui sonnait mieux que fugitifs. Même si c'était effectivement le cas. À tort ou à raison, une sorte de justice nous attendait tous les trois en Europe, et nos passeports de la Croix-Rouge dissimulaient nos identités réelles. Je n'étais pas plus le Doktor Carlos Hausner qu'Adolf Eichmann n'était Ricardo Klement, ou Herbert Kuhlmann, Pedro Geller. Ce qui ne posait pas de problème aux Argentins. Ils se fichaient éperdument de notre identité ou de nos agissements pendant la guerre. Malgré tout, en ce matin d'hiver froid et humide du mois de juillet 1950, il y avait, semble-t-il, certaines convenances officielles à observer.

Un employé de l'immigration et un douanier montèrent à bord du bateau. Tandis que les passagers présentaient leurs papiers à tour de rôle, ils posaient des questions. Si ces deux-là se fichaient de savoir qui nous étions et ce que nous avions fait, ils réussirent à merveille à nous persuader du contraire. L'employé de l'immigration au teint acajou considéra le mince passeport d'Eichmann puis Eichmann lui-même comme s'ils sortaient tout droit d'un foyer d'épidémie de choléra. Ce qui n'était pas loin de la vérité. L'Europe commençait à peine à se remettre d'une maladie appelée nazisme, qui avait fait plus de cinquante millions de morts.

« Profession ? » demanda l'employé à Eichmann.

Le visage en lame de couteau d'Eichmann fut agité d'un tic nerveux.

« Technicien », répondit-t-il avant de s'éponger le front avec un mouchoir.

Il ne faisait pas très chaud, mais Eichmann semblait avoir une sensibilité à la chaleur comme je n'en ai jamais rencontré chez personne d'autre.

Dans l'intervalle, le douanier, qui dégageait une odeur de fabrique de cigares, se tourna vers moi. Ses narines se dilatèrent comme s'il pouvait sentir le fric que je transportais dans mon sac, puis il décolla sa lèvre crevassée de la barrière de bambou de ses dents en ce qui passe pour un sourire dans ce genre de travail. J'avais environ trente mille shillings autrichiens dans ledit sac, ce qui faisait pas mal en Autriche, mais nettement moins une fois convertis en bel et bon argent. Je ne m'attendais pas à ce qu'il le sache. D'après mon expérience, les douaniers sont capables de presque tout quand ils tombent sur un gros paquet de devises, sauf de générosité ou d'indulgence.

« Qu'y a-t-il dans ce sac ? demanda-t-il.

— Des vêtements. Des objets de toilette. Un peu d'argent.

— Ça vous ennuierait de me montrer ?

— Non, dis-je, terriblement ennuyé. Pas du tout. »

Je hissai le sac sur une table à tréteaux et je m'apprêtais à l'ouvrir quand un homme grimpa précipitamment la passerelle du bateau, criant quelque chose en espagnol, puis en allemand :

« Ça va bien. Désolé d'être en retard. Pas besoin de toutes ces formalités. C'est un malentendu. Vos papiers sont parfaitement en règle. Je le sais parce c'est moi qui m'en suis occupé. »

Il ajouta quelques mots en espagnol, comme quoi nous étions tous les trois des visiteurs importants venus d'Allemagne, et l'attitude des deux fonctionnaires changea aussitôt. L'un et l'autre se mirent au garde-à-vous. L'employé de l'immigration faisant face à Eichmann lui rendit son passeport, claqua des talons et fit à l'homme le plus recherché d'Europe le salut hitlérien, assorti d'un vigoureux « Heil Hitler » que tout le monde dut entendre sur le pont.

Eichmann passa par plusieurs nuances de pourpre. Telle une tortue géante, il rentra légèrement la tête dans le col du manteau qu'il portait, comme s'il regrettait de ne pas pouvoir se volatiliser. Nous éclatâmes de rire, Kuhlmann et moi, nous délectant de son embarras, tandis que, récupérant son passeport d'un geste vif, il dévalait la passerelle jusqu'au quai. Nous continuions à rire lorsque nous le rejoignîmes à l'arrière d'une grosse voiture américaine de couleur noire dont le pare-brise s'ornait d'un panneau marqué VIANORD.

« Si vous trouvez ça drôle, moi pas, grommela-t-il.

— Bien sûr, rétorquai-je. C'est pour ça que c'était si drôle.

— Si vous aviez vu votre tête, Ricardo, renchérit Kuhlmann. Mais qu'est-ce qui lui a pris de dire ça ? Et à vous par-dessus le marché ? » Il se remit à rire. « Heil Hitler, vraiment !

— M'est avis qu'il ne s'en est pas mal tiré. Pour un amateur », dis-je.

Notre hôte, qui avait sauté sur le siège du conducteur, se tourna à cet instant pour nous serrer la main.

« Excusez-moi pour tout cela, déclara-t-il à Eichmann. Certains de ces fonctionnaires sont aussi ignorants que des cochons. D'ailleurs, nous avons le même mot pour cochon et fonctionnaire public. *Chancho*. Nous les appelons tous les deux des *chanchos*. Ça ne m'étonnerait pas que cet imbécile croie que Hitler dirige toujours l'Allemagne.

— Mon Dieu, si seulement c'était vrai, murmura Eichmann en levant les yeux vers le toit de la voiture. Si seulement c'était vrai !

— Je suis Horst Fuldner, déclara notre hôte. Mais mes amis en Argentine m'appellent Carlos.

— Le monde est petit, dis-je. C'est aussi comme ça que m'appellent mes amis en Argentine. Tous les deux. »

Les gens descendaient la passerelle, et certains jetaient un regard inquisiteur à Eichmann à travers la vitre du passager.

« On ne pourrait pas fiche le camp d'ici ? demanda-t-il. S'il vous plaît.

— Mieux vaut faire ce qu'il dit, Carlos, approuvai-je. Avant que quelqu'un ne reconnaisse Ricardo et ne téléphone à David Ben Gourion.

— Vous n'auriez pas envie de plaisanter si vous étiez à ma place, protesta Eichmann. Les Savons seraient prêts à tout pour avoir ma peau. »

Fuldner démarra, et Eichmann se détendit visiblement tandis qu'on s'éloignait en douceur.

« À propos de Savons, dit Fuldner, il serait peut-être bon de discuter de l'attitude à tenir au cas où l'un d'entre vous serait reconnu.

— Personne ne me reconnaîtra, affirma Kuhlmann. Sans compter que ce sont les Canadiens qui me recherchent, pas les Juifs.

— N'empêche, dit Fuldner. Laissez-moi continuer. Après les Espagnols et les Italiens, les Savons constituent le plus important groupe ethnique du pays. Si ce n'est qu'on les appelle *los Rusos*, parce que la plus grande partie de ceux qui vivent ici a fui le pogrom de la Russie tsariste.

— Lequel ? demanda Eichmann.

— Pardon ?

— Il y en a eu trois, des pogroms, précisa Eichmann. Le premier en 1821, le deuxième entre 1881 et 1884, et un troisième qui a commencé en 1903. Le pogrom de Kichinev.

— Ricardo sait tout sur les Juifs, remarquai-je. Excepté comment être gentil avec eux.

— Oh, le plus récent, je présume, dit Fuldner.

— Ça paraît logique, approuva Eichmann sans me prêter attention. Celui de Kichinev a été le pire.

— C'est à ce moment-là que la plupart d'entre eux sont venus en Argentine, j'imagine. Pas moins d'un quart de million de Juifs vivent à Buenos Aires. Ils résident principalement dans trois quartiers, que je vous conseille d'éviter : Villa Crespo, le long de Corrientes, Belgrano et Once. Si vous pensez avoir été reconnu, l'un ou l'autre, ne perdez pas la tête, ne provoquez pas d'incident. Restez calme. Les flics locaux ont la main lourde et ne sont pas très futés. Comme ce *chancho* sur le bateau. Au moindre problème, ils risquent de vous arrêter, vous et le Juif qui croira vous avoir reconnu.

— Alors, il n'y a guère de chance pour qu'un pogrom éclate ici ? s'enquit Eichmann.

— Seigneur, non ! répondit Fuldner.

— Dieu merci ! dit Kuhlmann. J'en ai plein le dos de toutes ces conneries.

— Nous n'avons rien eu de ce genre depuis la Semaine tragique, comme on l'appelle. Et même là, c'était surtout politique. Des anarchistes, vous savez. En 1919.

— Anarchistes, bolcheviks, Juifs, tout ça c'est la même vermine, rétorqua Eichmann, devenu exceptionnellement bavard.

— Naturellement, pendant la guerre, le gouvernement a promulgué un décret interdisant toute immigration juive en Argentine. Mais, dernièrement, les choses ont changé. Les Américains ont fait pression sur Perón pour qu'il assouplisse notre politique juive ; qu'il les laisse s'installer ici. Je ne serais pas surpris qu'il y ait surtout des Juifs sur ce bateau.

— Très rassurant, laissa tomber Eichmann.

— Mais ne craignez rien, insista Fuldner. Vous êtes tout à fait en sécurité ici. Les *porteños* se moquent pas mal de ce qui est arrivé en Europe, et plus encore aux Juifs. En outre, personne ne croit la moitié de ce qui a été dit dans la presse de langue anglaise ou aux actualités.

— La moitié, ce serait déjà bien assez grave comme ça », murmurai-je.

Ce qui suffit à mettre fin à une conversation qui commençait à me taper sur les nerfs. Mais ce qui m'irritait par-dessus tout, c'était Eichmann. Je préférais de beaucoup l'autre Eichmann. Celui qui avait passé ces quatre dernières semaines à ne pas desserrer les dents et à garder ses idées détestables pour lui. Quant à Carlos Fuldner, il était encore un peu tôt pour se faire vraiment une opinion.

À voir ses cheveux gominés, je lui donnais la quarantaine. Il parlait couramment l'allemand, avec des intonations un peu trop douces. Pour pratiquer la langue de Goethe et de Schiller, vous avez intérêt à aiguiser vos voyelles avec un taille-crayon. Il avait la langue bien pendue, c'était l'évidence même. Pas grand ni beau, ni petit ni laid non plus, simplement quelconque, avec un joli complet, de bonnes manières et des mains dûment manucurées. Je l'examinai une nouvelle fois lorsqu'il s'arrêta à un passage à niveau et se retourna pour nous offrir des cigarettes. Il avait une bouche large et sensuelle, un regard nonchalant mais intelligent et un front aussi haut qu'une coupole d'église. Vous auriez distribué les rôles dans un film, vous l'auriez engagé pour jouer un prêtre, un avocat, ou peut-être un directeur d'hôtel. Il fit jaillir une Dunhill d'un coup de pouce, alluma sa cigarette, puis se mit à nous parler de lui. Ce qui m'allait très bien. Maintenant qu'il n'était plus question des Juifs, Eichmann regardait par la vitre, l'air de s'ennuyer à cent sous de l'heure. Pour ma part, je suis du genre à écouter poliment les histoires sur mon rédempteur. Après tout, c'est pour ça que ma mère m'a envoyé au catéchisme.

« Je suis né ici, à Buenos Aires, d'immigrants allemands, expliqua Fuldner. Mais, pendant quelque temps, nous sommes retournés vivre en Allemagne, à Cassel, où j'ai suivi mes études, avant de travailler à Hambourg. Puis, en 1932, je suis entré dans la SS, et j'étais capitaine quand on m'a affecté au SD pour diriger une opération de renseignement en Argentine. Depuis la guerre, moi et quelques autres faisons marcher Vianord, une agence de voyage ayant pour but d'aider nos vieux camarades à sortir d'Europe. Bien entendu, rien de tout cela ne serait possible sans le soutien du président et de son épouse, Eva. C'est au cours d'un voyage à Rome pour rencontrer le pape, en 1947, qu'Evita a commencé à voir la nécessité d'offrir à des hommes tels que vous un nouveau départ dans la vie.

— Il reste donc encore un peu d'antisémitisme dans ce pays, finalement », remarquai-je.

Kuhlmann se mit à rire, de même que Fuldner. Mais Eichmann demeura silencieux.

« Ça fait plaisir de se trouver à nouveau avec des Allemands. L'humour n'est pas la qualité première des Argentins. Ils sont beaucoup trop soucieux de leur dignité pour rire de grand-chose, sans parler d'eux-mêmes.

— M'ont drôlement l'air de fascistes, dis-je.

— C'est encore un autre problème. Le fascisme ici n'est que superficiel. Les Argentins n'ont pas la volonté ou l'envie d'être d'authentiques fascistes.

— Peut-être bien que je vais me plaire dans ce pays plus que je ne l'aurais pensé.

— Vraiment ! s'exclama Eichmann.

— Ne vous gênez pas pour moi, Herr Fuldner, dis-je. Je ne suis pas aussi enragé que notre ami avec son nœud papillon et ses lunettes, voilà tout. Lui est encore dans le déni. Concernant un tas de choses. Pour autant que je sache, il continue à s'accrocher fermement à l'idée que le Troisième Reich va durer mille ans.

— Vous voulez dire que ce n'est pas le cas ? »

Kuhlmann laissa échapper un gloussement.

« Est-il nécessaire que vous plaisantiez sur tout, Hausner ? » Le ton d'Eichmann était grincheux et impatient.

« Je ne plaisante que sur ce qui me paraît drôle, répondis-je. Il ne me viendrait pas à l'idée de plaisanter sur quelque chose de réellement important. Pas au risque de vous contrarier, Ricardo. »

Je sentis les yeux d'Eichmann me transpercer la joue, et, comme je me tournais pour lui faire face, il pinça les lèvres d'un air guindé. Pendant un moment, il s'obstina à me fusiller du regard avec l'air de regretter de ne pas avoir un flingue pointé sur moi.

« Qu'est-ce vous fichez donc ici, Herr Doktor Hausner ?

— La même chose que vous, Ricardo. Je me tire de ce bourbier.

— Oui, mais pourquoi ? Hein, pourquoi ? Vous n'avez pas tellement l'air d'un nazi.

— Je suis du genre steak. Brun à l'extérieur seulement. Totalement rouge à l'intérieur. »

Eichmann se mit à regarder par la vitre, comme s'il ne pouvait pas supporter de me voir une minute de plus.

« Un bon steak ne serait pas de refus, murmura Kuhlmann.

— Alors, vous ne pouviez pas mieux tomber, dit Fuldner. En Allemagne, un steak est un steak, mais ici il s'agit d'un devoir patriotique. »

On continuait à rouler à travers les docks. La plupart des noms sur les entrepôts de douane et les cuves de pétrole étaient britanniques ou américains : Oakley & Watling, Glasgow Wire, Wainwright Brothers, Ingham Clark, English Electric, Crompton Parkinson, Western Telegraph. Devant un grand hangar ouvert, une dizaine de rouleaux de papier de la taille de meules de foin étaient réduits en bouillie dans la pluie du petit matin. Fuldner les désigna en riant.

« Regardez, dit-il d'un ton presque triomphant. Ça, c'est le péronisme en action. Perón n'interdit pas les journaux d'opposition, pas plus qu'il ne fait arrêter leurs rédacteurs en chef. Il ne les empêche même pas d'avoir du papier. Il s'arrange simplement pour que le papier soit inutilisable quand il leur parvient. Voyez-vous, Perón a tous les grands syndicats dans sa poche. Vous avez là votre fascisme à la mode argentine. »

2

BUENOS AIRES, 1950

Buenos Aires ressemblait à n'importe quelle capitale européenne d'avant-guerre. Alors que nous parcourions les rues bondées, je baissai la vitre et aspirai à pleins poumons une euphorique bouffée d'air, de gaz d'échappement, de fumée de cigare, d'eau de Cologne de luxe, de viande cuite, de fruits frais, de fleurs et d'argent. C'était comme revenir sur terre après un voyage dans l'espace. L'Allemagne, avec son rationnement, ses dommages de guerre, sa culpabilité et ses tribunaux alliés, semblait à des millions de kilomètres de là. À Buenos Aires, il y avait des flots de circulation parce que le pétrole coulait à flots. Les gens, insouciants, étaient bien habillés et bien nourris, les magasins regorgeant de vêtements et de nourriture. Loin d'être un trou perdu, Buenos Aires faisait l'effet d'une plongée dans la Belle Époque. Ou presque.

La planque se trouvait au 1429 Monasterio, dans le quartier de Florida. À en croire Fuldner, Florida était la partie la plus élégante de Buenos Aires, mais on ne s'en serait jamais douté de l'intérieur de la planque. L'extérieur était protégé par un rideau de pins géants, et elle devait probablement son qualificatif de planque au fait que, depuis la rue, on ne pouvait pas deviner son existence. Au-dedans, vous le saviez, mais vous auriez préféré le contraire. La cuisine était rustique, les ventilateurs de plafond juste rouillés. Le papier mural dans chaque pièce était jaune, mais pas par choix, et le mobilier donnait l'impression d'effectuer un retour à la nature.

Délétère, à moitié délabré, vaguement fongique, c'était le genre de maison qui aurait été plus à sa place dans une bouteille de formol.

On me conduisit à une chambre avec un volet cassé, une carpette élimée et un lit en cuivre dont le matelas était aussi mince qu'une tranche de pain de seigle, et à peu près aussi confortable. Par la fenêtre crasseuse, tapissée de toiles d'araignée, j'avais vue sur un jardinet envahi par le jasmin, les fougères et les plantes grimpantes, avec une petite fontaine qui n'avait pas fonctionné depuis longtemps : une chatte y avait mis bas, juste sous un tuyau en cuivre aussi vert que ses yeux. Mais les nouvelles n'étaient pas toutes mauvaises. Au moins, j'avais ma propre salle de bains. La baignoire elle-même était remplie de vieux bouquins, ce qui ne voulait pas dire pour autant que je ne puisse pas m'en servir. J'adore lire dans la baignoire.

Un autre Allemand logeait déjà là. Le visage rouge et bouffi, avec sous les yeux des cernes profonds comme des hamacs. Des cheveux couleur paille, et coiffés avec autant de soin, le corps maigre et parsemé de ce qui ressemblait à des traces de balles. Difficile de ne pas les voir dans la mesure où les vestiges malodorants de la robe de chambre qu'il portait lui découvraient une épaule, à la manière d'une toge. Ses jambes étaient striées de varices de la taille de lézards fossilisés. Il semblait appartenir à l'espèce stoïque qui dort dans un tonneau, malgré le flacon d'alcool dépassant de la poche de son peignoir et le monocle à son œil qui lui conférait une touche coquette et raffinée.

Fuldner le présenta comme Fernando Eifler, ce qui n'était pas son vrai nom, je suppose. Nous sourîmes tous les trois avec politesse, mais la même pensée nous étreignait : si nous restions suffisamment longtemps dans cette planque, nous finirions comme Fernando Eifler.

« Dites donc, est-ce que l'un de vous aurait une cigarette, les gars ? demanda Eifler. Je crois bien que je suis à court. »

Kuhlmann lui en tendit une et la lui alluma. Dans l'intervalle, Fuldner présenta ses excuses pour les médiocres conditions de logement, affirmant que c'était juste pour quelques jours et expliquant que, si Eifler se trouvait encore là, c'était uniquement parce qu'il avait refusé tous les emplois offerts par la DIAE, l'organisation qui nous avait amenés en Argentine. Son ton était parfaitement neutre, mais notre nouveau colocataire se hérissa très nettement.

« Je n'ai pas fait la moitié du tour de la terre pour trimer comme un esclave, protesta-t-il avec aigreur. Pour qui me prenez-vous ? Je suis un officier allemand et un gentilhomme, pas un fichu rond-de-cuir. Vraiment, Fuldner, c'est trop demander. Personne ne nous a parlé de travailler pour vivre lorsque nous étions encore à Gênes. Je ne serais jamais venu ici si j'avais su que vous vous attendiez à me voir gagner mon pain à la sueur de mon front. C'est déjà assez pénible d'avoir à laisser sa famille en Allemagne sans subir l'humiliation supplémentaire d'avoir à ramper devant un employeur.

— Vous auriez peut-être préféré que les Alliés vous pendent, Herr Eifler ? lui lança Eichmann.

— Une corde américaine ou un licou argentin, répliqua Eifler, ce n'est guère une alternative pour un homme de mon milieu. Franchement, j'aimerais mieux avoir été fusillé par les Russes plutôt que de me retrouver derrière un bureau de gratte-papier à neuf heures tous les matins. C'est inhumain. » Il sourit faiblement à Kuhlmann. « Merci pour la cigarette. Et, à propos, bienvenue en Argentine. Maintenant, si vous voulez bien m'excuser, messieurs. »

Il s'inclina avec raideur, clopina jusqu'à sa chambre et referma la porte derrière lui.

Fuldner eut un haussement d'épaules.

« Certains ont plus de mal à s'adapter que d'autres. En particulier les aristocrates comme Eifler.

— J'aurais dû m'en douter, fit Eichmann en reniflant.

— Je vous laisse vous installer, Herr Geller et vous, lui dit Fuldner. » Il se tourna vers moi. « Herr Hausner, vous avez un rendez-vous ce matin.

— Moi ?

— Oui. Nous allons au poste de police de Moreno. Au Bureau d'enregistrement des étrangers. Chaque nouveau venu à l'obligation de s'y présenter pour obtenir une *cédula de identidad*. Je peux vous garantir que ce n'est qu'une affaire de routine, Herr Doktor

Hausner. Photographies, empreintes digitales, etc. Vous devrez tous en avoir une pour pouvoir travailler, bien entendu, mais il vaut mieux, pour sauver les apparences, que vous n'y alliez pas tous en même temps. »

Cependant, une fois dehors, Fuldner m'avoua que, s'il était exact que nous aurions tous besoin d'une *cédula* du poste de police local, ce n'est pas là que nous nous rendions pour le moment.

« Il fallait bien que j'invente quelque chose. Je pouvais difficilement leur dire où nous allions vraiment sans les blesser.

— Ce que nous ne voudrions à aucun prix, ça non, dis-je en grimpant dans la voiture.

— Et, s'il vous plaît, à notre retour, pas un mot, pour l'amour du ciel. À cause d'Eifler, il y a déjà suffisamment d'animosité dans cette maison sans que vous en rajoutiez.

— Naturellement. Ce sera notre petit secret.

— Vous plaisantez, dit-il en mettant le moteur en marche et en démarrant, mais ce sera à moi de rire quand vous comprendrez où nous allons.

— Ne me dites pas que je suis déjà sur le point d'être expulsé.

— Non, rien de ce genre. Nous allons voir le président.

— Juan Perón veut me voir ? »

Fuldner éclata de rire comme il l'avait prédit. Je suppose que j'avais l'air un tantinet stupide.

« Pourquoi ? J'ai remporté un prix prestigieux ? Celui du nazi le plus prometteur fraîchement débarqué en Argentine ?

— Croyez-le ou non, Perón aime à saluer en personne les officiers allemands qui viennent en Argentine. Il est très fier de l'Allemagne et des Allemands.

— On ne peut pas en dire autant de tout le monde.

— C'est un militaire, après tout.

— Ce qui explique sans doute qu'il ait été promu général.

— Il aime surtout rencontrer des médecins. Le grand-père de Perón était médecin. Lui-même aurait voulu suivre des études de médecine, mais, en fin de compte, il est allé à l'École militaire.

— Une erreur bien compréhensible. Tuer les gens au lieu de les guérir. » Laissant tomber quelques glaçons dans ma voix, j'ajoutai :

« Je suis parfaitement conscient du grand honneur qui m'est fait, Carlos, soyez-en sûr. Mais, vous savez, voilà un bout de temps que je ne me suis pas collé un stéthoscope dans les oreilles. J'espère qu'il ne s'attend pas à ce que je lui propose un traitement contre le cancer ou que je lui raconte les derniers potins de la presse médicale allemande. À dire vrai, je viens de passer cinq ans terré dans une remise à charbon.

— Détendez-vous. Vous n'êtes pas le premier médecin nazi que je dois présenter au président. Ni le dernier, je présume. Votre appartenance au corps médical confirme simplement que vous êtes un homme instruit, et un gentleman.

— Quand les circonstances l'exigent, je peux faire un gentleman acceptable. » Je boutonnai mon col de chemise, ajustai ma cravate et jetai un coup d'œil à ma montre. « Est-ce qu'il reçoit toujours les visiteurs avec ses œufs coque et son journal ?

— Perón est habituellement à son bureau à sept heures, répondit Fuldner. Là-dedans. La Casa Rosada. »

Il indiqua d'un signe de tête une bâtisse de couleur rose se dressant à l'autre bout d'une place bordée de palmiers et de statues. Elle ressemblait à un palais de maharadjah que j'avais vu une fois dans un magazine.

« Rose, dis-je. Ma couleur favorite pour les bâtiments publics. Qui sait ? Peut-être que Hitler serait encore au pouvoir s'il avait fait peindre la chancellerie du Reich dans une teinte plus agréable que le gris.

— Il existe une histoire sur la raison pour laquelle elle est rose.

— Ne me dites rien. Ça m'aidera à me détendre si je peux penser à Perón comme à un président du genre à préférer le rose. Croyez-moi, c'est extrêmement rassurant.

— À propos. Vous blaguiez en disant que vous étiez un rouge, n'est-ce pas ?

— J'ai passé près de deux dans un camp de prisonniers soviétique, Carlos. Qu'est-ce que vous croyez ? »

Il fit le tour jusqu'à l'entrée latérale et montra un laissez-passer au garde à la barrière avant de continuer vers une cour centrale. Devant un escalier en marbre rococo se tenaient deux grenadiers.

Avec leurs grands chapeaux et leurs sabres au clair, ils faisaient penser à une illustration dans un vieux conte de fées. Je levai la tête vers la galerie de style loggia qui surplombait la cour, m'attendant presque à voir Zorro surgir pour une leçon d'escrime. Au lieu de ça, j'aperçus une petite blonde tirée à quatre épingles qui nous observait avec intérêt. Elle arborait plus de diamants qu'il n'est de mise à l'heure du petit déjeuner et une coiffure en forme de miche de pain. Je pensai que je pourrais peut-être emprunter un sabre et en couper un morceau si jamais j'avais un creux.

« C'est elle, annonça Fuldner. Evita. L'épouse du président.

— Je me doutais bien que ce n'était pas la femme de ménage. Pas avec tous les cailloux qu'elle porte. »

Après avoir monté l'escalier, nous pénétrâmes dans une salle luxueusement meublée où plusieurs femmes faisaient les cent pas. Bien que le régime de Perón fût une dictature militaire, aucune des personnes rencontrées ne portait l'uniforme. Comme j'en faisais la remarque à Fuldner, il me répondit que Perón n'appréciait guère les uniformes, préférant une certaine dose de décontraction qui étonnait parfois les gens. J'aurais pu faire remarquer également que les femmes dans la salle étaient très belles, et qu'il préférait peut-être ça à des laiderons, auquel cas il s'agissait d'un despote selon mon cœur. Le genre de despote que j'aurais été moi-même si un sens hautement développé de la justice sociale et de la démocratie n'avait entravé mon propre goût du pouvoir et de l'autocratie.

Contrairement aux affirmations de Fuldner, le président ne semblait pas se trouver déjà à son bureau. Et, pendant que nous guettions son arrivée tant attendue, une des secrétaires nous apporta du café sur un petit plateau en argent. Après quoi, nous nous mîmes à fumer. Les secrétaires fumaient aussi. Tout le monde fumait à Buenos Aires. Même les chats et les chiens devaient se faire leur paquet par jour. C'est alors que j'entendis, venant des hautes fenêtres, un bruit semblable à celui d'une tondeuse à gazon. Je posai ma tasse pour aller jeter un œil. J'eus juste le temps de voir un grand gaillard descendre d'un scooter. C'était le président, ce que je n'aurais jamais deviné d'après son humble moyen de transport et son allure désinvolte. Je ne pus m'empêcher de comparer Perón à Hitler et essayai de me représenter le Führer en tenue de golf, descendant la Wilhelmstrasse sur un scooter vert citron.

Le président gara le scooter et monta les marches deux à deux, ses épaisses chaussures anglaises heurtant les degrés en marbre comme on martèle un sac de frappe dans une salle de sport. Même s'il ressemblait davantage à un golfeur avec sa casquette plate, son teint hâlé, son gilet à fermeture à glissière, son pantalon bouffant marron et ses épaisses chaussettes de laine, il possédait la grâce et la carrure d'un boxeur. Pas tout à fait un mètre quatre-vingts, les cheveux noirs ramenés en arrière, le nez plus romain que le Colisée, il me rappelait Primo Carnera, le poids lourd italien. De surcroît, ils devaient avoir à peu près le même âge. Les cheveux noirs donnaient l'impression d'être cirés et astiqués quotidiennement, pendant que les grenadiers nettoyaient leurs bottes de cheval.

Une des secrétaires lui tendit des papiers tandis qu'une autre ouvrait tout grand la porte à double battant de son bureau. À l'intérieur, le décor était d'un autocratisme plus traditionnel. Bronzes équestres à tire-larigot, lambris en chêne, portraits encore humides, tapis précieux et colonnes corinthiennes. Perón nous indiqua deux fauteuils en cuir d'un geste de la main, jeta la paperasse sur une table de la taille d'un trébuchet et lança veste et casquette à une troisième secrétaire, laquelle les serra contre sa poitrine avantageuse d'une façon qui me donna à penser qu'elle aurait préféré qu'il soit encore dedans.

Quelqu'un d'autre lui apporta une tasse de café noir, un verre d'eau, un stylo en or et un fume-cigarette, également en or, avec une cigarette déjà allumée. Il avala une longue gorgée de café, se planta le fume-cigarette dans la bouche, prit le stylo et se mit à signer les documents. J'étais suffisamment près pour noter le style de sa signature : la courbe égocentrique du « J » majuscule, la queue agressive, ostentatoire, à la fin du « n » de Perón. À partir de son écriture, je me livrai à une rapide évaluation psychologique de l'homme, pour en arriver à la conclusion qu'il se rangeait parmi les névrosés à fixation anale, qui préfèrent qu'on puisse lire ce qu'ils ont vraiment écrit. Tout le contraire d'un toubib, me dis-je avec soulagement.

S'excusant dans un allemand presque irréprochable de nous avoir fait attendre, il poussa un coffret à cigarettes en argent vers nous. Après quoi nous nous serrâmes la main, et la grosse bosse osseuse à la base de son pouce me fit de nouveau penser à un boxeur. Tout comme les veines éclatées sous la peau mince couvrant ses hautes pommettes et la plaque dentaire révélée par son sourire placide. Dans un pays où personne n'a le sens de l'humour, l'homme souriant est roi. Je souris à mon tour, le remerciai de son hospitalité puis le complimentai, en espagnol, pour son allemand.

« Non, s'il vous plaît, répondit Perón dans cette langue. J'aime beaucoup parler allemand. Cela me fait un excellent exercice. Quand j'étais un jeune cadet à l'École militaire, nos instructeurs étaient tous allemands. C'était avant la Grande Guerre, en 1911. Il nous fallait apprendre l'allemand parce que nos armes étaient allemandes et que nos manuels techniques étaient tous en allemand. On nous enseignait même le pas de l'oie. Chaque jour, à six heures du soir, mes grenadiers traversent la Plaza de Mayo au pas de l'oie pour amener les couleurs. La prochaine fois que vous viendrez ici, arrangez-vous pour que ce soit vers cette heure-là et vous pourrez le voir de vos propres yeux.

— Je n'y manquerai pas, monsieur le président. » Je le laissai allumer ma cigarette. « Hélas, j'ai bien peur que ma propre période pas de l'oie ne soit révolue. Ces temps-ci, c'est à peine si j'arrive à monter un escalier sans m'essouffler.

— Moi aussi, dit Perón avec un large sourire. Mais j'essaie de rester en forme. Je fais du cheval et du ski chaque fois que j'en ai l'occasion. En 1939, je suis allé skier dans les Alpes, en Autriche et en Allemagne. L'Allemagne était alors un pays extraordinaire, une machine bien huilée. C'était comme se trouver dans une de ces énormes Mercedes-Benz. Douceur, puissance et griserie. Ah, cela a été un moment important dans ma vie.

— Oui, monsieur le président. »

Je continuais à sourire comme si j'adhérais à chacune de ses paroles. Le fait est que la vue de soldats marchant au pas de l'oie me donnait des boutons. C'était pour moi un des spectacles les plus déplaisants au monde ; une chose à la fois terrifiante et ridicule qui vous mettait au défi d'en rire. Quant à 1939, le moment avait compté dans la vie de tout le monde. Surtout si vous aviez la malchance d'être polonais, français, britannique, ou même allemand. Qui, en Europe, oublierait jamais 1939 ?

« Comment vont les choses en Allemagne en ce moment ? demanda-t-il.

— Pour le citoyen ordinaire, c'est plutôt dur, répondis-je. Mais, à vrai dire, tout dépend de la zone où vous vous trouvez. Le pire de tout, c'est la zone d'occupation soviétique. Là où les Russes sont aux commandes, ça ne peut pas aller plus mal. Même pour eux. La plupart des gens n'ont qu'une envie, oublier la guerre et s'atteler à la reconstruction.

— C'est incroyable tout ce qui a été accompli en un laps de temps aussi court.

— Oh, je ne parle pas seulement de la reconstruction de nos villes. Même s'il s'agit, bien sûr, d'un aspect important. Non, je parle de la reconstruction de nos croyances et de nos institutions les plus fondamentales. Liberté, justice, démocratie. Un parlement. Des forces de police impartiales. Un appareil judiciaire indépendant. Et peut-être qu'un jour, quand nous aurons recouvré tout cela, nous retrouverons aussi un peu de respect pour nous-mêmes. »

Les yeux de Perón s'étrécirent.

« Vous ne parlez guère comme un nazi.

— Cela fait cinq ans que nous avons perdu la guerre, monsieur le président. Penser à ce qui n'est plus ne sert à rien. L'Allemagne doit regarder vers l'avenir.

— C'est précisément ce dont nous avons besoin en Argentine. Une pensée tournée vers l'avant. Un peu de ce dynamisme germanique, n'est-ce pas, Fuldner ?

— Tout à fait, monsieur le président.

— Si je puis me permettre, monsieur le président, dis-je, à en juger par ce que j'ai vu jusqu'ici, l'Allemagne n'a guère de leçons à donner à l'Argentine.

— Ce pays est profondément catholique, Doktor Hausner, me répondit-il. Il est très enraciné dans ses traditions. Nous avons besoin d'une pensée moderne. Nous avons besoin de scientifiques. De bons gestionnaires. De techniciens. De médecins comme vous-même. »

Il me donna une tape sur l'épaule.

Deux petits caniches entrèrent d'un pas tranquille, suivis d'une forte odeur de parfum de luxe, et je vis du coin de l'œil que la blonde aux diamants et à la coiffure Ku'damm avait pénétré dans la pièce. Deux hommes l'accompagnaient. L'un de taille moyenne, blond, moustachu, l'air timide et effacé. L'autre, la quarantaine, avait les cheveux gris, des lunettes noires à monture épaisse et une petite barbe et moustache, mais semblait physiquement plus solide. Quelque chose en lui me fit penser que c'était peut-être un flic.

« Comptez-vous exercer à nouveau la médecine ? demanda Perón avant d'ajouter : Je suis sûr que nous pouvons arranger ça. Rodolfo ? »

Le jeune homme près de la porte décroisa les bras puis s'arracha du mur. Il regarda un instant son acolyte.

« Si la police n'a pas d'objection ? »

Il parlait l'allemand avec autant d'aisance que son maître.

Le barbu secoua la tête.

« Voulez-vous que je demande à Ramon Carillo de s'en occuper, monsieur le président ? » dit Rodolfo.

De la poche de son complet à rayures admirablement coupé, il tira un petit carnet en cuir et griffonna une note avec un porte-mine en argent.

Perón acquiesça.

« Faites, je vous en prie », répondit-il en me donnant pour la seconde fois une tape sur l'épaule.

En dépit de son admiration déclarée pour le pas de l'oie, je m'aperçus, à ma grande surprise, que j'éprouvais de la sympathie pour le président. De la sympathie pour son scooter et son pantalon de golf ridicule. Pour sa pogne de cogneur et ses stupides petits chiens. Pour son accueil chaleureux et ses manières simples. Et peut-être aussi – qui sait ? – parce que j'avais vraiment besoin d'éprouver de la sympathie pour quelqu'un. Est-ce à cause de ça qu'il était président ? Je l'ignore. Mais quelque chose chez Juan Perón me donnait envie de parier sur lui. Voilà pourquoi, après des mois à faire semblant d'être un autre faisant semblant d'être le Doktor Carlos Hausner, je décidai de jouer franc jeu en lui disant qui j'étais réellement.

3

BUENOS AIRES, 1950

J'écrasai ma cigarette dans le cendrier de la taille d'un moyeu de roue posé sur la table immaculée du président. À côté se trouvait une boîte à bijoux Van Cleef & Arpels – un modèle en cuir qui, à lui seul, aurait constitué un cadeau somptueux. Le contenu de la boîte était probablement épinglé au revers de la petite blonde. Elle était occupée avec les chiens lorsque j'entamai mon noble monologue. Il ne me fallut qu'une minute pour obtenir son attention. Quand l'esprit m'habite, je me flatte de pouvoir me rendre aussi intéressant que n'importe quel cabot de taille modeste. De plus, on entendait rarement, je présume, quelqu'un dans le bureau du président lui déclarer qu'il s'était fourré le doigt dans l'œil.

« Monsieur le président, j'ai un aveu à vous faire. Comme nous sommes dans un pays catholique, on peut sans doute appeler ça une confession. » Je souris en voyant son visage pâlir. « Rassurez-vous. Je ne vais pas vous raconter tout ce que j'ai fait d'épouvantable pendant la guerre. Certes, il y a un certain nombre de choses dont je ne suis pas fier, mais je n'ai pas la vie d'hommes et de femmes innocents sur la conscience. Non, ma confession est beaucoup plus banale. Voyez-vous, je ne suis nullement médecin, monsieur le président. Il y avait un médecin en Allemagne. Un individu nommé Gruen. Il voulait partir pour l'Amérique, seulement il avait peur de ce qui pourrait arriver si jamais on découvrait ce qu'il avait fait pendant la guerre. Alors, pour se tirer d'affaire, il a décidé de me faire passer pour lui. Après quoi il a dit aux Israéliens et aux enquêteurs alliés où ils pouvaient me trouver. Bref, il a si bien réussi à convaincre tout le monde que j'étais lui que j'ai dû disparaître dans la nature. Finalement, j'ai demandé l'aide des vieux camarades et de la Délégation pour l'Immigration argentine en Europe. En la personne de Carlos, que voici. Comprenez-moi bien, monsieur le président. Je suis très heureux d'être ici. J'ai eu le plus grand mal à persuader un escadron de la mort israélien que je n'étais pas Gruen, au point que j'ai dû abandonner deux d'entre eux à l'état de cadavres dans la neige près de Garmisch-Partenkirchen. Alors, vous voyez, je suis réellement un fugitif. Mais peut-être pas le genre de fugitif auquel vous pensiez. En particulier, je ne suis pas et n'ai jamais été médecin.

— Alors, qui êtes-vous donc ? Réellement ? »

C'était Carlos Fuldner, et il n'avait pas l'air content.

« Mon vrai nom est Bernhard Gunther. J'appartenais au SD. Je m'occupais de renseignement. J'ai été capturé par les Russes et interné dans un camp dont je me suis évadé. Mais, avant la guerre, j'étais policier. Détective dans la police de Berlin.

— Vous avez bien dit détective ? » C'était l'homme à la barbichette et aux lunettes noires. Celui que j'avais pris pour un flic.

« Quel genre de détective ?

— Je travaillais à la brigade des homicides, principalement.

— Quel était votre grade ? interrogea le flic.

— À la déclaration de guerre, en 1939, j'étais KOK. Kriminal Ober-Kommissar. Inspecteur principal.

— Dans ce cas, vous vous souvenez d'Ernst Gennat.

— Et comment ! Il a été mon mentor. C'est lui qui m'a appris tout ce que je sais.

— Comment l'avait-on surnommé dans la presse ?

— Le gros Ernst. À cause de son embonpoint et de son penchant pour les gâteaux.

— Qu'est-il devenu ? Vous le savez ?

— Il a été directeur adjoint de la police criminelle jusqu'à sa mort en 1939. Il a eu une crise cardiaque.

— Dommage.

— Trop de gâteaux.

— Gunther, Gunther, fit-il, agitant une pensée tel un pommier poussant à l'arrière de son crâne. Mais oui, bien sûr. Je vous connais.

— Ah bon ?

— J'étais à Berlin. Avant la chute de la République de Weimar. Je suivais des cours de philosophie du droit à l'université. »

Le flic s'approcha, suffisamment pour que je perçoive l'odeur de café et de tabac dans son haleine, et ôta ses lunettes. C'était sûrement un gros fumeur. D'une part, il avait une cigarette aux lèvres, d'autre part, il parlait avec une voix de hareng saur. Il y avait des rides d'expression autour de la limaille grisâtre de sa moustache et de sa barbe, mais le bourrelet de la grosseur d'une noix entre ses yeux bleus injectés de sang me disait qu'il devait avoir perdu l'habitude de sourire. Il plissa les yeux, scrutant mon visage en quête de réponses supplémentaires.

« Vous étiez un de mes héros, vous savez. Croyez-le ou non, si j'ai abandonné l'idée de devenir avocat et préféré m'engager dans la police, c'est en partie à cause de vous. » Il se tourna vers Perón. « Monsieur le président, cet homme est un célèbre détective de Berlin. Lorsque j'y suis allé pour la première fois, en 1928, un étrangleur terrorisait la ville. Il s'appelait Gormann. C'est cet homme qui l'a capturé. L'affaire a fait grand bruit à l'époque. » Il me regarda à nouveau. « J'ai raison, n'est-ce pas ? Vous êtes bien le Gunther en question.

— En effet.

— Son nom figurait dans tous les journaux. Je suivais vos enquêtes d'aussi près que possible. Oui, vous étiez un de mes héros, Herr Gunther. »

Sur ce, il me serra la main.

« Et vous voici. Incroyable ! »

Perón regarda sa montre-bracelet en or. Je commençais à l'ennuyer. Le flic s'en aperçut aussi. Bien peu de choses lui échappaient. Nous aurions peut-être perdu complètement l'attention du président si Evita ne s'était avancée vers moi, me jaugeant comme si j'étais un cheval atteint d'éparvin.

Eva Perón avait une jolie silhouette, du moins si l'on aime les femmes intéressantes à dessiner. Je n'ai encore jamais vu de tableau qui m'ait persuadé que ces chers vieux maîtres avaient une prédilection pour les modèles n'ayant que la peau sur les os. La silhouette d'Evita était avantageuse à tous les bons endroits entre les genoux et les épaules. Ce qui ne signifie pas pour autant que je la trouvais attirante. Elle était trop froide, trop sévère, trop efficace, trop posée à mon goût. J'aime un peu de vulnérabilité chez mes partenaires. Surtout au petit déjeuner. Dans son tailleur bleu marine, Evita semblait déjà parée pour le lancement d'un navire. En tout cas, un événement plus important que de discuter avec moi. À l'arrière de ses cheveux teints en blond était posé un petit béret bleu assorti, et sur son bras une zibeline capable d'affronter un hiver russe. Non que cela m'ait particulièrement frappé. Avant tout, je lorgnais les diamants qu'elle portait : les petits lustres à ses oreilles, le bouquet floral à son revers et l'éblouissante balle de golf à son doigt. Van Cleef & Arpels avaient dû faire une bonne année.

« Ainsi, nous avons un détective célèbre ici, à Buenos Aires, déclara-t-elle. Comme c'est passionnant !

— Célèbre, je ne sais pas. Célèbre est un terme convenant davantage à un boxeur ou à une vedette de cinéma qu'à un détective. Bien sûr, les chefs de la police de Weimar confortaient les journaux dans l'idée que certains d'entre nous réussissaient mieux que d'autres. Mais il s'agissait d'une question d'image, afin de donner confiance au public dans notre capacité à résoudre les crimes. La presse actuelle, j'en ai bien peur, ne consacrerait pas plus de deux ou trois paragraphes totalement indigestes au genre de détective que j'étais. »

Eva Perón essaya un sourire, mais qui ne dura pas. Son rouge à lèvres était irréprochable, ses dents parfaites, mais les yeux semblaient absents. C'était comme si un glacier de zone tempérée vous souriait.

« Votre modestie est – comment dire ? – emblématique de tous vos compatriotes. Il semble qu'aucun de vous n'ait jamais joué de rôle majeur. C'est toujours aux autres que revient le mérite, ou, la plupart du temps, le blâme. N'est-ce pas exact, Herr Gunther ? »

J'aurais pu répondre une foule de choses à ça. Mais, lorsqu'une femme de président vous expédie un direct, le mieux est d'encaisser le coup comme si vous aviez une mâchoire doublée en fonte, même si ça fait un mal de chien.

« Il y a à peine dix ans, les Allemands pensaient qu'ils allaient gouverner le monde. À présent, tout ce qu'ils veulent, c'est vivre en paix et qu'on les laisse tranquilles. Voilà ce que vous voulez, Herr Gunther ? Vivre en paix ? Qu'on vous laisse tranquille ? »

C'est le flic qui vint à mon secours.

« Pardonnez-moi, madame. Il est simplement modeste. Croyez-moi. Herr Gunther est un grand détective.

— Nous verrons, répondit-elle.

— Allons, Herr Gunther, acceptez le compliment. Si j'arrive à me rappeler votre nom après toutes ces années, vous devez convenir avec moi que, dans ce cas au moins, la modestie est déplacée. »

Je haussai les épaules.

« Peut-être.

— Eh bien, dit Evita. Je dois m'en aller. Je laisse Herr Gunther et le colonel Montalbán à leur admiration mutuelle. »

Je la regardai s'éloigner, pas mécontent de la voir partir. De surcroît, il ne me déplaisait pas d'observer son côté pile. Même sous l'œil du président, le spectacle en valait la peine. J'avais beau ne connaître aucun air de tango argentin, à la vue de sa croupe étroitement gainée, c'est comme si j'en avais fredonné un. Dans une autre pièce et avec une chemise propre, j'aurais peut-être essayé de le tapoter. Certains hommes en pincent pour la guitare ou les dominos. Moi, c'est le derrière des femmes. Il ne s'agit pas d'un passe-temps à proprement parler. N'empêche, dans ce domaine, je suis plutôt bon. Un homme doit être bon dans quelque chose.

Quand elle se fut éclipsée, le président repassa sur le siège avant pour prendre les commandes. Je me demandai combien de temps il la laisserait s'en tirer avant de le tapoter lui-même. Un bon moment, selon toute vraisemblance. Une erreur courante chez les vieux dictateurs ayant une épouse plus jeune.

« Ne prêtez pas attention à ma femme, Herr Gunther, dit Perón en allemand. Elle n'a pas compris que vos paroles... (il se donna une tape sur l'estomac avec le plat de la main) venaient d'ici. Vous avez parlé comme vous estimiez devoir le faire. Et je suis flatté que vous ayez agi ainsi. Peut-être nous reconnaissons-nous mutuellement une qualité. Une qualité importante. Obéir aux autres est une chose, et à la portée du premier imbécile venu. Mais obéir à soi-même, se soumettre soi-même à la plus rigide et la plus implacable des disciplines, tout est là. N'est-ce pas ?

— Oui, monsieur le président. »

Perón opina du chef.

« Alors comme ça, vous n'êtes pas médecin. Par conséquent, nous ne pouvons pas vous aider à exercer la médecine. Y a-t-il autre chose que nous puissions faire pour vous ?

— Une chose, monsieur le président. Je ne suis sans doute pas un très bon marin. Ou peut-être que je vieillis. Mais, ces derniers temps, je ne me sens pas dans mon assiette. J'aimerais voir un médecin, si possible. Un vrai. Histoire de vérifier si j'ai effectivement quelque chose qui ne va pas, ou si c'est simplement le mal du pays. Bien que ça paraisse encore un peu tôt. »

4

BUENOS AIRES, 1950

Plusieurs semaines passèrent. J'obtins ma *cédula* et quittai la planque de la rue Monasterio pour un gentil petit hôtel appelé le San Martín, dans le quartier de Florida. L'endroit était tenu par un couple d'Anglais, les Lloyd, qui me traitait avec une telle courtoisie qu'on avait peine à croire que nos deux pays avaient été en guerre. C'est seulement après une guerre que vous comprenez vraiment tout ce que vous partagez avec vos ennemis. Je découvris que les Anglais ne différaient en rien de nous autres Allemands, à un gros avantage près : ils n'avaient pas à parler l'allemand.

Le San Martín était plein du charme du vieux monde, avec des coupoles en verre, un mobilier confortable et une excellente cuisine familiale – si vous aimiez le steak-frites. Il se trouvait à deux pas du Richmond Hotel, plus cher, qui avait un café suffisamment à mon goût pour que j'y fasse régulièrement escale.

Le Richmond était une sorte de club. Il y avait une salle tout en longueur avec lambris, colonnes, glaces au plafond, gravures anglaises de scènes de chasse et fauteuils en cuir. Un petit orchestre jouait des tangos et du Mozart, et peut-être bien quelques tangos de Mozart. Le sous-sol enfumé servait de refuge aux joueurs de billard et de dominos et, surtout, aux joueurs d'échecs. Les femmes n'étaient pas les bienvenues au sous-sol du Richmond. Les Argentins prenaient les femmes très au sérieux. Trop au sérieux pour accepter d'en avoir autour d'eux quand ils jouaient au billard ou aux échecs. Ça, ou bien les Argentines excellaient au billard et aux échecs.

À Berlin, pendant les jours de canicule de la République de Weimar, j'avais souvent joué aux échecs au Romanisches Café. Une fois ou deux, j'avais même pris une leçon du grand Lasker, qui venait fréquemment lui aussi. Ça n'avait pas fait de moi un meilleur joueur pour autant, juste plus à même d'apprécier d'être battu par un champion comme Lasker.

C'est dans le sous-sol du Richmond que le colonel Montalbán me trouva engagé dans une partie avec un minuscule Écossais à face de rat nommé Melville. J'aurais peut-être arraché un match nul si j'avais eu la patience de Philidor. Mais Philidor n'avait jamais eu à jouer sous l'œil de la police secrète. Encore qu'il s'en était fallu de peu. Heureusement pour lui, lorsque la révolution française avait éclaté, Philidor se trouvait en Angleterre. Il avait eu la sagesse de ne pas rentrer. Il y a des choses plus importantes à perdre qu'une partie d'échecs. Comme sa tête. Le colonel Montalbán n'avait pas le regard glacé d'un Robespierre, mais je n'en sentis pas moins ses yeux fixés sur moi. Et, au lieu de réfléchir à la meilleure façon de tirer parti de mon pion supplémentaire, je me demandais ce que pouvait bien me vouloir le colonel. Après ça, ma défaite n'était plus qu'une question de temps. Je me fichais pas mal de perdre contre l'Écossais à face de rat. Il m'avait déjà battu. Non, ce qui me contraria, ce fut le tuyau gratuit qui accompagna la poignée de main moite.

« Il faut toujours mettre la tour derrière le pion, dit-il dans son espagnol européen grasseyant, très différent de l'espagnol latino-américain par le timbre et l'arôme. Sauf, bien sûr, quand ce n'est pas le bon truc à faire. »

Si Melville avait été Lasker, j'aurais été reconnaissant du conseil. Mais il était Melville, un marchand de fil barbelé de Glasgow, nanti d'une mauvaise haleine et d'un penchant malsain pour les petites filles.

Montalbán me suivit à l'étage.

« Vous jouez bien, dit-il.

— Je me débrouille. Du moins jusqu'à ce que des policiers arrivent. Ça émousse ma concentration.

— J'en suis désolé.

— N'en faites rien. Je suis ravi que vous soyez désolé. C'est toujours un poids en moins.

— Nous ne sommes pas comme ça en Argentine. Critiquer le gouvernement ne pose pas de problème.

— Ce n'est pas ce que j'ai entendu dire. Et si vous me demandez par qui, vous ne ferez qu'apporter de l'eau à mon moulin. »

Avec un haussement d'épaules, le colonel Montalbán alluma une cigarette.

« Il y a critique et critique. C'est mon travail de faire la différence, aussi subtile soit-elle.

— Ça ne doit pas être trop difficile avec vos *oyentes*. »

Les *oyentes*, c'est ainsi que les *porteños* appelaient les espions de Perón – ceux qui épiaient les conversations dans les bars, les bus ou même au téléphone.

Le colonel haussa les sourcils.

« Ainsi, vous êtes déjà au courant pour les *oyentes*. Je suis impressionné. Encore que je ne devrais pas, je présume. Pas de la part d'un célèbre détective de Berlin.

— Je suis un exilé, colonel, qui a intérêt à se taire et à tendre l'oreille.

— Et qu'est-ce que vous entendez ?

— J'ai entendu celle des deux rats d'eau, l'un habitant l'Argentine et l'autre l'Uruguay. Comme il meurt de faim, le rat uruguayen traverse le Río de la Plata à la nage dans l'espoir de trouver de quoi manger. À mi-chemin, il aperçoit un rat argentin nageant en sens inverse. Étonné, il lui demande pourquoi un rat apparemment aussi bien nourri se rend en Uruguay alors qu'il y a tellement de nourriture en Argentine. Et le rat argentin de lui répondre…

— … Je veux seulement pousser des petits cris de temps à autre. » Le colonel Montalbán sourit d'un air las. « C'est une vieille blague. »

J'indiquai du doigt une table vide, mais le colonel secoua la tête puis fit un signe en direction de la porte. Je le suivis dehors, dans

Florida. La rue était fermée à la circulation de onze heures du matin à cinq heures de l'après-midi, de sorte que les piétons pouvaient examiner tout à loisir les vitrines joliment décorées des grands magasins comme Gath & Chaves, mais cela aurait aussi pu être pour permettre aux hommes de reluquer les femmes élégamment vêtues. Lesquelles étaient légion. Après Munich et Vienne, Buenos Aires ressemblait à un défilé de mode parisien.

Le colonel s'était garé près de Florida, dans Tucumán, devant l'hôtel Claridge. Sa voiture, une Chevrolet décapotable vert citron avec des portières en bois vernis, des pneus à flanc blanc et des sièges en cuir rouge, arborait sur le capot un énorme projecteur, au cas où il lui faudrait interroger un gardien de parking. Quand on était assis dedans, on avait l'impression de remorquer un skieur nautique.

« Alors, c'est avec ça que les flics se déplacent à Buenos Aires », remarquai-je en passant la main sur la porte.

On aurait dit un dessus de comptoir dans un hôtel de luxe. Ce qui était bien naturel, je suppose. Une jolie maison rose pour le président, une décapotable vert citron pour son directeur de la sécurité et du renseignement. Le fascisme n'avait jamais eu l'air plus pimpant. Les pelotons d'exécution devaient porter des tutus.

Nous roulâmes vers l'ouest dans Moreno, la capote fermée. Ce qui était sans doute une froide journée d'hiver pour le colonel me paraissait agréablement printanier. Il faisait entre quinze et vingt degrés, mais la plupart des *porteños* autour de nous portaient manteaux et chapeaux, comme à Munich en janvier.

« Où allons-nous ?

— Au quartier général de la police.

— Mon préféré.

— Du calme, fit-il avec un petit rire. Je veux vous montrer quelque chose.

— J'espère qu'il s'agit de vos nouveaux uniformes d'été. Auquel cas, je peux vous éviter le voyage. Je pense qu'ils devraient être de la même couleur que la Casa Rosada. Cela aiderait à rendre les policiers plus populaires en Argentine. Il est difficile de ne pas aimer un flic habillé en rose.

— Vous êtes toujours aussi bavard ? Qu'est devenue votre résolution de vous taire et de tendre l'oreille ?

— Après douze ans de nazisme, ça fait du bien de pousser de petits cris de temps en temps. »

Nous franchîmes l'entrée d'un beau bâtiment du XIXe siècle qui ne ressemblait guère à un commissariat de police. Je commençais à me faire une petite idée de la culture argentine, fondée sur une observation minutieuse de son architecture. C'était un pays extrêmement catholique. Le commissariat de police lui-même donnait l'impression d'abriter une basilique, probablement dédiée à saint Michel, patron des policiers.

S'il n'avait pas l'air d'un commissariat, il en avait indéniablement l'odeur. Tous les commissariats sentent la merde et la peur.

Le colonel Montalbán nous mena à travers un dédale de couloirs au sol en marbre. Des flics chargés de dossiers détalaient à notre passage.

« Je commence à penser que vous êtes quelqu'un d'important », dis-je.

Nous nous arrêtâmes devant une porte d'où émanait une odeur encore plus pestilentielle. Ça me rappela la fois où, enfant, j'avais visité l'aquarium du zoo de Berlin. Ou peut-être était-ce la maison des reptiles. Quelque chose d'humide, de visqueux et de rébarbatif, en tout cas. Le colonel sortit un paquet de Capstan Navy Cut, m'en offrit une et les alluma toutes les deux.

« Désodorisants, dit-il. De l'autre côté, c'est la morgue judiciaire.

— Vous donnez toujours vos premiers rendez-vous ici ?

— Non, juste à vous, mon ami.

— Je préfère vous avertir, je suis du genre délicat. Les morgues, je n'apprécie pas trop. Surtout quand il y a des cadavres dedans.

— Allons, venez. Vous avez travaillé aux homicides, non ?

— Ça fait des années. Plus je vieillis et plus je préfère la compagnie des vivants. J'aurai suffisamment d'occasions de passer du temps avec les morts quand j'en serai un moi-même. »

Le colonel poussa la porte et attendit. Je n'avais pas d'autre choix que d'entrer, semble-t-il. L'odeur empira. Quelque chose d'humide, de visqueux et de radicalement mort, comme un alligator mort. Un homme portant une blouse blanche et des gants en caoutchouc vert clair vint à notre rencontre. Il avait l'air vaguement indien, le teint sombre avec des cernes encore plus sombres sous les yeux, dont un d'un blanc laiteux comme une huître. Je le soupçonnais d'être sorti en rampant d'un de ses tiroirs à macchabées. Le colonel et lui exécutèrent un duo de pantomime composé de divers mouvements de la tête, après quoi les gants verts se mirent en action. Moins d'une minute plus tard, je contemplais le corps nu d'une jeune fille. Du moins, je suppose qu'il s'agissait d'une fille. Ce qui passe d'ordinaire pour des indices clés en la matière paraissait absent. Et pas uniquement les parties externes, mais aussi bon nombre de parties internes. J'avais déjà vu des blessures plus mortelles, mais seulement sur le front occidental en 1917. Tout ce qui se trouvait en dessous du nombril semblait égaré. Le colonel me laissa regarder un bon moment.

« Je me demandais si elle vous rappelait quelqu'un.

— Je ne sais pas. Quelqu'un de mort ?

— Son nom est Grete Wohlauf. Une Germano-Argentine. Elle a été retrouvée dans le Barrio Norte il y a environ deux semaines. Nous pensons qu'elle a été étranglée. De manière encore plus visible, son utérus et ses autres organes reproducteurs ont été enlevés, probablement par quelqu'un qui savait fort bien ce qu'il faisait. Il ne s'agit pas d'une attaque frénétique. Comme vous pouvez le voir, il y a une certaine précision clinique dans ce qui a été perpétré ici. »

Je gardai ma cigarette dans ma bouche afin que la fumée fasse office d'écran entre mon odorat et le cadavre éventré étalé devant nous comme un quartier de viande sur le sol d'un abattoir. À vrai dire, l'odeur était surtout celle du formol, mais rien que de la flairer me rappelait un tas de choses déplaisantes dont j'avais été témoin à Berlin à l'époque où je travaillais à la Criminelle. Deux en particulier, mais je ne voyais pas de raison d'en informer le colonel Montalbán.

Si c'est ce qu'il attendait de moi, je n'avais aucune envie de me trouver mêlé à ça. Je finis par me détourner.

« Et ? fis-je.

— Je me suis juste demandé… si ça ne vous évoquait pas des souvenirs.

— Rien qui doive figurer dans mon album de photos.

— Elle avait quinze ans.

— Quel gâchis !

— Oui. J'ai moi-même une fille. Un peu plus âgée qu'elle. Je ne sais pas ce que je ferais s'il lui arrivait quelque chose de ce genre. » Il eut un haussement d'épaules. « Tout. N'importe quoi. »

Je ne dis rien. Je sentais qu'il tournait autour du pot.

Il me raccompagna à la porte de la morgue.

« Je vous ai raconté que j'avais étudié la philosophie du droit à Berlin, déclara-t-il. Fichte, Savigny, Erlich. Mon père voulait faire de moi un avocat, et ma mère, qui est allemande, un philosophe. Pour ma part, je voulais voyager. En Europe. Après ma licence de droit, on m'a offert la possibilité de suivre des études en Allemagne. Tout le monde était content. Moi le premier. J'adorais Berlin. »

Il poussa la porte et nous regagnâmes le couloir.

« J'avais une chambre dans le Ku'damm, près de l'Église-Mémorial et de cette boîte de nuit avec le videur déguisé en démon et les serveurs en anges.

— Himmel und Hölle, Le Ciel et l'Enfer. Je m'en souviens très bien.

— C'est ça. » Le colonel sourit. « Moi, un bon catholique. Je n'avais jamais vu autant de femmes nues. Il y avait un numéro intitulé "Vingt-cinq scènes de la vie du marquis de Sade", et un autre, "La Française nue : sa vie reflétée dans l'art". Quel endroit ! Quelle ville ! Tout cela a vraiment disparu ?

— Oui. Berlin elle-même est en ruine. Un chantier de construction ou peu s'en faut. Vous ne la reconnaîtriez pas.

— Dommage. »

Il déverrouilla la porte d'une petite pièce située en face de la morgue. Elle contenait une table bon marché, quelques chaises également bon marché et deux ou trois cendriers tout aussi bon marché. Le colonel leva un store puis ouvrit une fenêtre sale pour laisser pénétrer de l'air frais. On apercevait une église de l'autre côté de la rue. Des gens y entraient qui ignoraient tout des meurtres et de la médecine légale, et avaient mieux à se mettre dans les narines que des odeurs de cigarettes et de formol. Avec un soupir, je jetai un coup d'œil à ma montre, peu soucieux désormais de dissimuler mon impatience. Je n'avais pas demandé à voir le corps d'une fille morte. Je lui en voulais pour ça, et aussi pour ce qui allait suivre, comme je le savais pertinemment.

« Pardonnez-moi, dit-il. J'y arrive. À ce dont je voulais vous parler. Voyez-vous, j'ai toujours été fasciné par la face cachée du comportement humain. D'où le fait que je me sois intéressé à vous, Herr Gunther. C'est en partie grâce à vous que je suis devenu policier plutôt qu'avocat. En un sens, vous m'avez permis d'échapper à une vie terriblement monotone. »

Le colonel m'avança une chaise et nous nous assîmes.

« En 1932, il y a eu deux meurtres qui ont fait sensation dans la presse allemande.

— Il y en a eu bien plus de deux, rétorquai-je avec aigreur.

— Pas comme ces deux-là. Je me rappelle avoir lu des articles faisant état de détails abominables. Il s'agissait de crimes sexuels, n'est-ce pas ? Deux jeunes filles mutilées de la même manière, exactement comme la pauvre Grete Wohlauf. Et c'est vous, Herr Gunther, qui dirigiez l'enquête. Votre photo figurait dans le journal.

— Oui, en effet. Sauf que je ne vois pas ce que ça vient faire ici.

— On n'a jamais découvert l'assassin, Herr Gunther. Il n'a jamais été arrêté. C'est pourquoi nous en parlons. »

Je secouai la tête.

« C'est vrai. Mais, écoutez, ça s'est passé il y a presque vingt ans. Et à plusieurs milliers de kilomètres d'ici. Vous n'insinuez tout de même pas que cela pourrait avoir un rapport avec ce meurtre.

— Pourquoi pas ? » Le colonel haussa les épaules. « Il me faut examiner toutes les possibilités. En y repensant aujourd'hui, il me semble qu'il s'agit là de crimes spécifiquement allemands. Comment s'appelait ce type qui a tué et mutilé sexuellement tous ces garçons et ces filles ? Haarmann, c'est ça ? Il les mordait à la gorge puis il découpait leurs organes génitaux. Et Kürten.

Peter Kürten. Le Vampire de Düsseldorf. Ne l'oublions pas lui non plus.

— Haarmann et Kürten ont été exécutés, colonel. Comme vous vous en souvenez, j'en suis sûr. Par conséquent, il pourrait difficilement s'agir d'eux, n'est-ce pas ?

— Oui, évidemment. Mais il y a eu aussi d'autres crimes sexuels, comme vous vous en souvenez certainement. Quelquesuns impliquant des actes de mutilation et de cannibalisme. » Le colonel se pencha en avant sur sa chaise. « Bien. Voilà où je veux en venir. Quantité d'Allemands se sont installés ici, à Buenos Aires. Avant et après la guerre. Et tous ne sont pas des gens civilisés, comme vous et moi. Naturellement, j'ai suivi avec beaucoup d'attention les procès de vos prétendus criminels de guerre, et il est tout à fait clair pour moi qu'un certain nombre de vos compatriotes ont fait des choses horribles. Des choses inimaginables. Alors, voici ma théorie, si on peut l'appeler ainsi. Tous ceux arrivés en Argentine au cours de ces cinq dernières années ne sont pas des anges. Il est même possible que certains soient des démons. Comme dans ce bon vieux cabaret de Berlin, Le Ciel et l'Enfer. Vous serez au moins d'accord là-dessus ?

— Sans difficulté. Vous avez entendu ce que j'ai dit au président.

— Oui. Et il m'est venu à l'esprit que vous pourriez être pour moi un homme fort utile, Herr Gunther. Un ange, si vous aimez mieux.

— On ne m'avait encore jamais appelé comme ça.

— Oh, je pense que si, mais j'y viendrai. Laissez-moi poursuivre mon raisonnement. Vous admettrez également, j'espère, qu'un grand nombre de vos collègues de la SS prenaient plaisir à tuer ? Cela va de soi, n'est-ce pas ? Qu'un certain nombre de ces individus au sein de la SS étaient des psychopathes. Non ? »

J'acquiesçai.

« Je devine où vous voulez en venir.

— Exactement. Prenez le cas de Rudolf Hoess, le commandant du camp de concentration d'Auschwitz. Il avait déjà trempé dans un meurtre. En 1923. Tout comme Martin Bormann. Un homme ne devient pas un psychopathe rien qu'en endossant un uniforme, par conséquent on peut supposer que beaucoup de psychopathes ont trouvé, dans la SS et la Gestapo, un abri douillet en tant qu'assassins et tortionnaires patentés.

— C'est ce que je me suis toujours dit. Vous pouvez imaginer combien j'ai été ravi de mon incorporation dans la SS en 1940. Ça fait un sacré choc de passer toutes ses journées à enquêter sur des assassinats puis d'être envoyé en Russie avec pour mission d'en commettre soi-même.

— Oh, je ne voulais pas insinuer que vous étiez un psychopathe, Herr Gunther ! Bon, disons qu'en 1932 ce meurtrier n'a pas été attrapé. En 1933, les nazis arrivent au pouvoir et il rejoint la SS, qui lui fournit un nouveau moyen, socialement acceptable, de satisfaire son besoin de cruauté. Pendant la guerre, il travaille dans un camp de la mort, tuant à tour de bras avec une totale impunité.

— Après quoi, vous l'invitez à venir vivre en Argentine. » Je le gratifiai d'un sourire. « Je comprends très bien, mais je ne vois pas en quoi je peux vous aider.

— Je pensais que c'était évident. Une chance de rouvrir une vieille affaire.

— Je ne suis pas un maniaque du rangement, colonel. Et, croyez-moi, il y avait bien d'autres affaires non résolues dans nos registres. Dont aucune ne m'empêche de dormir. »

Le colonel opina de la tête, mais je savais qu'il n'avait pas épuisé toutes ses cartes.

« Une autre gamine a disparu, dit-il. Ici, à Buenos Aires.

— Cela arrive sans arrêt. Darwin appelait ça la sélection naturelle. Une jeune fille s'éprend d'un jeune homme et, comme de bien entendu, son paternel ne peut pas le voir, alors elle s'enfuit avec lui.

— Je ne peux donc pas faire appel à votre conscience sociale ?

— J'ai du mal à trouver mon chemin dans cette ville. C'est à peine si je parle la langue. Je suis un poisson hors de l'eau.

— Pas tout à fait. La fille qui a disparu est d'origine germano-argentine. Comme Grete Wohlauf. Je me disais que vous pourriez peut-être limiter votre enquête à la communauté allemande.

Comme je viens de vous l'expliquer, j'ai dans l'idée que nous cherchons un Allemand. Vous n'avez pas besoin de parler parfaitement l'espagnol pour ça. Ni de connaître la ville. Vous avez besoin d'être allemand. Et pour fureter parmi les gens parmi lesquels je veux que vous furetiez, vous avez besoin d'être l'un d'entre eux. Quand j'ai dit que vous pourriez être mon ange, j'entendais mon ange noir. N'est-ce pas ainsi que les Allemands appelaient les membres de la SS ? Des anges noirs ?

— Se faire voleur pour attraper un voleur, hein ?

— En quelque sorte, oui.

— Ils ne vont pas aimer ça, mes vieux camarades. Ils ont de nouveaux noms, de nouveaux visages pour certains. Nouveaux noms, nouveaux visages et amnésie. Il se pourrait que je devienne extrêmement impopulaire auprès de quelques-uns des hommes les plus impitoyables d'Amérique du Sud. À l'exception des personnes ici présentes.

— J'ai déjà pensé à une méthode pour que vous n'y laissiez pas votre peau. »

Je souris. Il avait de la suite dans les idées, il fallait lui reconnaître ça. Et je commençais à avoir le sentiment qu'il avait anticipé toutes mes objections.

« J'y compte bien, colonel.

— J'ai même songé à votre situation financière. Après que vous avez changé votre argent à la Bank of London and South America – la succursale de la Calle Bartolomé Mitre, c'est bien ça ?

— Autant pour le secret bancaire dans ce pays.

— Vous aurez compris que vingt-cinq mille shillings autrichiens, ce n'est pas énorme. D'après mes calculs, vous devez avoir environ mille dollars, ce qui ne vous fera pas très longtemps à Buenos Aires. Un an, peut-être moins s'il y a des dépenses imprévues. Et, d'après mon expérience, il y a toujours des dépenses imprévues, surtout pour un homme dans votre situation. D'un autre côté, je vous offre un travail. Le genre de travail dans lequel vous excellez, contrairement à celui que risque de vous proposer Carlos Fuldner.

— Que je travaille pour vous ? Dans la police secrète ?

— Pourquoi pas ? Vous aurez un salaire, un bureau dans la Casa Rosada, une voiture. Vous aurez même un passeport. Un passeport authentique. Pas ce torchon que vous a donné la Croix-Rouge. Avec un vrai passeport, vous pourriez retourner en Allemagne, éventuellement. Sans avoir à répondre à toutes sortes de questions gênantes en débarquant là-bas. Après tout, vous serez un citoyen argentin. Réfléchissez.

— Si j'avais eu les dossiers originaux, ça aurait peut-être été possible. » Je secouai la tête. « Mais cela remonte à presque vingt ans. Ils ont probablement été détruits pendant la guerre.

— Au contraire. Ils sont ici, à Buenos Aires. Je me les suis fait envoyer de Berlin Alexanderplatz.

— Vous avez fait ça ? Comment ? »

Le colonel haussa modestement les épaules, ce qui ne l'empêchait pas d'avoir l'air plutôt content de lui. Aussi content qu'il pouvait l'être. Je n'en revenais pas.

« Cela n'a pas été très difficile, en réalité. Ce sont les Américains qui détestent Perón et les généraux, pas les Russes. De plus, la Délégation pour l'Immigration argentine en Europe a beaucoup d'amis en Allemagne. Vous devriez le savoir mieux que quiconque. Si la DIAE peut faire sortir Eichmann d'Allemagne, ce ne sont pas quelques vieux dossiers qui vont poser un problème.

— Mes compliments, colonel. Vous semblez avoir pensé à tout.

— À Buenos Aires, il vaut mieux tout savoir qu'en savoir trop », répliqua-t-il.

Il croisa les jambes et ôta une peluche de son genou pendant qu'il attendait patiemment ma réponse. J'étais sûr de l'emporter, mais il paraissait si détendu que je ne pouvais m'empêcher de me dire qu'il avait encore quelque chose dans sa manche.

« Je suis très flatté de votre proposition, n'en doutez pas. Mais, pour le moment, j'ai d'autres chats à fouetter. Vous avez pensé à tout, c'est vrai. Excepté à l'unique raison pour laquelle je ne travaillerai pas pour vous. Voyez-vous, colonel, je ne vais pas très bien. J'ai eu des palpitations sur le bateau. Au point que j'ai bien cru que j'allais avoir une crise cardiaque. Toujours est-il que j'ai été voir le Dr Espejo, celui que Perón m'a recommandé. Et, d'après lui, je ne suis absolument pas cardiaque. Les palpitations sont dues à une thyrotoxicose. J'ai un cancer de la thyroïde, colonel. Voilà pourquoi je ne travaillerai pas pour vous. »

5

BUENOS AIRES, 1950

Le colonel Montalbán retira ses lunettes et se mit à essuyer les verres teintés avec le bout de sa cravate en laine. Il s'efforçait de ne pas sourire, de peur de me vexer, mais je pouvais voir que ça ne lui aurait fait ni chaud ni froid. Comme s'il essayait juste un peu de ne pas vendre la mèche.

Je flairai le coup.

« Mais vous le saviez déjà, n'est-ce pas ? »

Le colonel haussa les épaules puis continua à frotter.

« Qu'est-ce que c'est que ce fichu pays ? Pas de secret bancaire. Et pas d'éthique médicale. Je suppose que le Dr Espejo est un copain à vous.

— En fait, non. Plutôt l'opposé. C'est un *resentido,* comme nous les appelons. Ce qui veut dire un aigri. Espejo éprouve une profonde antipathie pour Perón.

— Je me demandais aussi pourquoi c'est la première personne que je rencontre dans cette ville qui n'a pas un portrait de Perón accroché à son mur. » Je secouai la tête. « Perón m'a recommandé un médecin qui le déteste ? Je ne comprends pas.

— Tout à l'heure, vous avez parlé des *oyentes.* »

Je souris.

« Vous avez posé un système d'écoute dans son cabinet.

— Plusieurs.

— Un bon moyen d'avoir un diagnostic sincère, je suppose.

— Vous aviez des doutes à ce sujet, peut-être ?

— Il est certain qu'Espejo ne m'a pas donné l'impression de garder les choses pour lui. Ce type a un sacré crochet du gauche. Cela faisait longtemps que je ne m'en étais pas pris un comme ça. » Je marquai un temps d'arrêt. « Ne me dites pas qu'il retenait ses coups.

— Pas du tout, répondit le colonel. Espejo est un bon médecin. Mais il en existe de meilleurs. À votre place, Herr Gunther, j'aurais envie de me faire soigner par quelqu'un de plus compétent dans ce domaine qu'Espejo. Un spécialiste.

— Ça risque d'être cher. Trop cher pour mes mille dollars.

— Raison de plus de travailler pour moi. Nous avons un proverbe ici en Argentine : "On ne peut pas se fier à quelqu'un tant qu'on ne lui a pas confié un secret." Eh bien, c'est ce que je vais faire, me fier à vous en vous confiant l'un des secrets les mieux gardés de ce pays. Ensuite, nous devrons nous épauler mutuellement. Ce sera un geste de bonne foi entre nous.

— Et si je préfère ne pas savoir ce que vous savez ?

— Je ne peux pas vous dire B sans vous dire également A. Je vous dirai d'abord B et peut-être que vous devinerez A. George Pack est l'un des plus éminents cancérologues dans le monde. Il est chef de service au Memorial Sloan-Kettering Cancer Center à New York. Il soigne des patients comme les Rockefeller et les Astor. Mais il lui arrive assez souvent de venir aussi à Buenos Aires.

— Pour soigner un patient non moins éminent, sans doute. Le général ? »

Le colonel fit signe que non.

« L'épouse du général ? »

Il opina.

« Mais même elle n'est pas au courant.

— Est-ce possible ?

— Si tel est le désir du général. Evita pense qu'elle a un problème féminin. Mais il s'agit d'autre chose. J'ai déjà parlé au Dr Pack. Et, pour rendre service au général, il a accepté de vous soigner la prochaine fois qu'il sera dans ce pays. À vos frais, bien entendu. » Le colonel leva les bras. « Comme vous voyez, vous n'avez pas le choix, aucune excuse pour refuser. Il n'y a pas une objection que vous pourriez soulever qui n'ait été envisagée.

— Très bien. Je sais reconnaître quand je suis battu. Vous semblez avoir une grande confiance dans mes capacités, colonel.

— Accepter mon admiration pour vos talents de criminologue vous est-il si difficile, Herr Gunther ? Il en a probablement été de même pour vous et Ernst Gennat. Ou cet autre grand détective de Berlin, Bernhard Weiss. Ils ont été vos mentors. Vos propres héros.

— Pendant un temps, oui, admis-je. N'empêche, il semble que vous vous soyez fourré dans un tas de complications pour me faire enquêter sur un meurtre et la disparition d'une adolescente.

— C'est peut-être l'impression que cela vous donne, Herr Gunther. Mais, pour être tout à fait franc avec vous, il n'y a absolument rien de compliqué là-dedans. Nous nous sommes fait envoyer de vieux papiers de Berlin. Nous vous offrons un emploi. Nous vous versons des appointements. Nous employons un médecin pour soigner votre maladie. Ce sont des choses faciles à arranger pour un homme dans ma position. Quoi de plus simple ?

— Vu sous cet angle.

— Il se trouve, cependant, ajouta-t-il d'une voix onctueuse, que la jeune fille disparue n'a rien d'une jeune fille ordinaire. Fabienne von Bader est ce qu'on appelle un *paquete*. Un membre de la haute société élégante. Son père, Kurt von Bader, est un ami intime des Perón, en même temps qu'un des directeurs de la Banco Germánico, ici à Buenos Aires. Naturellement, la police fait tout ce qu'elle peut pour la retrouver. Vous ferez simplement partie de ce dispositif. Peut-être est-elle déjà morte. Peut-être, comme vous l'avez suggéré, s'est-elle seulement enfuie de chez elle. Même si, à dire vrai, elle semble un peu jeune pour avoir un petit ami : elle n'a que quatorze ans. Grete Wohlauf, il vaudrait mieux que vous la laissiez à la police officielle, mais Fabienne, c'est une autre histoire. Elle représente votre objectif principal. D'après ce que j'ai entendu dire, vous vous étiez spécialisé dans les personnes disparues après votre départ de la police de Berlin en 1933 – quand vous étiez détective privé.

— Vous semblez tout savoir sur moi, colonel. Trop pour ma tranquillité.

— Pas trop. Juste l'important. En ce qui concerne votre enquête, vous devriez partir de l'idée que notre meurtrier potentiel est un Allemand et vous cantonner à la communauté des immigrés récents, ainsi qu'aux individus d'origine germano-argentine. Vous cherchez un psychopathe, certes, mais vous cherchez d'abord et avant tout des indices sur les faits et gestes de la jeune Fabienne von Bader.

— Ça ne va pas être facile de cuisiner mes vieux camarades.

— C'est pourquoi vous devez choisir vos questions avec soin. Leur donner un air innocent.

— Vous ne les connaissez pas. Pour eux, il n'y a jamais de question innocente.

— La Croix-Rouge est une institution admirable, affirma le colonel. Mais, pour sortir de ce pays et aller à nouveau où que ce soit – en Allemagne, par exemple –, vous aurez besoin d'un passeport argentin. Pour vous procurer ce passeport, vous devrez apporter la preuve que vous avez été un résident argentin irréprochable. Alors seulement, un certificat de bonne conduite sera établi. Muni de ce certificat, vous pourrez vous adresser à un tribunal de première instance pour obtenir le passeport en question. À mon avis, ce serait une bonne couverture pour votre enquête si nous prétendions que vous effectuez des vérifications d'ordre général pour le compte de la Direction de la sécurité et du renseignement. Ce qui vous permettrait de mettre votre nez dans les dossiers de vos anciens camarades sans éveiller les soupçons. J'imagine que la plupart d'entre eux ne seront que trop heureux de répondre à vos questions, Herr Gunther, aussi indiscrètes soient-elles. Un tel rôle vous laisserait une liberté totale. Après tout, qui parmi vos anciens camarades n'a pas envie d'un passeport sous un nouveau nom ?

— Ça pourrait marcher.

— Bien sûr que ça marchera. Comme je vous l'ai dit, un bureau sera mis à votre disposition à la Casa Rosada – où se trouve le siège de la DSR – et une voiture vous sera fournie. Vous recevrez une avance pour vos frais. Un salaire. Des papiers officiels de la DSR. Et vous me rendrez compte directement. De tout. Même le plus insignifiant. Le Dr Pack sera ici dans une quinzaine de jours. Vous pourrez alors le voir. Néanmoins, pour des raisons évidentes, je souhaiterais que vous commenciez votre enquête immédiatement. Une liste des noms et adresses de vos anciens camarades vous sera communiquée à la Casa Rosada. Bien entendu, grâce à Fuldner et à la DIAE, nous avons déjà une certaine idée du rôle de ces individus en Allemagne. De ce qu'ils ont fait et quand. Mais, naturellement, j'aimerais en savoir beaucoup plus sur eux afin d'évaluer les problèmes diplomatiques et sécuritaires qu'ils risquent de nous poser à l'avenir. Il vous suffira de compléter les dossiers au fur et à mesure. Est-ce clair ?

— Oui, je pense.

— Je suppose que vous voudrez en priorité rencontrer les parents de la jeune fille disparue.

— Si c'est possible. »

Le colonel hocha la tête. Il ouvrit un petit tiroir dont il retira une serviette en cuir. D'un des compartiments, il sortit une arme avant de vider le reste du contenu sur la table.

« Un pistolet semi-automatique Smith & Wesson. Une boîte de cartouches. Un étui d'épaule. Un permis de conduire au nom de Carlos Hausner. Une carte de la DSR également au nom de Carlos Hausner. Un laissez-passer pour la Casa Rosada toujours au nom de Carlos Hausner. Un manuel de la DSR – à lire attentivement. Cent mille pesos en espèces. Il y en aura d'autres si nécessaire. Naturellement, des reçus sont exigés dans la mesure du possible. Le manuel vous dira exactement comment remplir les notes de frais. Vous trouverez tout le reste – dossiers de la DIAE sur les immigrés allemands, dossiers de la Kripo[1] et de la Gestapo de l'Alexanderplatz – dans votre classeur à la Casa Rosada. »

J'acquiesçai en silence. Il semblait parfaitement inutile de mentionner que tout ça était déjà prêt avant que je ne mette un pied

---

1. Kriminalpolizei.

dans le commissariat. Il avait été tellement convaincu que j'accepterais que je faillis l'envoyer paître. Je le détestais d'avoir fait comme si je n'existais pas. Mais je détestais encore plus être malade. Alors comment pouvais-je dire non ? Nous savions tous les deux que je n'avais pas le choix. Pas si je voulais bénéficier d'un traitement médical performant.

Il fouilla dans sa poche et me tendit des clés de voiture.

« C'est celle qui se trouve devant. La Chevrolet vert citron.

— Mon parfum favori. »

Il se leva.

« Vous pouvez conduire, n'est-ce pas ?

— Je peux conduire.

— Parfait. Alors, conduisez-nous à Retiro. » Il consulta sa montre. « On nous attend, aussi nous ferions mieux de nous en aller.

— Avant ça, j'aimerais rejeter un coup d'œil à ce cadavre. »

Le colonel eut un haussement d'épaules.

« Si vous y tenez. Vous avez remarqué quelque chose ?

— Rien à part ce qui va sans dire. » Je secouai la tête. « Je ne faisais pas vraiment attention tout à l'heure. C'est tout. »

6

BERLIN, 1932

Dans un manuel de médecine légale dont Ernst Gennat faisait cadeau à tous les flics rejoignant le Département 4, figurait une photographie qui suscitait toujours une certaine hilarité quand on la voyait pour la première fois. Sur la photo en question, une fille nue était étendue sur un lit, les mains attachées derrière le dos ; une corde formant un nœud coulant serrait étroitement son cou, et la moitié de sa tête avait été emportée par un coup de feu. Pour couronner le tout, elle avait un godemiché enfoncé dans le cul. Rien de particulièrement amusant là-dedans, bien sûr. C'était la légende sous la photo, la partie comique. Elle disait : « Circonstances suspectes. » On était morts de rire. Chaque fois que l'un de nous, au D4, était confronté à un cas d'homicide odieux et particulièrement flagrant, il répétait les deux mots de la fameuse légende. Ça égayait un peu l'atmosphère.

Le cadavre avait été découvert dans le parc de Friedrichshain, non loin de l'hôpital, dans la partie est de Berlin. Un endroit où aimaient bien venir les enfants, à cause de la fontaine des contes de fées qui s'y trouvait. L'eau dévalait une série de petites marches que flanquaient des groupes de personnages tirés d'histoires qu'ils avaient tous entendues raconter sur les genoux de leur mère. Lorsque l'appel arriva au Präsidium de la police sur l'Alexanderplatz, on supposa que la fillette s'était noyée accidentellement. Mais, au premier coup d'œil, je compris qu'il n'en était rien. On aurait dit qu'elle avait été victime du loup d'un de ces vieux contes de fées. Le genre de grand méchant loup qui n'aurait pas hésité à dévorer un des petits héros en pierre.

« Merde ! s'exclama mon sergent, le KBS Heinrich Grund, alors que nous braquions nos lampes torches sur le corps. Circonstances suspectes ou quoi ?

— Ça m'en a tout l'air.

— Un petit peu, ouais. Merde ! Quand les gars de l'Alex vont savoir ça. »

Il n'y avait pas d'inspecteurs permanents pour les affaires d'homicide à l'Alex. Le D4 était censé être un organe de tutelle, avec trois équipes tournantes de flics d'autres sections de Berlin. Mais en pratique, ça ne marchait pas comme ça. En 1932, il y avait trois équipes en service actif, et pas la moindre troupe de réserve. Cette nuit-là, j'étais déjà allé à Wedding jeter un coup d'œil au cadavre d'un gamin de quinze ans poignardé dans un abri d'autobus. Les deux autres équipes étaient encore dehors, accaparées par différentes affaires : le KOK Müller enquêtait sur la mort d'un homme retrouvé pendu à un réverbère dans Lichtenrade ; et le KOK Lipik se trouvait à Neukölln, où une femme avait été abattue. Une vague de meurtres, en apparence, sauf qu'il ne s'agissait pas de cela. La plupart des crimes commis à Berlin au printemps et au début de cet été-là étaient politiques. Et sans l'escalade de la violence entre les sections d'assaut nazies et les militants communistes, le taux de criminalité de la ville aurait enregistré une baisse durant les derniers mois de la République de Weimar.

Friedrichshain Park était situé à un kilomètre et demi de paysage arboré au nord-ouest de l'Alex. Après le coup de fil, il nous avait fallu moins de vingt minutes pour être sur place. Moi, le secrétaire de district Grund, un secrétaire judiciaire quelconque, un secrétaire adjoint et une demi-douzaine de poulets en uniforme appartenant à la Police de protection – la Schutzpolizei.

« Un crime sexuel, d'après toi ? demanda Grund.

— Possible. Sauf qu'il n'y a pas beaucoup de sang dans les parages. Sexuel ou pas, il a sûrement été commis ailleurs. » Je levai la tête et regardai tout autour de moi. Le carrefour de Königs-Thor n'était qu'à quelques mètres sur la gauche. « L'assassin a très bien pu arrêter sa voiture dans Friedenstrasse, ou dans Am Friedrichshain, la sortir du coffre et la porter jusqu'ici à la nuit tombée.

— Avec le parc d'un côté de la route et deux ou trois cimetières de l'autre, c'est l'endroit idéal, renchérit Grund. Un tas d'arbres et de buissons pour le dissimuler. Gentil et tranquille. »

Au même instant, quelque part à l'ouest, au cœur de Scheunenviertel, deux coups de feu éclatèrent.

« Pas autant qu'on pourrait le supposer », dis-je.

En entendant un troisième puis un quatrième coup de feu, j'ajoutai :

« On dirait que tes petits copains ont du pain sur la planche ce soir.

— Rien à voir avec moi, protesta Grund. Plutôt les types du Toujours Loyal, je dirais. C'est leur secteur. »

Le Toujours Loyal était l'un des plus puissants gangs de Berlin.

« Mais si c'était un rouge qui venait de se faire buter, ce serait tout bénéfice pour vous. »

Heinrich Grund était, ou avait été, un de mes meilleurs amis dans la police. Nous avions fait l'armée ensemble. Il y avait une photo de lui sur le mur du coin que j'occupais dans la salle des inspecteurs. Photo sur laquelle le président de la République en personne, Paul von Hindenburg, lui remettait la plaque de vainqueur des championnats de boxe de la police prussienne. Mais, la semaine précédente, j'avais découvert que mon vieil ami avait adhéré à la NSBAG – la Nationalsozialistische Beamten-Arbeitsgemeinschaft, l'Union nationale-socialiste des fonctionnaires. Pour un boxeur ayant la réputation de se servir de sa cervelle, être un nazi lui allait comme un gant, je devais le reconnaître. Tout de même, ça ressemblait à une trahison.

« Qu'est-ce qui te fait penser que c'est un nazi qui a tiré sur un rouge et pas un rouge qui a tiré sur un nazi ?

— Je sais faire la distinction.

— Comment ?

— C'est la pleine lune, pas vrai ? En général, c'est à ce moment-là que les loups-garous et les nazis sortent de leurs tanières pour commettre leurs méfaits.

— Très drôle. »

Grund sourit avec patience et alluma une cigarette. Il souffla sur l'allumette puis, soucieux de ne pas polluer la scène de crime, la glissa dans sa poche. Ça avait beau être un nazi, c'était encore un bon inspecteur.

« Et ta bande à toi. Qu'est-ce qu'elle a de si différent ?

— Ma bande ? Quelle bande ?

— Voyons, Bernie. Tout le monde sait que l'Officiel soutient les rouges. »

L'Officiel, le syndicat des officiers de police prussiens, n'était pas le plus gros syndicat. Il s'agissait du Général. Mais les grands manitous à la direction du Général – des policiers comme Dillenburger et Borck – étaient ouvertement réactionnaires et anti-sémites. Ce qui fait que j'avais quitté le Général pour adhérer à l'Officiel.

« L'Officiel n'est pas communiste, expliquai-je. Nous soutenons les sociaux-démocrates et la République.

— Ah oui ? Alors pourquoi le Front de fer contre le fascisme ? Pourquoi pas un Front de fer contre le bolchevisme ?

— Parce que, comme tu le sais pertinemment, Heinrich, la plu-part des violences de rue sont commises ou provoquées par les nazis.

— Qu'entends-tu par là, exactement ?

— Cette femme à Neukölln sur laquelle enquête Lipik. Il n'était pas encore sorti de l'Alex qu'il pensait déjà qu'elle s'était fait tuer par un membre des sections d'assaut visant un coco.

— Et alors ? C'était un accident. Je ne vois pas en quoi ça prouve que les nazis sont à l'origine de la plupart des violences.

— Non ? Eh bien, tu devrais venir jeter un coup d'œil par la fenêtre de mon appartement, dans Dragonerstrasse. Le siège du parti communiste allemand se trouve juste au coin, sur Bülow Platz. Et c'est précisément là que les nazis choisissent d'exercer leur droit démocratique à manifester. Ça paraît raisonnable ? Ça res-semble à une attitude pacifique ?

— Ça confirme ce que je disais, non ? Que tu habites dans ce quartier rouge.

— Tout ce que ça montre, c'est que les nazis cherchent sans cesse la bagarre. »

Je me penchai et promenai ma lampe de haut en bas du corps de la fille. La partie supérieure avait l'air plus ou moins normale. Âgée de treize ou quatorze ans, elle était blonde avec des yeux bleu pâle et une petite constellation de taches de rousseur autour de son nez pointu. Un visage de garçon manqué, de sorte qu'on aurait pu facilement la prendre pour un adolescent. Seule preuve de son sexe, ses petits seins juvéniles, le reste de ses organes sexuels ayant été retiré, de même que le bas des intestins, l'utérus et tout ce qu'une fille a là en venant au monde. Mais ce n'est pas son éviscé-ration qui retint mon attention. À vrai dire, Heinrich et moi avions vu ce genre de chose des tas de fois dans les tranchées. Elle avait également une attelle à la jambe gauche. Que je n'avais pas remarquée jusque-là.

« Pas de canne, fis-je observer en donnant une tape dessus avec mon stylo. On se serait attendu à ce qu'elle en ait une.

— Elle n'en avait peut-être pas besoin. Tous les infirmes ne se servent pas d'une canne.

— Tu as raison. Goebbels se débrouille très bien sans. Pour un infirme. Même s'il y a un gros bâton dans presque tout ce qu'il dit. » J'allumai une cigarette et poussai un long soupir enfumé. « Pourquoi les gens font-ils des trucs pareils ? m'exclamai-je pour moi-même.

— Tu veux dire, tuer des enfants ?

— Je veux dire, les tuer de cette façon. C'est monstrueux, non ? Complètement dépravé ?

— Je pensais que ça tombait sous le sens, répondit Grund.

— Ah ? Comment ça ?

— C'est toi qui viens de dire qu'il fallait être dépravé. Je suis bien d'accord, mais à qui la faute ? À mon avis, que nous ayons des dingues qui font des trucs de ce genre n'a rien de surprenant si l'on considère tout le vice et l'ordure que tolère ce gouvernement fan-toche. Regarde autour de toi, Bernie. Berlin est comme un gros rocher visqueux. Soulève-le et tu pourras voir tout ce qui rampe. Maquereaux, putains, tailleuses de pipes à la sauvette, maîtresses bottées, *munzis*[1], travelos. Des femmes qui sont des hommes. Des hommes qui sont des femmes. Maladie. Vénalité. Corruption. Dépravation. Et tout ça avec l'assentiment de notre chère République de Weimar.

— Ce sera sans doute entièrement différent si Adolf Hitler arrive au pouvoir. »

Je blaguais en disant ça. Les nazis avaient réalisé un bon score aux dernières élections, mais aucune personne sensée ne croyait vraiment qu'il pourrait diriger le pays. Personne n'imaginait une seule seconde que le président Hindenburg irait demander à l'homme qu'il haïssait le plus au monde – un petit caporal autrichien minable – de devenir le prochain chancelier d'Allemagne.

« Pourquoi pas ? Nous allons avoir besoin de quelqu'un pour remettre de l'ordre dans ce pays. »

C'est alors que nous entendîmes un coup de feu déchirer à nouveau l'air tiède de la nuit.

« Et qui de mieux placé pour mettre fin au désordre que l'homme qui est en la cause, hein ? Il y a là une espèce de logique, en effet. »

Un des flics en uniforme s'approcha. Nous nous redressâmes. C'était le sergent Gollner, connu sous le surnom de Tanker en raison de sa taille et de sa corpulence.

« Pendant que vous vous bouffiez le nez, annonça-t-il, j'ai installé un cordon autour de cette partie du parc pour tenir les curieux à distance. La dernière chose que nous désirons, c'est de voir les détails sur la manière dont elle a été tuée publiés dans les journaux. Que ça donne à des gens débiles des idées débiles. Qu'ils se mettent à avouer des choses qu'ils n'ont pas faites. On verra ça de plus près demain matin, hein ? Quand il fera jour.

— Merci, Tanker, dis-je. J'aurais dû…

— Laissez tomber. » Il avala une grosse goulée d'air nocturne, rendue humide par la légère brise soufflant de la fontaine. « C'est joli par ici, n'est-ce pas ? J'ai toujours aimé cet endroit. J'y suis

---

1. Femmes enceintes qui attendaient sous les réverbères dans Münzstrasse.

venu plein de fois. Vu que mon frère est enterré là-bas. » Il fit un signe de tête vers le sud, en direction de l'hôpital public. « Avec les révolutionnaires de 1848.

— Je ne vous savais pas si vieux. »

Tanker sourit.

« Non, il a été fusillé par les Freikorps, en décembre 1918. Le parfait gauchiste, c'est sûr. Un vrai fauteur de troubles, mais il ne méritait pas ça. Pas après ce qu'il avait subi dans les tranchées. Rouges ou pas, aucun d'eux ne méritait d'être fusillé pour ce qui s'est passé.

— Ce n'est pas à moi qu'il faut dire ça, répondis-je en montrant Heinrich Grund d'un signe de tête. C'est à lui.

— Il sait très bien ce que je pense », grommela Tanker. Il regarda le corps de la fille. « Et alors, qu'est-ce qui n'allait pas avec sa guibole ?

— Peu importe à présent, remarqua Grund.

— Elle avait peut-être eu la polio, suggérai-je. Ou bien c'était de naissance.

— On aurait pu supposer qu'ils ne l'auraient pas laissée sortir seule, non ? fit valoir Grund.

— Elle était handicapée. » Je me penchai et fouillai les poches de son manteau. Je tombai sur un rouleau de fric. Entouré d'une bande en caoutchouc. Et aussi épais que le manche d'une raquette de tennis. Je le lançai à Grund. « Un tas de handicapés s'en sortent très bien tout seuls. Même des gosses.

— Doit y avoir plusieurs centaines de marks, murmura-t-il. Où une gamine pareille pourrait se procurer autant d'argent ?

— Je n'en sais rien.

— Bien obligés, disait à cet instant Tanker. Le nombre de blessés et d'estropiés qu'on avait après la guerre ! À l'époque, j'effectuais des rondes près de l'hôpital de la Charité. J'étais devenu copain avec quelques-uns des gars qui se trouvaient là. Beaucoup devaient se débrouiller sans jambes, sans bras.

— C'est une chose de souffrir d'une infirmité parce qu'on s'est battu pour la patrie, fit observer Grund en faisant sauter le rouleau de fric dans sa main. Et une autre d'être né avec.

— Ça veut dire quoi, au juste ?

— Ça veut dire que c'est déjà bien assez difficile d'élever des mômes sans avoir à s'occuper d'un enfant handicapé.

— Peut-être que ça ne les dérangeait pas de s'occuper d'elle. Pas s'ils l'aimaient.

— Si tu veux mon avis, elle est aussi bien là où elle est si c'était une handicapée de naissance, répliqua Grund. Ça vaut mieux pour l'Allemagne en général d'avoir moins d'infirmes. » Il vit l'expression dans mes yeux. « Non, vraiment. Simple question de pureté raciale. Nous avons le devoir de protéger notre souche.

— Je pense effectivement à un infirme sans lequel on se porterait tous beaucoup mieux. »

Tanker éclata de rire avant de s'éloigner.

« De toute façon, c'est juste une attelle, dis-je. Des tas de gosses ont des attelles.

— Possible, fit Grund. » Il me rebalança le fric. « Mais tous ne se baladent pas avec plusieurs centaines de marks sur eux.

— Exact. On ferait peut-être bien de jeter un coup d'œil alentour avant que le périmètre ait été complètement piétiné. Voir ce qu'on peut dénicher avec les lampes. »

Je me mis à quatre pattes et, lentement, progressai depuis le cadavre en direction de Königs-Thor. Heinrich Grund en fit autant à deux ou trois mètres à ma gauche. La nuit était chaude, l'herbe sèche et douce sous mes mains. C'était une méthode que nous avions déjà pratiquée. Une méthode que défendait Ernst Gennat. Et qui occupait une place de choix dans le manuel qu'il nous avait donné. À savoir que ce sont bien souvent les petites choses qui permettent d'élucider un crime : douille de balle, taches de sang, boutons de col, mégots de cigarette, boîtes d'allumettes, boucles d'oreilles, mèches de cheveux, insignes de partis. Les choses volumineuses et faciles à voir sont généralement enlevées de la scène de crime. Mais pas les petits trucs. Et c'étaient les petits trucs qui pouvaient envoyer un homme à la guillotine. Personne n'appelait ça des indices. Gennat avait ce mot en horreur.

« Les indices sont faits pour ceux qui n'ont rien dans le crâne, avait coutume de répéter le gros Ernst. Ce n'est pas ce que j'attends de mes inspecteurs. Donnez-moi des petites taches de couleur sur une toile. Comme ce Français qui peignait en utilisant des petits points. Georges Seurat. Chaque point ne veut rien dire séparément. Mais il suffit que vous fassiez quelques pas en arrière et que vous regardiez tous les petits points ensemble pour qu'une image vous apparaisse. Voilà ce que j'attends de vous, bande de salauds. Que vous appreniez à me peindre un tableau à la manière de Georges Seurat. »

Nous étions donc là, Heinrich Grund et moi, rampant dans l'herbe de Friedrichshain Park comme deux chiens. Des flics de Berlin essayant de peindre un tableau.

Si j'avais cligné des yeux, je serais peut-être passé à côté. Comme tache de couleur, celle-là était aussi minuscule que tout ce qu'on peut voir sur une toile impressionniste, mais tout aussi vive. Sur le moment, je crus qu'il s'agissait d'un bleuet parce qu'elle était bleu clair, comme les yeux de la fille morte. Il s'agissait d'une pilule gisant sur des brins d'herbe. La ramassant, je la tins devant mes yeux et m'aperçus qu'elle brillait comme un diamant, ce qui voulait dire qu'elle ne devait pas être là depuis longtemps. Il y avait eu une brève averse juste après le déjeuner, par conséquent elle avait dû tomber par terre peu après. Un homme se hâtant de regagner la route depuis la fontaine où il avait déposé un cadavre pouvait très bien avoir sorti une boîte de pilules, l'avoir tripotée nerveusement et en avoir perdu une. À présent, je n'avais plus qu'une chose à faire, essayer de savoir de quel genre de pilule il s'agissait.

« Qu'est-ce que tu as là, patron ?

— Une pilule, répondis-je en la posant sur sa paume.

— Quelle sorte de pilule ?

— Je ne suis pas pharmacien.

— Tu veux que j'aille me renseigner à l'hôpital ?

— Non. Je demanderai à Hans Illmann de s'en charger. »

Illmann était professeur de médecine légale à l'Institut de police scientifique de Charlottenburg, et le doyen des pathologistes de l'Alex. C'était aussi un membre éminent du SPD, le parti social-démocrate. À cause de cela et d'autres prétendus déficits moraux, il avait été fréquemment stigmatisé par Goebbels dans les pages de

Der Angriff, le journal national-socialiste de Berlin. Illmann n'était pas juif, mais, pour les nazis, il incarnait le fléau majeur numéro deux : l'intellectuel libéral.

« Illmann ?

— Le professeur Illmann. Des objections ? »

Grund se mit à contempler la lune comme s'il essayait d'apprendre la patience. La lumière blanche donnait à sa tête blond pâle une nuance gris acier et ses yeux bleus étaient devenus presque électriques. On aurait dit une espèce d'homme-machine. Une chose dure, métallique et cruelle. Sa tête pivota, et il me regarda comme il aurait regardé un adversaire minable sur un ring – un sous-homme indigne d'entrer en lice avec un champion tel que lui.

« C'est toi le chef », fit-il en laissant tomber la pilule dans ma main.

Mais pour combien de temps ? me demandai-je.

Nous retournâmes à l'Alex qui, avec ses coupoles et ses portails en arche, était aussi vaste qu'une gare de chemin de fer et, derrière sa façade en brique de quatre étages, dans le hall très haut sous plafond, presque aussi animé. Toute la faune humaine s'y trouvait représentée, y compris celle des bas-fonds : un ivrogne avec un œil au beurre noir qui attendait en titubant d'être bouclé pour la nuit ; un chauffeur de taxi portant plainte contre un client qui avait filé sans payer ; un jeune homme à l'allure androgyne, vêtu d'un short blanc étriqué, assis tranquillement dans un coin, vérifiant son maquillage dans un petit miroir ; et un type à lunettes avec une serviette à la main et une marque violette en travers de la bouche.

À la réception, de la taille d'un bunker, nous consultâmes un dossier contenant une liste de personnes disparues. Le sergent de permanence censé nous prêter assistance avait une grosse moustache en guidon de vélo et des joues bleutées qui le faisaient ressembler à une mouche domestique. Impression qui ne fit que s'accentuer lorsque les yeux lui sortirent de la tête à la vue des deux grandes putains qu'un flic avait ramassées dans la rue. Elles portaient des cuissardes en cuir noir et des manteaux en cuir rouge qu'elles avaient judicieusement laissés ouverts, révélant à qui voulait bien regarder qu'elles n'avaient rien en dessous. L'une d'elles tenait une cravache que l'officier de police qui les avait arrêtées, un flic avec un bandeau sur l'œil – nommé Bruno Stahlecker et que je connaissais –, n'arrivait pas à lui faire lâcher. Visiblement, les filles avaient bu un verre ou deux, voire plus. Tout en feuilletant les déclarations de personnes disparues, j'écoutais d'une oreille la conversation entre Stahlecker et les filles. Il aurait été difficile de ne pas entendre.

« Moi, j'adore les mecs en uniforme », disait la plus grande des deux Amazones en cuissardes. Elle fit claquer sa cravache contre sa botte puis se mit à tripoter les poils de son bas-ventre d'un air provocant. « Quel mâle de Berlin a envie d'être mon esclave ce soir ? »

Ces créatures bottées étaient les dominatrices en plein air de la ville. Pour la plupart, elles travaillaient à l'ouest de Wittenberg Platz, près du Jardin zoologique, mais Stahlecker avait alpagué cette paire de putes dans Friedrichstrasse après qu'un homme s'était plaint d'avoir été battu et détroussé par deux femmes en cuir.

« Tiens-toi bien, Birgit, lui lança Stahlecker. Ou je vais te balancer le règlement du corps médical par-dessus le marché. » Il se tourna vers l'homme à la marque rouge sur la figure. « Est-ce que ce sont ces deux femmes qui vous ont dévalisé ?

— Oui répondit l'homme. L'une d'elles m'a frappé en pleine figure avec un fouet puis a exigé de l'argent en menaçant de me frapper à nouveau. »

Les filles protestèrent bruyamment de leur innocence. Jamais l'innocence n'avait paru plus vénérienne et corrompue.

Je finis par trouver ce que je cherchais.

« Anita Schwarz, dis-je en montrant la déclaration à Heinrich Grund. Âge : 15 ans. Adresse : 8 Behrenstrasse, appartement 3. Déclaration faite par son père, Otto. Disparue hier. Taille : 1,60 m, cheveux blonds, yeux bleus, attelle à la jambe gauche, marche avec une canne. C'est bien notre fille. »

Mais Grund faisait à peine attention. Il lorgnait probablement le spectacle de nu gratuit. Le laissant se rincer l'œil, je m'approchai d'un des autres classeurs, où je trouvai un rapport plus détaillé. Il y avait une croix sur la chemise à côté d'un W.

« Il semblerait que le directeur adjoint de la police s'intéresse à notre affaire », dis-je.

Dans le dossier, il y avait une photographie. Plutôt ancienne, à mon avis. Mais aucun doute : c'était bien la jeune fille dans le parc.

« Le père de la fille est peut-être un ami à lui.

— Je connais ce type, murmura Grund.

— Qui ça, Schwarz ?

— Non. Le type, là. »

S'adossant au bureau de réception, il montra d'un bref signe de son groin l'homme avec la marque de fouet sur le visage.

« C'est un Alphonse. »

Un Alphonse signifiait, dans l'argot de la pègre de Berlin, un souteneur. Activité pour laquelle les expressions ne manquaient pas : Julot, merlan, dos-vert, Ludwig ou rouleur de jarretelles.

« Il dirige une de ces cliniques bidons près de Ku'damm. Sa spécialité, c'est de se faire passer pour un toubib et de "prescrire" des filles mineures à ses prétendus "patients". »

Grund appela Stahlecker.

« Hé, Bruno ? Quel est le nom de ce type ? Celui avec les lunettes et le sourire extra-large.

— Lui ? Dr Geise.

— Dr Geise, tu parles, oui ! Son vrai nom est Koch, Hans-Theodor Koch, et il n'est pas plus médecin que moi. C'est un Alphonse. Un charlatan qui fournit des petites filles aux vieux pervers. »

L'homme se leva.

« C'est un fieffé mensonge ! s'écria-t-il, indigné.

— Ouvre sa serviette, dit Grund. Tu verras si je me trompe. »

Stahlecker se tourna vers l'homme, qui serrait la serviette contre lui comme s'il avait effectivement quelque chose à cacher.

« Eh bien, monsieur. Qu'est-ce que vous en dites ? »

À contrecœur, l'homme laissa Stahlecker prendre la serviette et l'ouvrir. Quelques secondes plus tard, une pile de magazines pornographiques se dressait sur le sous-main du sergent de permanence. Le magazine s'intitulait *Figaro*. La couverture de chaque exemplaire s'ornait d'une photo représentant sept garçons et filles nus, âgés de dix à onze ans, assis sur les branches d'un arbre mort telle une troupe de petits lions blancs.

« Espèce de vieux dégoûtant ! lança d'un ton féroce une des prostituées.

— Voilà qui change quelque peu la situation, dit Stahlecker à Koch.

— C'est un magazine naturiste, protesta Koch. Dédié à la cause de la réforme de la vie libre. Ce n'est absolument pas une preuve des allégations de cet ignoble individu.

— Ouais, eh ben, ça prouve au moins une chose, intervint la prostituée à la cravache. Ça prouve que t'aimes reluquer des photos cochonnes de petits garçons et de petites filles. »

Nous les laissâmes à cet âpre débat.

« Qu'est-ce que je t'avais dit ? grommela Grund alors que nous retournions à la voiture. Cette ville est une putain, et ta République bien-aimée son maquereau. Quand te décideras-tu enfin à ouvrir les yeux, Bernie ? »

Dans Behrenstrasse, je garai la voiture devant un passage au toit en verre donnant dans Unter den Linden. Surnommé le Tuyau à Gaz, il était connu pour être le lieu de rendez-vous des prostitués mâles de Berlin. Lesquels étaient aisément reconnaissables au court pantalon blanc, à la chemise de marin et à la casquette à visière dont beaucoup s'affublaient pour paraître plus jeunes aux yeux des vieilles souches – leurs clients d'un certain âge qui, jusqu'à ce qu'ils aient fait leur choix, arpentaient le passage en feignant de regarder les vitrines des antiquaires.

La nuit était chaude. D'après mes calculs, il devait y avoir au moins quatre-vingts à quatre-vingt-dix des Apollon les plus torrides de la capitale en train de faire le pied de grue sous la célèbre enseigne Reemtsma, une des rares que les SA n'avaient pas réduites

en miettes. Les sections d'assaut, les Sturmabteilung, étaient censées fumer des Sturm[1], une marque fabriquée par Trommler ; étant
nazies et par conséquent fidèles à la marque, elles trouvaient souvent à redire aux marques concurrentes, parmi lesquelles
Reemtsma était peut-être la plus célèbre. Que les SA déboulent et
les Apollon prendraient tous leurs jambes à leur cou sous peine de
se voir administrer une raclée – sinon pire. Les SA semblaient haïr
les pédés presque autant qu'ils détestaient les communistes et les
Juifs.

L'appartement était situé au-dessus d'un café, dans une élégante
bâtisse de style roman. Je tirai la sonnette en cuivre luisante
comme un sou neuf et nous patientâmes. Au bout d'une minute,
une voix retentit au-dessus de nos têtes. Nous reculâmes sur le
trottoir pour avoir une meilleure vue de notre interlocuteur.

« Oui ?

— Herr Schwarz ?

— Oui.

— Police. Pouvons-nous monter ?

— Oui. Une minute, je descends vous ouvrir. »

Pendant ce temps, Heinrich Grund continuait à fulminer contre
toute cette luxure dont nous venions d'être témoins.

« Des tantouzes russes », maugréa-t-il.

Juste après la révolution bolchevique, la prostitution berlinoise,
masculine et féminine, avait été en grande partie russe. Mais ce
n'était plus le cas à présent, et je fis de mon mieux pour ignorer ses
invectives. Ce n'est pas que j'aimais les pédés. Simplement, je ne
les détestais pas autant que lui.

Otto Schwarz vint nous ouvrir la porte. Nous lui montrâmes
nos plaques de la Kripo tout en déclinant nos noms, et il hocha la
tête comme s'il nous attendait. C'était un grand gaillard, avec une
bedaine dans laquelle il semblait avoir investi énormément
d'argent. Ses cheveux blonds étaient coupés ras de chaque côté et
ondulés au sommet. Sous un nez sale divisé en deux par une grosse

---

1. Littéralement : orage, tempête.

cicatrice se dessinait une moustache en brosse à peine visible. Il me rappelait fortement Ernst Röhm, première impression que ne fit qu'accentuer l'uniforme qu'il portait, de façon parfaitement illégale. Depuis juin 1930, les uniformes nazis étaient interdits ; et, pas plus tard qu'en avril, dans une campagne pour endiguer le terrorisme nazi à Berlin, le président du Reich Hindenburg avait dissous la SA et la SS. Je n'étais pas très doué pour reconnaître les insignes aux épaules et au col, contrairement à Grund. Ils firent poliment la conversation tandis que nous grimpions les escaliers. C'est ainsi que j'en vins à apprendre que Schwarz était Oberführer dans la SA, mais aussi l'équivalent de général de brigade. Une petite partie de moi-même avait envie de se joindre à cet échange de propos aimables. J'aurais voulu exprimer mon étonnement de trouver un Oberführer de la SA chez lui alors qu'il y avait des communistes à lyncher et des vitrines juives à pulvériser. Mais, comme je m'apprêtais à informer Schwarz de la mort de sa fille, je me bornai à lui faire remarquer qu'il portait l'uniforme d'une organisation proscrite. La moitié des policiers de Berlin auraient regardé de l'autre côté, fait comme si de rien n'était. Mais la moitié des flics de Berlin étaient nazis. Et si bon nombre de mes collègues semblaient plutôt ravis de s'acheminer comme des somnambules vers une dictature, je n'étais pas de ceux-là.

« Vous n'ignorez pas que, depuis le 14 avril de cette année, il est interdit de porter cet uniforme ?

— Ça n'a sûrement plus beaucoup d'importance à présent. Le décret est sur le point d'être abrogé.

— Jusque-là, c'est toujours illégal, monsieur. Toutefois, étant donné les circonstances, je passerai l'éponge. »

Schwarz rougit légèrement puis serra les poings, l'un après l'autre. Cela fit le bruit d'un nœud qu'on serre. Il aurait sans doute adoré m'en passer un autour du cou. Au lieu de quoi, il se mordit la lèvre. Plus facile à atteindre que ma figure. Il poussa la porte de l'appartement.

« Je vous en prie. Entrez, messieurs », fit-il avec raideur.

L'appartement était un véritable temple dédié à Adolf Hitler. Il y avait un portrait de lui dans un cadre ovale ornant le couloir et un autre, différent, dans un cadre rectangulaire, à l'intérieur du salon. Un exemplaire de *Mein Kampf* était ouvert sur un lutrin posé sur le buffet, à côté d'une bible familiale. Derrière trônait une photo encadrée d'Otto Schwarz en compagnie du même Adolf Hitler. Tous deux portaient des casques d'aviateur en cuir et étaient assis sur la banquette avant d'une énorme Mercedes découverte, affichant des sourires épanouis comme s'ils venaient de remporter l'ADAC Eifelrennen, et ça en un temps record. Sur le sol, près d'un des fauteuils, gisait une dizaine de numéros de *Der Stürmer*, le journal violemment antisémite. J'avais déjà vu des affiches électorales favorables à Hitler moins ouvertement nazies que l'appartement de Schwarz.

À sa manière suave de blonde aux yeux bleus et à la poitrine plantureuse, Frau Schwarz ne faisait pas l'effet d'être moins nationale-socialiste que son Sturmabteilung de mari. Lorsqu'elle glissa son bras sous celui de son époux, je m'attendais presque à ce qu'ils se mettent à beugler « Allemagne, réveille-toi » et « Mort aux Juifs », avant de démolir le mobilier et d'entonner le *Horst Wessel Lied*. Parfois, ce genre de petits fantasmes rendait le boulot un tant soit peu supportable. Certainement pas les deux cent cinquante marks par mois. Frau Schwarz arborait une ample jupe froncée brodée de motifs traditionnels, un corsage très serré, un tablier et une expression où la crainte se mêlait à l'hostilité.

Schwarz posa une main de la taille d'un jambonneau sur celle que sa femme avait passée sous son bras, laquelle posa son autre main sur la sienne. Mais, à leur mine sinistre et résolue, ils me faisaient penser à un couple qui va se marier.

Ils semblèrent enfin prêts à écouter ce qu'ils savaient que j'allais leur annoncer. J'aimerais pouvoir dire que j'admirais leur courage. En vérité, ce n'était pas le cas, du moins pas beaucoup. La vue de l'uniforme illégal de Schwarz et du numéro de bataillon au revers de son col me rendait quasiment imperméable à leurs sentiments. S'ils en avaient. Un très bon ami à moi, le POWM Emil Kuhfeld, adjudant-chef dans la Schupo, avait été abattu à la tête d'un détachement de police anti-émeute essayant de disperser un groupe important de communistes dans Frankfurter Allee. Le commissaire nazi du poste 85 qui avait dirigé l'enquête s'était arrangé pour coller le meurtre sur le dos d'un communiste, mais presque tout le monde à l'Alex savait qu'il avait fait disparaître la déposition d'un témoin selon lequel Kuhfeld s'était fait tirer dessus par un SA armé d'un fusil. Le lendemain du meurtre de Kuhfeld, ce SA, un certain Walter Grabsch, avait été découvert mort dans son appartement de Kadinerstrasse, ayant fort opportunément mis fin à ses jours. Les funérailles de Kuhfeld avaient été les plus grandioses jamais faites à un policier de Berlin. J'avais aidé à porter le cercueil. C'est comme ça que je savais que le numéro sur le revers du col bleu de Schwarz était le même que celui du bataillon auquel avait appartenu Walter Grabsch.

Je débitai les mots douloureux à Herr et Frau Schwarz comme s'ils sortaient tout droit de mon étui d'épaule. Sans même prendre la peine d'arrondir les angles.

« Nous pensons avoir retrouvé le corps de votre fille, Anita. Il semble qu'elle ait été assassinée. Je dois vous prier de passer au commissariat pour l'identifier. Disons demain matin, dix heures, au Präsidium de la police, sur Alexanderplatz ? »

Otto Schwarz acquiesça en silence.

Il m'était déjà arrivé de délivrer de mauvaises nouvelles, bien entendu. Rien que la semaine précédente, j'avais dû apprendre à une mère habitant Moabit que son fils de dix-sept ans, élève du lycée local, avait été tué par des communistes qui l'avaient pris pour une chemise brune. « Êtes-vous sûr que c'est lui, Kommissar ? » avait-elle demandé plus d'une fois pendant les moments éplorés que j'avais passés avec elle.

Herr et Frau Schwarz eurent quand même l'air d'accuser le coup.

Je parcourus à nouveau l'appartement du regard. Il y avait un petit échantillon de broderie dans un cadre au-dessus de la porte. On pouvait y lire : « Prêt à se sacrifier », en rouge, avec un point d'exclamation. J'en avais déjà vu et je savais qu'il s'agissait d'une citation de *Mein Kampf*. Ce qui, bien sûr, n'était pas pour m'étonner. En revanche, j'étais surpris de ne voir aucune photo de leur fille, Anita. La plupart des parents ont toujours un ou deux clichés de leur progéniture dans les parages.

« Nous avons au dossier la photographie que vous nous avez donnée. Nous sommes donc pratiquement certains qu'il s'agit d'elle, malheureusement. Mais cela ferait gagner du temps si vous pouviez nous en prêter d'autres.

— Gagner du temps ? s'exclama Otto Schwarz en fronçant les sourcils. Je ne comprends pas. Elle est morte, non ?

— Gagner du temps, pour essayer d'attraper son assassin, répondis-je avec froideur. Quelqu'un l'a peut-être aperçue avec lui.

— Je vais voir ce que je peux trouver, déclara Frau Schwarz. »

Sur ce, elle quitta la pièce avec le plus grand calme, pas plus bouleversée que si je lui avais dit que Hitler ne viendrait pas boire le thé.

« Votre femme semble prendre ça très bien, remarquai-je.

— Ma femme est infirmière à la Charité. Elle a l'habitude des mauvaises nouvelles. De plus, nous nous attendions au pire.

— Vraiment ? »

Je lançai un regard à Grund, qui me fixa d'un œil torve puis détourna la tête.

« Nous sommes sincèrement désolés, monsieur, dit-il à Schwarz. Oui, tout à fait désolés. Par ailleurs, il n'est pas nécessaire que vous veniez tous les deux au Präsidium demain. Et si demain n'est pas pratique pour vous, nous pouvons toujours remettre ça à un autre moment.

— Merci, sergent, mais demain sera très bien. »

Grund acquiesça.

« Mieux vaut en finir tout de suite avec ça, dit-il en hochant la tête. Vous avez probablement raison. Vous pourrez ensuite pleurer votre fille en paix.

— Oui. Merci, sergent.

— Quelle était la nature de l'infirmité de votre fille ? demandai-je.

— C'était une handicapée moteur. Seul le côté gauche de son corps était affecté. Elle avait du mal à marcher, naturellement. Et aussi, de temps à autre, des crises, spasmes et autres mouvements involontaires. Elle n'entendait pas très bien non plus. »

Schwarz alla jusqu'au buffet et, ignorant la bible, posa affectueusement la main sur l'exemplaire ouvert du livre de Hitler, comme si les paroles enthousiastes de son Führer sur le national-socialisme pouvaient lui apporter un réconfort philosophique et spirituel.

« Et sa capacité de compréhension ? » m'enquis-je.

Il secoua la tête.

« Son esprit n'avait rien, si c'est ce que vous voulez dire.

— Oui, c'est bien ce que je veux dire. » Je marquai une pause. « En outre, je me demandais si vous pourriez m'expliquer comment il se fait qu'elle avait cinq cents marks sur elle.

— Cinq cents marks ?

— Dans la poche de son manteau. »

Il secoua à nouveau la tête.

« Il doit y avoir une erreur.

— Non, il n'y a pas d'erreur.

— Où Anita se serait-elle procuré cinq cents marks ? Quelqu'un a dû les mettre là. »

J'acquiesçai.

« Je suppose que c'est possible.

— Non, je vous assure.

— Avez-vous d'autres enfants, Herr Schwarz ? »

Il parut stupéfait qu'on puisse seulement lui poser une telle question.

« Grand Dieu, non ! Croyez-vous que nous aurions pris le risque d'avoir un autre enfant comme Anita ? » Il poussa un long soupir, et soudain il y eut une forte odeur de quelque chose de nauséabond dans l'air. « Non, nous avions déjà bien assez à faire rien qu'à nous occuper d'elle. Et ce n'était pas facile, vous pouvez me croire. Pas facile du tout. »

Finalement, Frau Schwarz revint avec plusieurs photographies. Elles étaient vieilles et passablement décolorées. L'une d'elles était pliée au bord, comme si on l'avait maniée sans faire attention.

« C'est tout ce que j'ai pu dénicher, annonça-t-elle, les yeux toujours aussi secs.

— Tout, avez-vous dit ? »

Elle acquiesça d'un air insouciant.

« Oui. C'est tout ce qu'il y a.

— Merci, Frau Schwarz. Merci beaucoup. » J'inclinai sèchement la tête. « Bon, eh bien, nous ferions mieux de retourner au commissariat. Alors à demain. »

Schwarz fit un pas vers la porte.

« Ça ira. Inutile de nous raccompagner. »

Nous sortîmes de l'appartement et dévalâmes les escaliers jusqu'à la rue. Le café Kerkau, en bas, était encore ouvert, mais j'avais envie de quelque chose de plus fort que du café. Je démarrai à la manivelle le moteur deux cylindres et nous nous dirigeâmes vers l'est sur Unter den Linden.

« Après ça, un verre ne me ferait pas de mal, déclarai-je au bout de quelques minutes.

— Je suppose que c'est une chance que tu n'en aies pas bu un avant, fit observer Grund.

— Ce qui signifie ?

— Ce qui signifie que tu as été plutôt dur avec eux. » Il secoua la tête. « Bon Dieu, tu aurais tout de même pu prendre des gants. Tu leur as balancé ça tel quel. En plein dans les gencives.

— Allons au Resi, proposai-je. Quelque part où il y a des tas de gens.

— Tout le monde sait que les gens, c'est ton fort, répliqua-t-il avec aigreur. Est-ce parce que c'est un SA que tu les as traités, sa femme et lui, comme s'ils n'avaient pas de cœur ?

— Tu n'as pas vu ce revers de col ? Vingt et unième bataillon. Le même bataillon de SA que celui dont faisait partie Walter Grabsch. Tu te souviens de Walter Grabsch ? Le meurtrier d'Emil Kuhfeld.

— Ce n'est pas ce que prétend la police locale. Et tous les poulets que les cocos ont descendus ? Les deux capitaines, Anlauf et Lenck. Sans oublier Paul Zankert. Tu en fais quoi, de ces gars-là ?

— Je ne les connaissais pas. Par contre, je connaissais bien Emil Kuhfeld. C'était un bon flic.

— Tout comme Anlauf et Lenck.

— Et je déteste les salopards qui les ont assassinés tout autant que je déteste le type qui a tué Emil. À mes yeux, la seule différence entre les rouges et les nazis, c'est que les rouges ne portent pas d'uniforme. Dans le cas contraire, ça me serait beaucoup plus facile de les détester à vue également, comme j'ai détesté ce Schwarz tout à l'heure.

— Eh bien, au moins, tu l'avoues, espèce d'enfoiré.

— D'accord, je l'avoue. J'y suis allé un peu fort. Mais ça aurait pu être bien pire. C'est uniquement par égard pour les sentiments de ces deux ordures nazies que je ne l'ai pas épinglé parce qu'il portait l'uniforme SA.

— Très généreux de ta part.

— Si tant est qu'ils soient capables du moindre sentiment. Ce dont je doute fort. Tu l'as vue ?

— Comment peux-tu dire ça ?

— Allons, Heinrich ! Tu connais le scénario aussi bien que moi. Votre fille est morte. Elle a été assassinée. Grande scène des mouchoirs. Êtes-vous sûrs ? Oui, nous sommes sûrs.

— Elle est infirmière. Ils sont capables d'encaisser.

— C'est ça, mon œil ! Tu l'as vue ? Ses nichons n'ont même pas trembloté lorsque je lui ai dit que sa fille était morte. Jolis nichons, du reste. Pas déplaisants à regarder. N'empêche qu'ils n'ont pas eu le plus petit tressaillement quand je leur ai annoncé ça. Dis-moi que je me trompe, Heinrich. Et dis-moi que je me trompe à propos du fait qu'il n'y avait pas une seule photographie d'Anita Schwarz sur le buffet. Qu'elle a passé au moins dix minutes à en chercher une. Et qu'elle a affirmé m'avoir donné toutes les photos de sa fille.

— Qu'est-ce que ça a d'anormal ?

— Tu ne voudrais pas garder au moins une photo, en souvenir de ta fille défunte ? Juste au cas où un crétin de flic dans ton genre les perdrait ?

— Elle sait qu'elle les récupérera. Voilà tout.

— Non, non. Les gens ne sont pas comme ça, Heinrich. Elle en aurait gardé une. Au moins une. Mais elle me les a toutes refilées. C'est ce qu'elle a expliqué. Je lui ai posé la question, et elle l'a confirmé. Tu l'as entendue. Non seulement ça, mais ces photos ne sont pas en très bon état, comme si elles avaient été rangées en vrac dans une vieille boîte à chaussures. Cette nuit, un communiste te transforme en passoire et quelqu'un me demande une photo de toi pour le journal de la police : je peux lui en donner une chouette, dans un cadre, en vingt secondes. Et nous ne sommes même pas parents. Dieu merci.

— Et alors, ça veut dire quoi ? »

Je me garai tout près du Residenz Casino. Il était largement plus de minuit, mais il y avait encore plein de gens qui entraient. Dont un ou deux flics, probablement. Le Resi avait beaucoup de succès auprès de la Kripo de l'Alex, et pas seulement en raison de sa proximité.

« Ça veut dire ce que tu as dit dans le parc.

— Qu'est-ce que j'ai dit dans le parc ?

— Qu'ils sont peut-être tous les deux contents que la môme soit morte. Qu'ils trouvent peut-être que ça vaut mieux pour elle. Et, plus important, pour eux.

— Qu'est-ce qui te fait penser ça ?

— C'est la politique nazie, non ? Ces infirmes représentent une menace pour les deniers publics. Je suppose que c'est de là que tu tires toutes ces conneries sur la pureté raciale. Merde, Heinrich, tu as vu cette photo de Schwarz avec Hitler ? » J'allumai une ciga-rette. « Je te parierais n'importe quoi que Hitler aurait Otto Schwarz nettement plus à la bonne sans son éclopée de gamine. »

Nous pénétrâmes dans le Resi. Connaissant nos visages, le cer-bère à la porte nous fit signe de passer la billetterie. Aucune boîte ne faisait payer les flics pour entrer. Elles avaient besoin de nous bien plus que nous n'avions besoin d'elles. Surtout quand, comme avec le Resi, il y avait un bon millier de personnes dans la place. Nous nous trouvâmes une petite loge au balcon et commandâmes deux bières. La boîte était truffée de caves privées, d'alcôves et de box, tous équipés de téléphones incitant les clients à draguer à distance respectueuse. Ces téléphones étaient aussi une des raisons pour lesquelles l'endroit avait la faveur des détectives de l'Alex. Les indicateurs en raffolaient. Les putains en raffolaient également.

Tout le monde raffolait des téléphones du Resi. Nous nous étions à peine assis que l'appareil sur notre table se mit à sonner.

« Gunther ? fit une voix d'homme. C'est Bruno. Je suis en bas, près du bar, devant le stand de tir. »

Je jetai un coup d'œil par-dessus le bord du balcon et vis Stahlecker agiter la main dans ma direction. Je lui fis signe à mon tour.

« Pour un borgne, tu te débrouilles pas mal.

— On a arrêté cet Alphonse. Remercie Heinrich de ma part.

— Bruno remercie Heinrich. Ils ont arrêté l'Alphonse.

— Bien, dit Grund.

— En sortant de l'Alex, j'ai rencontré Isidor, reprit Bruno. Il m'a chargé de te dire, au cas où j'aurais de tes nouvelles, qu'il veut te voir demain matin à la première heure. »

Isidor était le surnom que tout le monde donnait au DAP, le Doktor Bernhard Weiss. C'était aussi le surnom que lui donnait *Der Angriff*. Si ce n'est que, sous la plume de *Der Angriff*, ça n'avait rien d'un terme affectueux, seulement antisémite. Ce qui ne faisait ni chaud ni froid à Izzy.

« A-t-il dit à quel sujet ? demandai-je, même si j'étais à peu près certain de la réponse.

— Non.

— C'est quoi, la première heure pour Izzy ces derniers temps ?

— Huit heures. »

Je regardai ma montre et poussai un grognement.

« Adieu, ma soirée. »

C'était un petit bonhomme nanti d'une petite moustache, d'un nez allongé et de petites lunettes rondes. Ses cheveux châtain foncé étaient ramenés en arrière sur un crâne bourré de matière grise. Il portait un costume trois pièces bien coupé, des demi-guêtres et, en hiver, un manteau à col de fourrure. Facile à caricaturer, ses ennemis exagérant sa judaïté, le Doktor Bernhard Weiss tranchait étrangement sur le reste des policiers de Berlin. Heinmannsberg, qui le dépassait d'une tête, incarnait l'idée que tout le monde se faisait de ce à quoi doit ressembler un officier de police haut placé.

Izzy avait davantage l'apparence d'un homme de loi et, de fait, il avait été autrefois juge dans les tribunaux de Berlin. Mais l'uniforme ne lui était pas étranger, et il était revenu de la Grande Guerre avec la Croix de fer de première classe. Izzy faisait tout son possible pour avoir l'air d'un flic dur à cuire, sans succès. Pour commencer, il ne portait jamais d'arme, pas même après s'être fait tabasser par un agent d'extrême droite qui prétendait avoir pris le vice-président de la police pour un communiste. Izzy préférait se battre avec des mots, une arme redoutable quand il s'en servait. Ses sarcasmes étaient aussi caustiques que de l'acide de batterie et, avec un entourage aux capacités intellectuelles inférieures aux siennes, cela faisait fréquemment des éclaboussures. Ce qui ne contribuait pas à le rendre populaire. Cela n'aurait pas eu grande importance pour la plupart des hommes dans sa position élevée, mais, comme il n'y avait aucun homme dans sa position élevée qui fût également juif, cela aurait dû avoir plus d'importance pour Izzy. Son impopularité le rendait vulnérable. Mais j'avais de la sympathie pour lui et réciproquement. Plus que quiconque dans le pays, c'est Izzy qui avait été à l'origine de la modernisation des forces de police. Sauf que l'impulsion était venue en bonne partie de l'assassinat du ministre des Affaires étrangères, Walther Rathenau.

On racontait que chacun en Allemagne était capable de dire où il se trouvait exactement le 24 juin 1922, lorsqu'il avait appris la nouvelle que Rathenau, un Juif, avait été abattu par des terroristes de droite. Pour ma part, j'étais au Romanisches Café, les yeux fixés sur mon verre, à m'apitoyer une fois de plus sur mon propre sort après le décès de ma femme trois mois plus tôt. Le meurtre de Rathenau m'avait persuadé de m'engager dans la police de Berlin. Izzy le savait. C'était une des raisons pour lesquelles il m'aimait bien, je pense.

Son bureau à l'Alex ressemblait à celui d'un professeur d'université. Il était assis devant une vaste bibliothèque remplie de livres de droit et de criminologie, dont un qu'il avait lui-même écrit. Sur le mur s'étalait une carte de Berlin avec des punaises rouges et brunes indiquant des flambées de violence politique. On aurait cru la carte atteinte de rougeole tellement il y avait de punaises. Sur sa table, deux téléphones, plusieurs piles de papiers, et un cendrier dans lequel il secouait la cendre de ses havanes Sagesse noire, apparemment son seul luxe.

Il subissait, je le savais, des pressions énormes, parce que la République elle-même subissait des pressions énormes. Aux élections de mars, les nazis avaient doublé leur effectif au Reichstag, devenant ainsi le deuxième plus grand parti avec onze millions et demi de suffrages. Le chancelier, Heinrich Brüning, s'efforçait de relancer l'économie, mais, avec près de six millions de chômeurs – et le nombre ne cessait d'augmenter –, c'était pratiquement impossible. Il paraissait peu probable que Brüning fasse long feu maintenant que le Reichstag avait recommencé à siéger. Hindenburg demeurait le président de la République de Weimar et le chef du principal parti, le SPD. Mais le vieil aristocrate n'avait guère de sympathie pour Brüning. Et si Brüning s'en allait, alors qui ? Schleicher ? Papen ? Groener ? Hitler ? L'Allemagne commençait à manquer d'hommes forts capables de diriger le pays.

Izzy m'indiqua un siège d'un geste de la main sans lever les yeux de ce qu'il était en train d'écrire avec son Pelikan noir. De temps à autre, il posait le stylo et portait le cigare à sa bouche. Je m'amusais à guetter le moment où il mettrait le stylo dans sa bouche et essaierait d'écrire avec le cigare.

« Nous devons continuer à faire notre devoir de policiers même si certains nous rendent la vie difficile », dit-il tout à coup d'une voix épaisse et corsée comme une bière assombrie par du malt coloré – une Dunkel ou une Bock.

Il posa le stylo et, se carrant dans son vieux fauteuil pivotant, me fixa d'un œil aussi pointu qu'un *pickelhaube*[1] de cuirassier.

« Vous n'êtes pas de cet avis, Bernie ?

— Si, monsieur.

— Les Berlinois n'ont pas encore oublié, ni pardonné à leurs forces de police, ce qui s'est passé en 1918, lorsque l'Alex s'est rendu à l'anarchie et à la révolution sans tirer une seule cartouche.

---

1. Casque à pointe.

— Non. Mais que pouvaient-elles faire d'autre ?

— Elles auraient pu faire respecter la loi, Bernie. Au lieu de ça, elles n'ont songé qu'à sauver leur peau. Toujours, nous faisons respecter la loi.

— Et si les nazis prennent le pouvoir, qu'adviendra-t-il ? Ils utiliseront la loi et la police à leurs propres fins.

— Ce qui est exactement ce que les socialistes indépendants ont fait en 1918 sous Emil Eichhorn. Nous avons survécu à ça. Nous survivrons aussi aux nazis.

— Peut-être.

— Il faut avoir un peu confiance, Bernie. Si les nazis arrivent effectivement au pouvoir, nous devrons avoir suffisamment confiance pour nous dire que, tôt ou tard, le processus parlementaire ramènera l'Allemagne à la raison.

— Je l'espère, monsieur. »

Puis, juste au moment où je commençais à croire qu'Izzy m'avait convoqué pour me donner une leçon de science politique, il en vint au fait.

« Un philosophe anglais nommé Jeremy Bentham a écrit jadis que la publicité est l'âme même de la justice. Ce qui est particulièrement vrai dans le cas d'Anita Schwarz. Pour paraphraser un autre juriste anglais, l'enquête sur sa mort ne doit pas simplement avancer, il importe qu'on la voie avancer avec vigueur. Maintenant, laissez-moi vous dire pourquoi. Helga Schwarz, la mère de la jeune fille assassinée, est la cousine de Kurt Daluege. Ce qui en fait une affaire extrêmement médiatique, Bernie. Et je tenais à ce que vous sachiez que la dernière chose que nous voulons en ce moment, c'est que le Doktor Goebbels déclare dans les pages de son journal sordide mais néanmoins influent que nous menons l'enquête de façon incompétente, ou que nous traînons les pieds parce que nous avons une dent contre les nazis. Tous les préjugés personnels doivent être mis de côté. Est-ce que je suis bien clair, Bernie ?

— Très clair, monsieur. J'ai beau ne pas avoir de doctorat en droit comme Bernhard Weiss, je n'ai pas besoin qu'on me l'écrive avec les umlauts et les ablauts. Kurt Daluege est un héros de guerre décoré. Actuellement dans la SS, il a été l'un des chefs des SA de Berlin, et l'adjoint de Goebbels. Plus important pour nous, il a été député NSDAP au parlement de Prusse, auquel la police berlinoise doit avant tout fidélité. Daluege pourrait nous causer des ennuis politiques. Avec des amis comme les siens, il pourrait causer des ennuis dans un hospice de moines bénédictins à la retraite. Au sein des milieux bien informés, le bruit court que, si jamais ils arrivent au pouvoir, les nazis envisagent de mettre Daluege à la tête de la police de la capitale. Non qu'il ait la moindre expérience en matière de maintien de l'ordre. Par contre, là où il en possède une solide, c'est pour faire exactement tout ce que Hitler et Goebbels lui disent de faire. Et je suppose qu'il en va de même de son parent par alliance, Otto Schwarz.

— C'est pourquoi j'organise une conférence de presse cet après-midi, rétorqua Izzy. Vous pourrez ainsi expliquer aux journaux combien nous prenons cette affaire au sérieux. Que nous suivons toutes les pistes possibles. Que nous ne connaîtrons pas de repos avant que l'assassin ne soit sous les verrous. Enfin, vous connaissez la musique. Vous avez déjà tenu pas mal de conférences de presse. Et même de façon assez habile, à l'occasion.

— Merci, monsieur.

— Toutefois, vous êtes doué d'un bon sens naturel que vous auriez parfois intérêt à refréner. Surtout dans une affaire politique comme celle-ci.

— Parce que c'est de ça qu'il s'agit ?

— Oh, c'est ce que je dirais, pas vous ?

— Si, monsieur.

— Bien sûr, Ernst Gennat et moi, nous assisterons à la conférence. Mais c'est votre enquête et votre conférence. Si l'on nous pose des questions, nous nous en tiendrons à des déclarations concernant vos compétences. L'impressionnante réputation du commissaire Gunther, son extraordinaire persévérance, son sens aigu de la psychologie, son imposant palmarès. Bref, les bêtises habituelles.

— Merci pour votre confiance, monsieur. »

Les lèvres d'Izzy se plissèrent comme s'il savourait le goût de sa propre intelligence, telle une boulette de pain azyme toute fraîche.

« Eh bien, qu'avez-vous récolté jusqu'ici ?

— Pas grand-chose. Elle n'a pas été tuée dans le parc, ça ne fait aucun doute. Nous en saurons davantage sur la cause du décès un peu plus tard dans la journée. Difficile de dire s'il s'agit d'un crime sexuel ou pas. Ce qui explique peut-être qu'on lui ait retiré ses organes génitaux et tout ce qui va avec. À première vue, on peut dire que c'est là le trait le plus singulier de cette affaire. Mais on peut tout aussi aisément pointer du doigt la réaction de Herr et Frau Schwarz eux-mêmes. Hier soir, ni l'un ni l'autre n'ont paru particulièrement bouleversés quand je leur ai dit que leur fille était morte.

— Seigneur, vous n'insinuez tout de même pas, j'espère, que vous les croyez coupables ? »

Je réfléchis un moment.

« Peut-être que je me trompe sur leur compte. Mais la fille était infirme. En fait, j'ai l'impression qu'ils étaient bien contents d'être débarrassés d'elle, c'est tout. Alors, peut-être bien.

— Je gage que vous ne soufflerez mot de tout ceci à la conférence de presse.

— Vous me connaissez.

— Certes, un certain nombre de nazis ont une conception quelque peu intransigeante du traitement des malchanceux de la société. Des personnes souffrant de handicaps physiques ou mentaux. Cependant, même les nazis ne sont pas assez stupides pour penser que cela peut leur rapporter des voix. Personne n'irait voter pour un parti qui prône l'extermination des malades et des infirmes. Pas après une guerre qui a fait des milliers de mutilés.

— Non, je suppose, monsieur. » J'allumai une cigarette. « Il y a autre chose. La jeune fille assassinée avait cinq cents marks sur elle. Beaucoup plus d'argent de poche que je n'en avais à son âge.

— Oui, vous avez raison. Avez-vous posé la question aux parents ?

— D'après eux, il s'agit sûrement d'une erreur.

— J'ai déjà entendu parler d'argent qui se volatilisait des poches d'un cadavre. Jamais d'argent qu'on y avait mis.

— Non, monsieur.

— Interrogez les voisins, Bernie. Parlez à ses camarades de classe. Essayez de savoir quel genre de fille était Anita Schwarz.

— Oui, monsieur.

— Et Bernie. Mettez une autre cravate. Celle-ci a l'air d'avoir trempé dans votre soupe.

— Bien, monsieur. »

Avant la conférence de presse, j'allai me faire couper les cheveux à KaDeWe. Henry Ford lui-même n'aurait pas été plus rationnel dans l'organisation de l'industrie de la tonte des crânes allemands. Il y avait dix fauteuils et, en moins de vingt minutes, l'affaire était réglée. Le KaDeWe n'était pas précisément à côté de l'Alex, mais l'endroit convenait parfaitement à une coupe de cheveux et à l'achat d'une nouvelle cravate.

Comme toujours, la conférence se tint dans le musée de la Police de l'Alex. Une idée de Gennat après l'exposition de 1926, de manière à ce que la Kripo puisse se présenter au monde extérieur entourée des photographies, couteaux, éprouvettes, empreintes digitales, bouteilles de poison, revolvers, cordes et boutons qui constituaient les pièces à conviction de nos innombrables et glorieux succès en matière d'enquête. Le visage moderne du travail de maintien de l'ordre que nous tenions absolument à exhiber aurait peut-être été un peu plus efficace si les cubes en verre contenant toute cette collection de cochonneries médicolégales et les lourds rideaux masquant les hautes fenêtres de la salle d'exposition n'avaient pas été aussi poussiéreux. Même la photo la plus récente, celle d'Ernst Gennat, semblait se trouver là depuis des siècles.

Une vingtaine de reporters et photographes étaient rassemblés parmi les trophées de nos victoires passées. Derrière une table débarrassée d'un assortiment d'armes criminelles pittoresques, j'étais assis entre Weiss et Gennat, comme si on nous avait rangés par ordre de taille croissante. Les représentants de la presse berlinoise m'entendirent lancer un appel aux éventuels témoins qui auraient pu voir un homme à l'attitude suspecte dans le parc de Friedrichshain la nuit du meurtre, après quoi j'embrayai en assurant les habitants de la capitale que nous mettions tous les moyens en œuvre pour capturer l'assassin d'Anita Schwarz – ce que, naturellement, j'étais bien décidé à faire. Ça semblait bien se passer jusqu'à ce que j'en arrive aux salades rituelles sur l'interrogatoire des délinquants sexuels connus. C'est alors que Fritz Allgeier, le reporter de *Der Angriff*, un bigleux avec une barbe grise et des bras apparemment plus longs que ses jambes – pas vraiment la quintessence de la race supérieure –, déclara tout à coup que le peuple allemand exigeait qu'on lui dise en premier lieu pourquoi des délinquants sexuels connus étaient autorisés à se balader dans nos rues.

Plus tard, je convins avec Weiss que mes remarques suivantes auraient pu être un peu plus diplomatiques.

« Aux dernières nouvelles, Herr Allgeier, l'Allemagne possédait encore un système de justice pénale où les gens comparaissent devant un tribunal, sont jugés et, s'ils sont reconnus coupables, purgent une peine de prison. Puis, une fois qu'ils ont payé leur dette à la société, on les laisse sortir.

— Il serait peut-être préférable de ne pas les laisser sortir du tout. Cela vaudrait sans doute beaucoup mieux pour le peuple allemand si ces prétendus "délinquants connus" étaient remis en prison dans les plus brefs délais. Grâce à quoi, il se pourrait fort bien que ce genre de crime sexuel disparaisse complètement.

— Possible. Ce n'est pas à moi de le dire. Mais où avez-vous pêché l'idée que quelqu'un comme vous avait le droit de parler au nom du peuple allemand, Allgeier ? Vous, un petit escroc de Moabit. Exerçant naguère ses talents en plumant les gogos. Le peuple allemand pourrait également exiger de savoir comment vous êtes devenu journaliste. »

Plusieurs des reporters non nazis trouvèrent ça très drôle. Sans compter que j'aurais pu me tirer d'affaire si j'en étais resté là. Mais je ne m'en tins pas là. Je me laissai emporter par mon sujet.

L'Allemagne avait toujours eu la peine de mort en cas de meurtre, mais, depuis plusieurs années, les journaux – les journaux non nazis – menaient une vigoureuse campagne contre la guillotine. Récemment, sous l'influence des doctrines nationales-socialistes, ces mêmes journaux s'étaient cependant abstenus de publier des éditoriaux demandant que soit commuée la sentence d'un assassin, avec pour résultat que le bourreau, Johann Reichhart, avait repris du service. Sa dernière victime avait été le tueur en série et cannibale Georg Haarmann. Un tas de flics, moi y compris, n'aimaient pas beaucoup la guillotine. Surtout depuis que l'officier de police chargé de l'enquête était prié d'assister aux exécutions des meurtriers qu'il avait arrêtés.

« À dire vrai, nous nous sommes toujours appuyés sur les délinquants connus pour obtenir des informations, continuai-je. Il fut même une époque où des criminels purgeant des peines de prison se montraient prêts à nous aider. Bien sûr, c'était avant que nous recommencions à les exécuter. Difficile de persuader un homme de nous parler une fois qu'on lui a tranché la tête ! »

Weiss se leva et, souriant avec patience, annonça que la conférence était terminée. Alors que nous repartions, il ne dit pas un mot. Il se contenta de me regarder d'un petit air triste. Ce qui était bien pire qu'une de ses engueulades.

Gennat déclara pour sa part :

« Beau boulot, Bernie. Ils vont vous arracher les couilles, fiston.

— Les journaux fascistes, y a des chances.

— Tous les journaux sont fascistes par nature, Bernie. Quel que soit le pays. Tous les rédacteurs en chef sont des dictateurs. Tout journalisme est autoritaire. Voilà pourquoi les gens s'en servent pour tapisser les cages à oiseaux. »

Gennat avait raison, évidemment. Comme d'habitude. Seul *Tempo*, le journal du soir de Berlin, me fit une bonne critique. Il se servit d'une photo de moi qui n'était pas sans rappeler Luis Trenker dans *La Montagne sacrée*. Manfred George, le rédacteur de *Tempo*, se fendit d'un article où il me décrivait comme l'un des « meilleurs policiers » de Berlin. Peut-être que ma nouvelle cravate lui avait tapé dans l'œil. Le reste de la presse républicaine était comme un chat tournant autour du lait à pas feutrés : elle n'osait pas dire tout haut ce qu'elle pensait, de peur que ses lecteurs ne soient pas d'accord avec elle. Je ne lus pas *Der Angriff.* À quoi bon ? Mais Hans-Joachim Brandt, dans le nazi *Volkischer Beobachter*, me qualifiait de « laquais libéral de gauche ». La vérité se situait probablement entre les deux.

7

BUENOS AIRES, 1950

Les von Bader vivaient dans la partie résidentielle de Barrio Norte, le quartier des riches. La Calle Florida, le cœur commercial du Barrio Norte, semblait avoir surgi de terre pour permettre aux gens fortunés de dépenser leur argent sans avoir à trop s'éloigner. La maison dans Arenales était bâtie dans le plus pur style français du XVIIIe siècle. Elle ressemblait davantage à un palace qu'à ce qu'on pourrait appeler un chez-soi. La façade s'ornait de colonnes ioniques et de grandes fenêtres ; même les unités de climatisation avaient du chic et ne déparaient pas l'air Bourbon urbain. À l'intérieur, le décor n'était pas moins à la française, avec hauts plafonds et pilastres, cheminées en marbre, glaces dorées, ainsi qu'une ribambelle de meubles et de bibelots XVIIIe qui devaient coûter les yeux de la tête.

Les von Bader et leur petit chien nous reçurent, le colonel et moi, depuis leurs places sur un canapé rouge rembourré à mort. Elle était assise à un bout du canapé et lui à l'autre bout. Ils portaient leurs plus beaux habits, mais d'une façon qui me donna à penser qu'ils les mettaient peut-être pour jardiner – en supposant qu'ils sachent où se rangeaient sécateurs et plantoirs. À les voir assis comme ça, j'avais envie de prendre la baronne par le menton et de tourner légèrement sa tête vers son époux avant de sortir mes pinceaux pour m'atteler à leur portrait. Elle était d'une beauté sculpturale, avec un joli teint, des dents parfaites, des cheveux semblables à de l'or filé et un cou comme celui de la grande sœur de la reine Néfertiti. Lui n'était qu'un maigrichon à lunettes, mais, contrairement à moi, le chien semblait le préférer à elle. Elle tenait un mouchoir et semblait avoir pleuré. Le genre d'expression que les mères anxieuses sont censées avoir, j'imagine. Lui tenait un cigarillo et avait l'air d'un type qui a gagné de la thune. Et même beaucoup.

Le colonel Montalbán me présenta. Nous parlions tous en allemand comme si la rencontre se déroulait dans une luxueuse villa de Dahlem. Je marmonnai quelques mots de compassion. Fabienne avait disparu quelque part entre Arenales et le cimetière de La Recoleta, à moins de huit cents mètres de là. Il lui arrivait souvent d'y aller seule, pour déposer des fleurs sur les marches du caveau de la famille von Bader. Lequel était presque aussi rempli que leur coffre-fort. Elle avait été, semble-t-il, très proche de son grand-père, qui y était enterré. Ils me confièrent quelques photographies. Fabienne ressemblait à n'importe quelle jeune fille de quatorze ans blonde, jolie et riche. Une des photos la montrait juchée sur un poney blanc. La bride du poney était tenue par un gaucho et, derrière ce petit trio bucolique, on apercevait un ranch avec des eucalyptus en toile de fond.

« C'est notre maison de week-end, expliqua le baron. À Pilar. Au nord de Buenos Aires.

— Charmant, fis-je tout en me demandant où ils allaient quand ils voulaient prendre de vraies vacances, loin des tracas des nantis.

— Oui. Fabienne adorait y séjourner, dit sa mère.

— Je suppose que vous avez déjà vérifié qu'elle ne s'y trouvait pas. Ni dans toute autre propriété que vous pourriez avoir.

— Oui, assura le baron. Bien entendu. » Il poussa un soupir où l'agacement le disputait à l'anxiété. « Il n'y a que cette maison de week-end, Herr Gunther. Je n'en possède pas d'autre en Argentine. » Il secoua la tête puis tira une bouffée du cigarillo. « À vous entendre, on croirait que je suis un de ces ploutocrates juifs puants. N'est-ce pas, colonel ?

— Il n'y a pas un seul youpin dans cette partie de Buenos Aires », répondit Montalbán.

La femme de von Bader fit la grimace. Elle n'avait pas l'air d'apprécier la remarque. Ce qui me donna une raison supplémentaire de la trouver plus sympathique que son mari. Croisant ses longues jambes, elle détourna un instant la tête. J'aimais bien ses jambes aussi.

« Ça ne lui ressemble absolument pas », finit-elle par dire.

Elle s'essuya délicatement le nez dans le petit mouchoir, enfonça celui-ci dans la manche de sa robe et sourit bravement. Je ne pouvais pas m'empêcher de l'admirer.

« C'est la première fois qu'elle fait ce genre de chose.

— Et ses amies ? demandai-je.

— Fabienne n'est pas comme les autres filles de son âge, Herr Gunther, répondit von Bader. Elle est plus mûre que ses camarades, beaucoup plus raffinée. Je ne la vois pas leur faire des confidences.

— Mais, naturellement, nous les avons questionnées, ajouta le colonel. Je ne pense pas que cela vaille la peine de les interroger à nouveau. Elles ne nous ont rien appris d'intéressant.

— Connaissait-elle l'autre fille ? Grete Wohlauf ?

— Non, dit von Bader.

— J'aimerais voir sa chambre, si possible. »

J'étais en train de regarder la baronne. Elle était plus agréable à contempler que son époux. Et aussi à entendre.

« Bien sûr », dit-elle. Puis elle se tourna vers son mari. « Est-ce que ça t'ennuierait de lui montrer la chambre de Fabienne, mon chéri ? Je ne me sens pas le courage d'y aller pour l'instant. »

Von Bader me conduisit à un petit ascenseur en bois dans une cage en fer forgé entouré d'un escalier en marbre aux marches raides. Toutes les baraques ne possèdent pas leur propre ascenseur. Voyant mon haussement de sourcils éloquent, le baron se sentit obligé de me fournir une explication.

« Durant les dernières années de sa vie, ma mère se déplaçait en fauteuil roulant », dit-il, comme si faire installer un ascenseur était à la portée de n'importe qui ayant un parent âgé.

Il n'y avait que nous deux et le chien dans la cabine. J'étais assez près pour sentir l'eau de Cologne sur la figure de von Bader et l'huile sur ses cheveux gris, et malgré ça il évitait mon regard. Chaque fois qu'il me parlait, il détournait les yeux. Il était peut-être préoccupé par le sort éventuel de sa fille. N'empêche, je m'étais occupé de suffisamment d'affaires en rapport avec des personnes disparues pour savoir quand on ne me livrait pas l'histoire en entier.

« Montalbán prétend qu'à Berlin, avant la guerre, vous étiez un des meilleurs enquêteurs à la Kripo, et aussi en exercice libéral. »

À sa façon de parler du statut de détective privé, on aurait pu croire que j'avais été un bon dentiste. Ce qui n'était peut-être pas si éloigné, en l'occurrence. Parfois, arriver à ce qu'un client vous dise le nécessaire revient un peu à arracher une dent.

« J'ai eu mes moments d'Archimède, dis-je. À la Kripo et tout seul.

— Archimède ?

— Eurêka. J'ai trouvé. » Je haussai les épaules. « Ces temps-ci, je serais plutôt du style voyageur de commerce.

— Vendant quoi, au juste ?

— Rien. Rien du tout. Pas même maintenant. Je ferai de mon mieux pour retrouver votre fille, mais je n'ai jamais eu le don d'accomplir des miracles. En règle générale, j'obtiens de bien meilleurs résultats quand les gens ont suffisamment confiance en moi pour me livrer tous les faits. »

Von Bader rougit légèrement. Peut-être parce qu'il s'escrimait à ouvrir la porte de la cabine d'ascenseur. Ou peut-être pas. Ce qui est sûr, c'est qu'il continuait à ne pas me regarder.

« Et qu'est-ce qui vous fait croire que vous ne les avez pas ?

— Appelons ça un pressentiment », répondis-je.

Il hocha la tête comme s'il soupesait un genre d'offre, ce qui était bizarre vu que je ne lui en avais fait aucune.

Une fois sortis de la cabine, nous nous avançâmes dans un couloir recouvert d'un tapis épais. Au bout duquel il poussa une porte pour me faire entrer dans une chambre de jeune fille modèle. Le papier mural était parsemé de roses rouges. Le lit avait des petites fleurs peintes sur les montants en fer émaillé. Au-dessus du lit étaient accrochés plusieurs éventails chinois dans un cadre. Sur une table haute, une grande cage à oiseau orientale vide. Sur une table plus petite, un jeu d'échecs déjà installé, comme pour une partie en cours. Je jaugeai les pièces d'un coup d'œil. Blanches ou noires, la gamine en avait dans le ciboulot. Il y avait des livres, quelques ours en peluche et une commode. J'ouvris un des tiroirs.

« Vous permettez ? demandai-je.

— Allez-y. Vous ne faites que votre travail, je suppose.

— Je n'en ai pas après ses petites culottes, c'est sûr. »

J'espérais lui tirer les vers du nez. En fin de compte, il n'avait pas vraiment nié m'avoir fait des cachotteries. Je retournai des chaussettes, jetai un coup d'œil dessous.

« Qu'est-ce que vous cherchez exactement ?

— Un journal intime. Un recueil de pensées. Des lettres. De l'argent dont vous ignorez l'existence. Une photo de quelqu'un qui vous est inconnu. Exactement, je n'en sais rien, mais je le saurai quand je le verrai. » Je refermai le tiroir. « Ou peut-être y a-t-il quelque chose que vous voudriez me dire maintenant, pendant que le colonel n'est pas là ? »

Il prit un des ours en peluche, qu'il porta à son nez tel un chien de chasse essayant de flairer une piste.

« C'est curieux comme on peut sentir leur odeur sur leurs jouets. Tellement évocateur. Un peu comme du Proust, vous voyez. »

J'acquiesçai. J'avais pas mal entendu parler de Proust. Un de ces jours, il allait falloir que je m'invente une excuse pour ne pas le lire.

« Je sais ce que pense Montalbán, continua von Bader. Il pense que Fabienne est déjà morte. » Il secoua la tête. « Mais je n'y crois pas.

— Qu'est-ce qui vous fait dire ça, baron ?

— Ce que vous appelleriez sans doute un pressentiment. Plus facile à expliquer clairement qu'une intuition. Mais c'est ainsi. Si elle était morte, je suis à peu près sûr que nous aurions déjà eu des nouvelles. Quelqu'un l'aurait trouvée. J'en suis convaincu. » Il secoua à nouveau la tête. « Comme vous avez été autrefois un policier célèbre à la brigade des homicides de Berlin, j'imagine que Montalbán vous a demandé d'enquêter en partant de l'hypothèse de sa mort. Eh bien, je vous demande de partir de l'hypothèse contraire. De supposer que, peut-être, quelqu'un – quelqu'un de nationalité allemande, oui, cela me semble parfaitement plausible – la cache. Ou la retient contre sa volonté. »

J'ouvris un autre tiroir.

« Pourquoi ferait-on une chose pareille ? Avez-vous des ennemis, Herr baron ?

— Je suis banquier, Herr Hausner. Et de surcroît, sacrément important. Cela vous surprendra peut-être, mais oui, les banquiers se font des ennemis. Avoir de l'argent ou en gagner crée toujours des ennemis. Et puis, ce que j'ai fait pendant la guerre est aussi à prendre en considération. Pendant les hostilités, j'ai travaillé pour l'Abwehr, le service de renseignement militaire allemand. Moi et un groupe d'autres banquiers germano-argentins avons contribué à l'effort de guerre de ce côté de l'Atlantique. Nous avons financé de nombreux espions allemands aux États-Unis. Sans succès, je suis navré de le dire. Plusieurs de nos meilleurs agents ont été arrêtés par le FBI et exécutés. Ils ont été trahis, mais je ne sais pas par qui précisément.

— Quelqu'un peut-il vous en faire grief ?

— Je ne vois pas comment. Je ne jouais aucun rôle opérationnel. Je n'étais qu'un bailleur de fonds. »

Von Bader me regardait à présent bien en face. Et même plutôt trop que pas assez.

« J'ignore en quoi toute cette histoire pourrait avoir un rapport avec la disparition de ma fille, Herr Hausner, mais il se trouve que nous étions cinq. Cinq banquiers à verser de l'argent aux nazis en Argentine : Ludwig Freude, Richard Staudt, Heinrich Dorge, Richard von Leute et moi. Si j'en fais mention, c'est uniquement parce que, à la fin de l'année dernière, le Dr Dorge a été découvert mort dans une rue, ici à Buenos Aires. Assassiné. Heinrich avait été autrefois le conseiller du Dr Hjalmar Schacht. Je suppose que vous avez entendu parler de lui.

— J'ai entendu parler de lui. »

Schacht avait été ministre de l'Économie puis président de la Reichsbank. En 1946, il avait été jugé pour crimes de guerre à Nuremberg et acquitté.

« Si je vous raconte tout cela, c'est parce que je tiens à ce que vous compreniez deux choses. La première, c'est qu'il est parfaitement possible que mon ancienne vie m'ait rattrapé de façon... de façon mystérieuse. Je n'ai reçu aucune menace. Rien. La seconde, c'est que je suis un homme très riche. Et vous pouvez me croire quand je dis que, si vous retrouvez ma fille en vie et que vous la ramenez saine et sauve, je vous verserai une récompense de deux millions de pesos, payable dans la devise et le pays de votre choix. Cela fait environ cinquante mille dollars, Herr Hausner.

— C'est beaucoup d'argent, Herr baron.

— Pour moi, la vie de ma fille vaut au moins ça. Et même plus. Infiniment plus. Mais c'est mon affaire. La vôtre, c'est d'essayer d'empocher ces deux millions de pesos. »

Je hochai pensivement la tête. Je devais avoir l'air de peser le pour et le contre. Voilà le problème avec moi, c'est automatique. Dès qu'on me propose de l'argent, je me mets à cogiter. Et plus il y en a en jeu, plus ça me fait cogiter.

« Avez-vous des enfants, Herr Hausner ?

— Non.

— Si c'était le cas, vous sauriez que l'argent n'a pas grande importance comparé à la vie de quelqu'un que vous aimez.

— Là-dessus, je suis obligé de vous croire sur parole.

— Non, vous n'y êtes nullement obligé. Je demanderai à mes avocats de rédiger une lettre d'accord pour la récompense. »

Ce n'est pas ce que j'avais voulu dire, mais je n'eus garde de le contrarier. Au lieu de ça, je jetai un dernier coup d'œil à la chambre.

« Qu'est-il arrivé à l'oiseau dans la cage ?

— L'oiseau ?

— Dans la cage. »

Je pointai un doigt vers la cage, de la taille d'une pagode, sur la table haute.

Von Bader la considéra comme s'il ne l'avait jamais vue de sa vie, ou presque.

« Oh, ça ? Il est mort.

— Elle a eu du chagrin ?

— Oui, bien sûr, mais je ne vois pas en quoi sa disparition aurait un rapport avec un oiseau.

— Vous n'imaginez pas tout ce qui peut causer du chagrin à une adolescente de quatorze ans. »

Il secoua la tête.

« J'ai une adolescente de quatorze ans, Herr Hausner. Pas vous. En conséquence, et sauf votre respect, je crois pouvoir dire en toute bonne foi que j'en sais plus que vous sur les adolescentes de quatorze ans.

— Est-ce qu'elle l'a enterré dans le jardin ?

— Je n'en ai pas la moindre idée.

— Votre femme le sait peut-être.

— Franchement, je préférerais que vous ne lui posiez pas la question. Elle se fait suffisamment de souci comme ça. Ma femme se tient pour responsable de la mort de cet oiseau. Et elle est déjà en train de chercher des raisons de s'accuser de la disparition de notre fille. Toute allusion au fait que ces deux événements pourraient être liés ne ferait qu'accroître le sentiment de culpabilité qu'elle éprouve par rapport à la disparition de Fabienne. Je suis sûr que vous comprenez. »

C'était peut-être la vérité. Ou peut-être pas. Mais, par égard pour ses deux millions de pesos, je me sentais prêt à oublier l'oiseau. Parfois, il vaut mieux ne pas lâcher la proie pour l'ombre. C'est ce qu'on appelle la politique.

Nous retournâmes au salon, où la baronne s'était remise à pleurnicher. J'ai eu l'occasion d'observer de près les femmes qui pleurent. Dans ma branche, cela va de pair avec la matraque et les menottes. Sur le front de l'Est en 1941, j'ai vu des femmes qui auraient pu remporter une médaille d'or aux Jeux olympiques des larmes. Sherlock Holmes a étudié la cendre de cigare et écrit une monographie sur le sujet. Moi, je m'y connaissais en pleurs. Je savais que, quand une femme sanglote, il vaut mieux qu'elle ne soit pas trop près de votre épaule. Ça peut vous coûter une chemise propre. Les larmes sont malgré tout sacrées, et vous violez leur sainteté à vos risques et périls. Nous la laissâmes continuer.

Une fois sorti de chez von Bader, j'insistai pour que nous allions au cimetière de La Recoleta, le colonel et moi. Après tout, nous étions à côté, et j'avais envie de me faire une idée de l'endroit où se rendait Fabienne au moment où elle avait disparu.

À l'instar des Viennois, les riches *porteños* prennent la mort très au sérieux. Suffisamment au sérieux pour dépenser des sommes astronomiques en tombeaux et mausolées dispendieux. Mais La Recoleta était le premier cimetière que je voyais où il n'y avait pas de tombes. Franchissant un portail de style grec, nous pénétrâmes dans une sorte de petite ville de marbre. La plupart des mausolées, d'une facture classique, avaient l'air quasiment habitables. Sillonner les rues en pierre, parallèles et bien entretenues, évoquait une excursion dans une cité de la Rome antique vidée de ses habitants par un cataclysme naturel. En levant la tête vers le ciel d'un bleu éclatant, je m'attendais presque à voir le cratère fumant d'un volcan. Il était difficile d'imaginer une gamine de quatorze ans venant dans un endroit pareil. Les rares êtres vivants que nous croisâmes étaient vieux et chenus. Nous leur faisions sans doute le même effet, le colonel et moi.

Nous remontâmes en voiture et prîmes la direction de la Casa Rosada. Cela faisait un bon moment que je n'avais pas conduit. Non que quiconque l'aurait remarqué. J'avais déjà vu de pires conducteurs que les *porteños*, mais seulement dans *Ben-Hur*. Ramon Novarro et Francis X. Bushman se seraient sentis à l'aise dans les rues de Buenos Aires.

« C'est agréable et commode pour le président d'avoir le siège de sa police secrète dans la Casa Rosada, dis-je en apercevant à nouveau la fameuse bâtisse rouge.

— Cela a ses avantages. À propos, vous avez déjà vu le patron. L'homme assez jeune en costume rayé qui se trouvait avec nous quand nous avons rencontré Perón. C'est lui, Rodolfo Freude. Il n'est jamais très loin du président.

— Freude ? Von Bader a parlé d'un banquier nommé Ludwig Freude. Un parent ?

— Le père de Rodolfo.

— C'est comme ça qu'il a décroché le boulot ?

— C'est une longue histoire, mais, en fait, oui.

— Il travaillait pour l'Abwehr, lui aussi ?

— Qui ? Rodolfo ? Non. Mais son adjoint, oui. Werner Koennecke. Werner est marié à la sœur de Rodolfo, Lily.

— Tout ça a l'air très famille.

— Les choses sont ainsi à Buenos Aires. C'est comme le cimetière à La Recoleta. Il faut connaître quelqu'un pour y être admis.

— Qui connaissez-vous, colonel ?

— Rodolfo connaît des gens importants. Mais, moi, je connais les gens *vraiment* importants. Je connais une Italienne qui est la meilleure putain de toute la ville. Je connais un chef de cuisine qui fait les meilleures pâtes de toute l'Amérique du Sud. Et je connais un homme capable de tuer quelqu'un et de faire croire à un suicide sans que personne ne pose de questions. Ce sont des choses importantes à connaître dans notre étrange profession, Herr Hausner. Ce n'est pas votre avis ?

— Il ne m'arrive pas souvent de me lever le matin en éprouvant le besoin de faire assassiner quelqu'un, colonel. Si tel était le cas, je m'en occuperais probablement moi-même, mais je suppose que je suis un peu spécial sur ce plan. En outre, il n'y a plus grand-chose qui puisse m'impressionner à mon âge. Sauf peut-être une Italienne. J'ai toujours adoré les Italiennes. Et je n'ai jamais mis les pieds en Italie. »

8

BERLIN, 1932

Le Département 4, la police criminelle ordinaire, était censé être séparé du Département 1a, la police politique. Le D1a avait en charge les enquêtes sur les délits politiques, mais il n'opérait pas en secret. Il était supposé œuvrer, de façon discrète, pour prévenir les flambées de violence et autres troubles. Compte tenu de la situation en Allemagne, on comprenait facilement pourquoi le gouvernement de Weimar avait cru nécessaire de créer une telle unité. En pratique, cependant, ni la police régulière ni l'opinion publique allemande ne portaient les flics politiques dans leur cœur ; et le D1a s'était montré notoirement incapable d'empêcher les violences. En outre, l'intérêt d'avoir deux services de police distincts devint de plus en plus mince, la majeure partie des meurtres sur lesquels nous enquêtions se révélant de nature politique : un SA assassinant un communiste, ou vice-versa. En conséquence, le D1a se démena pour établir sa propre juridiction et justifier son existence permanente. Les vrais républicains considéraient ses fonctions comme antidémocratiques et comme une arme potentielle pour tout gouvernement sans scrupules désireux d'instaurer une police d'État. Aussi le professeur Hans Illmann, le médecin légiste s'occupant de l'affaire Schwarz, préférait-il donner ses rendez-vous loin de l'Alex, dans son laboratoire et bureau de l'Institut de police scientifique, à Charlottenburg. Le Département 4 avait beau se trouver à un autre étage de l'Alex que le Département 1a, c'était encore trop près pour les narines politiquement sensibles du principal pathologiste de la Kripo.

Je trouvai Illmann contemplant par une fenêtre un jardin qui n'avait rien à voir avec la police ni la pathologie. Ce jardin, de même que le pavillon qu'il entourait, remontait à des temps bénis où les scientifiques avaient plus de poil aux joues qu'un mandrill. On comprenait pourquoi il préférait être là qu'à l'Alex. Même avec deux ou trois cadavres dans le sous-sol, l'endroit faisait davantage penser à une maison de retraite de luxe qu'à un institut médico-légal. Maigre comme un scalpel, le professeur portait des lunettes sans montures et un petit collier de barbe qui lui donnaient l'allure qu'on imagine être celle d'un artiste. Toulouse-Lautrec en beaucoup plus grand.

Alors que nous nous serrions la main, j'indiquai d'un signe du menton l'exemplaire de *Der Angriff* posé sur sa table.

« Attendez, ne me dites pas que vous devenez nazi ? À lire un torchon pareil !

— Si plus de gens lisaient ces foutaises, peut-être qu'ils ne voteraient pas pour ces pygmées intellectuels. Ou du moins, ils sauraient à quoi peut s'attendre l'Allemagne si jamais ils arrivent au pouvoir. Non, non, Bernie, tout le monde devrait lire ça. Vous, en particulier. Votre carte a été bel et bien tamponnée, mon jeune ami républicain. Et en public, encore. Bienvenue au club. »

Il ramassa le journal et se mit à lire à haute voix :

« "Le symbole du Front de fer, qui a été dessiné par un Juif russe, se compose de trois flèches pointées vers le sud-est à l'intérieur d'un cercle. La signification de ces flèches a été diversement interprétée. Certains disent qu'elles correspondent aux trois adversaires du Front de fer : le communisme, le monarchisme et le national-socialisme. D'autres qu'elles représentent les trois piliers du mouvement ouvrier allemand : le parti, le syndicat et la Reichsbanner. Mais, pour nous, elles ne signifient qu'une seule chose : le Front de fer est une alliance politique constituée d'un ramassis de canailles.

"Au premier rang des canailles du Front de fer qui infestent les forces de l'ordre de Berlin, le directeur de la police Grezinski, son adjoint juif

Bernhard Weiss et leur laquais de la Kripo Bernhard Gunther. Voilà les policiers qui sont supposés enquêter sur le meurtre d'Anita Schwarz. On pourrait croire qu'ils ne ménageraient pas leurs efforts pour attraper ce monstre. Loin de là ! Le Kommissar Gunther a étonné tous ceux qui assistaient à une conférence de presse en informant un reporter sidéré qu'il espérait que le meurtrier éviterait la peine de mort.

"Je dirais au Kommissar Gunther ceci : que, si lui et ses petits copains libéraux réussissent à rassembler à grand-peine les compétences nécessaires pour appréhender le meurtrier d'Anita Schwarz, il n'y a qu'une sentence qui puisse satisfaire le peuple allemand, la mort. Le fait est que seule la brutalité est à présent respectée dans ce pays. Pourquoi un tel tapage autour de l'exécution et du supplice de quelques délinquants ? Les masses le veulent. Elles réclament à grands cris des mesures qui inspireront aux criminels un véritable respect de la loi. C'est pourquoi nous avons besoin de l'autorité énergique du national-socialisme par opposition à ce gouvernement SPD à l'âme sensible qui a peur de sa propre ombre corrompue. Si le commissaire Gunther passait plus de temps à essayer d'attraper les assassins et moins de temps à se préoccuper de leurs droits, cette ville ne serait peut-être pas le puits d'iniquité qu'elle est aujourd'hui". »

Illmann jeta le journal vers moi à travers le bureau et se mit à rouler avec les doigts d'une seule main une cigarette parfaite.

« Que ces salopards aillent se faire foutre, dis-je. Je n'ai pas peur.

— Non ? Eh bien, vous devriez. Si les élections de juillet ne se révèlent pas concluantes d'une manière ou d'une autre, un nouveau putsch risque de se produire. Et vous et moi pourrions bien nous retrouver en train de flotter dans le canal de la Landwehr, comme cette pauvre Rosa Luxemburg. Soyez prudent, mon jeune ami. Soyez prudent.

— Ça n'en arrivera pas là. Jamais l'armée ne le tolérera.

— J'ai bien peur de ne pas partager votre foi touchante dans nos forces armées. À mon avis, elles peuvent aussi bien serrer les rangs derrière les nazis plutôt que de prendre la défense de la République. » Il secoua la tête et sourit. « Non, si la République doit être sauvée, il n'y a qu'une chose pour ça, je le crains. Il va vous falloir élucider ce meurtre avant le 31 juillet.

— D'accord, doc. Alors, qu'est-ce que vous avez ?

— Décès par asphyxie, causé par du chloroforme. Anita Schwarz a avalé sa langue. J'ai relevé des traces de chloroforme dans ses cheveux et sa bouche. C'est une mort assez courante dans les hôpitaux. Les anesthésistes à la main lourde ont tué beaucoup de patients de cette manière.

— Voilà qui est rassurant. A-t-elle été violée ?

— Impossible à dire, étant donné qu'il lui manque son bazar. Ce qui pourrait expliquer, bien sûr, qu'on l'ait enlevé. Pour cacher la preuve de rapports sexuels. Et l'assassin savait très bien ce qu'il faisait. On a utilisé une curette extrêmement tranchante, calmement et avec assurance. Il ne s'agit pas d'une agression commise par un forcené, Bernie. Le tueur a pris son temps. Voilà peut-être pourquoi il s'est servi de chloroforme. Auquel cas, la frayeur de sa victime n'était pas un facteur dans sa motivation. Elle était certainement inconsciente et probablement déjà morte quand il l'a mutilée. Vous vous souvenez de l'affaire Haarmann, naturellement. Eh bien, ceci n'a rien à voir.

— Quelqu'un possédant une expérience médicale, peut-être, dis-je, réfléchissant tout haut. Ainsi, la proximité de l'hôpital n'aurait rien d'anodin.

— C'est fort possible, répondit Illmann. Mais pas pour la raison que nous venons d'évoquer. Non, je dirais que c'est la pilule que vous avez ramassée près du corps qui rend l'hypothèse pertinente.

— Ah ? Comment ? Qu'est-ce que c'est ?

— Je n'ai encore jamais vu ça. Sur le plan chimique, il s'agit de l'association d'un groupe sulfone et d'un groupe amine. Mais la synthèse est nouvelle. Je ne sais même pas comment l'appeler, Bernie. Sulfanamine ? Franchement, je n'en sais rien. Cela n'existe certainement pas dans la pharmacopée courante. Pas ici. Ni nulle part ailleurs. Ce qui veut dire que c'est nouveau et expérimental.

— Dans quel but ? Vous en avez une idée ?

— La molécule active de sulfa a été synthétisée pour la première fois en 1906 et largement utilisée dans l'industrie de la fabrication des colorants.

— Des colorants ?

— Je suppose qu'une molécule de colorant contient un composé actif plus faible. Il y a une quinzaine d'années, l'Institut Pasteur à Paris a utilisé la molécule de sulfa comme base d'une sorte d'agent antibactérien. Malheureusement, les travaux n'ont rien donné. Toutefois, cette pilule semblerait indiquer que quelqu'un, peut-être ici à Berlin, a réussi à synthétiser un médicament à base de sulfa.

— Oui, mais à quoi pourrait-il servir ?

— Il pourrait servir contre n'importe quel genre d'infection bactérienne. N'importe quel streptocoque. Cependant, avant de publier le moindre résultat, il faudrait tester le médicament sur un certain nombre de volontaires, surtout au regard des précédents échecs de Pasteur dans l'emploi de médicaments à base de colorant.

— Un médicament expérimental est peut-être testé en ce moment à l'hôpital ?

— C'est possible. »

Illmann finit sa cigarette, qu'il écrasa dans un petit cendrier en porcelaine fabriqué pour l'exposition de la police de 1926. Il semblait sur le point de dire quelque chose puis il se ravisa.

« Non, allez-y.

— J'essayais de réfléchir à ce que Berlin pourrait avoir d'intéressant pour quelqu'un effectuant des tests sur un médicament. » Il secoua la tête. « Parce qu'aucune société pharmaceutique n'est installée ici, et que ce n'est pas comme si nous souffrions davantage de maladie que dans le reste de l'Allemagne.

— Eh bien, c'est là que vous vous trompez, doc. Vous devriez lire la gazette de la police au lieu de vous ronger les sangs à cause de la merde qu'il y a dans *Der Angriff.* Berlin compte aujourd'hui plus de cent mille prostituées. Plus que nulle part ailleurs en Europe. Pour ne parler que des hétéros. Dieu sait combien il y a de pédés dans cette ville. Mon sergent, Heinrich Grund, n'arrête pas de me bassiner avec ça.

— Évidemment, dit Illmann. Les maladies vénériennes.

— Depuis la guerre, les chiffres ont crevé le plafond. Non que je m'y connaisse particulièrement, n'ayant jamais eu la chtouille moi-même. Mais le traitement actuel est le Neosalvarsan, n'est-ce pas ?

— C'est exact. Il contient de l'arsenic organique, ce qui rend son usage quelque peu dangereux. Malgré tout, le Neosalvarsan a représenté en son temps une découverte si importante et une thérapeutique si efficace – il n'existait jusque-là aucun remède à proprement parler – qu'il a été surnommé la Balle magique. Une découverte allemande, par-dessus le marché. Qui a valu à Paul Ehrlich le prix Nobel en 1908. Un homme d'un talent exceptionnel.

— Est-il possible qu'il… ?

— Non, non, il est mort, hélas. Chose intéressante, Salvarsan et Neosalvarsan sont eux aussi des composés à base de colorant. C'est même là que réside leur problème. Dans la couleur. Voilà sans doute ce qui fait l'avantage de ce nouveau composé. Quelqu'un a peut-être trouvé un moyen d'enlever la couleur sans compromettre l'action antibactérienne. » Il hocha la tête comme si les éléments chimiques étaient soudain apparus sur un tableau noir invisible devant lui. « Ingénieux.

— Alors, mettons qu'on teste un médicament, ici à Berlin. Sur des patients souffrant de la grande et de la petite chtouille ? De la syphilis et de la blennorragie ?

— S'il était efficace contre l'une, il le serait probablement contre l'autre.

— Combien de patients faudrait-il pour réaliser un tel test ?

— Au commencement ? Quelques dizaines. Une centaine au maximum. Et tous dans le plus grand secret, n'oubliez pas. Aucun médecin n'irait vous dire lequel de ses patients est atteint de maladie vénérienne. En plus, si ça marche, un médicament de ce genre pourrait rapporter des millions. Les essais cliniques sont très probablement top secret.

— Comment recruteriez-vous vos volontaires ? »

Illmann eut un haussement d'épaules.

« Le traitement au Neosalvarsan n'est pas une partie de plaisir, Bernie. Sa réputation le précède, et la plupart des histoires horribles dont vous avez entendu parler sont vraies. À mon avis, il n'y aurait pas pénurie de volontaires pour un nouveau médicament.

— Très bien. Supposons qu'un travelo ait refilé la vérole à notre homme. Ce qui fait qu'il déteste suffisamment les femmes pour avoir envie d'en tuer une. Entre-temps, il se porte volontaire pour des tests sur un médicament afin de faire soigner son service trois pièces.

— Mais, si c'est un travelo qui l'a infecté, répondit Illmann, pourquoi ne pas en tuer un ? Pourquoi s'en prendre à une gamine ?

— Les travelos sont bien trop futés. J'en ai vu un l'autre soir. Taillé comme un lutteur de foire. Un type est arrivé et a voulu le faire inculper de coups et blessures. Il avait tabassé le pauvre bougre avec sa cravache.

— Il y a des lascars qui paieraient cher pour ça.

— Voilà à quoi je voulais en venir. Il tue Anita Schwarz parce qu'elle représente une proie facile. Elle est infirme. Donc difficile pour elle de se sauver. Peut-être ne s'en est-il même pas aperçu. Après tout, il faisait sombre.

— D'accord, admit Illmann. Ce n'est pas totalement exclu. Pas totalement.

— Attendez, il y a autre chose. Quelque chose que je ne vous ai pas encore dit. Parce que je viens seulement de me rappeler que je pouvais vous faire confiance. Attention, c'est de la dynamite, alors gardez-le pour vous. Anita Schwarz avait beau être estropiée, et âgée de quinze ans seulement, ça ne l'empêchait pas de se faire des petits à-côtés.

— Vous plaisantez.

— Un des voisins m'a raconté que la gosse avait des mœurs plus que légères. Les parents refusent d'aborder le sujet. Et je n'ai pas osé en faire état lors de la conférence de presse, après le sermon d'Izzy pour que je ne prenne pas les nazis à rebrousse-poil. Mais on a trouvé un paquet de fric dans la poche de son manteau. Cinq cents marks. Elle ne les a pas eus en allant faire des courses à la boutique du coin.

— Mais cette fille était handicapée. Elle portait un appareil orthopédique.

— Il existe aussi un marché pour ça, doc, croyez-moi.

— Seigneur, il y a vraiment de foutus cinglés dans cette ville.

— Voilà que vous vous mettez à parler comme Grund, mon sergent.

— Vous avez peut-être raison, en définitive. Voyez-vous, il ne m'est même pas venu à l'idée de lui faire des tests pour la syphilis et la gonorrhée. Je vais m'en occuper immédiatement.

— Encore une chose, doc. De quel genre de colorants s'agit-il ? Alimentaires, vestimentaires, capillaires ?

— Organiques. Coloration directe ou substantive. Les colorants directs sont utilisés dans une vaste gamme de produits : coton, papier, cuir, laine, soie, nylon. Pourquoi demandez-vous ça ?

— Je ne sais pas. »

Mais, quelque part au fond du tiroir du bas me tenant lieu de cervelle, était enseveli un truc important. Je fouillai un moment, puis secouai la tête.

« Non. Ce n'est probablement rien. »

Le trajet de retour depuis Charlottenburg m'amena en droite ligne de Kaiserdamm au Tiergarten. Il y avait des sangliers sauvages dans le Tiergarten. On pouvait les entendre grogner en se vautrant dans leur enclos, ou pousser des cris aigus tels les freins de ma vieille DKW tandis qu'ils se bagarraient entre eux. Chaque fois, ce raffut me faisait penser au Reichstag et aux partis politiques allemands. Le Tiergarten regorgeait de vie animale, pas seulement des sangliers mais aussi des buses, des piverts, des bergeronnettes, des chardonnerets et des chauves-souris, beaucoup de chauves-souris. Une délicieuse odeur d'herbe coupée et de fleurs pénétrait par la vitre ouverte de ma voiture. L'odeur pure, immaculée, du début de l'été. À cette période de l'année, le Tiergarten restait ouvert jusqu'au coucher du soleil, ce qui lui valait la faveur des sauterelles – les prostituées amateurs ne disposant pas d'une chambre et qui faisaient ça avec leurs michetons dans l'herbe ou dans les buissons. La nature est une chose merveilleuse.

Je regardai ma montre en traversant la porte de Brandebourg jusqu'à la Pariser Platz. Il était l'heure de déjeuner, pour autant que le déjeuner tienne dans une bouteille brune. J'aurais pu m'arrêter pratiquement n'importe où au sud d'Unter den Linden. Il y avait une ribambelle de stands autour de Gendarmen Markt où il m'aurait été facile d'acheter une saucisse et une bière. Mais n'importe où n'était pas l'endroit où j'avais envie d'aller. Pas alors que je me trouvais juste en face de l'hôtel Adlon. À vrai dire, ma dernière visite ne datait que d'un jour ou deux. Et la précédente, d'un jour ou deux plus tôt. Le fait est que j'aimais bien l'Adlon. Pas pour son ambiance, ses jardins, sa fontaine murmurante, ses thés dansants et son restaurant fabuleux, que je n'aurais pas pu me payer de toute façon. Je l'aimais bien à cause d'un des détectives de l'hôtel. Nommé Frieda Bamberger. J'aimais beaucoup Frieda.

Grande, brune, avec une bouche charnue, et une silhouette encore plus charnue, elle dégageait une sorte d'exubérance voluptueuse que j'attribuais au fait qu'elle était juive, mais en réalité un peu plus indéfinissable. Elle avait aussi de la classe. Bien forcé. Son travail consistait à se promener dans l'hôtel en se faisant passer pour une cliente et à essayer de repérer les prostituées, escrocs et voleurs qui appréciaient l'Adlon pour les profits fastueux qu'on pouvait tirer d'une clientèle non moins fastueuse. Je l'avais connue à l'été 1929, lorsque je l'avais aidée à arrêter une voleuse de bijoux armée d'un couteau. J'avais évité à Frieda de se faire embrocher en me faisant tout bonnement embrocher à sa place. Gunther la fine mouche. Ce qui m'avait valu une gentille lettre de Hedda Adlon, la belle-fille du propriétaire et, à ma sortie de l'hôpital, des remerciements d'un genre très personnel de la part de Frieda elle-même. Nous n'étions pas vraiment à la colle. Frieda était à moitié séparée d'un mari vivant à Hambourg. Mais, de temps à autre, il nous arrivait de passer une chambre vide au peigne fin à la recherche d'un maharadjah disparu ou d'une vedette de cinéma kidnappée. Ce qui nous prenait parfois un peu de temps.

J'avais à peine franchi la porte que Frieda était déjà agrippée à mon bras tel un faucon.

« Je suis bien contente de te voir.

— Et moi qui croyais que tu n'étais pas du genre sentimental.

— Je suis sérieuse, Bernie.

— Moi aussi. Je n'arrête pas de te le répéter, mais tu ne m'écoutes pas. Si j'avais su que tu étais dans cet état d'esprit, j'aurais apporté des fleurs.

— Je voudrais que tu ailles au bar, dit-elle d'un ton pressant.

— Parfait. C'est là que j'allais de toute manière.

— Et que tu jettes un coup d'œil à ce type dans le coin. Je te parle du client, pas de la rouquine qui se trouve avec lui. Vêtu d'un costume gris perle avec un gilet croisé et une fleur à la boutonnière. Il a une tête qui ne me revient pas.

— Dans ce cas, je le déteste déjà.

— Non, je pense qu'il est peut-être dangereux. »

J'allai dans le bar, ramassai une boîte d'allumettes, allumai une cigarette et toisai rapidement l'énergumène en question. La fille avec qui il était me toisa à son tour. Tout ça sentait plutôt mauvais. Parce que le type qui l'accompagnait n'était pas simplement une ordure. C'était Ricci Kamm, le chef du Toujours Loyal, un des plus puissants réseaux criminels de Berlin. En temps normal, Ricci demeurait cantonné à Friedrichshain, où était basé son gang. Ce qui convenait dans la mesure où il ne nous créait pas trop de problèmes là-bas. Mais la fille avec qui il se trouvait paraissait avoir une opinion d'elle-même aussi haute que le Zugspitze. Elle s'imaginait sans doute qu'elle était trop bien pour des bouis-bouis comme le Zum Nussbaum, où les membres du Toujours Loyal avaient l'habitude d'aller s'en payer une tranche. Et elle avait très probablement raison par-dessus le marché. J'avais déjà vu des cheveux roux plus ravissants, mais seulement sur la tête de Rita Hayworth. Et un corps de rêve avec ça. Elle n'aurait pas eu une silhouette plus attrayante si elle avait chaussé les patins préférés de Sonja Henie.

Ricci avait les yeux fixés sur moi. Mais moi, j'avais les yeux fixés sur elle, et il y avait une bouteille de Bismarck entre eux deux qui ne présageait rien de bon. Ricci était du genre calme, avec une petite voix douce et des bonnes manières – jusqu'à ce qu'il ait bu un verre de trop, et alors c'était comme voir le Dr Jekyll se métamorphoser en Mister Hyde. D'après le niveau de la bouteille, Ricci paraissait mûr pour se laisser pousser une paire de sourcils de rechange.

Je tournai les talons et regagnai le hall.

« Tu avais raison de ne pas l'aimer, dis-je à Frieda. C'est un fumier et je pense qu'il est sur le point d'exploser.

— Qu'est-ce qu'on va faire ? »

Je fis signe à Max, le portier du hall, d'approcher. Je pouvais me le permettre. Max donnait à Louis Adlon trois mille marks par mois pour avoir ce boulot parce qu'il recevait un bakchich sur tous les services qu'il rendait aux clients de l'hôtel, ce qui lui rapportait dans les trente mille marks. Il tenait une laisse de chien, elle-même reliée à un teckel miniature. Il devait chercher un groom pour promener la bestiole.

« Max, dis-je. Appelez l'Alex pour leur demander d'envoyer le panier à salade. Vous feriez bien de réclamer aussi deux ou trois agents. Il risque d'y avoir du vilain dans le bar. »

Max eut une hésitation comme s'il attendait la pièce.

« À moins que vous ne teniez à vous en occuper vous-même. »

Max pivota et se dirigea promptement vers les cabines téléphoniques.

« Et pendant que vous y êtes, allez jeter un coup d'œil aux fauteuils dans la bibliothèque, au cas où vous pourriez mettre la main sur un de ces ex-flics surpayés qui se prennent pour des détectives maison. »

Frieda n'avait jamais été flic, de sorte qu'elle ne s'offensa pas de ma remarque, mais je la savais capable de se débrouiller toute seule. Adlon l'avait engagée après l'avoir vue dans l'équipe féminine d'escrime aux Jeux olympiques de 1924 à Paris, quand elle avait raté de justesse une médaille.

La prenant par le bras, je l'entraînai vers le bar.

« Quand on se sera assis, dis-je, cramponne-toi à moi comme du lierre. De cette façon, je ne serai pas une menace pour lui. »

Nous nous installâmes à la table juste à droite de Ricci. Le Bismarck avait commencé à agir, et il était en train d'agonir d'injures un serveur terrifié. La rouquine avait l'air habituée à ça. La plupart des clients se demandaient s'ils parviendraient à atteindre la porte sans traverser le champ de vision de Ricci, mais l'un d'entre eux était d'une autre trempe : un homme d'affaires arborant une redingote, un col style couteau à viande et une expression outrée devant les insanités s'échappant des lèvres de Ricci, se leva, manifestement prêt à en découdre avec le gangster. Attirant son attention, je secouai la tête, et, pendant un moment, il sembla tenir compte de mon avertissement. Il s'était à peine rassis que Frieda se mit à me bécoter. Sur les oreilles, le cou, la nuque, la joue et pour finir sur la bouche, l'endroit que je préférais par-dessus tout.

« Tu es mignon ! » s'exclama-t-elle, ce qui était un euphémisme.

Ricci la regarda, puis la rouquine à côté de lui.

« Pourquoi est-ce que t'es pas un peu plus comme ça ? lui demanda-t-il en montrant du pouce Frieda. Tendre, j'veux dire.

— Parce que t'es saoul. »

La rouquine sortit un poudrier et se mit à retoucher son maquillage. Un effort inutile à mon avis, comme d'essayer de retoucher la Mona Lisa.

« Et quand t'es saoul, t'es un vrai porc. »

Elle avait raison, mais Ricci s'en fichait. Il se leva, mais la table reposait sur ses genoux. Bouteille, verres et cendrier dégringolèrent. Ricci jura, et la rouquine éclata de rire.

« Un porc saoul et maladroit », ajouta-t-elle pour faire bonne mesure avant de recommencer à se marrer.

J'aimais bien l'effet produit sur le piège à hommes servant de bouche à la rouquine. La façon dont ses dents blanches et pointues asticotaient ses lèvres rouges comme des peaux de cerises. Mais Ricci, lui, n'apprécia pas du tout. Il la gifla violemment du plat de la main. Dans le bar feutré de l'Adlon, la gifle éclata comme l'annonce du Nouvel An. C'en était trop pour l'homme au col de chemise en couteau à viande. Il avait tout du gentilhomme prussien, le genre à se préoccuper de ce qui arrive à une dame – même une dame qui était probablement une putain à cent marks.

« Oh ! oh ! me murmura Frieda à l'oreille. L'homme d'IG Farben est sur le point de jouer les Lancelot.

— Tu as bien dit IG Farben ? »

IG Farben était le plus important consortium européen spécialisé dans les colorants. La société avait son siège à Francfort, mais elle possédait un bureau à Berlin, situé en face de l'Adlon, de l'autre côté d'Unter den Linden. C'est ce que j'avais essayé de me rappeler dans le bureau d'Illmann.

« Je regrette, déclara l'homme d'IG Farben. » Son ton était aussi raide qu'une planche à laver, et aussi vieux jeu. « Mais il est de mon devoir de protester contre la grossièreté de votre attitude et la façon dont vous traitez cette dame. »

La rouquine se releva et prononça quelques mots brefs, assez courants dans la salle des machines des bâtiments de la marine allemande. Elle se demandait probablement si le type en faux col parlait d'elle. Ramassant d'une main la bouteille de Bismarck à présent vide, elle fit mine de la balancer à la tête de Ricci. Le chef du Toujours Loyal la bloqua avec sa paume, puis il la lui arracha et la lança en l'air, tel un jongleur de massues, avant de la saisir par le goulot et de la fracasser contre le bord de la table retournée, tout cela d'un même geste délié, aguerri et dévoyé. La bouteille resurgit, luisante, ostensiblement triangulaire, semblable à un morceau de glace tranchant comme un rasoir. Ricci empoigna l'homme d'IG Farben par sa redingote, l'attira à lui, et il semblait sur le point de lui faire connaître sa manière de pensée à l'aide d'arguments percutants quand j'interrompis leur conversation.

Le barman de l'Adlon faisait les meilleurs cocktails de tout Berlin. De plus, il avait un faible pour les concombres. Il mettait du concombre au vinaigre sur les tables et des rondelles de concombre cru dans quelques-unes des consommations favorites des Américains. Il y avait un gros concombre non coupé sur le bar. En quête d'un couteau, je le lorgnais déjà depuis un moment. D'habitude, je préfère ma boisson sans rien sauf de la glace, mais ce concombre avait quelque chose d'attirant. En outre, mon arme se trouvait dans la boîte à gants de ma bagnole.

J'ai horreur de frapper un homme qui a le dos tourné. Même avec un concombre. Cela va à l'encontre de mon sens inné du fair-play. Mais, comme Ricci Kamm n'avait pas une once de fair-play, je lui en filai un bon coup sur le dos de la main tenant la bouteille cassée. Il la lâcha avec un glapissement. Après quoi je lui assenai le concombre sur la tempe, par deux fois. Si j'avais eu de la glace et une rondelle de citron, je l'aurais probablement cogné avec également. Une exclamation parcourut la salle sur la pointe des pieds, comme si j'avais fait disparaître un lapin dans un haut-de-forme. Le seul ennui, c'est que le lapin se trouvait toujours là. Ricci s'assit pesamment en se tenant l'oreille. Montrant les dents, le nez agité d'un tic, il fouilla dans son manteau. Je me doutais que ce n'était pas pour chercher son portefeuille. Je vis la tête d'un petit hippopotame noir pointer hors d'un étui, puis un Colt automatique apparut soudain dans la main de Ricci.

C'était un concombre bien ferme, à peine mûr. Souple, avec une bonne prise, comme une matraque. Je mis le paquet. Ricci ne bougea pas la tête de plus de deux centimètres. Il n'essaya pas de bloquer le concombre. Il espérait avoir le temps de tirer avant. Il se le prit en travers du nez, recula brusquement sur sa chaise, laissa tomber l'arme et leva les deux mains vers le milieu de son visage éclaboussé de sang. Craignant que l'occasion ne se représente pas de sitôt, je lui passai les menottes avant qu'il comprenne ce qui se passait.

Je le laissai gémir un moment avant de lui tendre un torchon pour qu'il le presse contre son nez et le hissai sur ses pieds en me servant des menottes. Saluant sous les applaudissements d'une partie des clients du bar, je le poussai dans la direction des deux agents puis lançai le pistolet à sa suite.

Frieda s'avança vers la rouquine.

« Il est temps d'y aller, mon chou, dit-elle en saisissant un coude osseux.

— Bas les pattes ! » protesta la rouquine en tentant de libérer son bras, mais le coude demeura emprisonné dans la poigne solide de Frieda.

Là-dessus, elle éclata de rire et me jeta un regard langoureux du nord au sud.

« Waouh, ce n'est pas rien, ce que vous venez de faire, camarade. Un vrai cadeau de Noël du Kaiser. Quand on va savoir ça. Ricci Kamm se faisant arrêter par un flicaillon armé d'un concombre. Il n'est pas près de l'oublier ! En tout cas, j'espère. Cette enflure m'a frappée une fois de trop. »

Frieda l'entraîna d'une main ferme vers la porte, me laissant avec l'homme d'IGF. Grand, mince, les cheveux grisonnants, aussi pétri de bonnes manières prussiennes que le Herrenklub de Berlin. Il inclina la tête avec gravité.

« Admirable, dit-il. Tout à fait admirable. Je vous suis extrêmement reconnaissant. Cette brute m'aurait sans aucun doute grièvement blessé. Sinon pire. »

Il avait déjà tiré son portefeuille et me pressait d'accepter sa carte. Elle était aussi épaisse et blanche que son col de chemise. Il s'appelait Carl Duisberg, et c'était un des directeurs d'IG Farben à Francfort.

« Puis-je connaître votre nom, monsieur ? »

Je le lui dis.

« Je vois que la réputation internationale de la police de Berlin n'est pas usurpée. »

J'eus un haussement d'épaules.

« C'est incroyable tout ce qu'on peut faire avec un concombre.

— De mon côté, s'il y a un service que je puisse vous rendre afin de vous témoigner ma gratitude, continua-t-il, dites-le-moi. N'hésitez pas.

— Certaines informations pourraient m'être utiles, Doktor Duisberg. »

Il fronça les sourcils, légèrement déconcerté. Il ne s'était pas attendu à cela.

« Bien sûr. S'il est en mon pouvoir de vous les donner.

— Est-ce que le Consortium de colorants a quoi que ce soit à voir avec des sociétés pharmaceutiques ? »

Il sourit, quelque peu rassuré, comme si le renseignement que je cherchais était de notoriété publique.

« Je peux très facilement vous répondre. Le Consortium est propriétaire de Bayer depuis 1925.

— Vous voulez dire, la société qui fabrique l'aspirine ?

— Non, rétorqua-t-il fièrement. Je veux dire, la société qui l'a inventée.

— Je vois. » Je fis de mon mieux pour avoir l'air impressionné. « Je suppose que je devrais être reconnaissant, étant donné le nombre de gueules de bois que votre société m'a aidé à faire passer. Eh bien, quelle est la prochaine nouveauté au programme, doc ? Sur quel médicament miracle vos employés planchent-ils actuellement ?

— Ce n'est pas mon domaine, monsieur, pas mon domaine du tout. Je suis ingénieur chimiste.

— De qui est-ce le domaine ?

— Vous voulez dire, quelle personne précise ? »

J'acquiesçai.

« Mon cher Kommissar, nous avons des dizaines de chercheurs travaillant pour nous à travers toute l'Allemagne. Mais principalement à Leverkusen. Bayer est basé à Leverkusen.

— Leverkusen ? Jamais entendu parler.

— Il s'agit d'une ville nouvelle, Kommissar Gunther. Regroupant plusieurs petits villages situés au bord du Rhin. Ainsi qu'un certain nombre d'usines chimiques.

— Ça paraît tout à fait charmant.

— Non, Kommissar, Leverkusen n'a absolument rien de charmant. Mais elle rapporte de l'argent. Beaucoup d'argent. » Duisberg se mit à rire. « Pourquoi me posez-vous la question ?

— Ici à Berlin, nous avons un Institut de police scientifique, à Charlottenburg. Et nous sommes toujours à l'affût de nouveaux experts à qui faire appel pour nous aider dans nos enquêtes. Vous comprenez, j'en suis sûr.

— Bien entendu, bien entendu.

— Il se trouve que j'ai fait la connaissance d'un médecin qui s'occupe d'essais cliniques extrêmement sensibles à l'hôpital de Friedrichshain. Il a dit, me semble-t-il, qu'il travaillait pour Bayer. Alors je pensais que c'était peut-être le genre de type discret et fiable qui pourrait nous donner un petit coup de main de temps à autre. De l'avis général, il est très doué. On me l'a décrit comme le prochain Paul Ehrlich. Vous savez ? La Balle magique ?

— Oh, vous devez parler de Gerhard Domagk ! dit Duisberg.

— Tout à fait. Je me demandais si vous étiez en mesure de répondre de lui. C'est aussi simple que ça, en réalité.

— Ma foi, je ne l'ai jamais rencontré personnellement, mais, d'après ce que j'ai entendu dire, il est très brillant. Oui, très brillant. Et très discret. Une qualité indispensable. Une grande partie de notre travail est hautement confidentielle. Je suis sûr qu'il serait ravi d'aider la police de Berlin s'il était en mesure de le faire. Avez-vous quelque chose de précis à lui demander ?

— Non. Pas encore. Peut-être à l'avenir. »

J'empochai la carte de l'homme d'IGF et le laissai rejoindre les gens avec qui il déjeunait. Ce qui permit à Frieda de venir me retrouver. Elle était rouge comme une pivoine et débordante de gratitude, comme j'aime que mes femmes le soient.

« Tu t'es débrouillé comme un pro avec ce concombre, dit-elle.

— Tu n'étais pas au courant ? Avant de faire partie de la police de Berlin, j'étais marchand de fruits et légumes à Leverkusen.

— Où ça se trouve, Leverkusen ?

— Tu ne savais pas ? C'est une ville nouvelle, au bord du Rhin. Le centre de l'industrie chimique allemande. Que dirais-tu d'y passer le week-end ? Tu pourrais me montrer toute l'étendue de ta reconnaissance. »

Frieda sourit.

« Inutile d'aller aussi loin pour s'amuser. Il suffit de monter. Chambre 102. C'est une des suites de luxe. Vide pour l'instant. Charlie Chaplin a dormi une fois dans la chambre 102. De même qu'Emil Jannings. » Elle sourit. « Mais il est vrai qu'ils ne m'avaient pas dans les parages pour les aider à rester éveillés. »

Il était environ 16 h 30 lorsque je regagnai l'Alex. Un cageot de concombres trônait sur mon bureau. Comme j'en agitais un en l'air, des applaudissements crépitèrent dans la salle des inspecteurs de la Kripo. Otto Trettin, l'un des meilleurs flics du département, spécialiste des gangs comme le Toujours Loyal, vint me voir. Il y avait une moitié de concombre dans son étui d'épaule. Il le prit, le braqua sur moi et imita le bruit d'un coup de feu.

« Très drôle », dis-je avec un grand sourire.

J'enlevai ma veste, que je posai sur le dossier de ma chaise.

« Où est le tien ? demanda-t-il. Ton pistolet, je veux dire.

— Dans la voiture.

— Bon, ça explique le concombre, je suppose.

— Allons, Otto. Tu sais comment c'est. Quand on a une arme sur soi, on est forcé de garder sa veste boutonnée, et par cette chaleur…

— Tu pensais que ce serait bon.

— Quelque chose comme ça.

— Sérieusement, Bernie. Maintenant que tu t'es colleté avec Ricci Kamm, tu vas devoir regarder derrière toi. Devant aussi, très probablement.

— Tu crois ?

— Un gars qui expédie Ricci Kamm à la Charité avec un nez cassé et une commotion cérébrale a intérêt à porter une arme à feu ou il risque de se retrouver avec un couteau entre les omoplates. Même un flic.

— Tu as peut-être raison, admis-je.

— Bien sûr que j'ai raison. Tu habites dans Dragonerstrasse, non, Bernie ? C'est juste à la porte du territoire du Toujours Loyal. Un pistolet dans une boîte à gants, ça sert à rien, mon vieux. À moins de vouloir cambrioler un garage. »

Sur ce, Otto s'éloigna tout en continuant à me tirer dessus avec le concombre.

« Vous devriez suivre son conseil, fit une voix. Il sait de quoi il parle. Quand il n'y a plus de discussion possible, une arme à feu peut se révéler extrêmement utile. »

C'était Arthur Nebe, l'un des policiers les plus retors de la Kripo. Ancien membre des Freikorps, les milices de droite, il avait été nommé Kommissar au sein du D1a moins de deux ans après être entré dans la police, et il possédait un palmarès impressionnant en matière de crimes résolus. Nebe était l'un des fondateurs de l'Association national-socialiste des fonctionnaires, et l'on racontait qu'il était comme cul et chemise avec des nazis de premier plan tels que Goebbels, le comte von Helldorf et Kurt Daluege. Curieusement, Nebe était aussi un ami de Bernhard

Weiss. Il avait en outre des relations influentes au SPD. À l'Alex, on estimait généralement qu'il possédait plus d'options sécurisées que la bourse de Berlin.

« Bonjour, Arthur. Qu'est-ce que vous fichez là ? Il n'y a donc pas assez de boulot à la section politique que vous venez braconner ici ? »

Nebe ignora ma remarque.

« Depuis qu'il a arrêté les frères Sass, Otto doit se surveiller. Comme s'il faisait son autoportrait.

— On est tous au courant pour Otto et les frères Sass », dis-je.

En 1928, Otto Trettin avait bien failli être viré de la police lorsqu'il fut établi qu'il avait extorqué des aveux aux deux criminels.

« Ce que j'ai fait n'a absolument rien de comparable. Embarquer Ricci Kamm était une arrestation dans les règles.

— J'espère qu'il est de cet avis, rétorqua Nebe. Pour vous. Écoutez, se balader sans arme n'est pas recommandé pour un flic, d'accord ? En avril dernier, quand j'ai mis Franz Spernau au trou, j'ai reçu tellement de menaces de mort qu'on pariait même au Hoppegarten que quelqu'un me rectifierait avant la fin de l'été. Et il s'en est fallu d'un cheveu que ce ne soit un pari gagnant. » Nebe sourit de son sourire de loup et écarta sa veste, révélant un gros Mauser long comme le bras. « Si ce n'est que je les ai pris de vitesse, si vous voyez ce que je veux dire. » Il tapota le côté de son nez non négligeable en un geste éloquent. « À propos, comment va l'affaire Schwarz ?

— Qu'est-ce que ça peut vous faire, Arthur ?

— Je connais un peu Kurt Daluege. Nous étions dans l'armée ensemble. Il ne manquera pas de me poser la question la prochaine fois que je le verrai.

— À vrai dire, je crois que je commence à faire de réels progrès. Je suis plus ou moins certain que mon suspect se fait soigner à la clinique de la chtouille de l'hôpital de Friedrichshain.

— Vraiment ?

— Alors, vous pouvez dire à votre copain Daluege qu'il n'y a rien de personnel. Que je me donnerai autant de mal pour attraper le meurtrier de cette gamine que si son père n'était pas un sale petit nazi.

— Je suis sûr qu'il sera ravi de l'apprendre, encore que, à titre personnel, je ne vois pas l'intérêt de mettre au monde des gosses pareils. Sur le plan social, je pense que nous devrions suivre l'exemple des Romains. Vous savez ? Romulus et Rémus ? On devrait les abandonner sur un flanc de colline pour qu'ils meurent de froid. Enfin, un truc dans ce goût-là.

— Peut-être. Sauf que Romulus et Rémus ont été abandonnés non pas parce qu'ils étaient malades, mais parce que leur mère était une vestale qui avait violé son vœu de chasteté.

— Vous m'en direz tant.

— De plus, Romulus et Rémus ont survécu. Vous n'étiez pas au courant ? C'est comme ça que Rome a été fondée.

— Je parlais du principe général, voilà tout. De l'argent gaspillé pour des membres de la société sans aucune utilité. Vous rendez-vous compte que cela coûte au gouvernement soixante mille marks de plus pour maintenir en vie un infirme par rapport à un citoyen ordinaire en bonne santé ?

— Dites-moi, Arthur. Quand on parle de citoyens en bonne santé, est-ce qu'on inclut Jo Goebbels ? »

Nebe sourit.

« Vous êtes un bon flic, Bernie. Tout le monde en convient. Dommage de mettre en péril une carrière prometteuse à cause de quelques remarques inconsidérées.

— Qui dirait ça ? Que ce sont des remarques inconsidérées ?

— Parce qu'il ne s'agit pas de ça ? Vous n'êtes pas un rouge. J'en suis persuadé.

— Je me donne un mal de chien pour détester les nazis, Arthur. Vous devriez le savoir mieux que quiconque.

— Malgré tout, les nazis vont gagner les prochaines élections. Et alors, qu'est-ce que vous ferez ?

— Je ferai comme les autres, Arthur. Je rentrerai chez moi et je me fourrerai la tête dans la cuisinière à gaz dans l'espoir de me réveiller d'un horrible cauchemar. »

C'était encore une belle soirée, exceptionnellement chaude. Je lançai sa veste à Grund.

« Viens, dis-je. Allons faire un peu de boulot de flic. »

Nous descendîmes dans la cour centrale de l'Alex, où j'avais garé ma voiture. Je tournai la clé et pressai le bouton du démarreur. La guimbarde se mit à ronronner avec entrain.

« Où va-t-on ? demanda-t-il.

— Oranienburger Strasse.

— Pourquoi ?

— On cherche des suspects, tu te souviens ? C'est le grand avantage de cette ville, Heinrich. On n'a pas besoin de faire la tournée des asiles pour trouver des tordus et des maboules. Il y en a partout. Au Reichstag. Sur la Wilhelmstrasse. Au parlement prussien. Ça ne m'étonnerait pas du tout qu'il y en ait même un ou deux dans Oranienburger Strasse. Ce qui nous faciliterait grandement la tâche, tu ne penses pas ?

— Si tu le dis, patron. Mais pourquoi Oranienburger Strasse ?

— Parce qu'elle est très prisée par les putes d'un certain type.

— La lie de la profession.

— Précisément. »

On était vendredi soir, mais je n'y pouvais rien. Chaque soir, c'était la cohue dans Oranienburger Strasse. Des voitures s'arrêtaient devant le Bureau central du télégraphe, ouvert jour et nuit. Et, jusqu'à l'année précédente, la rue avait abrité l'un des plus célèbres cabarets de Berlin, Le Nid de cigogne, une des raisons pour lesquelles elle avait acquis une telle popularité auprès des prostituées de la ville. On racontait que pas mal des filles d'Oranienburger avaient travaillé au Nid de cigogne avant que le patron de la boîte ne fasse venir des danseuses nues de Pologne, plus jeunes et moins chères.

Le vendredi soir, il y avait encore plus d'allées et venues que d'habitude parce que les juifs allaient à la *shoul* à la Nouvelle Synagogue, la plus grande de Berlin. La taille et le magnifique dôme de celle-ci reflétaient la confiance qu'avait jadis inspirée aux juifs leur présence dans la capitale. Mais plus maintenant. D'après mon ami Lasker, un certain nombre d'entre eux se préparaient déjà à quitter l'Allemagne si jamais l'impensable se produisait et que les nazis étaient élus. Lorsque nous arrivâmes, ils étaient des centaines à se déverser sous les voûtes en brique multicolores : des hommes avec de grands chapeaux de fourrure et de longs manteaux noirs, d'autres avec des châles et des frisettes, de jeunes garçons avec des calottes en velours, des femmes avec des foulards en soie – mais tous sous le regard scrutateur et légèrement méprisant des policiers en uniforme postés par deux à intervalles réguliers le long de la rue, au cas où un groupe d'agitateurs nazis déciderait de créer un incident.

« Bon Dieu ! s'exclama Grund alors que nous descendions de voiture. Regarde-moi ça. On croirait ce fichu Exode. Jamais vu autant de satanés youpins.

— On est vendredi soir, dis-je. C'est le moment où ils vont prier.

— Comme les rats qu'ils sont, répliqua-t-il avec un dégoût manifeste. Quant à cette espèce de... » Il leva les yeux vers l'énorme synagogue dont le dôme central était flanqué de deux autres plus petits ressemblant à des pavillons et secoua tristement la tête. « Je veux dire, qui a eu l'idée stupide de les laisser construire cette chose hideuse ici ?

— Pourquoi, qu'est-ce qu'elle a ?

— C'est pas sa place, voilà ce qu'elle a. On est en Allemagne. Dans un pays chrétien. S'ils aiment ce genre de truc, ils n'ont qu'à aller vivre ailleurs.

— Où, par exemple ?

— En Palestine. À Goshen. Un endroit rempli de sable. J'en sais rien et je m'en fous. Simplement, pas ici en Allemagne, c'est tout. On est dans un pays chrétien. »

Il se mit à regarder d'un air venimeux les nombreux juifs qui pénétraient dans la Nouvelle Synagogue. Avec leurs longues barbes, leurs chemises blanches, leurs manteaux noirs, leurs chapeaux à larges bords et leurs lunettes, ils avaient plutôt l'air de pionniers myopes tout droit sortis de l'Amérique du XIXe siècle.

Nous nous dirigeâmes vers l'extrémité d'Oranienburger, côté Friedrichstrasse, où les putains plus spécialisées que nous recherchions étaient censées faire le trottoir.

« Tu sais ce que je pense ? fit Grund.

— Surprends-moi.

— Ces lascars de Friedrichstrasse devraient s'habiller davantage comme le reste d'entre nous. Comme des Allemands. Pas comme des épouvantails. Ils devraient essayer de se fondre dans le décor. De cette façon, les gens seraient moins tentés de s'en prendre à eux. C'est la nature humaine, pas vrai ? Si quelqu'un a l'air un peu différent, qu'il donne l'impression de se mettre à l'écart, ben, forcément, il va au-devant des ennuis. » Il hocha la tête. « Ils devraient essayer de ressembler à des Allemands normaux.

— Tu veux dire, chemise brune, bottes de cheval, ceinturon et brassard orné d'une croix gammée ? Ou short en cuir et chemise à fleurs ? » Je ris. « Ouais, je comprends. Normal. C'est sûr.

— Tu sais très bien ce que je veux dire, patron. Allemand, quoi.

— Je l'ai su autrefois. Quand j'étais dans les tranchées, par exemple. Maintenant, je n'en suis plus aussi certain.

— C'est bien ça le problème. Ces salauds-là ont brouillé les cartes. Rendu moins net ce que signifie être allemand. Ce qui explique sans doute que les nazis fassent d'aussi bons scores. Ils nous donnent une idée claire de nous-mêmes. »

J'aurais pu répondre que ce n'était pas une idée de nous-mêmes que j'aimais beaucoup, mais je n'étais pas d'humeur à discuter politique avec lui. Pas à nouveau. Pas maintenant.

À Berlin, il y en avait pour tous les goûts. La ville était un grand menu érotique – et quelquefois pas si érotique que ça. À condition de savoir où chercher et quoi demander, vous aviez des chances de pouvoir satisfaire vos penchants même les plus spéciaux. Vous aviez envie d'une vieille – et je dis bien une vieille, du genre à vivre dans un soulier[1] –, vous alliez dans Mehnerstrasse, qui, pour des raisons évidentes, était également connue comme la rue de la Vieille Fille. Vous aviez envie d'une obèse – et je dis bien une obèse, du genre à avoir un frère jumeau champion de

---

1. Célèbre comptine anglaise : « There Was an Old Woman Who Lived in a Shoe » (Il était une vieille femme qui vivait dans un soulier).

sumo au Japon –, vous n'aviez qu'à vous balader le long de Land-wehrstrasse, également connue comme la rue du Veau gras. Si votre truc, c'étaient les mères et filles, alors vous alliez dans Goll-nowstrasse, connue comme la rue de l'Inceste. Les chevaux de course, les filles que vous pouviez fouetter, se rencontraient le plus souvent dans les instituts de beauté et les salons de massage entourant Hallesches Tor. Les femmes enceintes – et je dis bien enceintes, pas des gamines avec un coussin glissé sous leur dirndl – se trouvaient dans Münzstrasse. Münzstrasse était également appelée la rue des Affaires, parce que, de l'avis général, on y vendait tout et n'importe quoi.

Contrairement à Grund, je m'efforçais d'ordinaire de ne pas jouer les moralisateurs à propos des hauts lieux de la prostitution berlinoise. Que croyait-on qu'il pouvait arriver aux femmes dans une Allemagne avec près de deux millions d'hommes morts à la guerre, suivis d'un nombre peut-être équivalent de gens – ma femme y compris – victimes de la grippe ? Que croyait-on qu'il pouvait arriver dans un pays submergé par les émigrés russes ayant fui la révolution bolchevique, et par l'inflation, la Grande Dépression et le chômage ? À quoi rimaient convenances et morale quand tout le reste – argent, travail, la vie elle-même – était devenu aussi précaire ? Malgré tout, il était difficile de ne pas se sentir quelque peu offusqué par le commerce qui se tenait à l'extrémité nord d'Oranienburger Strasse. De ne pas souhaiter que le feu du ciel purge Berlin de ce trafic de chair humaine quand on songeait à l'existence de ces prostituées maudites, à l'air exténué, au visage sans expression, que l'on désignait sous le nom de pierreuses. Si vous vouliez une créature avec une seule jambe, un œil en moins, une bosse dans le dos ou des cicatrices affreuses, il vous suffisait d'aller à l'extrémité nord d'Oranienburger et de ratisser le gravier. Vous les trouviez dans les coins d'ombre, sous le porche du défunt Nid de cigogne, dans le vieux passage Kaufhaus, ou encore, à l'occasion, dans une boîte de nuit appelée Le Bas bleu, au coin de Linenstrasse.

Ce n'étaient pas les femmes à qui nous aurions pu parler qui manquaient, mais j'en cherchais une en particulier : une putain nommée Gerda. Ne la voyant pas dans la rue, je décidai de tenter ma chance au Bas bleu.

Le videur à la porte était perché sur un grand tabouret juste en face de la caisse. Il s'appelait Neumann et, de temps à autre, je l'utilisais comme indic. Il avait été autrefois un des factotums du gang de la Libellule, qui opérait à Charlottenburg, mais il évitait à présent le quartier comme la peste, vu qu'il les avait plus ou moins doublés. Pour un videur, Neumann n'était pas tellement costaud, mais il avait une gueule de truand toute cabossée qui donnait l'impression qu'il se foutait du tiers comme du quart de ce qui pouvait lui arriver, ce qui équivaut parfois à un simulacre de dureté. De plus (comme je l'avais découvert par hasard), il avait une batte de base-ball planquée derrière son tabouret, et il savait s'en servir.

« Kommissar Gunther, dit-il nerveusement. Qu'est-ce qui vous amène au Bas bleu ?

— Je cherche une pute. »

Neumann se fendit d'un sourire carié au point que sa denture avait l'air de deux rangées de vieux mégots.

« Qu'est-ce qu'elles sont d'autre, à votre avis ? Les gonzesses qui se trémoussent à l'intérieur.

— Celle-là est une pierreuse.

— J'aurais jamais imaginé que vous donniez dans ce genre de truc. »

Son sourire s'élargit horriblement, comme s'il se délectait de ce qu'il supposait être mon embarras.

« Cesse de faire comme si ça me gênait de me renseigner sur elle, parce que ce n'est pas le cas. La seule chose qui me gêne, c'est l'opinion de ton dentiste, Neumann. Elle s'appelle Gerda. »

Les dents disparurent derrière des lèvres minces et craquelées qui n'arrêtaient pas de sautiller, telle une anguille ayant avalé un hameçon.

« Vous voulez dire, comme la petite fille qui sauve son frère Kay dans *La Reine des neiges* ?

— Exact. Sauf que celle-là n'est pas si petite. Plus maintenant. En outre, il lui manque un bras et une jambe, sans compter quelques dents et la moitié du foie. Bon alors, elle est là ou est-ce que je vais devoir réveiller les gars du E ? »

Le E était une section du Département 4 qui s'occupait de toutes les questions relatives aux mœurs ou, le plus souvent, à leur absence.

« Pas besoin de vous fâcher, Herr Gunther. Il faut bien rigoler un peu. » Il leva un cliquet de dresseur de chiens attaché à une chaîne fixée à sa ceinture et le fit tinter bruyamment par trois fois. « Qu'est devenu votre sens de l'humour, Kommissar ?

— Il semble diminuer à chaque plébiscite. »

Au son du cliquet, la porte du club s'ouvrit de l'intérieur. Au sommet d'une volée de marches raides se tenait un autre videur, tout en muscles celui-là.

Neumann laissa échapper un gloussement.

« Fichus nazis ! Je sais ce que vous voulez dire, Kommissar. Tout le monde raconte qu'ils nous fermeront à la minute où ils auront été élus.

— J'espère bien », remarqua Grund.

Neumann lui lança un petit regard de dégoût.

« Gerda est en bas, dit-il avec raideur.

— Comment fait-elle pour descendre avec seulement un bras et une jambe ? » demanda Grund.

Neumann se tourna vers moi puis vers Grund, un sourire dansant sur le terrain de jeu craquelé de ses lèvres.

« Lentement », répondit-il, puis il poussa un hurlement de rire qui m'égaya autant que lui.

Grund, pour sa part, ne riait pas.

« On se prend pour un comique, hein ?

— Laisse tomber, dis-je à Grund en le poussant pour le faire entrer. C'est tout droit au fond. »

Gerda n'avait pas trente ans, mais on ne l'aurait jamais deviné. Elle aurait pu passer sans problème pour une quinquagénaire. Nous la trouvâmes assise dans un fauteuil roulant, à un jet de salive d'une petite scène où une joueuse de cithare et une strip-teaseuse faisaient un concours à qui aurait l'air de s'ennuyer le plus. À mon avis, la strip-teaseuse l'emportait d'une paire de seins flasques. Sur la table devant Gerda, il y avait une bouteille de schnaps bon marché, sans doute offerte par le type assis à côté d'elle, lequel, à y regarder de plus près, se révéla être une femme.

« Va te faire ravaler la façade, dis-je à la frangine.

— Ouais, c'est ça, ajouta Grund en montrant rapidement sa plaque pour faire bonne mesure. Essaie donc l'Eldorado. »

Gerda parut trouver ça drôle. L'Eldorado était une boîte de travestis. La souris maussade, l'air d'un oncle mal aimé, se leva et déguerpit. Nous nous installâmes sur des chaises aussi branlantes que les dernières dents de Gerda.

« Je vous connais, dit-elle. Vous seriez pas flics, par hasard ? »

Je glissai un billet de dix sous la bouteille.

« C'est quoi cette idée de mettre de l'argent sur ma table ? Je sais rien.

— Bien sûr que si, Gerda. Tout le monde sait quelque chose.

— Peut-être que oui et peut-être que non. » Elle eut un hochement de tête. « En tout cas, je suis contente que vous soyez là, Kommissar. J'aime pas beaucoup ce milieu de la gougnotte. Vous savez ? Ces cabarets lesbiens genre Scorpion. D'accord, quand on est dans la mouscaille, on peut pas se montrer trop délicat, et je l'aurais fait si elle l'avait demandé gentiment. Vous comprenez ? Mais j'éprouve aucun plaisir à me faire peloter par une pétasse. »

Je mis une cigarette dans la bouche de Gerda et l'allumai. Elle était maigre, avec des cheveux roux coupés court, des yeux bleuâtres et un visage rubicond. Elle buvait trop, même si elle tenait assez bien le choc. En général. L'unique fois, à ma connaissance, où ça n'avait pas été le cas, elle s'était cassé la figure devant le tram numéro treize dans Köpenicker Strasse. Elle aurait pu y rester. Au lieu de ça, elle s'en était tirée avec le bras et la jambe gauche en moins.

« Maintenant, ça me revient. C'est vous qui avez envoyé Ricci Kamm à l'hosto. » Avec un sourire épanoui, elle ajouta : « Vous mériteriez la Croix de fer pour ça, poulet.

— Tu es bien informée, Gerda, comme toujours. »

J'allumai une cigarette pour moi et lui lançai le paquet. Volontiers distrait – je suppose que c'est comme ça qu'il était devenu nazi –, Grund faisait déjà plus attention au spectacle qu'à notre conversation.

« Dis-moi, Gerda. Est-ce que tu as jamais vu une pute avec un appareil orthopédique, âgée d'environ quinze ans ? Blonde, garçonnière, se servant d'une canne. Appelée Anita. Elle avait une paralysie cérébrale. Une handicapée moteur. On sait qu'elle se prostituait parce qu'on a trouvé un paquet de fric dans ses poches et que c'est ce que prétendent les voisins.

— Anita ? Ouais, j'ai entendu dire qu'elle était morte, la pauvre gosse. » Gerda saisit la bouteille et se remplit un verre, qu'elle avala d'un trait comme si c'était du café froid. « Elle venait ici quelquefois. Même qu'elle avait une façon de s'exprimer plutôt chicos, vu les circonstances.

— Quelles circonstances ? demanda Grund sans détacher les yeux des nichons de la strip-teaseuse, qui dépassaient et de loin tous les pronostics.

— Vu qu'elle arrivait pas très bien à parler. » Gerda fit entendre un bruit provenant en majeure partie de ses fosses nasales. « Comme ça qu'elle jactait, vous voyez ?

— Qu'est-ce que tu peux nous dire d'autre sur elle ? »

Je remplis à nouveau le verre de Gerda et m'en versai un, juste pour avoir l'air sociable.

« À ce que j'ai compris, elle s'entendait pas avec ses parents. Ça leur plaisait pas qu'elle boite. Ni bien sûr qu'elle tapine. Remarquez qu'elle le faisait pas tout le temps. Seulement quand elle voulait les foutre en rogne, je dirais. Son paternel était une grosse légume du parti nazi, et ça le faisait chier qu'elle aille aux poireaux par-ci par-là.

— Difficile à croire, murmura Grund. Qu'on puisse avoir envie de… Enfin, vous voyez ce que je veux dire… Avec une gosse infirme. »

Gerda éclata de rire.

« Oh non, mon chou ! C'est pas difficile à croire du tout. Y a des tas d'hommes qui font ça avec des filles infirmes. À vrai dire, c'est même devenu très à la mode ces derniers temps. La guerre y est sans doute pour quelque chose. Toutes ces blessures horribles

avec lesquelles un certain nombre de types sont rentrés chez eux.
Ce qui a flanqué à pas mal la pétoche de pas être à la hauteur, à
plus d'un égard. Faire ça avec des mal foutues les aide probablement à trouver assez de confiance en soi pour bander. Ça leur
donne l'impression d'être supérieurs à l'estropiée avec qui ils sont.
Sans compter que ça revient moins cher, bien sûr. Moins cher
qu'une morue ordinaire. Les gens n'ont plus d'argent pour ce
genre de truc. Pas comme autrefois. » Elle lança à Grund un regard
à la fois amusé et méprisant. « Oh non, mon biquet ! J'ai vu des
filles avec une moitié de visage lever des mecs ici même. D'ailleurs,
la plupart d'entre eux ne vous voient même pas, de toute façon.
Pour rien au monde, ils ne vous regarderaient en face. Alors,
qu'une pute ait une belle gueule ou ses abattis au complet a moins
d'importance que le fait qu'elle ait un minou. » Gerda se mit à
rire. « Non, mon chou, demandez donc à vos petits copains au
boulot, ils vous le diront. Pour mettre une lettre dans la boîte, pas
besoin de connaître tout le gourbi.

— Revenons à Anita, dis-je. Est-ce qu'il t'est arrivé de la voir avec
quelqu'un en particulier ? Un client régulier, ou quoi que ce soit ? »

Gerda sourit.

« Un nom, ça vous dirait ? » Elle posa des doigts visiblement
écorchés sur le billet de dix. « Encore un petit effort et je vous donnerai son micheton attitré. »

Je sortis mon portefeuille et plaçai un autre billet de dix sur la
table.

« À vrai dire, il y avait bien un mec, un mec en particulier. Je lui
ai moi-même léché sa sucette une ou deux fois. Mais il préférait
Anita. Du nom de Serkin. Rudi Serkin. Elle est allée à son appart
à plusieurs reprises. Dans cette énorme caserne locative[1] de
Mulackstrasse. Avec tout un tas d'entrées et de sorties.

— L'Ochsenhof ? dit Grund.

— C'est ça.

— Mais c'est sur le territoire du Toujours Loyal ! s'exclama-t-il.

---

1. *Mietskasern*, surnom donné à des blocs d'immeubles de rapport, destinés aux
ouvriers et aux employés, construits dans les grandes villes entre 1871 et 1918.

— Alors, prenez une voiture blindée. »

Gerda ne plaisantait pas. L'Ochsenhof était un gigantesque immeuble d'habitation miteux au cœur du quartier le plus mal famé de Berlin et quasiment une zone interdite pour la police. La seule façon dont les flics de l'Alex avaient des chances d'aller à l'Ochsenhof, c'était avec un tank pour couvrir leurs arrières. Ils avaient déjà essayé, en vain, repoussés par des tireurs embusqués et des cocktails Molotov. Ce n'était pas pour rien qu'on l'avait surnommé le Rôti.

« Il ressemble à quoi, ce Rudi Serkin ? demandai-je.

— La trentaine. Petit, cheveux bruns bouclés, lunettes. Fumait la pipe. Nœud pap. Ah, et juif. » Elle gloussa. « Au moins, il a pas de papier d'emballage sur sa sucette.

— Un Juif, marmonna Grund. J'aurais dû m'en douter.

— Z'avez quelque chose contre les Juifs, mon chou ?

— C'est un nazi. Il a quelque chose contre tout le monde. »

Pendant quelques instants, nous restâmes silencieux. C'est alors qu'une voix beugla :

« Vous avez fini de discuter ? »

Nous tournâmes la tête pour voir la strip-teaseuse nous fusiller du regard. Gerda éclata de rire.

« Ouais, on a fini.

— Bon », fit la strip-teaseuse.

Sur ce, elle laissa tomber sa culotte d'un geste preste et dénué d'érotisme. Elle se pencha, marquant un temps d'arrêt pour que personne n'en perde une miette. Puis elle ramassa ses sous-vêtements, se redressa et sortit de la scène d'un air furibond.

Je décidai qu'il était temps de suivre son exemple.

Laissant Gerda finir la bouteille en solo, nous remontâmes et aspirâmes une bouffée de l'air frais de Berlin. Après l'atmosphère vénérienne du Bas bleu, j'avais envie de rentrer chez moi et de me laver les pieds avec du désinfectant. Et aussi de planifier ma prochaine visite chez le dentiste. La vue du sourire hideux de Neumann au moment de notre départ constituait un redoutable avertissement.

Grund hocha la tête avec enthousiasme.

« Au moins, on a un nom.

— Tu crois ?

— Tu l'as entendue. »

Je souris.

« Rudolf Serkin est le nom d'un célèbre pianiste concertiste.

— Tant mieux. Ça fera sensation dans *Tempo*.

— Ou, mieux encore, dans *Der Angriff*, répliquai-je en secouant la tête. Mon cher Heinrich, le vrai Rudolf Serkin n'aurait pas plus une liaison avec une poule infirme qu'il ne jouerait "Mon perroquet n'aime pas les œufs durs" au Bechstein Hall. Le type que Gerda a rencontré, et qu'elle a vu avec Anita, a donné un faux nom. Un point c'est tout.

— Il y a peut-être deux Rudolf Serkin.

— Possible. Mais j'en doute. Est-ce que tu donnerais ton vrai nom à une fille que tu aurais ramassée au Bas bleu ?

— Non, je suppose que non.

— Tu supposes bien. Gerda le savait, elle aussi. Seulement, elle n'avait rien d'autre à offrir.

— Et l'adresse ?

— Elle a nous a refilé la seule adresse de Berlin où elle sait que les flics n'oseraient pas s'aventurer. Elle nous a menés en bateau, camarade.

— Dans ce cas, pourquoi lui avoir laissé le fric ?

— Pourquoi ? » Je levai les yeux au ciel. « Aucune idée. Peut-être parce qu'elle n'a qu'un bras et une jambe. C'est peut-être ça la raison. Cela dit, la prochaine fois que je la verrai, elle saura qu'elle a une dette envers moi. »

Grund fit la grimace.

« Tu es trop mou pour être flic, tu sais ça ?

— Venant d'un nazi de ton espèce, je le prends comme un compliment. »

Le lendemain matin, je laissai mon costume Peek & Cloppenburg dans le placard pour revêtir la queue-de-pie et le col dur de mon père. Jusqu'à sa fin prématurée, il avait travaillé à la banque Bleichröder, dans Behren Strasse. Je ne me rappelle pas l'avoir jamais vu en complet-veston. La décontraction n'était pas son style. Mon père était un Prussien plutôt typique : déférent, fidèle à l'empereur, respectueux et ponctuel. Toutes qualités que je tiens de lui. De son vivant, nous ne nous entendions pas si bien que ça. Mais, à présent, les choses étaient différentes.

Je m'examinai un moment dans la glace et souris. Je lui ressemblais trait pour trait. Mis à part le sourire, la cigarette et le surcroît de cheveux sur le haut du crâne. Les hommes finissent toujours par ressembler à leur père. Même si ce n'est pas un drame, il faut un solide sens de l'humour pour faire avec.

Je me rendis à l'Adlon. Le service voiturier de l'hôtel était dirigé par un Polonais appelé Carl Mirow. Carl avait été autrefois le chauffeur de Hindenburg, mais il avait quitté le service du président de Weimar quand il avait découvert qu'il pouvait gagner bien plus en promenant des gens importants. Comme les Adlon. Carl était membre de l'Automobile Club d'Allemagne et très fier du fait que, durant toutes ces années à sillonner les routes, on ne lui avait jamais retiré son permis. Très fier et très reconnaissant aussi. En 1922, un blanc-bec de la police de Berlin nommé Bernhard Gunther avait arrêté Carl pour avoir grillé un feu rouge. On sentait qu'il n'avait pas lésiné sur le schnaps non plus, mais j'avais décidé de fermer les yeux. Ce n'était pas très prussien de ma part. Grund avait peut-être raison. Peut-être que j'étais trop mou pour être flic. En tout cas, Carl et moi étions restés amis.

Les Adlon possédaient une immense Mercedes-Benz 770 Pullman décapotable. Avec des phares de la taille de raquettes de tennis, des ailes et des marchepieds comme le tremplin de ski de Holmenkollen, elle avait tout d'une authentique voiture de ploutocrate. Le genre de ploutocrate susceptible d'être président du conseil d'administration du Consortium des colorants. Me faire passer pour le Dr Duisberg n'était pas terrible comme plan, mais je ne voyais pas d'autre moyen de tirer quelque chose du Dr Gerhard Domagk à la clinique de la vérole de l'hôpital. Illmann se trompait rarement dans ce domaine. Il semblait hautement improbable qu'un médecin accepte de me refiler le type d'information sensible que je cherchais. À moins de penser qu'il ne les donnait en réalité à son employeur.

Carl Mirow avait accepté de me conduire à l'hosto. La grosse Mercedes-Benz fit une assez forte impression alors que nous traversions le périmètre de l'hôpital, surtout quand je baissai la vitre pour demander à une infirmière la direction de la clinique urologique. Ce qui mit Carl quelque peu à cran.

« Suppose que quelqu'un reconnaisse la plaque d'immatriculation et pense que M. Adlon a attrapé la chtouille », s'indigna-t-il.

M. Adlon était Louis Adlon, le propriétaire de l'hôtel. La soixantaine, cheveux blancs clairsemés et moustache blanche taillée au cordeau.

« Est-ce que je lui ressemble un tant soit peu ?

— Non.

— Du reste, si tu avais la chtouille, est-ce que tu irais à la clinique dans une voiture pareille ? Ou avec ton col relevé et ton chapeau enfoncé sur les oreilles ? »

Nous nous arrêtâmes devant la dépendance en brique abritant la clinique urologique. Carl jaillit de son siège pour m'ouvrir la portière. Dans sa livrée de chauffeur, il me rappelait le commandant de ma bonne vieille compagnie. Ce qui était probablement la vraie raison pour laquelle je ne lui avais pas collé de contravention pour être passé au rouge en 1922. J'ai toujours été un peu sentimental.

Je pénétrai dans la clinique par des doubles portes munies de vitres en verre dépoli. À l'intérieur, le couloir était clair, frais, avec au sol du linoléum couvert d'une couche d'encaustique telle que vos chaussures émettaient des gémissements sonores tandis que vous vous efforciez de gagner la réception sur la pointe des pieds. Une fois là, sous le plafond voûté, vos humbles supplications pour obtenir des soins médicaux faisaient l'effet d'un aparté dans un opéra. Ce n'était pas seulement dans l'air que régnait une forte odeur d'éther. On aurait dit que la blonde vénitienne derrière le bureau d'accueil se faisait des gargarismes avec. Je posai la carte du Dr Duisberg sur sa table et lui dis que je désirais voir le Dr Domagk.

« Il n'est pas là.

— Je suppose qu'il est à Leverkusen.

— Non, à Wuppertal. »

Un autre endroit dont je n'avais jamais entendu parler. Certains jours, je reconnaissais à peine le pays dans lequel je vivais.

« Encore une ville nouvelle, je présume.

— Je ne pourrais pas vous dire.

— Qui le remplace quand il est absent ?

— Le Dr Kassner.

— Alors, c'est la personne que je veux voir.

— Vous avez rendez-vous ? »

Je souris, affectant une patience pétrie de suffisance.

« Si vous remettez cette carte au Dr Kassner, vous vous apercevrez, je pense, que je n'ai pas besoin d'en avoir. Voyez-vous, mademoiselle, c'est moi qui finance toutes les recherches effectuées dans cette clinique. Par conséquent, à moins que vous ne teniez à aller grossir les rangs des six millions de chômeurs, je vous conseille d'aller le prévenir que je suis là, et au trot. »

L'infirmière rougit, se leva, prit la carte de Duisberg et, ses pieds couinant comme un troupeau de souris, disparut à travers une série de portes battantes.

Au bout d'une minute, un individu pâle et gauche franchit l'entrée principale de la clinique. Il marchait avec la lenteur de quelqu'un souffrant d'une jambe. Il gardait les yeux rivés au linoléum comme s'il espérait y trouver une meilleure explication au bruit sous ses semelles qu'un excès d'encaustique. Une fois au bureau d'accueil, il s'arrêta et me jeta un regard en coin, se demandant probablement si j'étais un médecin ou quoi. Je lui souris.

« Belle journée », fis-je d'un ton jovial.

Puis un homme en blouse blanche apparut dans le couloir. Il se dirigea vers moi d'un pas énergique, tel un membre fondateur du Wandervogel[1], une main tendue, l'autre serrant la carte de Duisberg. Il était gros et chauve, ce qui lui donnait davantage l'air d'un militaire que d'un médecin. Sous la blouse, il était habillé à peu près

1. Mouvement de jeunesse allemand lancé par des lycéens berlinois à la fin du XIXe siècle.

comme moi, un professionnel occupant une certaine position sociale.

« Docteur Duisberg, dit-il onctueusement, avec un léger défaut d'élocution peut-être dû à un problème de prothèse dentaire. C'est un honneur. Vraiment. Je suis le Dr Kassner. Le Dr Domagk sera très déçu de vous avoir raté. Il est à Wuppertal.

— Oui, c'est ce qu'on vient de me dire. »

Le médecin eut l'air peiné.

« Je suppose qu'il y a eu une sorte de malentendu et qu'il ne vous attendait pas.

— Non, non. Je ne suis à Berlin que pour un bref séjour. J'avais un peu de temps à tuer entre deux rendez-vous, de sorte que j'ai pensé faire un saut pour voir comment marchaient les essais cliniques. Le Consortium des colorants est très excité par vos travaux. » Je marquai un temps d'arrêt. « Naturellement, si le moment est mal choisi...

— Mais non, pas du tout. Si vous pouvez vous contenter de mes explications rudimentaires.

— Je suis sûr qu'elles seront largement suffisantes pour un profane comme moi.

— Alors suivez-moi, je vous prie. »

Franchissant les portes battantes, nous nous retrouvâmes dans un couloir où une douzaine de pauvres bougres visiblement mal en point étaient assis contre le mur, chacun tenant ce qui devait être ou bien un échantillon d'urine ou bien un spécimen particulièrement insalubre de l'eau du robinet notoirement infecte de Berlin. Kassner m'introduisit dans son bureau, clinique à souhait. Il y avait une table d'examen, plusieurs étagères pleines de traités médicaux, deux chaises, quelques classeurs et une petite table. Dessus, une machine à écrire portable Bing avec une feuille de papier engagée dans le chariot et un téléphone. Sur les murs, des illustrations d'une crudité qui m'incita à me replier sur ma vessie et qui aurait presque suffi à me convaincre de faire vœu de célibat. J'étais sans doute le premier type depuis des lustres à entrer dans ce cagibi sans qu'on lui demande de baisser son pantalon.

« Que savez-vous de nos activités ici ? demanda-t-il.

— Seulement que vous travaillez sur une nouvelle Balle magique, répondis-je. Je ne suis pas médecin, mais ingénieur chimiste. Ma spécialité, ce sont les colorants. Faites comme si aviez affaire à un profanateur cultivé.

— Eh bien, comme vous le savez probablement, les médicaments sulfa sont des agents antimicrobiens synthétiques contenant des sulfamides. L'un de ces médicaments – appelé le Protonsil – a été synthétisé par Josef Klarer chez Bayer et testé sur des animaux par le Dr Domagk. Avec succès, naturellement. Depuis lors, nous avons mené des tests sur un petit groupe de malades du service de consultation externe souffrant de syphilis ou de blennorragie. Mais, à terme, nous devrions nous apercevoir que le Protonsil est efficace dans le traitement de toute une gamme d'infections bactériennes. Curieusement, il n'a aucun effet in vitro. Son action antibactérienne ne semble opérer qu'au sein d'organismes vivants, ce qui laisse supposer que, comme nous l'espérons, le médicament est métabolisé avec succès à l'intérieur du corps.

— Quelle est l'importance de votre groupe test ? demandai-je.

— En fait, nous ne faisons que commencer. Jusqu'à présent, nous avons administré du Protonsil à environ cinquante hommes et à peu près moitié moins de femmes – il y a, bien évidemment, une clinique séparée pour elles à la Charité. Certains de nos sujets d'expérience venaient seulement de contracter une maladie vénérienne alors que d'autres étaient infectés depuis un certain temps. Nous prévoyons, au cours des deux ou trois prochaines années, de tester le médicament sur un échantillonnage de quinze cents à deux mille volontaires. »

J'acquiesçai en regrettant de ne pas avoir pensé à emmener Illmann avec moi. Lui au moins aurait pu poser des questions pertinentes ; et même quelques-unes impertinentes.

« Jusqu'ici, continua Kassner, les résultats ont été très encourageants.

— Me serait-il possible de voir à quoi ressemble ce médicament ? »

Il ouvrit le tiroir de son bureau, sortit un flacon et versa de petites pilules bleues dans ma main gantée. Elles ressemblaient comme deux gouttes d'eau à celle que j'avais trouvée près du cadavre d'Anita Schwarz.

« Naturellement, leur aspect sera différent une fois les essais terminés. Le milieu médical allemand est plutôt conservateur et préfère les pilules blanches. Mais elles sont bleues pour l'instant afin de nous permettre de les distinguer des autres comprimés que nous utilisons.

— Et vos notes sur le groupe d'étude ? Pourrais-je jeter un coup d'œil à un des dossiers ?

— Mais certainement. »

Kassner se tourna pour faire face à un classeur en bois. Il n'y avait pas de clé. Il abaissa le tambour et ouvrit le tiroir du haut.

« Ceci est un récapitulatif contenant de brèves observations sur tous les patients ayant été traités à ce jour avec du Protonsil. »

Il ouvrit le dossier et me le tendit.

Je sortis le pince-nez de mon père – une petite touche délicate destinée à compléter l'ensemble – et le perchai sur l'arête de mon nez. Voici ma liste de suspects, pensai-je. Avec ces noms, je pourrais très bien résoudre l'affaire en moins de temps qu'il n'en faut pour guérir une chaude-pisse. Mais comment m'emparer de cette liste de noms ? Je pouvais difficilement l'apprendre par cœur, ni demander à l'emprunter. Toutefois, un nom retint mon attention. Moins le nom en fait – Behrend – que l'adresse. Reichskanzlerplatz, dans l'ouest de Berlin, près de Grunewald, était indubitablement l'un des endroits les plus chics de la capitale. Et, pour une raison ou pour une autre, cette adresse me disait vaguement quelque chose.

« Comme vous le savez probablement, expliquait Kassner, le problème avec le Salvarsan est qu'il est légèrement plus toxique pour le microbe que pour l'hôte. De tels problèmes ne se sont pas présentés avec le Protonsil Rubrum. Le foie humain le supporte relativement bien.

— Excellent », murmurai-je en continuant à parcourir la liste.

Mais, quand je vis deux Johann Müller, un Fritz Schmidt, un Otto Schneider, un Johann Meyer et un Paul Fischer, j'en vins à suspecter la liste en question de ne pas être tout à fait à la hauteur de mes espérances. C'étaient cinq des patronymes les plus répandus en Allemagne.

« Dites-moi, docteur. S'agit-il des vrais noms ?

— Pour être franc, je l'ignore, admit Kassner. Nous n'insistons pas pour voir les cartes d'identité, sinon il n'y aurait jamais de volontaires pour des essais cliniques. L'anonymat du patient est une question cruciale en matière de maladies morales.

— C'est encore plus vrai, je suppose, depuis que les nationaux-socialistes se sont mis à parler de purifier cette ville.

— Mais la plupart de ces adresses sont exactes. Nous insistons en revanche sur ce point afin de pouvoir correspondre avec nos patients sur un certain laps de temps. De façon à surveiller leur état de santé. »

Je lui rendis le dossier et le regardai le remettre dans le tiroir du haut du classeur.

« Eh bien, merci pour votre aide. Je ne manquerai pas de faire au Consortium des colorants un rapport provisoire favorable sur votre travail ici.

— Je vous raccompagne jusqu'à votre voiture, Herr Doktor. »

Nous sortîmes. Carl Mirow jeta sa cigarette et ouvrit la lourde portière. Si le Dr Kassner avait nourri des doutes sur mon identité, ils se dissipèrent à la vue du chauffeur en uniforme et de la limousine de la taille d'un Heinkell.

Carl prit la direction de Dragonerstrasse et me déposa devant mon immeuble. Il n'était pas mécontent de me voir déguerpir, et surtout de déguerpir de Dragonerstrasse, qui n'était pas le genre de coin où amener un chauffeur et une Mercedes-Benz 770. Je montai à mon appartement, enfilai des vêtements normaux et ressortis. Puis je grimpai dans ma voiture et mis le cap sur l'extrémité ouest de la ville. Quelque chose me démangeait, et il fallait absolument que je me gratte.

Le numéro 3 de Reichskanzlerplatz était un luxueux immeuble moderne dans l'une des banlieues les plus cossues et les plus verdoyantes de Berlin. Un peu plus loin s'étendaient le champ de courses de Grunewald et le stade d'athlétisme où d'aucuns espéraient qu'auraient lieu les Jeux olympiques de 1936. Ma défunte épouse aimait beaucoup ce quartier. Au sud du champ de courses se trouvait le restaurant Seeschloss, où je lui avais demandé de m'épouser. Je garai la voiture et m'approchai d'un kiosque pour me procurer des cigarettes et éventuellement quelques tuyaux.

« Donnez-moi des Reemtsma, le *New Berliner*, *Tempo* et *The Week* », dis-je. J'exhibai ma plaque. « On nous a signalé que des coups de feu avaient été tirés dans le coin. C'est vrai ? »

Le marchand, qui portait un complet, un chapeau autrichien et une petite moustache comme celle de Hitler, secoua la tête.

« Probablement des pétarades de voiture. Je suis là depuis sept heures du matin et je n'ai absolument rien entendu.

— J'ai pensé que ça ne coûtait rien d'aller jeter un coup d'œil. Avec ce genre de machin, il vaut toujours mieux vérifier.

— Par ici, il n'y a jamais de problèmes. Encore que ça pourrait.

— Qu'est-ce que vous voulez dire ? »

Il indiqua l'autre côté de Reichskanzerplatz, là où elle croisait Kaiserdamm.

« Vous voyez cette tire ? »

Il montrait une Mercedes-Benz vert foncé garée juste devant le numéro trois.

« Oui.

— Il y a quatre SA à l'intérieur. » Pointant un doigt vers Ahornallee, il ajouta : « Et il y en a aussi un plein camion de ce côté.

— Comment savez-vous que ce sont des SA ?

— Vous n'êtes pas au courant ? L'interdiction sur les uniformes a été levée.

— Bien sûr, c'est aujourd'hui, hein ? Quel super flic je fais. Je ne m'en étais même pas rendu compte. Et alors, qui habite à cet endroit ? Ernst Röhm ? »

Ernst Röhm était le chef de la SA.

« Non. Même s'il vient à l'occasion. Je l'ai vu entrer là. L'appartement du rez-de-chaussée au coin du numéro 3. Il appartient à Magda Quandt.

— Qui ? »

Le marchand eut un grand sourire.

« Pour un flic qui achète autant de journaux, vous ne savez pas grand-chose.

— Moi ? Je regarde uniquement les images. Allez-y, faites mon éducation. » Je lui tendis un billet de cinq. « Et, pendant que vous y êtes, gardez la monnaie.

— Magda Quandt. Elle a épousé Joseph Goebbels en décembre dernier. Je le vois chaque matin. Vient m'acheter tous les journaux.

— Ça fait travailler le pied-bot, je suppose.

— Il n'est pas si désagréable.

— Je vous crois sur parole. » Je haussai les épaules. « Ma foi, je comprends pourquoi il l'a épousée. Un chouette immeuble comme ça. Ça ne me dérangerait pas d'y habiter. » Je secouai la tête. « Ce que je n'arrive absolument pas à comprendre, c'est pourquoi elle a épousé un tel nabot. »

Je balançai les journaux dans la voiture, traversai la place et jetai un coup d'œil à travers la vitre du véhicule stationné devant le numéro 3. Le marchand avait raison. Il était bourré de chemises brunes, qui m'observèrent avec méfiance au moment où je passais. À part les clowns que j'avais vus faire des pitreries dans un vieux modèle T au cirque un Noël, il aurait été difficile de contempler plus d'imbécillité criante dans un même tas de ferraille. Ça me revenait à présent : pourquoi l'adresse m'avait intrigué dans le bureau de Kassner. Une des autres équipes des homicides à l'Alex avait dû vérifier l'alibi d'un SA auprès de Goebbels un ou deux mois auparavant.

L'immeuble avait son propre portier, bien évidemment. Tous les immeubles huppés de la partie ouest avaient un portier. Et probablement un SA armé quelque part dans le hall pour lui tenir compagnie. Histoire de s'assurer que Goebbels était bien protégé. D'autant plus qu'il en avait sans doute besoin. Les communistes avaient déjà attenté plusieurs fois à la vie de Hitler. Qu'ils aient envie d'assassiner Goebbels ne semblait guère douteux. Moi-même, ça ne m'aurait pas déplu de faire son affaire à ce petit satyre.

Bien entendu, j'étais au courant des bruits qui couraient. Qu'en dépit de son pied fourchu et de sa taille réduite, c'était un drôle de chaud lapin. On racontait à l'Alex que ce n'était pas seulement le pied de Goebbels qui avait l'air d'un gourdin ; qu'il avait beau manquer de stature, il faisait une bonne longueur sur l'étal du boucher ; que Goebbels était ce que les tapineurs de Berlin auraient appelé un Breslauer, d'après une grosse saucisse du même nom. Même si j'avais une dent contre lui, il m'était difficile d'imaginer Jo le Boiteux prenant le risque de venir ouvertement à la clinique de la vérole à Friedrichshain. Sauf, bien sûr, à titre privé, après les heures officielles, quand il ne restait plus personne.

Je tournai le coin de l'immeuble et m'arrêtai sous ce qui devait être la fenêtre de la salle de bains de Jo. Elle était légèrement entrouverte. Je jetai un coup d'œil derrière moi. La voiture contenant les membres des sections d'assaut était hors de vue. Le camion, invisible. Je regardai à nouveau la fenêtre en verre dépoli. Si je posais le pied sur le joint horizontal des briques rustiques du rez-de-chaussée, j'arriverais, semble-t-il, à m'élever suffisamment le long du flanc de l'immeuble pour atteindre le bas de la fenêtre. J'essayai une fois, juste le temps de m'assurer que la salle de bains était vide, avant de me laisser retomber sur le trottoir désert. Je patientai un moment. Aucun SA ne vint me passer à tabac. Bravo pour la sécurité !

La fois suivante, je grimpai le long de la paroi et me glissai prestement par la fenêtre ouverte de la salle de bains. Haletant, je m'assis sur les toilettes, et, tout en attendant de voir si mon incursion avait été détectée, j'examinai de plus près la fenêtre, pour m'apercevoir que le rebord de la croisée était cassé. Même quand la fenêtre avait l'air fermée, on pouvait assez facilement l'ouvrir de l'extérieur.

C'était une grande salle de bains avec du carrelage rose partout et un lavabo rond sur colonne. Il y avait une généreuse couche de talc sur le tapis de bain. Les parois de la baignoire étaient aussi épaisses qu'une portière de voiture, avec une douche à main au cas où Magda voudrait se laver les cheveux. Près du porte-savon mural se trouvait une petite photo encadrée de Hitler, comme si, même là, le fidèle Jo arrivait à se préoccuper de son leader bien-aimé. Perpendiculairement à la baignoire, un tabouret avec une pile de serviettes éponge et, à côté, une table assortie où étaient posés un luffa et la statuette d'une femme nue. Au-dessus de la table, une grande armoire de toilette munie d'un miroir, que j'ouvris, cela va sans dire. La plupart des étagères appartenaient à Magda : parfum Joy, Kotex, Nivea, shampooing Wella, Wellapon, Kolestral et Blondor. Je me souvenais d'elle à présent. Des photos de mariage dans les magazines. Un mariage hivernal. L'heureux couple souriant bras dessus bras dessous dans la neige, accompagné de plusieurs SA – probablement ces mêmes voyous assis dehors dans la voiture – et, bien sûr, de Hitler lui-même. Je me demandai ce que Hitler aurait dit s'il avait su que les splendides cheveux blonds parfaitement aryens de Magda étaient teints.

Jo n'avait qu'une étagère dans l'armoire, et il semblait que nous ayons quelque chose en commun, finalement. Il se rasait avec un rasoir Schick Injector et de la crème à raser Mennen, et se lavait les dents avec du Colgate. Une bouteille de crème capillaire Anzora expliquait les cheveux bruns impeccablement tirés en arrière. Ô surprise, entre un paquet de pilules laxatives Beecham et de l'eau de Cologne Acqua di Parma, se trouvait un flacon contenant plusieurs pilules bleues. Je l'ouvris, en versai une dans ma main. C'était la même pilule que celles que j'avais vues dans le bureau de Kassner un peu plus tôt. Du Protonsil. Je décidai qu'il était temps de partir. Mais pas avant de m'être servi des toilettes de Jo. Et sans tirer la chasse, en guise de remerciement pour ce qu'il avait écrit sur moi dans son journal.

Je repassai par la fenêtre, retournai à ma voiture et démarrai vite fait. En Allemagne, il y avait des choses qu'il était plus sain de ne pas savoir. Je ne doutais pas une seconde que les gonocoques de Jo en fassent partie.

Il existait en principe neuf sections à l'Alex. La section A s'occupait des meurtres et la C des vols. Gunther Braschwitz, le patron de la C, était un spécialiste des cambriolages. Il avait un frère cadet, Rudolf, qui appartenait à la police politique, mais on ne lui en voulait pas pour autant. Aussi élégant que le petit doigt, c'était un véritable pisseur de champagne. Il se coiffait d'un chapeau melon, arborait une canne-épée dont il lui arrivait de se servir et, en hiver du moins, il portait des guêtres au-dessus de ses bottes. Il connaissait tous les monte-en-l'air – les cambrioleurs professionnels de la capitale – et pouvait, paraît-il, dire à la vue d'une effraction lequel d'entre eux l'avait sans doute commise.

« Klein Gueule de Juif, dis-je. Vous l'avez vu récemment ?

— Gueule de Juif ? Il prétend se tenir à carreau, répondit Braschwitz. S'est dégotté un boulot chez Heilbronner, dans Mohrenstrasse.

— Le magasin d'antiquités ?

— Exact. Il a toujours eu l'œil, ce Gueule de Juif. Pourquoi ? Il a recommencé à faire des siennes ?

— Non, mais il connaît quelqu'un que je cherche. Un ami de la veuve qui lui servait de partenaire. Eva Zimmer. »

Ce n'était qu'à moitié vrai, mais je ne tenais pas à ce que Braschwitz pose trop de questions.

« La pauvre Eva, fit-il. C'était une bonne veuve, cette fille. »

On appelait veuve une femme qu'utilisait un casseur pour écouler son butin. Pas une vraie veuve, juste faisant semblant. Certaines, comme Eva Zimmer, étaient des actrices professionnelles. Elles s'habillaient en noir et, à l'aide d'une histoire de malchance bien rodée, essayaient de vendre l'or, l'argent ou les bijoux aux grands orfèvres. Jusqu'à ce que j'arrête Gueule de Juif, Eva et lui formaient un des meilleurs tandems de Berlin. Je savais qu'il était sorti de la prison de Tegel depuis six mois, mais rien dans son dossier n'indiquait ce qu'il avait fait depuis.

Une fois que Braschwitz m'eut refilé tous les tuyaux qu'il possédait sur Gueule de Juif, je téléphonai à l'Adlon et demandai à Frieda ce qu'elle pouvait me dire sur Joseph Goebbels. Goebbels était un client régulier de l'Adlon, et Frieda fut en mesure de me donner quelques informations dont je comptais me servir pour appâter Klein.

Je me rendis chez Heilbronner, mais le gérant me répondit que Klein n'était pas là.

« C'est son heure de déjeuner. Vous le trouverez probablement chez Gsellius, la librairie, sur le trottoir d'en face. Il y va générale-ment le midi. »

Je traversai la rue et lorgnai à travers la vitrine de la librairie. Gueule de Juif s'y trouvait effectivement. Je le reconnus aussitôt. Un peu plus vieux que dans mon souvenir, mais un an au trou peut vous donner l'air d'en avoir cinq de plus. À franchement par-ler, il n'avait pas spécialement une tête de Juif. Il devait son sur-nom à la loupe de bijoutier qu'il utilisait pour évaluer les objets qu'il avait volés. Malgré ça, on peut dire qu'il avait du nez – pour les flics. Ça faisait à peine quelques secondes que j'étais là qu'il leva les yeux du bouquin qu'il tenait et croisa mon regard. Je lui fis signe de venir dehors, et il obtempéra à contrecœur. Nous n'étions pas précisément amis, mais j'espérais qu'il n'avait pas oublié que c'est moi qui avais retrouvé le mac qui avait poignardé Eva Zimmer l'année précédente. Un dénommé Horst Wessel. Et le plus malheureux, c'est que ce Wessel, qui était en outre membre de la SA, avait été ensuite tué par un autre maquereau, Ali Höhler, dans une bagarre au sujet d'une putain quelconque, avant que je n'aie eu le temps de procéder à l'arrestation. Comme Höhler se trouvait être un communiste, Goebbels était parvenu à transformer ce fait-divers sordide en un mélodrame politique, ce qui avait per-mis à Horst Wessel d'accéder à une improbable immortalité par le biais d'une chanson qu'on entendait dans tout Berlin quand les SA organisaient leurs marches provocatrices dans les quartiers rouges. Naturellement, Goebbels avait exclu de l'histoire les liens de ces minables protagonistes avec la pègre. Pendant ce temps, Höhler avait été arrêté par un de mes collègues puis condamné à la perpé-tuité. De sorte que Gueule de Juif était très monté contre Goebbels, auquel il reprochait d'avoir gommé le meurtre abject d'Eva Zimmer de la *canta storia* nazie concernant le passé héroïque de Horst Wessel.

Nous allâmes chez Siechen, au coin de Friedrichstrasse, où je commandai deux Nuremberg et l'examinai de plus près. Son visage était tout en angles, maigre et pointu, comme ce que Pythagore aurait griffonné dans un coin de son rouleau avant de découvrir son fameux théorème.

« Eh bien, qu'est-ce que je peux faire pour vous, Herr Gunther ?

— J'ai besoin d'un service, Gueule de Juif. J'aimerais que quelqu'un s'introduise dans le bureau d'un médecin à l'hôpital. Quelqu'un qui sache lire et écrire et qui ne soit pas trop gourmand. Je ne veux pas qu'on vole quoi que ce soit.

— Alors, ça tombe à pic parce que je me suis rangé. Je ne vole plus. Et je ne me commets plus d'effractions. Pas depuis qu'Eva s'est fait poignarder.

— Écoute, tout ce que je veux, c'est que tu ouvres un classeur et que tu fasses un peu de recopiage. Toutes choses à la portée d'une secrétaire avec une clé, sauf que je n'ai pas de clé. Pour un homme possédant ton expérience, ça ne pourrait pas être plus simple. »

Je sirotai ma bière tandis qu'il me prêtait autant d'attention qu'à la buée au bord de son verre intact.

« Vous ne m'écoutez pas, Kommissar. Je me suis rangé. La taule m'a servi de leçon. Vous mériteriez une médaille.

— Une médaille ? Je ne peux pas t'en donner, Gueule de Juif. Mais si tu fais ce que je te dis, que tu copies quelques noms figurant dans des dossiers à l'hôpital, je peux te donner autre chose.

— Je ne veux pas de votre fric, poulet.

— Je n'avais pas l'intention de t'offenser. Non, c'est mieux que de l'argent. C'est même patriotique – enfin, si l'on a confiance dans la République.

— Ce qui n'est pas mon cas, justement. C'est la République qui m'a expédié à la ratière.

— D'accord. Alors appelons ça de la vengeance. De la vengeance pour Eva. »

Je repris une gorgée de bière et le laissai mariner.

« Continuez.

— Qu'est-ce que tu dirais d'enculer Jo Goebbels ?

— J'écoute.

— Jo le Boiteux habite au 3 de Reichskanzlerplatz. Appartement en angle, rez-de-chaussée, l'extrémité gauche. Une bande de SA planque devant, aussi tu as intérêt à être prudent. Mais ils ne

peuvent pas voir de l'autre côté, là où la salle de bains de Joey
donne sur la rue transversale. La fenêtre de la salle de bains en
question a une charnière cassée. On peut entrer et sortir en un clin
d'œil. Un jeu d'enfant pour un gars comme toi, Gueule de Juif. Je
l'ai fait moi-même il y a à peine une heure ou deux. Ce type est un
fanatique. Est-ce que tu savais qu'il a une photo de Hitler sur le
rebord de la baignoire ? Quoi qu'il en soit, l'appart appartient à sa
femme, Magda. Elle a été mariée à un riche industriel du nom de
Gunther Quandt, qui s'est montré extrêmement généreux lors du
règlement du divorce. Il lui a permis de garder tous ses sucres
d'orge. Tu sais ? Ceux que tu aimes bien. Ceux que tu peux
revendre chez Margraf ? Naturellement, avec l'approche des élections, Goebbels est souvent par monts et par vaux. À prononcer
des discours et tout le tremblement. En fait, il se trouve que Jo va
prononcer un discours demain soir au siège du parti nazi, dans
Hedemannstrasse. Ce sera un discours important. Ils sont tous
importants entre maintenant et la fin juillet, mais celui-là compte
sans doute plus que la plupart des autres. Hitler sera là. Après ça,
Magda organise une petite fête en son honneur à l'hôtel Adlon. Ce
qui laisse plein de temps. »

Je bus une nouvelle gorgée de bière et songeai à commander une
saucisse. Ça avait été une matinée chargée.

« Eh bien. Qu'est-ce que tu en dis ? Marché conclu ? Tu vas me
copier ces noms comme je te l'ai demandé ?

— Je vous le répète, Gunther, je me suis rangé. J'essaie de
mener une vie honnête. » Il sourit et me tendit la main. « Mais
c'est le problème avec ces nazis. Ils font ressortir le pire côté des
gens. »

Le lendemain matin, je disposais d'une liste manuscrite de noms
et adresses répartis dans toute la ville et au-delà. Moins bien
qu'une liste de suspects, mais c'était déjà pas mal. Maintenant, il
ne me restait plus qu'à les vérifier.

Le Service de déclaration de domicile à l'Alex se trouvait du côté
de la gare, pièce 359. Dans ce bureau du troisième étage,
n'importe quel habitant de Berlin pouvait obtenir, en toute

légalité, l'adresse de n'importe quel autre habitant de Berlin. Ce faisant, les autorités prussiennes avaient été pleines de bonnes intentions : savoir que l'on pouvait dénicher facilement les informations à l'intérieur de l'État était censé consolider la foi dans notre fragile démocratie. En pratique, cela voulait dire que les sections d'assaut nazies de même que les communistes étaient en mesure de découvrir où habitaient leurs adversaires et d'exercer les représailles appropriées. La démocratie a aussi ses désavantages.

Inaccessible au grand public mais accessible à la police, il y avait au Service de déclaration ce qu'on appelait le Répertoire du Diable, ainsi baptisé parce qu'il fonctionnait en sens inverse. Il vous suffisait de chercher une rue et un numéro, et le Répertoire du Diable vous donnait le nom de la ou des personnes y habitant. C'était l'affaire d'une matinée pour mettre un vrai nom à côté de chaque adresse et nom de patient bidon copié par Klein Gueule de Juif à partir du récapitulatif rangé dans le bureau du Dr Kassner. Bref, un travail tout ce qu'il y a de banal. Normalement, j'aurais donné l'ordre à un de mes sergents de s'en occuper. Mais je n'avais jamais été très bon pour donner des ordres – pas plus que pour en recevoir. En outre, si j'avais confié cette tâche à un sergent, j'aurais couru le risque d'avoir à expliquer où et comment je m'étais procuré la liste en question. La Kripo pouvait se montrer impitoyable avec les flics ripoux. Même ceux qui violaient le règlement non pas dans leur intérêt personnel, mais dans celui du boulot.

Pour la même raison, une autre tâche banale que j'allais devoir effectuer moi-même, c'était de contrôler chaque nom de la liste. Il n'y avait toutefois rien de banal en ce qui concernait un nom bien particulier que j'avais trouvé en utilisant le Répertoire du Diable. C'était le nom du Dr Kassner lui-même. Et j'avais hâte de savoir ce que l'adresse de son domicile pouvait bien faire dans une liste de patients participant à des essais cliniques de Bayer sur le Protonsil.

Lorsque je retournai à mon bureau, Grund tapait quelque chose sur ma vieille Carmen, d'un doigt épais, comme s'il tuait des fournis ou jouait les premières notes d'un concerto russe pour piano quelque peu discordant.

« Où étais-tu donc passé ? demanda-t-il.

— Où étais-tu donc passé, monsieur le Kommissar ?

— Illmann a appelé. Les tests de la petite Schwarz pour la vérole se sont révélés négatifs. Et Gennat veut qu'on aille jeter un coup d'œil au cadavre d'une fille découvert dans le marché aux bestiaux. Semblerait qu'elle ait été tuée par balle, mais il vaudrait mieux s'en assurer, au cas où.

— Ce serait effectivement plus sage. »

Le marché aux bestiaux était situé à une centaine de mètres seulement de là où avait été retrouvée la fille Schwarz, dans le parc de Friedrichshain.

En quelques minutes, nous étions sur place. Le marché se déroulait le mercredi et le samedi, si bien que l'endroit était fermé et désert. Mais le restaurant était ouvert, et quelques-uns des clients – pour la plupart des bouchers en gros de Pankow, Weissensee et Petershagen – rapportèrent avoir vu trois hommes poursuivre la fille dans les cours. Cependant, les signalements étaient vagues. Trop vagues pour mériter d'être consignés. Le corps lui-même se trouvait dans l'abattoir. Elle paraissait avoir une vingtaine d'années. On lui avait tiré dans la tête presque à bout portant. Il y avait une marque brune autour de l'orifice de la balle. Elle n'avait plus de vêtements en dessous de la ceinture, et, d'après l'odeur, on l'avait probablement violée. Mais c'était tout. La malheureuse ne portait aucune trace de chirurgie amateur.

« Circonstances suspectes, c'est sûr », lâcha Grund au bout d'un moment.

Ça m'aurait étonné qu'il ne le sorte pas.

« Jolie chagatte, ajouta-t-il.

— Vas-y, tire donc un coup, pourquoi te gêner ? Je regarderai ailleurs.

— C'est juste une façon de parler. Je veux dire, vise un peu. Sa chatte. Elle est rasée, presque entièrement. Pas un truc qu'on voit souvent, c'est tout. Sans un poil. Comme une petite fille. »

Je passai en revue le contenu du sac à main qu'un des Schupos en uniforme avait ramassé à une courte distance du corps et trouvai une carte du parti communiste. Elle s'appelait Sabine Färber.

Elle travaillait au siège du KPD[1], pas loin de là où j'habitais. Domiciliée dans Pettenkofer Strasse, juste en bordure de Lichterfelde, à moins d'une centaine de mètres de l'endroit où elle avait été assassinée. Ce qui avait dû se passer me semblait déjà clair comme de l'eau de roche.

« Foutus nazis ! dis-je avec un profond dégoût.

— Merde alors, je commence en avoir plein le dos, répliqua Grund en fronçant les sourcils. Qu'est-ce qui te fait dire ça ? Que ce sont des nazis qui ont fait le coup ? Tu as entendu les signalements fournis par ces bouchers. Aucun n'a mentionné de chemises brunes ni de croix gammées. Même pas une moustache en brosse. Alors, comment en arrives-tu à la conclusion que c'étaient des nazis ?

— Oh, ça n'a rien de personnel, Heinrich. » Je lui lançai la carte du Parti de Sabine Färber. « Mais ce n'étaient pas des Témoins de Jéhovah en quête d'une adepte. »

Il regarda la carte et haussa les épaules comme s'il admettait seulement la possibilité que j'aie raison.

« Allons. Il y a leurs empreintes partout. Tel que je vois les choses, les trois types que les bouchers prétendent avoir aperçus étaient des membres des sections d'assaut habillés en civil pour ne pas attirer l'attention. Ils devaient l'attendre quand elle est sortie du siège du KPD sur Bülow Platz. Comme il faisait beau, elle a décidé de rentrer chez elle à pied et ne s'est pas rendu compte qu'ils la suivaient. Guettant un moment propice pour l'attaquer. Lorsqu'elle les a repérés, elle a cavalé jusqu'ici dans l'espoir de leur échapper. Mais ils l'ont coincée et lui ont fait ce que font d'intrépides chemises brunes quand ils combattent une menace aussi effroyable que le bolchevisme international. Eh bien, Heinrich ?

— Je suppose qu'il y a un peu de vrai. Plus ou moins.

— Quelle partie te semble la moins vraie ? »

Grund ne répondit pas. Il remit la carte de Sabine Färber dans son sac et se mit à contempler la fille morte.

---

1. Kommunistische Partei Deutschlands.

« Qu'est-ce que prétend Hitler ? demandai-je. Que la force réside non dans la défense mais dans l'attaque ? » J'allumai une cigarette. « Je me suis toujours demandé ce que ça voulait dire. » Je laissai la fumée me brûler un moment les poumons. « Est-ce à ce genre d'attaque qu'il fait allusion, à ton avis ? Ton grand leader ?

— Évidemment que non, marmonna Grund. Tu le sais très bien.

— Alors à quoi ? Dis-moi. J'aimerais bien le savoir.

— Laisse tomber, veux-tu ?

— Moi ? » Je ris. « Ce n'est pas à moi de laisser tomber, Heinrich. C'est aux fumiers qui font ça. Lesquels sont tes amis. Les nationaux-socialistes.

— Tu n'es sûr de rien.

— Non, tu as raison. Pour une vision authentique, il te faut quelqu'un comme Adolf Hitler. C'est peut-être lui qui devrait mener cette enquête. Pas une mauvaise idée – je préférerais assurément le savoir flic plutôt que prochain chancelier d'Allemagne. » Je souris. « Il y a même une chance sur deux qu'il réalise un score supérieur au mien en matière de coup de balai. Qui de mieux placé pour résoudre les crimes perpétrés dans une ville que celui qui est l'instigateur de la majorité d'entre eux ?

— Bon Dieu, si seulement je n'étais pas forcé de t'écouter, Gunther. »

Il parlait entre ses dents. Son visage était légèrement rouge, ce qui aurait dû m'inciter à la prudence. Après tout, c'était un boxeur.

« Pas de problème, répondis-je. Je retourne à l'Alex prévenir les gars de la section politique que c'est une affaire pour eux. Toi, reste ici et tâche de dégoter de meilleurs témoins que ces mangeurs de saucisses. J'en sais rien, peut-être que tu auras du pot. Peut-être que ce sont des nazis eux aussi. Ils sont suffisamment laids pour ça, c'est sûr. Qui sait ? Peut-être même qu'ils te refileront le signalement de trois juifs orthodoxes. »

Je suppose que c'est le sourire sarcastique qui le fit sortir de ses gonds. Je vis à peine venir le coup de poing. Pas plus que je ne le sentis. J'étais planté là, un rictus à la Torquemada plaqué sur les lèvres, et juste après j'étais allongé sur le pavé, assommé comme un bœuf, avec l'impression d'avoir été terrassé par la foudre. Dans le clair-obscur offert à mon regard, Grund était courbé au-dessus de moi, les poings serrés, tel Firpo les yeux baissés sur Dempsey, et me criant quelque chose. Ses paroles étaient totalement inaudibles pour moi. Un bruit aigu m'emplissait les oreilles. Finalement, Grund fut poussé par deux flics en uniforme tandis que leur sergent se penchait pour m'aider à me relever.

Le brouillard se dissipa, et je fis jouer mes mâchoires contre ma main.

« Ce salaud m'a frappé, expliquai-je.

— En effet, répondit le flic en scrutant mon visage comme un arbitre qui se demande s'il doit laisser le match continuer ou pas. On l'a tous vu. »

À son ton, il semblait considérer comme allant de soi que j'allais prendre des mesures disciplinaires contre Grund. Frapper un officier supérieur constituait un délit grave à la Kripo. Presque aussi sérieux que frapper un suspect.

Je secouai la tête.

« Non, vous n'avez rien vu. »

Le flic était plus vieux que moi. Proche de la retraite probablement. Avec des cheveux courts de la couleur de l'acier poli et une cicatrice au milieu du front comme s'il avait reçu une balle à cet endroit-là.

« Pardon ?

— Vous n'avez rien vu, sergent. Aucun d'entre vous. Pigé ? »

Le sergent gambergea là-dessus quelques instants avant de hocher la tête.

« Si vous le dites. »

J'avais du sang dans la bouche, mais aucune blessure.

« Il n'y pas de mal, ajoutai-je avant de cracher par terre.

— De quoi s'agissait-il ?

— De politique. C'est toujours de ça qu'il s'agit en Allemagne ces temps-ci. De politique. »

Je ne retournai pas directement à l'Alex. En fait, je me rendis à l'appartement de Kassner sur Dönhoff Platz, ce qui n'était pas vraiment sur mon chemin vu qu'il se trouvait à l'extrémité est de Leipziger Strasse. Je me garai le long de jardins d'agrément. Les statues en bronze de deux hommes d'État prussiens me dévisagèrent par-dessus une haie de troènes. Un petit garçon parti se promener avec sa mère observait les statues en se demandant probablement qui c'était. Je réfléchissais à la manière dont l'adresse du Dr Kassner avait atterri sur la liste de noms que m'avait procurée Klein Gueule de Juif. Je savais que Kassner serait encore à l'hôpital, si bien que je n'avais pas la moindre idée de ce que j'espérais trouver. Mais je suis du genre optimiste. Il faut ça pour être flic. Et quelquefois, il suffit de suivre son instinct.

Je m'approchai de la porte d'entrée noire et luisante afin de jeter un coup d'œil. Il y avait trois sonnettes. L'une d'elles indiquait le nom Kassner. À côté de la porte, deux jardinières en fer forgé pleines de géraniums. Tout le périmètre suintait la respectabilité. Je tirai la sonnette et attendis. Au bout d'un moment, j'entendis tourner une clé, et la porte s'ouvrit sur un jeune homme, dans les vingt à vingt-cinq ans. Je levai mon chapeau, en toute innocence.

« Doktor Kassner ?

— Non, répondit le jeune homme. Il n'est pas là.

— Mon nom est Hoffmann, dis-je en levant à nouveau mon galure. Des assurances-vie Isar. »

Le jeune homme inclina poliment la tête, mais ne dit mot.

Je jetai un bref coup d'œil aux deux noms près des poignées de sonnette.

« Herr Körtig ?

— Non.

— Herr Peters alors ?

— Non. Je suis un ami du Dr Kassner. Et comme je vous l'ai dit, il n'est pas là pour l'instant.

— Quand pensez-vous que le docteur rentrera, Herr… ?

— Vous le trouverez probablement à l'hôpital. À la clinique urologique. » Il sourit comme s'il s'attendait à ce que cette information me plonge dans l'embarras. Il y avait un grand trou entre ses dents de devant. « Je regrette, mais il faut vraiment que j'y aille.

Je suis déjà en retard à mon rendez-vous. Si vous voulez bien m'excuser.

— Mais certainement. »

Je m'écartai et le regardai descendre les marches du perron. Il était de taille moyenne, séduisant, avec un teint basané de gitan, mais bien propre sur lui. Il portait un costume d'été de couleur claire, une chemise blanche, sans cravate. Au bas des marches, il enjamba la portière d'une petite Opel découverte. Blanche avec une rayure bleue. Je n'y avais pas prêté attention jusque-là. J'étais sans doute encore un peu groggy. Mais, au moment où il mettait le moteur en marche et démarrait, je pensai soudain qu'il fallait relever le numéro d'immatriculation. Tout ce que j'obtins, c'est une lettre M avant que la voiture ne disparaisse au coin de Jerusalemstrasse. Au moins, je savais que le fuyant jeune homme était de Munich.

Une heure plus tard, j'étais de retour à mon bureau. J'aperçus Heinrich Grund à l'autre bout de la salle des inspecteurs et je m'apprêtais à aller lui dire que je ne lui gardais pas rancune quand le gros Ernst arriva près de moi tel un bus regagnant son dépôt. Il portait un costume trois pièces rayé bleu taille mastodonte et un Senior se consumant à plein régime au coin de la bouche. Il retira le cigare, et j'entendis ce qui ressemblait à la soufflerie d'un orgue d'église. Un chœur invisible composé de fumée, de café sucré et accessoirement d'un truc un peu plus fort descendit sur moi du haut du mont Sinaï et une voix de tubard retint mon attention.

« Quelque chose sur ce meurtre au marché aux bestiaux ? questionna-t-il.

— Ça a tout l'air d'un assassinat politique aggravé.

— Aggravé ?

— On l'a violée également. »

Gennat fit la grimace.

« Le DA veut nous voir. » Gennat n'appelait jamais Weiss Izzy. Ni même Bernhard. Il l'appelait Weiss ou le DA. « Tout de suite.

— À quel sujet ? dis-je, me demandant si Grund avait été assez bête pour raconter qu'il avait cogné sur un officier supérieur.

— L'affaire Schwarz.

— Et alors ? »

Mais il s'éloignait déjà en se dandinant comme un canard, s'attendant à ce que je le suive. Comme je lui emboîtais le pas, il me vint à l'esprit que Gennat était le flic aux pieds les plus plats qu'il m'ait été donné de voir, ce qui n'avait rien d'étonnant vu le poids qu'il leur fallait porter. Il devait peser près de cent cinquante kilos. Il marchait les bras derrière lui, ce qui n'était guère étonnant non plus avec tout ce qu'il y avait devant.

Une fois en haut, nous longeâmes un couloir plus calme, tapissé de photos d'anciens présidents de la police prussienne et de leurs adjoints. Gennat frappa à la porte d'Izzy et l'ouvrit sans attendre. Nous entrâmes. Un flot de lumière se déversait par les hautes fenêtres crasseuses. Comme d'habitude, Izzy était en train d'écrire. Sur la banquette, tel un chat qui se chauffe au soleil et sentant légèrement l'eau de Cologne, se tenait Arthur Nebe.

« Qu'est-ce qu'il fait ici ? » grommelai-je en m'asseyant sur une des chaises en bois.

Gennat s'installa sur la chaise à côté en espérant que tout se passe pour le mieux.

« Allons, allons, Bernie, répondit Izzy. Arthur est juste là pour nous aider.

— Je reviens du marché aux bestiaux. On a trouvé une fille morte dans un des enclos. Tuée par des nazis, selon toute vraisemblance, étant donné qu'elle avait une carte de coco. Il peut exercer ses fabuleux talents sur cette histoire si ça lui chante. Mais le meurtre d'Anita Schwarz n'a rien de politique. »

Izzy posa son stylo et se laissa aller en arrière.

« Je pensais avoir fait clairement comprendre que si.

— Celui qui a tué Anita Schwarz était un cinglé, pas un nazi. Même s'il n'est pas rare que les deux caractéristiques se recoupent, je vous l'accorde.

— Je crois que le Kommissar Gunther a résumé le problème à ma place, intervint Nebe. Avec beaucoup d'éloquence, comme à l'accoutumée.

— Et quel est donc ce problème, Kommissar Nebe ?

— Écoutez, Bernie, dit Izzy. Il y a un certain nombre de personnes dans les hautes sphères…

— Je ne travaille pas dans les hautes sphères. Seulement en bas de l'échelle.

— … qui se posent des questions sur votre capacité à demeurer impartial, continua-t-il. Ils pensent que votre hostilité déclarée au parti national-socialiste et à ses adhérents risque d'interférer avec la résolution de ce meurtre.

— Qui a dit que j'étais hostile au nazisme ?

— Oh voyons, Bernie ! s'exclama Nebe. Après cette conférence de presse ? Tout le monde sait que vous êtes pour le Front de fer.

— Ne parlons pas de cette conférence de presse, dit Gennat. C'était un désastre.

— Très bien, dis-je. N'en parlons plus. Après tout, qu'est-ce que ça peut bien faire, pourvu que je retrouve l'assassin ?

— Herr et Frau Schwarz, les parents de la jeune fille, prétendent que vous vous êtes conduit avec eux de façon agressive et brutale à cause de leurs opinions politiques, expliqua Izzy. Ils font valoir que, depuis lors, vous agissez sur la base de ragots malveillants concernant la moralité de celle-ci.

— Qui vous a raconté ça ? Heinrich Grund, je suppose.

— En fait, c'est à moi qu'ils ont parlé, précisa Nebe.

— C'était une prostituée, dis-je à Izzy. Amateur, certes, mais une prostituée quand même. Au risque de vous paraître vieux jeu, j'ai pensé que cela avait peut-être un rapport avec la raison pour laquelle on l'a tuée. Ainsi que la manière dont on s'y est pris. Après tout, ce n'est pas comme si on n'avait jamais assassiné de prostituées dans cette ville. Et des mutilations génitales, on en a déjà rencontré dans des affaires de crimes sexuels. Même Arthur le reconnaîtra sûrement. » J'allumai une cigarette. Sans demander la permission. Je n'étais pas d'humeur à ça. « Mais, si nous parlons politique, puis-je vous rappeler à tous, et notamment à vous, Arthur, qu'il n'est pas contraire au règlement de la police de faire partie du Front de fer. Ce qui est contraire au règlement de la police, c'est d'être membre du parti nazi ou du KPD.

— Je ne suis pas membre du parti nazi, répliqua Nebe. Si Bernie fait référence à mon appartenance à l'Union nationale-socialiste des fonctionnaires, alors c'est autre chose. Il n'y a pas besoin d'adhérer à l'un pour adhérer à l'autre.

— Il me semble que nous sommes en train de dévier quelque peu du sujet, déclara Izzy. Ce dont je voulais parler en réalité, c'est de la position de Herr Schwarz en tant que membre de la famille de Kurt Daluege. Le nom de Daluege a été évoqué comme futur directeur de la police. Pour cette raison, nous tenons à éviter de le mettre dans l'embarras.

— Je pensais qu'il était nécessaire que des élections aient lieu avant que cela devienne ne serait-ce qu'une possibilité, rétorquai-je. À vrai dire, je comptais même là-dessus. Comme des tas de gens, j'imagine. Vous y compris, si je ne m'abuse. Mais c'est sans doute mon côté vieux jeu, là encore. J'avais la nette impression que notre boulot consistait à protéger la République, pas la réputation de crapules comme Daluege et Schwarz.

— Pas vieux jeu, Bernie, fit remarquer Gennat, mais peut-être un peu naïf. Quelle que soit l'issue des élections de juillet, ce pays devra trouver une forme de compromis avec les nationaux-socialistes. Autrement, je ne vois pas comment on pourrait éviter que l'Allemagne sombre dans l'anarchie et le chaos.

— Nous désirons simplement ce qu'il y a de mieux pour la police de Berlin, ajouta Izzy. Je pense que c'est notre vœu à tous. Et il est dans l'intérêt de la police de Berlin que cette affaire soit traitée avec davantage de tact. » Izzy secoua la tête. « Mais vous ! Vous n'avez aucun doigté, Bernie. Vous n'êtes pas diplomate. Vous avancez avec de gros sabots.

— Vous voulez me retirer le dossier, c'est ça ? demandai-je.

— Personne ne veut vous retirer le dossier, Bernie, répondit Gennat. Vous êtes l'un des meilleurs policiers que nous ayons. J'en sais quelque chose, c'est moi qui vous ai formé.

— Mais nous estimons qu'il serait utile d'avoir Arthur à bord, dit Izzy. Pour s'occuper des aspects délicats des relations publiques.

— Vous voulez dire pour ce qui est de parler à des salopards comme Otto Schwarz et sa femme ?

— Exactement, fit Izzy. Je n'aurais pas pu trouver de meilleure formule.

— Eh bien, je serais assurément ravi d'avoir l'aide de ce département. » Je souris à Nebe. « Je suppose que j'aurai juste à faire de mon mieux pour dissimuler mes préjugés en m'adressant à vous, Arthur. »

Nebe sourit de son sourire matois. Il semblait impossible de le faire sortir de ses gonds.

« Puisque nous sommes tous du même côté…

— Bien sûr, murmurai-je.

— Peut-être aimeriez-vous nous faire partager ce que vous avez découvert jusqu'ici. »

Je ne leur dis pas tout, mais je leur en dis pas mal. Je leur parlai de l'autopsie, de la pilule de Protonsil, des cinq cents marks et des séances de tapin d'Anita Schwarz ; du fait que j'avais commencé à soupçonner son meurtrier d'être un énergumène ayant attrapé la vérole, qui voulait se venger sur du menu fretin et qui avait probablement jeté son dévolu sur Anita Schwarz parce que son infirmité faisait d'elle une victime facile ; et que, dès que j'aurais rencontré le Dr Kassner à la clinique urologique de l'hôpital, je pourrais disposer d'une liste de suspects possibles. Je ne mentionnai pas que j'en avais déjà une. Et encore moins ce que j'avais découvert sur Jo le Boiteux.

« Vous ne tirerez rien d'un toubib, objecta Gennat. Même avec une injonction d'un tribunal. Il ne décollera pas de son bon gros secret médical et vous enverra vous faire foutre. »

Ce qui était facile à dire pour un type dont le postérieur adipeux aurait fait envie à un cuirassé de poche.

« Et il sera dans son droit. Comme vous le savez, j'en suis sûr. »

Je me levai puis inclinai la tête.

« Normalement, je serais d'accord avec vous. Mais je pense que vous oubliez une chose.

— Ah ? Et quoi donc ?

— Vous oubliez qu'Arthur n'est pas le seul flic à l'Alex à pouvoir jouer les foutus princes charmants. Moi aussi, je peux le faire. Du moins, quand la cause semble en valoir même vaguement la peine. »

Je téléphonai à la clinique pour savoir à quelle heure elle fermait. Cinq heures, me dit-on. À quatre heures et demie, je remplis une bouteille Thermos et retournai au domicile de Kassner sur Dönhoff Platz. Une fois là, je coupai le moteur, me versai un peu de café et me mis à parcourir les journaux que j'avais achetés à Reichskanzlerplatz. Ils dataient de la veille, mais ça n'avait pas grande importance. À Berlin, les nouvelles étaient toujours les mêmes. Les chanceliers allemands se faisaient et se défaisaient. Ce qui n'empêchait pas le nombre de chômeurs de continuer à grimper. Pendant ce temps, Hitler parcourait le pays à bord de sa Mercedes-Benz en racontant aux gens qu'il représentait la solution à tous leurs problèmes. Je n'en voulais pas à ceux qui le croyaient. Pas vraiment. Tout ce que désiraient la plupart des Allemands, c'était avoir des raisons d'espérer en l'avenir. Un emploi. Une banque qui reste solvable. Un gouvernement apte à gouverner. De bonnes écoles. Des rues où l'on puisse circuler en toute sécurité. De bons hôpitaux. Quelques flics honnêtes.

Vers six heures, le Dr Kassner arriva dans une Horch noire flambant neuve. Je sortis et le suivis jusqu'à la porte d'entrée. En me reconnaissant, il esquissa un sourire, qui s'évanouit rapidement à la vue de mon complet bon marché et de ma plaque de la Kripo.

« Kommissar Gunther, dis-je. De l'Alex.

— Ainsi, vous n'êtes pas le Doktor Duisberg, du Consortium des colorants ?

— Non. J'appartiens à la Criminelle. J'enquête sur le meurtre d'Anita Schwarz.

— Je me disais aussi que vous paraissiez un peu jeune pour siéger au conseil d'administration d'une société de cette taille et de cette importance. Je suppose que vous feriez mieux d'entrer. »

Nous montâmes jusqu'à son appartement. Le décor était moderne. Fauteuils en cuir crème et marron moucheté, statues en bronze de femmes nues faisant des pointes. Il ouvrit un meuble bar de la dimension d'un sarcophage et se servit à boire. Sans m'en offrir. Nous savions tous les deux que je ne l'avais pas mérité. Puis il s'assit et posa son verre sur un sous-verre en bois à bord cannelé, lui-même posé sur une table basse à bord également cannelé. Après quoi il croisa les jambes et m'invita silencieusement à m'asseoir à mon tour.

« Ravissant, mentis-je. Vous vivez seul ici ?

— Oui. Eh bien, de quoi s'agit-il, Kommissar ?

— Une jeune fille a été découverte morte dans le parc de Friedrichshain il y a quelques jours. Elle a été assassinée.

— Oui, j'ai lu ça dans *Tempo*. Une histoire horrible. Mais je ne vois pas...

— J'ai trouvé une de vos pilules de Protonsil près du corps.

— Ah ! Je comprends. Et vous pensez qu'un de mes patients est peut-être le coupable.

— C'est une possibilité que j'aimerais explorer.

— Naturellement, il pourrait s'agir d'une simple coïncidence. Un de mes patients rentrant chez lui après avoir quitté la clinique et qui aurait laissé tomber ses pilules plusieurs heures avant la découverte du corps.

— J'en doute. La pilule ne séjournait pas là depuis longtemps. Il y avait eu une averse dans l'après-midi. La pilule que nous avons récupérée était en parfait état. Et puis il y a la fille elle-même. C'était une prostituée juvénile.

— Mon Dieu, comme c'est affreux !

— Une des théories sur lesquelles je travaille actuellement est que l'assassin aurait pu contracter une maladie vénérienne avec une prostituée.

— Lui fournissant ainsi un motif pour en tuer une. C'est ça ?

— C'est une possibilité que j'aimerais explorer. »

Kassner but une gorgée de son verre et hocha pensivement la tête.

« Alors, pourquoi cette stupide mascarade à la clinique ?

— Je voulais consulter la liste des patients que vous soignez.

— Vous auriez pu demander à le faire de manière licite.

— Oui. Mais vous ne me l'auriez pas montrée.

— C'est tout à fait exact. Je n'aurais pas pu. Cela aurait été contraire à la déontologie. » Il sourit. « Qui êtes-vous donc ? Un homme à la mémoire phénoménale ? Espériez-vous vous rappeler chaque nom de la liste ?

— Quelque chose comme ça. » Je haussai les épaules.

« Mais il en y avait plus que vous ne l'escomptiez. Ce qui explique que vous soyez de retour. Et chez moi plutôt qu'à la clinique parce que vous pensiez que ce serait plus facile de me faire oublier mon devoir de confidentialité vis-à-vis de mes patients.

— Quelque chose comme ça.

— Mon premier devoir, Kommissar, ce sont mes patients. Dont certains sont gravement malades. Supposons un instant que je vous communique les informations sur leur véritable identité. Et supposons que vous décidiez d'en interroger certains. Voire la totalité. Je l'ignore. Il se pourrait très bien qu'ils aient l'impression que leur confiance a été trahie. Comme il se pourrait qu'ils ne reviennent pas à la clinique finir leur traitement. De sorte qu'ils pourraient très facilement infecter quelqu'un d'autre. Et ainsi de suite. » Il eut un haussement d'épaules. « Vous voyez ce que je veux dire ? Tout meurtre me navre. Malgré tout, il me faut garder une vue d'ensemble.

— Voici ma vue d'ensemble, docteur Kassner. L'individu qui a tué Anita Schwarz est un psychopathe. Elle a été horriblement mutilée. En général, ce genre d'assassin a tendance à recommencer. Je tiens à mettre la main sur ce maniaque avant que cela se produise. Êtes-vous prêt à avoir un nouveau meurtre sur la conscience ?

— Très juste, Kommissar. Voilà un réel dilemme, n'est-ce pas ? Le mieux serait peut-être de porter l'affaire devant le Comité d'éthique médicale prussien et de le laisser décider.

— Combien de temps faudrait-il ? »

Kassner eut un air vague.

« Une semaine ou deux ? Un mois peut-être.

— Et quelle sera sa décision, d'après vous ? »

Il poussa un soupir.

« Je n'aime pas beaucoup anticiper les réactions d'un comité d'éthique médicale. Je suis sûr qu'il en va de même dans la police. Il y a des procédures officielles à observer. Même si elles ne semblent pas avoir été vraiment respectées en l'occurrence. Je me demande ce que vos supérieurs penseraient de votre attitude à mon égard ? » Il secoua la tête. « Mais, en admettant que le comité repousse votre requête, ce qui me paraît une hypothèse réaliste, que pourriez-vous faire après ça ? Essayer d'interroger tous ceux qui entrent et qui sortent de la clinique, je suppose. Naturellement, seul un petit pourcentage participe aux essais. La grande majorité de mes patients – et je dis bien la grande majorité, Kommissar – continue à prendre du Neosalvarsan. Et que se passerait-il ensuite ? Eh bien, vous effaroucheriez ces gens, bien sûr, et nous nous retrouverions avec une épidémie de maladies vénériennes à Berlin. En l'état actuel des choses, c'est à peine si nous maîtrisons ce mal. Il y a dans cette ville des dizaines de milliers de personnes atteintes de la vérole, comme vous l'appelez. Non, Kommissar, si je peux me permettre de vous donner un conseil, ce serait de chercher une autre piste. Oui, je crois que cela vaudrait beaucoup mieux pour tous les intéressés.

— Vos remarques ne manquent pas de pertinence, docteur.

— Je suis heureux que vous soyez de cet avis.

— Cependant, quand j'étais dans votre bureau, je n'ai pas pu m'empêcher de remarquer qu'une des adresses sur votre liste de patients utilisant le Protonsil est celle-ci. Peut-être souhaiteriez-vous faire un commentaire à ce propos.

— Je vois. Vous avez l'esprit extrêmement vif, Kommissar. Et vous pensez que cela pourrait faire de moi un suspect.

— C'est une possibilité que je ne peux pas me permettre d'ignorer.

— Non, évidemment. » Il finit son verre et se leva pour s'en verser un autre, mais je ne figurais toujours pas sur la liste des gens avec qui il avait envie de boire. « Bon alors, c'est comme ça. Il n'est pas rare que des médecins s'inoculent eux-mêmes une maladie qu'ils essaient de soigner. » Il se rassit, rota discrètement derrière son verre avant de le lever en silence pour boire à ma santé.

« Est-ce bien ce que vous voulez dire, docteur ? Que vous vous êtes transmis une maladie vénérienne délibérément afin de tester le Protonsil sur vous-même ?

— C'est exactement ce que je veux dire. Tester les effets secondaires d'un médicament sur des tiers n'est pas toujours suffisant. Ils sont moins aptes à décrire tous les effets d'une substance sur le corps humain. Comme il me semble vous l'avoir expliqué lors de notre première entrevue, il est assez difficile de garder un œil sur les patients dans ce genre de cas. Parfois, le seul patient sur qui on puisse vraiment compter, c'est soi-même. Je regrette que vous estimiez que cela fait de moi un suspect, mais je puis vous assurer que je n'ai jamais assassiné personne. Néanmoins, il se trouve que je suis en mesure de fournir un alibi pour la journée et la nuit où cette pauvre fille est morte.

— Je serais ravi de l'entendre.

— J'assistais à un congrès d'urologues, à Hanovre. »

J'acquiesçai et sortis mes cigarettes.

« Cela vous dérange ? »

Il secoua la tête et avala une nouvelle gorgée. L'alcool fit gargouiller son estomac.

« Voilà ce que j'aimerais vous proposer, docteur. Quelque chose qui pourrait aider l'enquête. Et que vous feriez peut-être volontiers sans que cela heurte votre sens de l'éthique.

— Si c'est en mon pouvoir. »

J'allumai une cigarette et me penchai en avant pour être à portée du cendrier à bord cannelé.

« Avez-vous une formation en psychiatrie ?

— Un peu. Il se trouve que j'ai fait mes études de médecine à Vienne et que je suis allé à plusieurs conférences sur la psychiatrie. À un moment, j'ai même songé à m'orienter vers la psychothérapie.

— Si vous le voulez bien, j'aimerais parcourir vos notes sur vos patients. Pour voir s'il n'y en a pas un qui se détache du lot comme un meurtrier possible.

— Et en admettant qu'il y en ait un ? Un patient qui se détache du lot. Que se passera-t-il ?

— Eh bien, nous pourrions discuter la question. Et peut-être chercher un moyen mutuellement acceptable d'avancer.

— Très bien. Je peux vous garantir que je n'ai aucun désir de voir cet homme tuer à nouveau. J'ai moi-même une fille. »

Je parcourus l'appartement du regard.

« Elle vit avec sa mère, en Bavière. Nous sommes divorcés.

— Je suis désolé.

— Ne le soyez pas.

— Et l'homme qui était ici quand je suis venu un peu plus tôt dans la journée ?

— Vous voulez sans doute parler de Beppo. C'est un des amis de ma femme. Il est venu emporter quelques affaires à elle dans sa voiture. Il est étudiant, à Munich. » Kassner bâilla. « Pardon, Kommissar, mais ça a été une très longue journée. Y a-t-il autre chose ? Simplement, j'aimerais prendre un bain. Vous ne pouvez pas imaginer combien j'ai hâte de prendre un bain après une journée à la clinique. Enfin, peut-être que si.

— Oui, je peux assez bien me l'imaginer. »

Nous nous quittâmes, plus ou moins cordialement. Je me demandais cependant comment aurait réagi Kassner si j'avais mentionné Joseph Goebbels. Rien dans l'appartement n'indiquait que Kassner fût un nazi. D'un autre côté, je voyais mal Goebbels courir le risque de se faire soigner par quelqu'un qui ne soit pas un membre éprouvé du parti nazi. Jo n'était pas du style à avoir une grande confiance dans des valeurs telles que la déontologie ou le secret professionnel.

Malheureusement, rien ne donnait à penser non plus que le leader du parti nazi à Berlin puisse être en réalité un assassin psychopathe. Une bonne chtouille était une chose. L'assassinat et la mutilation d'une fille de quinze ans en étaient une autre.

9

BUENOS AIRES, 1950

Je n'ouvris pas les vieux dossiers de la Kripo que le colonel Montalbán avait fait venir de Berlin d'une façon ou d'une autre. En dépit de ce que je lui avais raconté, les détails de l'affaire étaient encore relativement présents dans ma mémoire. Je savais fort bien pourquoi j'avais été incapable d'appréhender l'assassin d'Anita Schwarz. Mais je me mis quand même au boulot.

J'étais à la recherche d'une fille disparue, sans doute morte. Et à l'affût d'un de mes vieux camarades, sans doute un psychopathe.

Aucun de ces deux sujets d'enquête dont m'avait chargé le flic argentin ayant le culte du héros ne semblait en passe de recevoir la réponse qu'il attendait. Je prenais surtout soin de moi. Mais j'étais d'accord avec son idée, bien entendu. Avais-je le choix ?

Tout d'abord, j'avais le trac de jouer le rôle écrit pour moi par le colonel. D'une part, je voulais avoir affaire le moins possible à d'autres anciens SS ; d'autre part, j'étais convaincu qu'en dépit des assurances de Montalbán ils se montreraient hostiles à quelqu'un posant un tas de questions sur des événements que la plupart d'entre eux avaient probablement envie d'oublier. Mais, dans l'ensemble, il s'avéra que le colonel avait raison. J'avais à peine prononcé le mot « passeport » qu'il n'y avait apparemment rien que les criminels de guerre les plus recherchés d'Europe ne soient prêts à aborder avec moi. En effet, nombre d'entre eux semblaient voir là une occasion de soulager leur conscience, de parler de leurs forfaits, voire de les justifier, comme s'ils se trouvaient face à un psychiatre ou à un prêtre.

Au début, j'allais sur leur lieu de travail. La majorité des nazis de Buenos Aires possédaient de bons emplois bien payés. Ils travaillaient pour diverses sociétés telles que l'entreprise de construction Capri, la Fuldner Bank, l'agence de voyages Vianord, l'usine Mercedes-Benz locale, les ampoules Osram, Caffetti, les appareils à gaz Orbis, le laboratoire Wander ou encore les textiles Sedalana. Quelques-uns avaient des emplois un peu plus humbles, à la librairie Dürer Haus, dans le centre-ville, au restaurant Adam et au café ABC. Un ou deux étaient au service de la police secrète, même si cela tenait – pour le moment du moins – un peu du mystère pour moi.

Mais un homme au travail est souvent très différent de ce qu'il est chez lui. Il me fallait les rencontrer quand ils étaient détendus, et par conséquent à l'improviste. Si bien que, peu de temps après, je me mis à débarquer à leur domicile dans le plus pur style de la Gestapo, à savoir tard le soir ou au petit matin. Je gardais les yeux et les oreilles grands ouverts, et invariablement pour moi l'opinion que j'avais de ces hommes. Leur dire franchement ce que je pensais d'eux n'aurait pas été une très bonne idée de ma part. Bien sûr, il m'arrivait d'être tenté de dégainer le Smith & Wesson dont m'avait fait cadeau Montalbán et de coller une balle dans le crâne d'un vieux camarade. En général, je repartais de chez eux en me demandant ce qu'était que ce pays qui donnait asile à des monstres pareils. Il est vrai que je ne savais que trop bien quel pays leur avait donné le jour.

Certains semblaient heureux, ou du moins contents de leur nouvelle existence. D'aucuns avaient de nouvelles épouses ou de nouvelles maîtresses attrayantes, voire les deux à la fois. Un ou deux étaient riches. Quelques-uns seulement étaient bourrelés de sobres remords. Mais la plupart n'éprouvaient pas une once de repentir.

La seule chose qui chagrinait le Dr Carl Vaernet, c'était de ne plus pouvoir se livrer à sa guise à des expériences sur les prisonniers homosexuels du camp de concentration de Buchenwald. Il était on ne peut plus ouvert sur la question, la « grande œuvre de sa vie ».

Vaernet était originaire du Danemark, mais vivait en compagnie de sa femme et de ses enfants au 2251 rue Uriarte, près de la Plaza Italia, dans le quartier de Palermo, à Buenos Aires. Brun, râblé, avec des yeux aux ombres profondes et une bouche pleine de pessimisme et de mauvaise haleine, il dirigeait une clinique d'endocrinologie proposant des « cures » onéreuses aux riches familles d'homosexuels argentins. Pays extrêmement machiste, l'Argentine considérait le fait d'être un *joto* ou un *pájaro* comme un danger pour la santé de la nation.

« Lorsque votre passeport de la Croix-Rouge aura expiré, expliquai-je à Vaernet, à supposer qu'il ne le soit pas déjà, vous devrez introduire une demande auprès de la police fédérale pour recevoir un passeport spécial. Afin d'obtenir ledit passeport, il vous faudra apporter la preuve que, pendant votre séjour en Argentine, vous vous êtes conduit de façon irréprochable. Des amis – si vous en avez – devront avoir l'obligeance d'écrire des lettres de recommandation concernant votre caractère et votre probité. Si tel est le cas, comme j'en suis certain, je vous délivrerai moi-même un certificat de bonne conduite dont vous pourrez vous servir pour demander à un tribunal de première instance un passeport argentin. Naturellement, ce passeport peut être à un autre nom. Le principal, c'est que vous puissiez retourner en Europe et y voyager librement comme n'importe quel citoyen argentin, sans crainte d'être arrêté.

— Eh bien, naturellement, nous aimerions aller voir notre fils aîné, à Kjeld, au Danemark, avoua Vaernet. » Il sourit à cette pensée. « Même si nous adorons Buenos Aires, la patrie reste la patrie, n'est-ce pas, Herr Hausner ? »

Nous étions assis dans le salon. Des photos encadrées étaient posées sur un piano quart-de-queue. L'une d'elles représentait les Perón et leurs caniches – Eva tenant le noir et Juan le blanc –, l'ensemble évoquant une publicité de whisky écossais.

La femme de Vaernet nous servit du thé avec des *facturas*, de petits gâteaux très appréciés des *porteños*, toujours friands de sucreries. Elle était grande, mince et nerveuse. Je sortis un bloc et un stylo en m'efforçant de prendre l'air d'un parfait rond-de-cuir.

« Date et lieu de naissance ?

— 28 avril 1893. À Copenhague.

— Mon propre anniversaire tombe le 20 avril », remarquai-je. Devant sa mine perplexe, j'ajoutai : « Le même jour que le Führer. »

Faux, bien entendu, mais c'était un bon truc pour faire croire aux types de son acabit que j'étais une sorte de nazi à tous crins, et donc digne de confiance.

« Bien sûr. Je suis stupide de ne pas m'en être souvenu.

— Ce n'est pas grave. Je suis de Munich. » Autre mensonge. « Déjà été à Munich ?

— Non.

— Jolie ville. Du moins, ça l'était. »

Après une brève série de questions apaisantes, j'ajoutai :

« Beaucoup d'Allemands sont venus en Argentine persuadés que le gouvernement ne s'intéressait pas à leurs antécédents, qu'il se fichait pas mal de ce qu'un étranger avait fait en Europe avant d'arriver dans ce pays. J'ai bien peur que ce ne soit pas vrai. En tout cas, plus maintenant. Le gouvernement ne juge pas un homme sur ses agissements pendant la guerre. Le passé est le passé. Et les actes que vous avez commis ne sauraient avoir d'incidences sur la possibilité qui vous est offerte de rester ici. Mais, comme vous en conviendrez certainement, ces actes ne sont pas sans rapport avec la personne que vous êtes à présent et le citoyen que vous pourriez devenir. Je veux dire ceci : le gouvernement ne souhaite pas délivrer de passeport à quiconque pourrait le mettre dans l'embarras. C'est ainsi. Vous pouvez me parler en toute confiance. Rappelez-vous, je suis un officier SS tout comme vous. Mon honneur s'appelle fidélité. Néanmoins, je ne saurais trop vous conseiller d'être sincère, docteur. »

Le Dr Vaernet hocha la tête.

« Je n'ai assurément pas honte de mes actes passés. »

Au même instant, sa femme se leva et quitta la pièce, comme si l'idée que son mari puisse parler à cœur ouvert de ses activités était trop pour elle. Vu la tournure prise par la conversation, je pouvais difficilement la blâmer.

« Le Reichsführer Himmler considérait mes tentatives de guérison des homosexuels au moyen de la chirurgie comme une tâche de la plus haute importance pour l'idéal de pureté raciale germanique, dit-il sans rire. À Buchenwald, j'ai implanté des briquettes d'hormone dans l'aine d'un certain nombre de triangles roses. Tous ces hommes ont été guéris et rendus à la vie normale. »

Il y en eut encore pas mal du même genre, et, bien que Vaernet me fît l'effet d'un salaud intégral – je n'ai encore jamais rencontré de pédé qui ne m'ait pas donné l'impression d'être plutôt bien comme il est –, je ne le voyais pas en psychopathe éviscérant une gamine de quinze ans rien que pour prendre son pied.

Sur le piano, près du portrait des Perón, se trouvait une photographie d'une jeune fille d'à peu près le même âge que Fabienne von Bader. Je la pris.

« Votre fille ?

— Oui.

— Elle va à la même école que Fabienne von Bader ? »

Vaernet acquiesça.

« Naturellement, vous savez qu'elle a disparu.

— Oui, bien sûr.

— Étaient-elles amies ?

— Non, pas vraiment.

— Est-ce qu'elle en a parlé ?

— Oui, mais rien d'important, vous comprenez. Si cela avait eu le moindre intérêt, j'aurais téléphoné à la police.

— Évidemment. »

Il haussa les épaules.

« Ils ont posé un tas de questions à propos de Fabienne.

— Ils sont venus ici ?

— Oui. Ma femme et moi avons eu le sentiment qu'ils pensaient que Fabienne avait fait une fugue.

— Avec les enfants, ce sont des choses qui arrivent. Bon. » Je me tournai vers la porte. « Il vaudrait mieux que j'y aille. Merci de m'avoir consacré du temps. Ah, encore une chose. Nous parlions de faire la preuve de son honorabilité.

— Oui.

— Vous êtes un homme respectable, Herr Doktor. Comme chacun peut le constater. Vous délivrer un certificat de bonne conduite ne devrait pas poser de problème. Pas de problème du tout. Cependant...

— Oui ?

— J'hésite à en parler. Mais vous êtes médecin... Je suis sûr que vous comprendrez pourquoi je dois vous demander ce genre de chose. Y a-t-il quelqu'un, parmi vos anciens camarades, ici, en Argentine, qui, selon vous, ne mériterait pas un certificat de bonne conduite ? Quelqu'un qui pourrait éventuellement jeter un réel discrédit sur l'Argentine ?

— C'est une question intéressante.

— Je sais, et cela m'ennuie beaucoup de vous la poser. Après tout, nous sommes tous dans le même bateau. Mais, parfois, il n'y a pas moyen de faire autrement. Comment arriver à juger un homme si l'on n'écoute pas ce que les autres disent de lui ? » J'eus un haussement d'épaules. « Il peut s'agir de quelque chose qui a eu lieu ici, ou bien qui s'est produit en Europe. Pendant la guerre, peut-être.

— Non, non, vous avez tout à fait raison de demander, Herr Hausner, et j'apprécie votre confiance. Voyons, laissez-moi voir. » Il but une gorgée de thé et réfléchit un instant. « Oui. Il y a un dénommé Eisenstedt, Wilhelm von Eisenstedt, ancien capitaine SS à Buchenwald. Il habite une maison dans la rue Monasterio et se fait appeler Fernando Eifler. Il s'est quelque peu laissé aller. Trop d'alcool. Mais, à Buchenwald, il avait la réputation d'être un homosexuel et un sadique. »

Je m'efforçai de réprimer un sourire. Eifler était le type en robe de chambre avec qui j'avais partagé la planque de Monasterio à mon arrivée en Argentine. Voilà donc qui il était.

« Et aussi, oui, et aussi un certain Pedro Olmos. De son vrai nom, Walther Kutschmann. Un ex-capitaine SS également.

Kutschmann était un assassin, d'après tous les critères communément admis. Quelqu'un tuant pour le plaisir de tuer. »

Vaernet décrivit en long et en large les activités de Kutschmann pendant la guerre.

« Je crois qu'il travaille actuellement pour Osram, la fabrique d'ampoules. J'ignore quel genre d'homme il est aujourd'hui. Mais la conduite de son épouse, Geralda, laisse pour le moins à désirer, selon moi. Elle gagne sa vie en gazant les chiens errants. Pouvez-vous imaginer une chose pareille ? Comment peut-on faire ça ? Quelle femme est-ce pour gazer de pauvres bêtes en échange d'une rémunération ? »

J'aurais pu facilement lui répondre, mais il n'aurait pas compris. J'allai quand même voir ledit Olmos.

Sa femme et lui habitaient à la périphérie de la ville, près de l'usine électrique employant Pedro Olmos. Il était plus vert que je ne l'avais supposé, pas plus de trente-cinq ans, ce qui voulait dire qu'il en avait dans les vingt-cinq à l'époque où il était capitaine de la Gestapo à Paris ; et n'était guère plus qu'un gamin quand il était un lieutenant assassinant des Juifs en Pologne au sein d'un Groupe d'action spécial. Il avait tout juste dix-huit ans lorsque Anita Schwarz avait été assassinée en 1932, de sorte qu'il était probablement trop jeune pour être l'homme que je cherchais. Mais on ne sait jamais.

Pedro Olmos venait de Dresde. Il avait rencontré et épousé Geralda à Buenos Aires. Ils avaient plusieurs chiens et chats, mais pas d'enfants. Ils formaient un joli couple. Geralda ne connaissait pas un mot d'allemand, voilà probablement pourquoi Pedro n'hésita pas à me confier qu'il avait été dans des termes plus qu'amicaux avec Coco Chanel quand il était stationné à Paris. Il était suffisamment baratineur pour ça. Il parlait parfaitement l'espagnol, le français, un peu de polonais, ce qui faisait, dit-il, qu'il travaillait au département transport d'Osram. Geralda et lui étaient préoccupés par la quantité considérable de chiens errants de la ville, et ils recevaient une allocation de la municipalité pour les ramasser et les gazer. Occupation assurément curieuse pour une femme se targuant d'adorer les animaux. Elle alla jusqu'à m'emmener au sous-sol afin de me montrer l'installation dont elle se servait pour les occire en douceur. C'était une simple cabane en métal avec une porte munie d'un joint en caoutchouc, reliée à un générateur à essence. Geralda prit bien soin de m'expliquer que, une fois les chiens morts, elle brûlait les cadavres dans leur incinérateur ménager. Elle semblait très fière de son « service empreint d'humanité » et le décrivait d'une manière qui me donna à penser qu'elle n'avait jamais entendu parler d'une chose comme un camion à gaz. Vu les antécédents d'Olmos dans la SS, il n'était pas trop difficile d'imaginer qu'elle tenait l'idée de son mari.

Je lui posai la question que j'avais déjà posée à Vaernet. Y avait-il quelqu'un parmi ses anciens camarades en Argentine qu'il considérait comme ayant dépassé les bornes ?

« Oh oui ! » répondit Olmos avec empressement. Je commençais à me rendre compte que la loyauté n'était guère de mise parmi les vieux camarades. « Je peux vous donner le nom d'un tel homme. Probablement le plus dangereux que j'aie jamais rencontré, où que ce soit. Il s'appelle Otto Skorzeny. »

Je m'efforçai de ne pas avoir l'air surpris. Je connaissais Otto Skorzeny, bien évidemment. Rares étaient les Allemands qui n'avaient pas entendu parler de l'audacieux auteur du sauvetage de Mussolini au sommet d'une montagne en 1943. Je me rappelais même avoir vu des photos de son visage balafré dans tous les magazines lorsque Hitler l'avait fait chevalier de la Croix de fer. Nul doute qu'il donnait l'impression d'un type dangereux. Le problème, c'est que Skorzeny n'apparaissait pas sur la liste de noms que le colonel m'avait remise et que, jusqu'à ce qu'Olmos le mentionne, j'ignorais complètement qu'il fût encore de ce monde, et vivant en Argentine. Un tueur sans pitié, ça oui. Mais un psychopathe ? Je décidai d'interroger Montalbán à son sujet la prochaine fois que je le verrais.

Entre-temps, Pedro Olmos avait pensé à quelqu'un d'autre, comme ne méritant pas à ses yeux un certificat de bonne conduite. Les chemins d'évasion, ainsi que les Américains appelaient des organisations telles qu'Odessa ou la Fraternité chargées d'aider les nazis à s'échapper d'Europe, commençaient à se montrer à la hauteur de leur dénomination. L'homme auquel songeait Olmos avait pour nom Kurt Christmann.

Christmann m'intéressait parce qu'il était de Munich et né en 1907, ce qui lui faisait vingt-cinq ans lors du meurtre d'Anita Schwarz. Il en avait quarante-trois, avait été avocat et travaillait maintenant pour la Fuldner Bank, avenue Córdoba. Christmann habitait un confortable appartement dans Esmeralda, et je n'étais pas avec lui depuis plus de cinq minutes que je l'avais déjà inscrit sur mes tablettes comme un suspect sérieux. Il avait commandé un détachement d'extermination en Ukraine. Pendant un moment, j'avais été moi-même en Ukraine, comme il se doit. Ce qui nous fournit un sujet de conversation. Quelque chose dont je pouvais me servir pour essayer de gagner sa confiance et lui tirer les vers du nez.

Blond, avec des lunettes sans monture et des mains fines de musicien, Christmann n'était pas exactement la grande brute aux yeux bleus qu'on aurait vue traversant l'écran à grandes enjambées dans un film de Leni Riefenstahl. On l'imaginait mieux arpentant tranquillement les allées d'une bibliothèque consacrée aux ouvrages de droit avec deux ou trois livres sous le bras. Jusqu'à ce qu'il rejoigne la SS en 1942, il avait travaillé pour la Gestapo à Vienne, Innsbruck et Salzbourg. Le genre de nazi avide d'avancement et collectionneur de médailles comme j'en avais déjà si souvent rencontré. Plus à l'aise derrière un bureau que sur le front.

« Alors, vous étiez en Ukraine, vous aussi, me dit-il, en toute camaraderie. À quel endroit ?

— Ruthénie blanche. Minsk. Lvov. Lutsk. Un peu partout.

— Nous, nous étions dans le sud. Krasnodar et Stavropol. Et dans le nord du Caucase. L'Einsatzgruppe était dirigé par Otto Ohlendorf, et par Beerkamp. Mon unité était commandée par un officier nommé Seetzen. Un chic type. On avait trois camions à gaz à notre disposition, deux gros Saurer et un petit Diamond. La plupart du temps, notre tâche consistait à nettoyer les hôpitaux et les asiles. Le pire, c'étaient les orphelinats. Mais n'allez pas croire qu'il s'agissait de gosses normaux et en bonne santé. Ça non. C'étaient des débiles, vous comprenez ? Des faibles d'esprit, des attardés mentaux. Grabataires, handicapés. Mieux valait les tuer, si vous voulez mon avis. Surtout vu la façon dont les Russes s'en occupaient, c'est-à-dire quasiment pas. Les conditions qui régnaient dans certains de ces endroits, c'était effroyable. En un sens, en les gazant comme on faisait, on leur rendrait un sacré service. Sûr qu'on abrégeait leurs souffrances. Vous en auriez fait autant pour un cheval blessé. En tout cas, c'est comme ça qu'on voyait les choses. »

Il s'interrompit, comme s'il se remémorait quelques-unes des scènes terribles dont il avait été témoin. J'avais presque pitié de lui. Pour rien au monde, je n'aurais voulu avoir ses pensées.

« N'empêche, c'était quand même un rude boulot. Tout le monde n'arrivait pas à tenir le coup. Parfois, les mômes prenaient soudain conscience de ce qui se passait, et il fallait les jeter dans les camions. Ça pouvait être drôlement pénible. On devait tirer sur ceux qui essayaient de se sauver. Mais, une fois qu'ils se trouvaient dans le camion et que les portes étaient fermées, tout allait assez vite, je présume. Ils tambourinaient contre les parois pendant quelques minutes et voilà tout. Terminé. Plus on arrivait à en enfourner dans le camion et plus ça allait vite. J'ai été responsable de ce détachement d'août 1942 à juillet 1943, date à laquelle on était en pleine débandade, évidemment.

« Ensuite je suis allé à Klagenfurt, où j'étais chef de la Gestapo. Puis à Coblence, où j'étais aussi à la tête de la Gestapo. Après la guerre, j'ai été interné à Dachau par les Amerloques, mais j'ai réussi à m'évader. Ces Américains, ils étaient à désespérer. N'auraient même pas été fichus de surveiller une marmite. Puis ça a été Rome, et le Vatican, avant que je me retrouve ici. À l'heure actuelle, je travaille pour Fuldner, mais j'envisage de me lancer dans l'immobilier. Il y a plein d'argent à se faire dans cette ville, mais l'Autriche me manque. Le ski surtout. J'étais le champion de ski de la police allemande, vous savez.

— Vraiment ? »

Manifestement, je m'étais totalement trompé sur son compte. Il s'agissait peut-être d'un sale assassin, mais d'un assassin sportif.

« Je comprends que vous ayez l'air étonné, Herr Hausner. » Il rit. « Voyez-vous, j'ai été malade. Avant de venir ici, je me trouvais au Brésil et j'ai réussi à attraper la malaria. En fait, je ne suis pas encore complètement remis. » Il alla dans la cuisine et ouvrit la porte d'un réfrigérateur DiTella à l'air flambant neuf. « Bière ?

— Non, merci. » Je ne buvais pas avec n'importe qui. « Pas quand je suis en service. »

Kurt Christmann se mit à rire.

« Moi aussi, j'étais comme ça, dit-il en ouvrant une bouteille de bière. Mais maintenant, j'essaie de ressembler davantage aux Argentins. Je fais même la sieste l'après-midi. Des types comme vous et moi, Hausner, on a de la veine d'être en vie. » Il hocha la tête. « Un passeport serait une bonne chose. Mais je ne pense pas que je retournerai en Allemagne. À mon avis, l'Allemagne est foutue, à présent que les Russes y sont. Il n'y a rien pour moi là-bas, à part peut-être un nœud coulant.

— Nous avons fait ce que nous devions faire. Ce qu'on nous a dit de faire. » Je connaissais le couplet par cœur désormais. Je l'avais tellement entendu au cours de ces cinq dernières années. « Nous suivions les ordres. Si nous avions refusé d'obéir, on nous aurait collé une balle dans la peau à nous aussi.

— C'est juste, convint Christmann. Oui. Nous ne faisions qu'obéir aux ordres. »

Après lui avoir donné du mou, je décidai de ferrer un peu.

« Notez bien qu'il y en a eu. Quelques-uns. Des fruits pourris qui tuaient pour le plaisir. Qui allaient au-delà de ce qui était leur devoir normal. »

Christmann pressa la bouteille de bière contre sa joue et réfléchit un moment, puis il secoua la tête.

« Vous voulez que je vous dise ? Franchement, je ne le pense pas. Rien qu'il m'ait été donné de voir, en tout cas. C'était peut-être différent dans votre équipe, mais les gars avec qui je me trouvais en Ukraine ? Tous se sont comportés avec énormément de courage et de force d'âme. C'est ce qui me manque le plus. La camaraderie. Les frères d'armes. Oui, c'est ce qui me manque le plus. »

J'opinai, l'air compatissant.

« Moi, ce qui me manque, c'est Berlin, dis-je. Munich également. Mais surtout Berlin.

— Vous savez ? Je n'ai jamais été à Berlin.

— Quoi ? Jamais ?

— Non. » Il gloussa et but un peu de bière. « Et ce n'est pas demain la veille que j'y mettrai les pieds, hein ? »

Je m'en allai, plein de satisfaction après une excellente journée de travail. Ce sont les gens que vous rencontrez qui rendent le métier de policier si enrichissant. De temps à autre, vous tombez sur un vrai petit ange comme Kurt Christmann, qui vous réconcilie avec la justice médiévale, l'autodéfense et autres, de même qu'avec des pratiques latino-américaines on ne peut plus raisonnables telles que l'estrapade et le garrot. Parfois, il est difficile de quitter des individus pareils sans secouer la tête, en se demandant comment les choses ont pu en arriver là.

Comment les choses avaient-elles pu en arriver là ?

À mon avis, au lendemain de la Grande Guerre, l'Allemagne n'avait plus été la même. Cela se voyait dans les rues de Berlin. Une froide indifférence aux souffrances humaines. Et, après tous ces tueurs fous, un brin cannibales, pendant la période de Weimar, peut-être aurions-nous dû voir venir les escouades de meurtriers et les usines de mort. Des tueurs fous, mais aussi tout à fait ordinaires. Krantz, le collégien. Denke, le commerçant. Grossmann, le vendeur à domicile. Gormann, l'employé de banque. Des gens ordinaires commettant des crimes d'une sauvagerie sans précédent. À y repenser maintenant, ils étaient comme un présage de ce qui allait suivre. Les commandants de camp et les sbires de la Gestapo. Les assassins en col blanc et les médecins sadiques. Les Fritz ordinaires capables d'atrocités inouïes. Les Allemands respectables et silencieux, admirateurs de Mozart, parmi lesquels j'étais désormais condamné à vivre.

Que fallait-il pour tuer des milliers d'enfants, semaine après semaine ? Une personne normale ? Ou quelqu'un l'ayant déjà fait ?

Kurt Christmann avait passé toute une année de sa vie à gazer des enfants ukrainiens. Des débiles, des arriérés mentaux, des grabataires, des infirmes. Des gosses comme Anita Schwarz. Peut-être y avait-il eu, dans son cas, plus que de la simple obéissance aux ordres. Peut-être éprouvait-il pour les enfants infirmes une véritable haine. Peut-être même assez de haine pour en avoir tué un à Berlin. Je n'avais assurément pas oublié qu'il était de Munich. J'avais toujours fortement soupçonné que l'homme que je recherchais, en 1932, venait de Munich.

10

BERLIN, 1932

Deux hommes attendaient près de ma voiture. Ils portaient des chapeaux et des costumes croisés boutonnés jusqu'au menton comme s'ils n'avaient pas seulement un stylo à plume dans leur poche de poitrine. Je me dis qu'ils étaient un peu trop au sud pour faire partie de la bande à Ricci Kamm. Et aussi un peu trop lisses. Les membres des gangs avaient tendance à arborer des nez cassés et des oreilles en feuille de chou comme d'autres des chaînes de montre ou des cannes à pommeau. Ça et le fait qu'ils avaient l'air enchantés de me voir. Quand on est dans le zoo depuis aussi longtemps que moi, on finit par savoir plus ou moins quand un animal va attaquer. Il devient tout nerveux et agité parce que, pour le commun des mortels, tuer quelqu'un n'a rien d'une partie de plaisir. Mais ces deux-là étaient calmes et pleins d'assurance.

« Vous êtes Gunther ?

— Tout dépend.

— De quoi ?

— De ce que vous allez dire ensuite.

— Quelqu'un veut vous parler.

— Alors pourquoi quelqu'un n'est-il pas ici ?

— Parce qu'il est à l'Eldorado. Où il vous offre un verre.

— Est-ce que ce quelqu'un a un nom ?

— Herr Diels. Rudolf Diels.

— Peut-être que je suis du genre timide. Et peut-être que je n'aime pas l'Eldorado. Sans compter qu'il est un peu tôt pour une boîte de nuit.

— Exact. Ce qui fait que c'est agréable et tranquille. Un petit coin tranquille où l'on peut s'écouter penser.

— Quand je m'écoute penser, il me vient toutes sortes d'idées saugrenues. Par exemple, que mon existence a peut-être une certaine utilité. Mais, puisqu'il n'en est rien, va pour l'Eldorado. »

L'Eldorado, dans Motzstrasse, occupait le rez-de-chaussée d'un immeuble style béton haut de gamme. Comme le vieil Eldorado, qui existait encore dans Lutherstrasse, le nouveau était un cabaret de travelos très apprécié de la haute société, des putes de luxe et des touristes audacieux avides de goûter à la vraie décadence berlinoise. À l'intérieur, la boîte ressemblait à une fumerie d'opium. Sauf qu'il s'agissait juste d'un fac-similé. Si le sexe était une raison d'aller à l'Eldorado, le large éventail de drogues proposées en était une autre. Mais, à cette heure de la journée, l'endroit était quasiment désert. Les Bernd Robert Rhythmics venaient de finir leur répétition, et, dans l'angle à côté d'un gong en cuivre aussi gros qu'un pneu de camion, un homme assez jeune, avec une longue cicatrice sur le visage, buvait une bouteille de champagne en compagnie de deux filles. Je savais qu'il s'agissait de filles non pas en raison de leurs mains délicates et de leurs ongles manucurés, mais à cause de leurs parties intimes, faciles à repérer dans la mesure où elles étaient nues.

En me voyant arriver dans la boîte escorté par ses deux boy-scouts en costume croisé, l'homme à la balafre se leva et me fit signe d'approcher. Il était brun, avec un menton fuyant. La trentaine, apparemment. Son costume paraissait taillé sur mesure et il fumait un cigare Gildermann. Il avait des lèvres de femme et des sourcils tellement nets et fins qu'on les aurait dit épilés puis redessinés au crayon. Ses mains étaient féminines elles aussi, et, sans la cicatrice et le tandem avec lequel il se trouvait, je me serais demandé s'il n'était pas homosexuel. Mais comme il se montrait poli et cordial, je me demandai comment il avait récolté sa cicatrice.

« Herr Gunther, dit-il. Je suis content que vous soyez venu. Voici Fräulein Oloffson et Fräulein Larsson. Elles arrivent toutes les deux de Suède pour des vacances ici. N'est-ce pas, mesdames ? » Il jeta un bref regard à la ronde. « Il y en a une autre quelque part. Fräulein Liljeroth. Mais elle a dû aller se poudrer le nez, si vous voyez ce que je veux dire. »

J'inclinai poliment la tête.

« Mesdames.

— Elles essaient de se comporter comme de vraies Berlinoises, expliqua Diels. N'est-ce pas, mesdames ?

— La nudité est un état normal, proclama l'une des Suédoises. Le désir de quelque chose de sain. Ce n'est pas votre avis ?

— Tenez, asseyez-vous et buvez un verre, dit Diels en poussant une coupe de champagne vers moi. »

Il était encore un peu tôt pour moi, mais, notant l'étiquette et l'année de la bouteille, je m'exécutai néanmoins.

« Que puis-je pour vous, Herr Diels ?

— Je vous en prie. Appelez-moi Rudi. Et à propos, vous pouvez vous exprimer tout à fait librement devant nos deux amies. Elles ne parlent pas très bien l'allemand.

— Moi non plus, répliquai-je. Bien que ce soit peut-être dû au fait que j'ai la langue qui pend.

— Vous êtes déjà venu ici ?

— Une ou deux fois. Mais avoir à deviner si quelqu'un est un homme ou une femme ne m'excite pas beaucoup. » Je fis un signe de tête à Fräulein Oloffson. « Cela change agréablement de voir ses doutes en la matière dissipés de manière aussi irréfutable.

— Vous feriez bien d'en profiter pendant que vous le pouvez encore. Dans un mois ou deux, beaucoup de ces boîtes seront fermées par le nouveau gouvernement. Celle-ci est déjà destinée à devenir le siège du parti nazi pour le sud de Berlin.

— Vous en parlez comme d'un fait acquis, ce qui est loin d'être le cas. Reste ce petit détail que des élections doivent d'abord avoir lieu.

— Vous avez raison. C'est un petit détail. Les nationaux-socialistes pourraient ne pas l'emporter avec une écrasante majorité au Reichstag, mais il semble hautement probable qu'ils seront le parti le plus important.

— Ils ?

— Je ne suis pas membre du parti, Herr Gunther, mais largement favorable à la cause nationale-socialiste.

— Est-ce ainsi que vous avez écopé de ces cicatrices sur la figure ? En étant largement favorable aux nazis ? »

Diels se toucha la joue sans aucune trace de gêne.

« Ça ? » Il secoua la tête. « Non. J'ai bien peur qu'il n'y ait rien de très glorieux dans la façon dont elles ont été reçues. Je buvais pas mal. Plus qu'il ne fallait. Parfois, quand j'avais envie d'amuser ou d'intimider quelqu'un, je mâchais un verre de bière. »

Il y avait une coupe de fruits sur la table. Je la montrai d'un signe de tête.

« Moi, je préfère une pomme bien juteuse. »

Sur ce, j'allumai une cigarette. Calé contre le dossier de ma chaise, j'avais une bonne vue de nos deux compagnes nues. Ça ne me dérangeait pas de les regarder, pas plus que ça ne les dérangeait d'être regardées.

« Servez-vous.

— Non, merci. Une partie de ma concentration est encore accaparée par le destin de la République.

— C'est bien dommage, parce que les jours de la République sont comptés. Nous allons gagner.

— Voilà que c'est "nous" à présent. Il y a une minute, vous n'étiez même pas au parti. Vous devez être ce qu'on appelle un électeur flottant.

— Comme Rosa Luxemburg, vous voulez dire ? » Diels sourit de sa propre petite plaisanterie. « Oh, je ne suis pas un hitlérien fervent, mais je crois en Hermann Goering. C'est un personnage beaucoup plus imposant que Hitler.

— En diamètre, c'est sûr. » Ce fut à mon tour de sourire de ma petite plaisanterie.

« Hitler n'a cure de la vie humaine, continua Diels, mais Goering est différent. Je travaille pour lui au Reichstag. Une fois les nazis au pouvoir, Goering se trouvera à la tête de l'ensemble des forces de police en Allemagne. Kurt Daluege dirigera la police en uniforme. Et je serai responsable d'une police politique élargie.

— C'est fou le nombre de gens qui veulent entrer dans la police ces temps-ci. Et nous n'avons même pas eu de campagne de recrutement.

— Nous allons avoir besoin d'hommes dignes de confiance. Des hommes courageux, prêts à se dévouer corps et âme dans la lutte contre la juiverie internationale et le bolchevisme. Mais pas seulement. Nous devons également réduire le pouvoir des SA. Et c'est là que vous intervenez.

— Moi ? Je ne vois pas en quoi je pourrais vous être utile. Je n'aime même pas la police politique que nous avons actuellement.

— Vous êtes bien connu à la Kripo pour détester les SA.

— À la Kripo, tout le monde déteste les SA. Enfin, tous ceux qui ont quelque chose dans le ventre.

— C'est exactement ce que je cherche. Pour nous débarrasser des SA, il va nous falloir des hommes qui n'ont pas froid aux yeux. Des hommes tels que vous.

— Je comprends votre dilemme. Vous avez besoin des SA pour mener les élections à la baguette. Mais, une fois élus, il vous faudra quelqu'un d'autre pour les faire rentrer dans le rang. » Je souris. « Je dois vous reconnaître ça. Après le sophisme, le nazisme. Hitler ajoute un paragraphe entièrement nouveau à cette partie du dictionnaire qui traite des arguments spécieux et des coups tordus. » Je secouai la tête. « Je ne suis pas votre homme, Herr Diels. Et je ne le serai jamais.

— Ce serait vraiment dommage si la police devait perdre un homme possédant vos talents de criminologue, Herr Gunther.

— N'est-ce pas ? Mais c'est comme ça. »

La troisième Suédoise revint après s'être poudré le nez. Comme ses deux copines, elle était aussi nue qu'une épingle à chapeau sans chapeau. S'ennuyant visiblement, les deux autres se levèrent de table pour aller vers elle. Elles la prirent dans leurs bras et, lentement, elles se mirent à danser sur une musique muette. On aurait dit les Trois Grâces.

« Vous savez, ce sont réellement des touristes, dit-il. Pas des gougnottes ou des brouteuses de persil, quelle que soit la manière dont vous les appelez, vous autres flics. Juste trois filles en vacances venues de Stockholm, qui ont envie d'être de vraies Berlinoises et d'enlever leurs fringues histoire de rigoler un peu. » Il poussa un soupir. « Ce sera bien triste, à mon avis, quand ce genre de truc aura disparu. Mais des changements sont nécessaires. On ne peut pas permettre que les choses continuent ainsi. Le vice, la prostitution, la drogue. Tout cela nous corrompt. »

Je haussai les épaules.

« Vous êtes flic. Vous êtes sûrement d'accord avec moi sur ce point au moins. »

Deux des membres du trio revinrent et se mirent à s'amuser gentiment, en guise de spectacle impromptu.

« Vous n'êtes pas de Berlin, n'est-ce pas, Herr Diels ? À Berlin, on dit qu'on doit laisser la moustache des autres tranquille, même si elle trempe dans leur café. Voilà pourquoi les nazis n'arriveront à rien dans cette ville. Parce que les gens de votre espèce sont incapables de laisser la moustache des autres tranquille.

— C'est là une attitude surprenante pour un policier. Vous n'avez donc pas envie de devenir conseiller, ou directeur ? Ce serait possible, vous savez, après les élections. Alors, tout le monde voudra nous aider. Mais vous, vous pouvez le faire dès maintenant. Quand cela compte vraiment.

— Je vous le répète. Faire partie de votre police politique élargie ne m'intéresse pas.

— Je ne parle pas de ça. Vous pourriez rester en place, au Département 4. Vous pourriez continuer à faire ce que vous faites en ce moment. Ce n'est pas comme si vous étiez communiste ou quoi que ce soit. Nous pouvons facilement passer sur une peccadille comme le Front de fer. » Il haussa les épaules d'un air innocent. « Non, tout ce que vous auriez à faire, c'est de nous rendre un petit service.

— Quel genre de service ? demandai-je, intrigué.

— Que vous laissiez tomber l'affaire Schwarz.

— Je suis officier de police, Herr Diels. Je ne peux pas faire ça. J'ai reçu l'ordre d'enquêter sur un meurtre, et il est de mon devoir de mener cette enquête au mieux de mes capacités.

— Vous en avez reçu l'ordre de gens qui ne sont plus là pour très longtemps. En outre, nous savons fort bien l'un et l'autre que, dans cette ville, un tas d'affaires ne sont jamais résolues.

— Que je mette la pédale douce, c'est ça ? Pour que Goebbels puisse accuser Grezinski et Weiss de traîner les pieds parce que le père de la victime est un ponte de la SA ?

— Non. Rien de semblable. La fille Schwarz était handicapée. Elle avait une jambe malade. Comme Goebbels. Voir ce genre de question étalé aux yeux du public est un peu embarrassant pour lui. Cela donne à la chose une importance exagérée. Anita Schwarz souffrait d'une jambe. Cela rappelle aux gens que Goebbels aussi. Le Dr Goebbels vous serait extrêmement reconnaissant si l'affaire Schwarz pouvait s'enliser dans les sables, en quelque sorte.

— Le pied de Jo est-il la seule raison pour laquelle il aimerait que l'affaire Schwarz n'aboutisse nulle part ? »

Diels fit une mine ahurie.

« Oui. Quelle autre raison pourrait-il y avoir ? »

Il ne semblait guère prudent de mentionner que j'en savais beaucoup plus sur la véritable étendue des infirmités actuelles de Jo.

« Et si une autre fille se fait assassiner dans des circonstances similaires ? Alors quoi ?

— Eh bien, vous enquêterez. Laissez tomber l'affaire Schwarz. C'est tout ce que je vous demande. Jusqu'aux élections.

— Pour ménager la susceptibilité de Jo ?

— Pour ménager la susceptibilité de Jo.

— À vous entendre, je finirai par penser qu'il y a beaucoup plus dans cette affaire que je ne l'avais supposé tout d'abord.

— Cela risquerait d'être une pensée malsaine. Pour vous... et votre carrière.

— Ma carrière ? » J'éclatai de rire. « S'il y a quelque chose qui m'empêche de dormir, c'est bien ça.

— Au moins, vous avez encore la possibilité de ne pas dormir, Herr Gunther. » Il sourit et souffla sur l'extrémité de son cigare. « C'est déjà pas mal, non ? »

J'avais entendu tout ce que je voulais entendre. Je tendis le bras vers la coupe de fruits, saisis une jolie golden et me levai.

Les trois femmes nues étaient maintenant trop occupées entre elles pour me prêter la moindre attention. Un véritable numéro de cabaret, que les Berlinois auraient donné cher pour voir.

« Hé, toi ! criai-je. Aphrodite ! »

Je lançai la pomme, que l'une d'elles attrapa. Naturellement, c'était la plus chouette des trois Suédoises.

« Je m'appelle pas Aphrodite, répondit-elle d'un ton morne. Mon nom est Gunila. »

Je ne répondis pas. Je me contentai de partir avec mes vêtements, mon sens de l'humour et ma culture classique. Infiniment plus que ce qu'elle avait elle-même.

Dehors, je traversai la rue pour m'acheter des cigarettes. Devant le marchand de tabac, il y avait six hommes portant des pancartes en vue des futures élections. Un pour Bruner et le SPD, deux pour Thalmann et les communistes, et les trois autres pour Hitler. Tout bien considéré, les chances de la République ne semblaient pas tellement meilleures que les miennes.

En 1932, je n'allais guère au cinéma. Sans quoi, je ne me serais peut-être pas laissé avoir aussi facilement. J'avais entendu parler de *M le Maudit* de Fritz Lang parce qu'un personnage de policier censé être inspiré d'Ernst Gennat figurait dans le film. Du moins Gennat en était-il convaincu. Pour une raison ou pour une autre, j'avais raté le film à sa sortie. On continuait à le projeter à l'Union-Theater de mon quartier, mais, l'été, il y avait toujours quelque chose de plus important à faire, apparemment, que de passer une soirée au cinéma. Comme enquêter sur un meurtre. La veille de l'incident en question, j'avais travaillé toute la nuit sur des crimes politiques dans Wedding et Neukölln. Les signalements donnés par les témoins étaient vagues, bien entendu. Mais tous les assassins se ressemblent quand ils portent une chemise brune. Voilà mon excuse. Une chose est sûre. Les types qui me tendirent une embuscade avaient dû voir le film.

Comme je quittais mon immeuble, un petit garçon s'approcha de ma voiture en courant. Difficile de dire si je l'avais déjà vu, mais, quand bien même, je ne sais pas si j'aurais été capable de le reconnaître. Dans Scheunenviertel, les gamins ont tous à peu près la même tête. Celui-là était nu-pieds avec des cheveux blonds coupés court et des yeux bleu clair. Short gris, chemise grise et de la morve dessinant un onze sur sa lèvre supérieure. Je lui donnai environ huit ans.

« Une fille que je connais vient juste de partir avec un drôle de type, déclara-t-il. Lotte Friedrich qu'elle s'appelle, elle a douze ans, et le mec est pas du coin. Un vieux, laid comme un pou, au regard bizarre. Le même qu'a essayé de filer des bonbons à ma sœur, hier, pour qu'elle fasse une promenade avec lui. »

Le gosse tira sur ma manche avec insistance en montrant Schendelgasse à l'ouest, jusqu'à ce que je regarde.

« Là-bas. Elle a une robe verte et lui un manteau. Vous les voyez ? »

Effectivement, un homme et une gamine traversaient Alte Schönhauserstrasse. L'homme tenait la fillette par le cou comme s'il la guidait. Se promener en manteau paraissait un tantinet suspect dans la mesure où il faisait déjà chaud.

En temps normal, je me serais sans doute méfié davantage du gamin. Mais ce n'était pas tous les jours qu'une adolescente était retrouvée assassinée avec la moitié des entrailles en moins. Personne n'avait envie que ça se reproduise.

« Comment t'appelles-tu, fiston ?

— Emil. »

Je lui donnai dix pfennigs et indiquai du doigt la direction de Bülow Platz.

« Tu sais, la voiture blindée qui se trouve devant le quartier général des rouges ? »

Emil acquiesça et essuya la morve avec le revers de sa manche de chemise.

« Va dire aux Schupos qui sont à l'intérieur que le Kommissar Gunther de l'Alex leur demande de venir lui donner un coup de main. Tu as compris ? »

Emil acquiesça à nouveau et détala en direction de Bülow Platz.

Je me dirigeai rapidement vers l'ouest tout en dégainant mon Parabellum parce que, une fois à Mulackstrasse, je serais au cœur du territoire du Toujours Loyal. Je manquais peut-être de prudence, mais je n'étais pas complètement stupide.

L'homme et la fillette devant moi marchaient d'un bon pas, eux aussi. J'accélérai l'allure et débouchai dans Mulackstrasse juste à temps pour entendre un cri et voir l'homme prendre la fillette sous son bras et disparaître dans l'Ochsenhof. À ce stade, j'aurais probablement dû attendre la 21ᵉ Brigade et sa voiture blindée. Mais je continuais à penser à Anita Schwarz et à la fillette en robe verte. En outre, quand je jetai un coup d'œil derrière moi, je ne vis toujours aucun signe de la cavalerie. Je sortis mon sifflet, soufflai dedans à plusieurs reprises et attendis que les Schupos arrivent. Mais il ne se passa rien. Ou bien l'idée de poursuivre un suspect dans un des endroits les plus dangereux de Berlin n'emballait pas les gars de la 21ᵉ, ou bien ils ne croyaient pas à l'histoire que leur avait racontée Emil. Voire les deux à la fois.

J'armai mon Parabellum avant de franchir une porte étroite et de m'engager dans un escalier obscur.

L'Ochsenhof, également connu sous le nom de Rôti, ou de Parc à bestiaux, abritait quelques-uns des pires animaux de Berlin. Cette caserne locative, comme on les appelait, occupant quelque trois hectares, était en fait un taudis datant du siècle dernier avec plus d'entrées et de sorties qu'un morceau de gruyère. La nuit, les rats couraient le long des balcons, traqués pour le sport par des chiens et par de petits sauvages armés de carabines à air comprimé. Les profondeurs des caves dissimulaient des distilleries clandestines, tandis que, dans les arrière-cours de granit, baptisées par dérision les « pelouses », des amoncellements de cabanes construites avec des caisses d'emballage servaient d'habitation à une partie de la multitude de sans-abri et de chômeurs de la ville, avachis sous des rangées de linge grisâtre. Dans une cage d'escalier sombre éclairée au gaz, où régnait une odeur immonde, je tombai sur un groupe de jeunes gens déjà en train de taper le carton et se partageant des mégots de cigarettes.

Je regardai les joueurs de cartes, qui se figèrent en voyant le 9 mm que j'avais dans la main.

« L'un d'entre vous aurait-il vu entrer un homme il y a un instant ? demandai-je. Portant un manteau de couleur claire et un chapeau. Une fillette d'une douzaine d'années en robe verte était avec lui. Il essayait vraisemblablement de la kidnapper. »

Personne ne dit rien. Mais ils étaient quand même tout ouïe. Quand le type qui parle tient un flingue, ça vaut la peine qu'on l'écoute.

« Peut-être qu'elle a un frère, comme toi, ajoutai-je.

— Personne a de frère comme lui, railla une voix.

— Peut-être que ça lui flanquerait un coup si sa petite sœur se faisait découper en rondelles et bouffer par un cannibale de caserne locative, répliquai-je. Réfléchissez à ça.

— Les flics, lança une autre voix dans la semi-obscurité, ce sont les derniers à Berlin qui se foutent pas encore de tout. »

Le dealer fit un signe du pouce par-dessus son épaule.

« Z'ont traversé la pelouse. »

Je montai quelques marches pour émerger dans l'arrière-cour. On aurait dit un lourd cadre en pierre grise enserrant le ciel d'un bleu vif. Quelque chose siffla à mon oreille gauche, et j'entendis une détonation aussi bruyante qu'une pétarade de camion tirant une cartouche de fusil 8 mm. Une seconde et demie plus tard, mon cerveau enregistra l'image subliminale d'un éclair parti du balcon du troisième étage, m'incitant à m'abriter derrière des draps de lit claquant sur une corde à linge. Je ne restai pas planté là. J'avais à peine parcouru quelques mètres à quatre pattes que j'entendis un nouveau coup de feu. Quelque chose transperça le drap derrière lequel je m'étais tenu agenouillé. Je gagnai l'extrémité de la rangée de linge puis piquai un sprint à la Georg Lammers jusqu'à la sécurité relative d'une autre cage d'escalier. Plusieurs loqueteux tapis dans l'ombre me dévisagèrent craintivement. Sans leur prêter attention, je grimpai au troisième étage à fond de train.

Aucun signe du tireur, sauf le claquement de grosses chaussures descendant quatre à quatre une autre volée de marches. Furieux, je me lançai à la poursuite du bruit de pas. Des gens étaient apparus aux balcons du Rôti pour savoir d'où venait tout ce tapage, mais les plus avisés étaient restés bien sagement dans leur porcherie.

En bas de la cage d'escalier, je marquai un bref temps d'arrêt, puis poussai deux ou trois planches appuyées contre le mur de la cour pour attirer le feu de l'ennemi. J'avais dans l'idée qu'il s'agissait d'un flingue allemand. Un 7,97 Mauser Gewehr 98. Pendant la guerre, j'avais entendu sa voix suffisamment souvent pour connaître son deuxième prénom. Le 98 était une arme assez précise, mais inadaptée à un tir rapide en raison du fonctionnement particulier de la culasse. Et, dans les quelques secondes qui lui furent nécessaires pour réarmer, je quittai la cage d'escalier et tirai. Le 9 mm Parabellum est loin d'être lent.

La première balle le manqua. La deuxième aussi. Quand le Parabellum fut prêt pour une quatrième, je me trouvais à une distance suffisante pour distinguer le motif de son nœud papillon, qui s'harmonisait avec les dessins de sa chemise et de son manteau. En temps normal, les taches rouges ne comptent pas parmi mes préférées, mais, sur lui, elles me convenaient parfaitement. D'autant que leur source, c'était le trou que je lui avais fait dans la tête. Il était mort avant d'avoir touché le béton.

Ce qui était malheureux pour deux raisons. La première, c'est que je n'avais tué personne depuis le 23 août 1918, lorsque j'avais abattu un Australien à la bataille d'Amiens. Et peut-être même plusieurs. Une fois la guerre terminée, je m'étais juré de ne plus me servir d'une arme à feu. La seconde raison, c'est que j'aurais voulu interroger ce type pour savoir qui lui avait demandé de me tuer. Au lieu de quoi, je dus lui faire les poches sous les regards intrigués d'un troupeau de vautours de caserne locative.

Il était grand, maigre et perdait ses cheveux. Il avait déjà perdu ses dents. Au moment de sa mort, sa langue avait sans doute poussé un des dentiers hors de sa bouche car il était perché sur sa lèvre supérieure telle une moustache en plastique rose.

Je trouvai son portefeuille. Le mort s'appelait Erich Hoppner et était membre du parti nazi depuis 1930. Sa carte d'adhérent portait le numéro 510 934. Ce qui ne signifiait pas pour autant qu'il n'était pas aussi membre du gang du Toujours Loyal. Il arrivait que des gangsters de la pègre de Berlin soient engagés pour commettre des assassinats politiques. La question était : qui avait donné l'ordre de me tuer ? Le Toujours Loyal à cause de ce que j'avais fait à Ricci Kamm, ou les nazis à cause de ce que je n'avais pas fait pour Joseph Goebbels ?

Je pris le portefeuille de Hoppner – ainsi que son arme, sa montre et sa bague – et le laissai là. Les vautours étaient déjà en train de lui voler ses dentiers lorsque je quittai l'Ochsenhof. De fausses dents étaient un luxe coûteux pour le genre de types habitant le Rôti.

Sur Bülow Platz, le brigadier responsable de l'unité de Schupos stationnée là nia avoir reçu d'un gamin le message de venir à mon aide. Je lui demandai de prendre quelques-uns de ses hommes et d'aller monter la garde autour du cadavre de Hoppner avant qu'il n'ait été dévoré. Il accepta de mauvaise grâce.

Je retournai à l'Alex. Tout d'abord, je me rendis aux archives de la section J, où je découvris, avec l'assistance du secrétaire de service, qu'Erich Hoppner n'avait pas de casier judiciaire. Ce qui était surprenant. Je montai alors à l'étage au-dessus et passai la carte du parti de Hoppner aux gars de la police politique, au D1a. Lesquels, naturellement, n'avaient jamais entendu parler de lui non plus. Puis je m'assis et tapai une déposition, que je donnai à Gennat. Une fois que j'eus remis mon rapport, on me fit venir dans une salle d'interrogatoire, où je fus questionné par Gennat et par deux conseillers de police, Gnade et Fischmann. Ma déclaration fut ensuite classée en vue d'une comparaison ultérieure avec les conclusions d'une équipe indépendante. De nouvelles paperasses suivirent. Après quoi je fus à nouveau interrogé, cette fois par le KOK Müller, qui dirigeait l'escouade chargée de l'enquête.

« On dirait qu'ils vous ont joliment fait marcher, remarqua Müller. Et vous n'avez plus revu la fillette en robe verte ?

— Non. Après les coups de feu, je ne voyais pas l'intérêt de la chercher.

— Et le garçon ? Emil ? Celui qui vous a bourré le mou ? »

Je secouai la tête.

Müller était un grand gaillard avec un tas de cheveux, si ce n'est qu'ils étaient tous sur les côtés de son crâne, aucun au sommet.

« Ils vous avaient sacrément bien jugé, reprit-il. Ils ont tout fait, sauf tracer un M à la craie sur le manteau du défunt à votre intention. Comme dans ce film avec Peter Lorre. Sauf que, dans le film, c'est le gosse qui affranchit le flic au sujet de Lorre.

— Je ne l'ai pas vu.

— Vous devriez sortir davantage.

— Sûr et certain. Je songe à m'acheter un cheval.

— Aller voir les attractions.

— Je les connais déjà. Du reste, peut-être que je vois beaucoup trop, en fait. Dans pas longtemps, ça va devenir malsain d'être un flic ayant une bonne vue dans ce pays. Du moins, c'est ce qu'on n'arrête pas de me répéter.

— Vous parlez comme si les nazis allaient gagner les élections, Bernie.

— Je continue à espérer que non. Et à craindre que oui. Mais j'ai deux poissons et cinq pains[1] qui me disent que la République a besoin de bien plus qu'un simple coup de chance cette fois-ci. Si je n'étais pas flic, je croirais peut-être aux miracles. Mais je le suis et je n'y crois pas. Dans ce boulot, on rencontre des fainéants, des idiots, des pervers et des je-m'en-foutistes. Hélas, c'est ce qu'on appelle un électorat ! »

Müller hocha la tête. C'était un sympathisant du SPD, tout comme moi.

« Au fait, vous avez appris la bonne nouvelle ? À propos de Jo au pied fourchu ? L'appartement de Magda, sa nouvelle femme, a été passé au crible. On lui a fauché ses bijoux. » Il avait un grand sourire. « Vous avez une idée ?

---

1. Allusion au miracle de la multiplication des pains.

— Une idée ? On devrait décerner la Blauer Max[1] à celui qui a fait ça. »

J'avais besoin d'un verre, d'un peu de présence féminine, et probablement d'un nouveau travail. En l'occurrence, j'allai au meilleur endroit pour les trois. L'hôtel Adlon. Dans le hall somptueux, je cherchai Frieda du regard. À la place, je tombai sur Louis Adlon. Il arborait une queue-de-pie avec cravate blanche et, à son revers, un œillet immaculé assorti à sa moustache. Il n'était pas grand, mais il avait de la classe jusqu'au bout des ongles.

« Kommissar Gunther. Je suis ravi de vous voir. Vous avez dû me trouver grossier de ne pas vous avoir écrit pour vous remercier de vous être occupé de ce gredin. Mais j'espérais vous rencontrer et vous remercier de vive voix. » Il indiqua le bar. « Vous avez une minute ?

— Plusieurs. »

Dans le bar, il fit un signe au serveur, mais celui-ci déboulait déjà comme un petit train express.

« Schnaps pour le Kommissar Gunther, dit-il. Du meilleur. »

Nous nous installâmes. Le bar était calme. Le vieil homme remplit deux verres à ras bord et leva le sien en silence.

« Il existe une vieille malédiction confucéenne qui dit : "Puissiez-vous toujours vivre à une époque intéressante." Je qualifierais cette époque de très intéressante, pas vous ? »

Je souris.

« Tout à fait.

— Cela étant, je tenais à ce que vous sachiez qu'il y a toujours une place pour vous ici.

— Merci, monsieur. Il se pourrait que je vous prenne au mot.

— Non. Merci à vous. Cela vous intéressera peut-être de savoir que votre supérieur, le Dr Weiss, dit beaucoup de bien de vous.

— J'ignorais que vous vous connaissiez, Herr Adlon.

---

1. Créée par Frédéric II de Prusse, la croix « Pour le mérite » fut la plus haute décoration militaire allemande jusqu'à la Première Guerre mondiale. Elle était surnommée la « Blauer Max » à cause de sa couleur bleue.

— Nous sommes de vieux amis. C'est lui qui m'a amené à penser que les services de police risquaient de changer à brève échéance, d'une manière que nous préférons ne pas imaginer pour l'instant. C'est pourquoi je me sens en mesure de vous faire une telle proposition. La plupart des détectives qui travaillent ici sont, comme vous le savez, des policiers à la retraite. Cet incident dans le bar m'a prouvé qu'un ou deux n'étaient plus à la hauteur de leur tâche. »

Nous sirotâmes un moment l'excellent schnaps. Puis il partit dîner avec son épouse et quelques riches Américains tandis que je me mettais en quête de Frieda. Je la trouvai au deuxième étage, dans un couloir menant à l'annexe de la Wilhelmstrasse. Elle était vêtue d'une élégante robe du soir noire. Mais pas pour longtemps. Les chambres plus petites et moins chères étaient situées à cet étage-là. Elles avaient vue sur la porte de Brandebourg et, plus loin, sur la colonne de la Victoire de la Königsplatz. Mais j'avais la meilleure vue de toutes. Et cela sans même regarder par la fenêtre.

Je m'efforçais d'éviter Arthur Nebe. Ce qui avait été facile tant que je vérifiais la liste de suspects que j'avais dressée en me servant du Répertoire du Diable, mais qui devenait nettement plus difficile quand je me trouvais à l'Alex. Toutefois, Nebe n'était pas le genre de flic à aimer beaucoup sortir de son bureau. Il abattait la plus grande partie de sa besogne de policier au téléphone et, en ne répondant pas au mien, je réussis à ne pas lui parler pendant un certain temps. Mais je savais que ça ne pouvait pas durer. Deux ou trois jours après la fusillade, je finis par le croiser dans la cage d'escalier, devant les toilettes.

« Qu'est-ce que c'est que ça ? s'exclama-t-il. Quelqu'un vous a encore tiré dessus ? » Il enfonça les doigts dans de vieilles traces de balles sur le mur de l'escalier. Nous savions l'un et l'autre qu'elles dataient de 1919, quand les Freikorps avaient repris l'Alex par la force aux spartakistes de gauche. Un événement très allemand. « Si vous n'êtes pas plus prudent, vous risquez de passer le restant de vos jours à manger les pissenlits par la racine. » Il sourit. « Eh bien, c'est quoi cette histoire ?

— Aucune histoire. Allons donc, pas dans cette ville. Un gangster nazi m'a canardé au jugé, c'est tout.

— Pourquoi, à votre avis ?

— Peut-être parce que je n'étais pas un nazi, répondis-je. Mais vous pouvez peut-être me le dire.

— Erich Hoppner. Oui. Je me suis renseigné sur son compte. Ça n'a pas l'air particulièrement politique, puisque vous en parlez.

— Comment pouvez-vous le savoir ?

— Vous n'êtes pas du KPD. Il n'était pas de la SA.

— Mais il était membre du parti nazi.

— Comme des tas de gens, Bernie. Au cas où vous ne l'auriez pas remarqué. Au dernier dépouillement, onze millions et demi de personnes ont voté pour le parti. Non, je dirais que ça a davantage à voir avec ce qui est arrivé à Ricci Kamm. Le Rôti se trouve sur le territoire du Toujours Loyal. Vous cherchiez les ennuis en allant là-bas.

— Sur le moment, j'avais l'idée étrange que je pourrais peut-être les éviter. Les ennuis, je veux dire. Comme nous appelons ça, nous autres flics, quand une personne réelle se fait assassiner. Pas une fripouille affublée d'une idéologie.

— Officiellement, dit Nebe. Et de vous à moi ? Je n'aime pas les nazis. C'est juste que j'aime les communistes un peu moins. Tel que je vois les choses, on va bientôt avoir à choisir entre eux et les rouges.

— Si vous le dites, Arthur. Tout ce que je sais, c'est que ce ne sont pas les rouges qui m'ont menacé. Qui m'ont demandé de laisser tomber l'affaire Schwarz pour ménager l'amour-propre de Joseph Goebbels et de son vilain pied. Ce sont les nazis.

— Ah ? Et qui ça, au juste ?

— Rudolf Diels.

— C'est un des hommes du gros Hermann, pas de Jo.

— Pour moi, ce sont tous des salopards de la même espèce, Arthur.

— Y a-t-il autre chose que vous vouliez me dire ? Au sujet de l'affaire Schwarz, s'entend. Comment ça se présente ? »

J'eus un sourire amer.

« Les enquêtes criminelles marchent de la façon suivante, Arthur : quelquefois, il faut d'abord que le pire se produise pour pouvoir espérer le meilleur.

— Comme un nouveau meurtre ? »

J'acquiesçai.

Nebe demeura un instant silencieux. Puis il ajouta :

« Oui, je peux comprendre ça. N'importe qui peut le comprendre. Même vous.

— Moi ? Qu'est-ce que vous voulez dire, Arthur ?

— Quelquefois, il faut d'abord que le pire se produise pour pouvoir espérer le meilleur ? C'est le seul motif pour lequel quelqu'un irait voter pour les nazis. »

En levant la tête de sa machine à écrire, Heinrich Grund arrivait à peine à cacher son dégoût.

« Il y a un Juif qui te cherche, dit-il alors que je regagnais mon bureau.

— Vraiment ? Est-ce que ce Juif a un nom ?

— Kommissar Paul Herzefelde. De Munich. » Il avait prononcé le nom Paul Herzefelde avec une moue dédaigneuse, le nez froncé, comme s'il parlait d'une chose collée à la semelle de sa chaussure.

« Et où est-il à présent, ce Kommissar ? »

Grund indiqua les airs au-dessus de nos têtes.

« L'Excelsior. »

L'Alex avait été autrefois une caserne destinée à la police prussienne, et les policiers surnommaient Excelsior la partie du bâtiment encore existante qui servait à loger les policiers travaillant tard ou résidant hors de la ville et venant à Berlin.

« Ils ne vont pas apprécier, ajouta Grund.

— Qui ne va pas apprécier quoi ?

— Les autres. À l'Excelsior. Ils ne vont pas apprécier d'avoir à partager leur cantonnement avec un Juif. »

Je secouai la tête avec lassitude.

« Ça ne t'arrive jamais d'avoir mal à la bouche ? Avec toutes les saloperies qui en sortent ? Cet homme est un officier de police comme les autres, pour l'amour du Christ !

— Pour l'amour du Christ ? répéta Grund, l'air sceptique. Pour l'amour du Christ, les gens de son espèce n'ont pas levé le petit doigt. Toute la question est là, hein ? Les Juifs ne seraient pas dans le pétrin où ils sont actuellement s'ils avaient reconnu Notre Seigneur pour ce qu'il était.

— Heinrich ? Tu es le genre de flic pourri qui fait que les flics pourris ont mauvaise réputation. » Je repensai à quelque chose que Nebe avait dit et le lui empruntai. « Et ce n'est pas que j'adore les Juifs. C'est juste que j'adore les antisémites un petit peu moins. »

Je montai trouver Herzefelde. Après les boniments sectaires de Heinrich Grund, je ne savais pas trop à quoi m'en tenir. Non pas que je m'attendais à voir un flic avec un phylactère sur le front et un châle de prière autour des épaules. Simplement, ce Paul Herzefelde n'était pas ce que j'escomptais. Je pensais, je suppose, qu'il aurait un peu plus l'air d'Izzy Weiss. Au lieu de quoi, il avait davantage l'air d'une vedette de cinéma. Un mètre quatre-vingts au bas mot, élégant, avec des cheveux raides et gris et d'épais sourcils noirs. Son visage dur, bronzé, rayonnant, donnait l'impression d'avoir été taillé par un diamantaire. Paul Herzefelde avait autant en commun avec le Juif gras, basané, en chapeau haut-de-forme et queue-de-pie, cher aux caricaturistes nazis que Hitler avec Paul von Hindenburg.

« Kommissar Herzefelde ? »

L'homme acquiesça.

« Et vous êtes ?

— Kommissar Gunther. Bienvenue à Berlin.

— Il est vrai que je ne l'avais pas remarqué.

— J'en suis désolé.

— Passons. Pour être franc, Munich est dix fois pire.

— Alors, je suis bien content de ne pas habiter Munich.

— Malgré tout, il y a de bons côtés. Surtout si vous aimez la bière.

— La bière n'est pas mauvaise non plus à Berlin, vous savez.

— Je l'ignorais.

— Dans ce cas, que diriez-vous d'aller s'en boire une pour vous rendre compte ?

— J'ai bien cru que vous ne le proposeriez jamais, collègue. »

Nous allâmes au Zum Palaten, dans les arcades de la station de S-Bahn. C'était un bon endroit pour une bière, très prisé des flics de l'Alex. Toutes les dix minutes environ, une rame passait au-dessus de vous, et, comme il était vain d'essayer de parler en même temps, vous pouviez vous reposer la bouche et vous concentrer sur la bière.

« Eh bien, qu'est-ce qui vous amène à Berlin ?

— Bernhard Weiss. Nous autres, flics youpins, nous devons nous serrer les coudes. On songeait à monter notre propre syndicat youde. L'emmerdement, c'est qu'avec autant de flics juifs, on ne sait pas par où commencer.

— Je peux m'imaginer. À vrai dire, Berlin n'est pas si mal. Ici, les rouges font mieux que les nazis. Thälmann a obtenu vingt-neuf pour cent aux dernières élections, contre vingt-trois pour cent pour Hitler. »

Herzefelde secoua la tête.

« Malheureusement, Berlin n'est pas l'Allemagne. J'ignore comment ça se passe pour les Juifs dans cette ville, mais, dans le sud, les choses sont plutôt rudes. Chez moi, à Munich, il s'écoule rarement une journée sans que je reçoive une menace de mort ou ce genre de truc. » Il avala un peu de bière et hocha la tête d'un air approbateur. « En fait, c'est pour ça que j'ai parlé à Weiss. Je pensais déménager ici, avec ma famille.

— Vous voulez dire, être flic ? Ici, à Berlin ? »

Herzefelde sourit.

« Weiss a paru consterné, lui aussi. On dirait qu'il va falloir que je réfléchisse à mon plan B. Quelque chose qui n'ait rien à voir avec le gouvernement.

— Moi-même, je me suis mis à chercher un peu.

— Vous ? Mais vous n'êtes pas juif ?

— Non. Je suis SPD. Front de fer. Un inconditionnel de Weimar détestant les nazis. »

Herzefelde leva son verre pour me porter un toast.

« Alors, à la vôtre, camarade.

— Vous avez déjà un plan B ?

— Je pensais me mettre à mon compte.

— Ici, à Berlin ?

— Ouais. Pourquoi pas ? Si les nazis arrivent au pouvoir, j'ai l'impression qu'il va y avoir pas mal de travail dans le secteur des personnes disparues.

— Moi, on m'a offert une place à l'hôtel Adlon. Comme détective.

— Ça n'a pas l'air mal. » Il alluma une cigarette. « Vous allez accepter ?

— Je pensais attendre de voir comment tournent les élections.

— Vous voulez mon avis ?

— Bien sûr.

— Si vous pouvez, restez dans la police. Les Juifs, les libéraux, les communistes vont avoir besoin de policiers amis tels que vous.

— J'en tiendrai compte.

— Vous rendrez un fier service à tout le monde. Dieu sait à quoi ressemblera la police s'il n'y a plus dans ses rangs que des fichus nazis.

— Eh bien. Pourquoi vouliez-vous me voir ?

— Weiss m'a mis au courant de l'affaire sur laquelle vous travaillez actuellement. Le meurtre d'Anita Schwarz. Nous avons eu une affaire analogue à Munich. Vous connaissez Munich ?

— Un peu.

— Il y a environ trois mois, une fille de quinze ans a été retrouvée morte au Schlosspark. On lui avait retiré la totalité de ce que contenait sa culotte, ou presque. Tout le sac d'amour et de vie. Avec ça, du travail sacrément soigné. Comme celui d'un chirurgien. La fille s'appelait Elisabeth Bremer, et elle allait au lycée à Schwabing. Bonne famille également. Son père travaille à l'hôtel des douanes, dans Landsberger Strasse. Sa mère dans une sorte de bibliothèque latino-américaine au Maximilianeum. Weiss m'a raconté pour votre gamine. Qu'il s'agissait d'une prostituée occasionnelle. » Herzefelde secoua la tête. « Rien de ce genre avec Elisabeth Bremer. C'était une bonne élève, à l'avenir prometteur. Elle voulait devenir médecin. La seule chose qu'on pouvait retenir contre elle, à la rigueur, c'était un petit ami plus âgé. Professeur de patinage au Prinzregentenstadion. C'est comme ça qu'ils s'étaient rencontrés. Bref, on l'a cuisiné, mais sans résultat. Ce n'était pas lui. Il avait un alibi en béton pour le jour du crime, point à la ligne. D'après lui, ils avaient cessé de se voir avant qu'elle finisse en charpie. Ça l'avait drôlement secoué. À l'entendre, elle l'avait envoyé sur les roses sans raison valable, sauf qu'elle l'avait surpris à lire son journal intime. Ce qui fait qu'il était retourné chez lui à Günzburg, voir sa famille et se changer les idées. »

Herzefelde attendit qu'un S-Bahn soit passé.

« Nous avions une liste de suspects possibles, continua-t-il une fois que la rame fut partie. Naturellement, nous les avons contrôlés, en pure perte. Je pensais l'affaire classée, jusqu'à ce que Weiss me parle de votre victime d'un meurtre.

— J'aimerais voir cette liste, dis-je. Ça et le reste du dossier.

— Les lois de la Bavière m'interdisent d'envoyer mes papiers sur l'affaire par la poste. Mais rien ne vous empêche de venir à Munich y jeter un coup d'œil. Vous pourriez habiter chez moi.

— C'est hors de question. Jamais je ne pourrais habiter dans la maison d'un Juif. » Je m'interrompis, suffisamment longtemps pour voir le beau visage de Herzefelde changer d'expression. « Pas à moins qu'il n'ait d'abord habité chez moi. » Je souris. « Venez. Allons chercher votre valise à l'Alex. Ce soir, vous êtes mon invité. »

11

BUENOS AIRES, 1950

C'était l'heure du déjeuner, et le café du Richmond Hotel était rempli de *porteños* affamés. Au sous-sol, je trouvai une table vide et disposai les pièces sur un échiquier. Je ne cherchais pas à faire une partie avec qui que ce soit d'autre que moi-même. De cette manière, je pensais avoir davantage de chance de gagner. De plus, j'avais besoin d'oublier un moment tous les vieux nazis et leurs crimes de guerre. Ils commençaient à me donner le cafard.

En dépit de mes efforts, je ne pouvais pas m'empêcher de la regarder. Elle était superbe. Les yeux la suivaient tout naturellement à travers la salle comme des vaches trottant derrière une fermière. Mais, surtout, c'était difficile de ne pas la regarder parce qu'elle semblait me regarder aussi. Je n'avais pas l'outrecuidance de supposer qu'elle souhaitait faire ma connaissance. À vue de nez, j'étais assez vieux pour être son père. Il devait y avoir une erreur. Elle était grande, mince, avec une spectaculaire cascade de cheveux noirs et bouclés. Ses yeux ressemblaient à des amandes enrobées de chocolat. Elle portait une veste en tweed serrée à la taille et une longue jupe crayon assortie qui me faisait regretter de ne pas avoir deux ou trois feuilles de papier avec moi. Un beau petit lot, si vous aviez des goûts de luxe et que vous aimiez les pur-sang. Il se trouvait que c'était précisément mon truc.

Elle se dirigea vers moi, ses hauts talons résonnant dans le silence du sous-sol au décor de bois ciré du Richmond comme le lent tic-tac d'une horloge. Un parfum coûteux laissait un sillage dans l'air que je respirais. Cela changeait agréablement de l'odeur de café et de cigarettes, et des flatulences de ma cinquantaine.

Elle avait à peine ouvert la bouche qu'il parut évident qu'elle ne m'avait pas confondu avec quelqu'un d'autre. Elle parlait en espagnol. Ce qui n'avait rien pour me déplaire. Je veux dire, de devoir prêter encore plus d'attention à ses lèvres et à la façon dont sa petite langue rose se posait sur le gypse de ses dents blanches.

« Pardonnez-moi d'interrompre votre partie, señor, dit-elle. Vous ne seriez pas Carlos Hausner, par hasard ?

— C'est moi.

— Puis-je m'asseoir et vous parler un instant ? »

Je regardai autour de moi. À trois tables de là, Melville, le petit Écossais, jouait aux échecs avec un homme au visage brun et tanné de cavalier. Deux jeunes *porteños* arborant des talons cubains et des ceintures à boucles d'argent étaient lancés dans une partie de billard plutôt énergique. Ils mettaient autant d'ardeur à entrechoquer les boules que Furtwängler à diriger l'orchestre Kaim. Ils n'avaient d'yeux que pour leurs stratégies respectives, mais leurs oreilles et leur attention aux traditions résolument masculines du Richmond étaient dirigées vers nous.

Je secouai la tête.

« Ça énerve mon adversaire, l'Homme invisible, qu'on s'assoie sur ses genoux. Nous ferions mieux d'aller en haut. »

Je la laissai passer devant. Un geste de galanterie qui me donnait le loisir d'étudier les coutures de ses bas. Lesquelles, parfaitement rectilignes, semblaient tracées à l'aide d'un fil à plomb. Contrairement à ses jambes, fort heureusement. Elles avaient plus de courbes que le circuit des Mille Miles et étaient probablement tout aussi ardues à négocier. Nous trouvâmes une table tranquille près de la fenêtre. Je fis signe à un serveur. Elle commanda un café et moi quelque chose que je n'avais aucun désir d'ingurgiter tant qu'elle se trouvait dans les parages. Quand on prend une tasse de café avec la plus belle femme qui vous ait adressé la parole depuis des mois, on a mieux à faire que de la boire. Elle accepta une de mes cigarettes et me laissa la lui allumer. Un prétexte de plus pour examiner de près sa grande bouche sensuelle. Parfois, je me dis que c'est pour ça que les hommes ont inventé le tabagisme.

« Je m'appelle Anna Yagubsky, déclara-t-elle. Je vis avec mes parents à Belgrano. Mon père était musicien dans l'orchestre du Teatro Colón. Ma mère vend de la porcelaine anglaise dans un magasin de la rue Bartolomé Mitre. Tous les deux sont des émigrés russes, arrivés ici avant la Révolution, pour échapper au tsar et à ses pogroms.

— Vous parlez russe, Anna ?

— Oui. Couramment. Pourquoi ?

— Parce que mon russe est meilleur que mon espagnol. »

Elle me gratifia d'un petit sourire, et nous nous mîmes à parler en russe.

« Je suis juriste, expliqua-t-elle. Dans un cabinet installé près du palais de justice, dans la rue Talcahuano. Quelqu'un – un ami travaillant dans la police, peu importe qui – m'a parlé de vous, señor Hausner. Il m'a dit qu'avant la guerre vous étiez un enquêteur célèbre à Berlin.

— C'est exact. »

Je ne voyais pas quel avantage j'aurais eu à la démentir. Strictement aucun. Je tenais à ce qu'elle ait une bonne image de moi, entre autres parce que, chaque fois que je me regardais dans une glace, ce que mes yeux y lisaient était un tantinet différent. Et je ne parle pas seulement de mon apparence. J'avais encore tous mes cheveux. Et même un peu de couleur dedans. Mais mon visage n'était plus guère ce qu'il avait été, même si mon ventre ne l'avait jamais été autant. Je me sentais raide en me réveillant le matin, à tous les mauvais endroits et pour toutes les mauvaises raisons. Et j'avais un cancer de la thyroïde. Mais, à part ça, je me portais comme un charme.

« Vous étiez un enquêteur célèbre, et maintenant vous travaillez pour la police secrète.

— Si je le reconnaissais, ce ne serait pas vraiment une police secrète, pas vrai ?

— Non, je suppose. Néanmoins, vous travaillez bien pour eux, n'est-ce pas ? »

Je souris, de mon sourire le plus énigmatique – celui qui ne découvre pas mes dents.

« Que puis-je faire pour vous, señorita Yagubsky ?

— Je vous en prie. Appelez-moi Anna. Au cas où vous ne l'auriez pas encore deviné, je suis juive. Cela joue un rôle important dans mon histoire.

— Je m'en suis légèrement douté quand vous avez parlé de pogroms.

— Mon oncle et ma tante ont quitté la Russie pour l'Allemagne. Ils ont réussi à survivre à la guerre et sont venus en Amérique du Sud en 1945. Mais les Juifs n'étaient pas les bienvenus en Argentine, en dépit du fait qu'ils étaient déjà nombreux à y vivre. Voyez-vous, nous sommes dans un pays antisémite, fasciste. Et, jusque récemment, il existait une directive gouvernementale secrète, appelée la Directive Onze, qui refusait à tous les Juifs un visa d'entrée, même à ceux ayant de la famille sur place. Mais, comme beaucoup d'autres Juifs désireux de s'installer ici, mon oncle et ma tante se sont débrouillés pour gagner le Paraguay. Et, de là, finalement, ils ont pu franchir la frontière et pénétrer illégalement dans le pays. Pendant un moment, ils ont mené une existence paisible dans une petite ville appelée Colón, dans la province d'Entre Ríos, au nord de Buenos Aires. De temps en temps, mon père leur rendait visite avec de l'argent, des vêtements, de la nourriture, tout ce que nous arrivions à mettre de côté. Et ils attendaient l'occasion de venir habiter ici, à Buenos Aires.

« Mais voilà qu'un jour, il y a environ trois ans, ils ont brusquement disparu. Mon père s'est rendu à Colón, pour s'apercevoir qu'ils n'étaient plus là. Les voisins ne savaient pas où ils étaient partis, ou, dans le cas contraire, ils n'en ont rien dit. Et, comme il s'agissait d'immigrés clandestins, mon père pouvait difficilement aller poser la question à la police. Depuis, nous sommes sans nouvelles. Absolument rien. Pour des raisons évidentes, mes parents hésitent à faire des recherches de peur de s'attirer des ennuis. La directive a beau avoir été abrogée, le pays continue d'être gouverné par une dictature militaire, et des gens – des gens de l'opposition – sont parfois arrêtés, jetés en prison, après quoi on ne les revoit plus. De sorte que nous ignorons toujours s'ils sont vivants ou morts. En tout cas, ce ne sont pas les seuls immigrés Juifs clandestins à avoir disparu. Nous avons entendu dire que d'autres Juifs avaient perdu de la famille en Argentine, mais personne ne sait rien de précis. » Elle haussa les épaules. « C'est alors qu'on m'a parlé de vous. J'ai cru comprendre que vous recherchiez des personnes disparues en Allemagne avant la guerre. Et, ma foi, il semble plus que probable qu'un certain nombre d'entre elles étaient juives également. Si bien que je pensais – ou plutôt non, j'espérais – que vous pourriez m'aider. Je ne vous demande pas énormément. Dans la position qui est la vôtre, peut-être aurez-vous vent de quelque chose. Quelque chose qui pourrait jeter une lumière sur ce qui leur est arrivé.

— Pourquoi ne pas engager un détective privé ? suggérai-je. Ou peut-être un policier à la retraite.

— Nous avons déjà essayé. Ici, les policiers ne sont pas très honnêtes, señor Hausner. L'un nous a volé toutes nos économies et ne nous a rien dit.

— J'aimerais vous aider, señorita, mais je ne vois pas ce que je pourrais faire. Vraiment. Je ne saurais même pas par où commencer. C'est à peine si j'arrive à trouver mon chemin, et j'en suis encore à apprendre la langue. À essayer de m'adapter. De me sentir un tout petit peu chez moi. Vous gaspilleriez votre argent. Croyez-moi.

— Je ne me suis peut-être pas bien fait comprendre. Je ne proposais pas de vous payer, señor. Tout l'argent que j'ai en plus sert à aider mes parents. Mon père ne joue plus beaucoup. Pendant une période, il a donné des leçons de musique, mais il n'a pas la patience nécessaire. Le magasin où travaille ma mère ne lui appartient pas. Le salaire est médiocre. À vrai dire, j'espérais que vous pourriez m'aider par pure bonté d'âme.

— Je vois. »

Ce coup-là, on ne me l'avait encore jamais fait. Me demander de travailler *pour rien*. D'ordinaire, je lui aurais sans doute montré la porte. Mais elle était on ne peut moins ordinaire. Parmi les nombreuses qualités qu'il me fallait déjà admirer chez elle, force m'était d'ajouter à présent la *chuzpah*. Mais apparemment, elle avait autre chose à m'offrir à la place de l'argent. Elle rougit quelque peu en le faisant.

« J'imagine combien cela doit être difficile de se bâtir une nouvelle vie dans un nouveau pays. Il faut du temps pour s'habituer. Se faire de nouveaux amis. En tant que fille d'émigrés, je suis bien placée pour savoir les défis qui vous attendent. » Elle avala une goulée d'air. « Bref. Je me disais que, comme je n'ai pas les moyens de vous payer… je pourrais peut-être devenir votre amie.

— Eh bien, elle est originale, celle-là !

— Ne vous méprenez pas. Je ne suggère rien d'autre. Non, je pensais que nous pourrions éventuellement aller voir une pièce de théâtre. Je pourrais vous montrer la ville, vous présenter à des gens. De temps à autre, je pourrais même vous faire à dîner. Je suis d'une compagnie très agréable, vraiment.

— Je n'en doute pas.

— Nous nous rendrions mutuellement service, en quelque sorte.

— Oui, je saisis l'idée. »

Si elle n'avait pas été aussi belle, j'aurais rejeté son offre. D'autant qu'elle était juive. Je n'avais pas oublié l'Ukraine en 1941. Et la culpabilité que j'éprouvais à l'égard de tout le peuple juif. Je n'avais pas envie d'aider Anna Yagubsky, mais je m'y sentais obligé d'une certaine façon.

« D'accord, je vous aiderai. » Non sans bredouiller un peu, j'ajoutai : « C'est-à-dire, je ferai ce que je peux. Je ne vous promets rien, vous comprenez. Mais j'essaierai de vous donner un coup de main. Un petit dîner cuisiné maison par-ci par-là ne me ferait pas de mal.

— Amis », dit-elle.

Et nous nous serrâmes la main.

« À vrai dire, vous êtes la première amie que je me fais depuis que je suis ici. De plus, j'aimerais accomplir quelque chose de noble pour une fois.

— Ah ? Et pourquoi ? Je suis curieuse.

— Ne le soyez pas. Cela ne nous aiderait ni l'un ni l'autre.

— Si vous croyez devoir faire quelque chose de noble, j'en déduis que c'est pour réparer autre chose que vous avez fait. Quelque chose de pas très noble, vraisemblablement.

— Ce sont mes oignons. Je vous dirai cependant ceci : ne me demandez jamais rien là-dessus. Ça fait partie de mon prix, Anna. Ne me demandez jamais rien là-dessus. On est bien d'accord ? »

Elle finit par hocher la tête.

« Promis ?

— Je vous le promets.

— Alors, c'est parfait. Bon, dites-moi. Comment m'avez-vous trouvé ?

— Je vous l'ai déjà expliqué. J'ai un ami dans la police. Le même salaud de flic, en fait, qui nous a raflé nos économies. À présent, il a des remords et il veut nous aider par tous les moyens. Malheureusement, il a dépensé la totalité de l'argent. Au jeu. C'est lui qui m'a dit où vous logiez. Ce qui n'était pas très difficile. C'est marqué sur votre *cédula*. Il lui a suffi de chercher. Je suis allée à votre hôtel et je vous ai suivi jusqu'ici.

— Moins ce flic en saura sur ce que je fais, mieux ça vaudra, à mon avis. »

Elle acquiesça et but une gorgée de café.

« Votre oncle et votre tante. Comment s'appellent-ils ?

— Yagubsky, comme moi. » Elle ramassa son sac, prit son portefeuille et me tendit une carte de visite. « Tenez. Cela s'écrit ainsi. Ils s'appellent Roman et Esther Yagubsky. Roman est le frère jumeau de mon père. »

J'empochai la carte.

« Trois ans, dites-vous ? »

Elle opina.

J'allumai une cigarette et poussai un soupir avec pessimisme.

« Trois ans, ça fait longtemps dans une affaire de personnes disparues. Trois mois, on arriverait peut-être encore à dénicher une piste. Mais trois ans… Et pas un mot ? Même pas une carte postale ?

— Rien. Nous sommes allés à l'ambassade d'Israël, au cas où ils auraient émigré là-bas, mais il n'y avait aucune trace d'eux là non plus.

— Vous voulez mon opinion ? Sincèrement ?

— Si vous pensez qu'ils sont probablement morts, alors je suis d'accord avec vous. Je ne suis pas stupide, señor Hausner. Je suis capable de voir clair dans ce genre de question. Mais mon père est un vieil homme. Et un jumeau. Laissez-moi vous dire que les jumeaux sont bizarres pour des choses comme ça. Mon père prétend qu'il sent que Roman se trouve toujours en Argentine. Et il aimerait en être sûr, voilà tout. Est-ce trop demander ?

— Peut-être. Et rien n'est jamais sûr dans ce domaine. Vous feriez bien d'en prendre note dès maintenant. Rien n'est jamais sûr.

— Sauf la mort, rétorqua-t-elle. C'est aussi sûr que deux et deux font quatre, n'est-ce pas ? »

J'acquiesçai.

« On peut effectivement le supposer. Voici ce que je voulais dire : ce qui est vrai l'est rarement, et les choses qu'on pensait vraies se révèlent souvent fausses. J'admets que cela peut sembler un peu déroutant, et c'est à dessein, vu que c'est le business dans lequel je suis. Même si je n'y tiens pas particulièrement. Plus maintenant. J'espérais en avoir fini avec tout ce sale boulot qui consiste à poser des questions sans obtenir de réponses franches. Ça, et me fourrer dans le pétrin parce que quelqu'un me demande de retrouver son chien perdu, alors qu'en réalité il a perdu le chat du voisin. Je pensais bien en être sorti, mais non. Et quand je dis que rien n'est sûr dans ce domaine, je le pense parce que, en général, je dis exactement ce que je pense. Et en plus, j'ai raison parce qu'il apparaîtra fatalement que vous m'avez caché un truc que vous auriez dû me dire, ce qui aurait rendu les choses beaucoup plus claires dès le départ. Donc, rien n'est sûr, Anna. Pas quand des êtres humains sont impliqués. Pas quand ils vous déballent leurs problèmes en réclamant votre aide. Surtout pas à ce moment-là. J'ai vu ça des centaines de fois, mon ange. Rien n'est sûr. Non, même pas la mort, surtout quand le mort s'avère être bien vivant et habiter Buenos Aires. Croyez-moi, je sais de quoi je parle. Si tous les morts qui se baladent dans cette ville mouraient tout à coup pour de vrai,

les pompes funèbres seraient complètement submergées de travail. »

Son visage s'était à nouveau empourpré. Ses narines dilatées. Les
isocèles de muscles entre son menton et sa clavicule étaient devenus rigides comme du métal. Si j'avais eu une baguette, j'aurais pu
m'en servir pour jouer la partie de triangle du chœur nuptial de
Lohengrin.

« Vous pensez que je mens ? » Blessée dans sa dignité, elle se mit
à rassembler ses gants et son sac à main comme si elle s'apprêtait à
grimper aux rideaux. « Vous voulez dire que vous pensez que je
suis une menteuse ?

— C'est le cas ?

— Et moi qui croyais que nous allions être amis », lança-t-elle,
ses cuisses repoussant sa chaise sous son postérieur.

Je lui saisis le poignet.

« Doucement avec le parquet ciré. Je vous ai juste servi mon discours client. Celui dont je me sers quand je n'ai rien à y gagner.
C'est beaucoup plus long qu'une bonne tape sur l'oreille ou une
main pressée sur la Bible, mais, au bout du compte, ça économise
du temps. De cette manière, s'il se révèle que vous avez menti,
vous ne m'en voudrez pas d'avoir à vous frictionner les joues.

— Êtes-vous toujours aussi cynique ? Ou est-ce seulement
moi ? »

Ses fesses restèrent collées à la chaise, pour le moment.

« Je ne suis jamais cynique, Anna, sauf quand je m'interroge sur
la sincérité des motivations humaines.

— Je me demande. Que vous est-il arrivé, señor Hausner ? Je ne
sais pas, quelque chose dans votre histoire personnelle qui vous a
rendu comme ça ?

— Mon histoire ? » Je souris. « Vous en parlez comme si elle
était finie. Eh bien, non. En fait, ce n'est même pas de l'histoire.
Pas encore. D'ailleurs, est-ce que je ne vous l'ai pas dit ? Ne me
posez plus jamais de questions là-dessus, mon ange. »

Étant moi-même une sorte d'espion, j'en vins rapidement à la
conclusion que j'avais besoin de l'aide d'un autre espion. Or il n'y

avait qu'une personne à qui je pouvais me fier, ou presque, dans toute l'Argentine : Pedro Geller, qui avait fait la traversée depuis Gênes avec Eichmann et moi. Il travaillait pour Capri à Tucumán. Comme la moitié des anciens SS réfugiés dans le pays travaillaient également pour Capri, s'assurer son concours semblait un moyen de faire d'une pierre deux coups. Le seul problème, c'est que Tucumán se trouvait à plus de mille kilomètres au nord de Buenos Aires. Deux jours après ma conversation avec Anna Yagubsky, je pris donc la ligne Mitre à la gare de Retiro. Le train, qui allait jusqu'à La Paz en Bolivie, via Córdoba, était assez confortable en première classe. Mais, le voyage durant vingt-trois heures, je suivis le conseil du colonel Montalbán et me munis de livres et de journaux ainsi que d'un tas de provisions et de cigarettes. Comme il faisait probablement plus chaud à Tucumán qu'à Buenos Aires et qu'une grande partie du trajet avait lieu en altitude, le docteur m'avait en outre donné des calmants, au cas où mon problème de thyroïde m'occasionnerait des troubles respiratoires. Jusque-là, j'avais eu de la chance. La seule fois où j'avais manqué d'air, c'est lorsque Anna Yagubsky m'avait abordé.

Nous avions à peine quitté la gare que le chauffage tomba en panne, de sorte que j'eus froid pendant presque tout le voyage. Trop froid pour dormir. En arrivant à Tucumán, j'étais épuisé. Je me rendis au Coventry Hotel et allai me coucher directement. Je dormis douze heures d'affilée, ce que je n'avais pas fait depuis avant la guerre.

Tucumán était la plus importante ville du nord, avec environ deux cent mille habitants. Nichée dans une plaine, elle faisait face à une imposante chaîne de montagnes, la Sierra de Aconquija. Il y avait des tas d'édifices de style colonial, deux jolis jardins publics, un palais du gouvernement, une cathédrale et une statue de la liberté. Mais rien à voir avec New York. Des effluves de crottin de cheval embaumaient l'atmosphère. Tucumán n'était pas tant un bled de culs-terreux que de tas de crottin. Même le savon de la salle de bains de l'hôtel en portait l'odeur.

Pedro Geller travaillait au service technique de Capri à Cadillal, une petite ville située à une trentaine de kilomètres de Tucumán, mais on se retrouva au siège local de la société, dans Río Portero. Étant donné la nature de ma mission, on ne s'éternisa pas dans les parages. Je lui proposai de l'emmener dans le meilleur restaurant qui lui venait à l'esprit, et on mit le cap sur le Plaza Hotel, près de la cathédrale. Je notai mentalement de descendre là plutôt qu'au Coventry si jamais j'avais la malchance de revenir à Tucumán.

Geller, que je connaissais mieux sous le nom de Herbert Kuhlmann, avait été, à vingt-six ans, capitaine dans une SS-Panzer-Division. Pendant la bataille de France, en 1944, son unité avait exécuté trente-six prisonniers canadiens. Le commandant de Geller purgeait actuellement une condamnation à perpétuité dans une prison canadienne et, craignant d'être arrêté et condamné à la même peine, Kuhlmann avait eu la sagesse de s'enfuir en Amérique du Sud. Il avait l'air bronzé et en forme, et appréciait manifestement sa nouvelle vie.

« En fait, le travail est assez intéressant, expliqua-t-il devant un verre de bière allemande. Le Río Dulce serpente à travers la province de Córdoba sur près de cinq cents kilomètres, et nous sommes en train de construire un barrage dessus. Le barrage de Los Quiroga. Un sacré morceau quand il sera terminé, Bernie ! Trois cents mètres de long, cinquante mètres de haut, trente-deux vannes. Naturellement, ce n'est pas précisément du goût de tout le monde. Ces choses-là le sont rarement. Un tas de fermes et de villages du coin seront engloutis à jamais sous des millions de litres d'eau, mais le barrage fournira de l'énergie hydro-électrique à l'ensemble de la province.

— Comme va notre plus célèbre ami ?

— Ricardo ? Il déteste être ici. Il vit avec une jeune paysanne dans un petit village de montagne appelé La Cocha, à une centaine de kilomètres au sud. Il ne vient à Tucumán que quand il ne peut pas faire autrement. Il aurait peur de montrer sa bobine que ça ne m'étonnerait pas. Nous travaillons tous les deux pour un vieux camarade, bien évidemment. Il y en a partout à Tucumán. C'est un professeur autrichien du nom de Pelkhofer, Armin Pelkhofer. Il est ingénieur en hydraulique. Ricardo et lui se sont connus pendant la guerre, semble-t-il, quand il s'appelait Armin Schoklitsch, mais ce qu'il a fait pour atterrir ici, je n'en ai aucune idée.

— Rien de bon, répondis-je, s'il connaissait Ricardo.

— Exact. Quoi qu'il en soit, nous réalisons des études concernant la rivière pour le professeur. Analyses hydrologiques, ce genre de chose. Rien de terrible, mais je suis pas mal au grand air, ce qui me va très bien après tous ces mois à me cacher dans des greniers et des sous-sols. Ça me manquera. Je ne t'ai pas dit ? Dans six mois, je suis muté au service du personnel de Capri à Buenos Aires. »

Nous déjeunâmes. Les steaks étaient bons, comme la nourriture en Argentine. À condition de commander un steak.

« Et toi, Bernie ? Qu'est-ce qui t'amène aussi loin dans le nord ?

— Je travaille pour la police. Je suis censé me renseigner sur les vieux camarades. Décider s'ils méritent ou non le certificat de bonne conduite nécessaire pour obtenir un passeport argentin. Tu es déjà sur les rangs.

— Merci. Merci beaucoup.

— N'en parle à personne. Pour être franc, c'est surtout une couverture pour que je puisse poser à un certain nombre de nos vieux camarades un tas de questions gênantes. Comme : que faisiez-vous pendant la guerre, Hansi ? Les Argentins sont un peu nerveux à l'idée de donner sans le vouloir un passeport à un tueur psychopathe et que les Américains s'en aperçoivent et provoquent une levée de boucliers à l'échelle internationale.

— Je vois. Pas facile.

— J'espérais que tu pourrais m'aider, Herbert. Après tout, il va sans dire que Capri – la *Compañia Alemana Para Recién Inmigrados*, comme on l'appelle – est le plus gros employeur d'anciens SS de toute l'Argentine.

— Bien sûr que je t'aiderai, répondit Geller. Tu es pratiquement mon seul ami dans ce pays, Bernie. Il y a toi, et une fille dont j'ai fait la connaissance à Buenos Aires.

— Bravo, fiston ! À part Ricardo, qui d'autre as-tu rencontré qui pourrait être le pire des pires ?

— Je comprends. Un salopard qui fait que nous autres salopards avons mauvaise réputation, hein ?

— C'est à peu près l'idée.

— Laisse-moi réfléchir. Il y a Erwin Fleiss. Un sale type. Originaire d'Innsbruck. Il a fait une blague d'assez mauvais goût à propos de l'organisation d'un pogrom antijuif là-bas, en 1938. Nous avons deux gauleiters, le premier du Brunswick et le second de Styrie. Un général de la Luftwaffe appelé Kramer, et un autre collègue qui faisait partie des gardes du corps de Hitler. Bien sûr, il y en a encore plus au siège social à Buenos Aires. Je pourrai probablement en apprendre pas mal sur eux quand j'y travaillerai, mais, comme je te l'ai dit, ce n'est pas pour tout de suite. » Il fronça les sourcils. « Qui d'autre ? Wolf Probst. Ouais, un fumier de première, à mon avis. Ce serait peut-être une bonne idée de se renseigner sur lui.

— Je recherche plus particulièrement quelqu'un ayant pu commettre de nouveaux meurtres depuis son arrivée en Argentine.

— Maintenant, j'y suis. À voleur, voleur et demi, c'est ça ?

— En quelque sorte. Il est probable que le genre d'homme qui m'intéresse aime la cruauté et tue pour tuer. »

Geller secoua la tête.

« Désolé, je ne vois pas. Ricardo a beau être un salaud, ce n'est pas un psychopathe, si tu me suis. Attends, pourquoi n'irais-tu pas lui poser la question ? Je veux dire, il a dû se rendre dans des camps de la mort et voir des choses horribles. Rencontré des gens horribles. Probablement de l'espèce que tu recherches.

— Je me demande.

— Quoi ?

— S'il coopérerait.

— Un passeport est un passeport. On sait tous les deux ce que ça représente de suer sang et eau dans la cave d'un type à Gênes. Ricardo aussi.

— Ce village où il vit...

— La Cocha.

— Combien de temps faudrait-il pour aller là-bas ?

— Au moins deux heures, selon l'état de la rivière. On a eu pas mal de pluie dans la région dernièrement. Si tu veux, je pourrais t'y emmener. En partant maintenant, on pourrait être rentrés avant la nuit. » Geller laissa échapper un gloussement.

« Qu'est-ce qu'il y a ? demandai-je.

— Ce serait amusant de voir la tête de Ricardo quand tu lui diras que tu travailles pour la police. Il sera sûrement ravi.

— Ça vaut deux heures de voiture ?

— Pour rien au monde je ne voudrais rater ça. »

La voiture de Geller était une Jeep couleur abricot : quatre roues renforcées, une grande colonne de direction, deux sièges inconfortables et un hayon. On n'avait pas parcouru plus de deux ou trois kilomètres que je compris pourquoi Geller conduisait un engin pareil. Les routes au sud de Tucumán n'étaient guère plus que de simples pistes traversant des champs de canne à sucre tentaculaires, avec seulement les *ingenios* – les raffineries de sucre – des grandes compagnies sucrières pour nous rappeler que nous n'allions pas tomber du bord de la terre. Lorsque nous atteignîmes La Cocha, il était impossible de se croire plus loin de l'Allemagne et du long bras de la justice militaire des Alliés.

Si Tucumán était un bled de crottin de cheval, La Cocha était son parent pauvre, une porcherie. Tout un troupeau de pourceaux semblait errer dans les rues boueuses tandis que notre Jeep cahotait à travers le village, dispersant des bandes de poulets dans des explosions de plumes et de caquètements. D'une grande cheminée au-dessus d'un four ouvert s'élevait un nuage de fumée noire. Un second chez-soi pour Eichmann, eût-on dit. À l'aide d'une pelle en bois à long manche, un homme enfournait et sortait du pain. Dans son excellent espagnol, Geller demanda au boulanger de lui indiquer la maison de Ricardo Klement.

« Vous parlez du nazi ? » demanda le boulanger.

Geller se tourna vers moi et sourit.

« Lui-même », répondit-il.

D'un doigt tout en jointures et ongle noir, comme s'il appartenait à un orang-outan étudiant la sorcellerie, le boulanger montra au bout de la piste, après un petit atelier de réparations automobiles, une espèce de blockhaus de deux étages sans fenêtre visible.

« Il habite la villa », dit le boulanger.

À une courte distance, nous nous arrêtâmes entre une rangée de linge et des cabinets extérieurs d'où Eichmann émergea précipitamment en tenant un journal et en boutonnant son pantalon, suivi d'une forte odeur de fosse d'aisance. Manifestement, le bruit de la Jeep lui avait fait peur. Son soulagement évident en constatant que nous n'étions pas des militaires argentins venus l'arrêter pour le livrer à un tribunal de crimes de guerre fit rapidement place à de l'irritation.

« Qu'est-ce que vous fichez ici, bon Dieu ? » vociféra-t-il, sa lèvre se retroussant d'une manière que j'avais fini par considérer comme tout à fait typique.

Curieusement, un côté de son visage paraissait absolument normal, voire plaisant, tandis que l'autre avait l'air tordu et malveillant. C'était comme rencontrer Dr Jekyll et Mr Hyde en même temps.

« Je me trouvais à Tucumán, alors j'ai eu l'idée de venir voir comment vous alliez », répondis-je avec affabilité.

J'ouvris mon sac et en tirai une cartouche de Senior Service.

« Je vous ai apporté des cigarettes. Elles sont anglaises, mais je me suis dit que ça vous serait égal. »

Eichmann grommela des remerciements et prit la cartouche.

« Vous feriez mieux d'entrer », dit-il à contrecœur.

Il poussa une énorme porte en bois à laquelle un bon coup de peinture verte n'aurait pas fait de mal, et nous pénétrâmes à l'intérieur. Du dehors, les choses n'auguraient rien de bon. Qualifier ce blockhaus de villa, c'était comme appeler un château de sable le château de Neuschwanstein. À l'intérieur, toutefois, ça s'améliorait un peu. Il y avait du plâtre sur le haut du briquetage et le sol était plat, recouvert de dalles et de tapis indiens bon marché. Mais deux petites fenêtres munies de barreaux donnaient à l'endroit une ambiance pénitentiaire de circonstance. Eichmann avait eu beau échapper à la justice alliée, il ne vivait pas dans le luxe et l'opulence, loin de là. Une femme à moitié nue jeta un coup d'œil par une porte. Avec colère, Eichmann lui fit un signe de tête, et elle disparut aussitôt.

Je m'approchai d'une des fenêtres qui donnait sur un petit jardin bien entretenu. Il y avait quelques clapiers avec des lapins qu'il devait élever pour se nourrir et, un peu plus loin, une vieille De Soto à laquelle il manquait une roue. Visiblement, Eichmann ne songeait pas à déménager à la cloche de bois.

Il alla chercher une grosse bouilloire sur une cuisinière en fonte et versa de l'eau chaude dans deux petites gourdes creuses.

« Maté ? nous demanda-t-il.

— Merci », dis-je.

Depuis que j'étais en Argentine, je n'avais jamais goûté à ce truc, mais tout le monde dans le pays en buvait.

Il mit deux petites pailles métalliques dans les gourdes puis nous les tendit.

Bien que sucré, le breuvage avait quand même un goût amer, comme du thé vert mousseux. On aurait cru boire de l'eau avec une cigarette dedans, mais Geller semblait aimer ça. Et Eichmann aussi. Dès que Geller eut fini sa gourde, il la rendit à notre hôte, qui rajouta de l'eau chaude et, sans changer la paille, avala une gorgée à son tour.

« Eh bien, qu'est-ce qui vous amène ici ? dit-il. Il ne s'agit pas uniquement d'une visite de courtoisie.

— Je travaille pour le SIDE, répondis-je. Les services de renseignement péronistes. »

Il cligna des yeux telle une ampoule en bout de course. Même s'il s'efforçait de ne pas le montrer, nous savions tous ce qu'il pensait. Adolf Eichmann, le colonel SS, confident de Reinhard Heydrich, réduit à effectuer des études hydrologiques à l'autre bout de nulle part, alors que j'occupais un poste d'une certaine influence dans une branche qu'Eichmann aurait pu considérer comme sienne. Gunther, le SS rebelle et adversaire politique, exerçant le travail que lui, Eichmann, aurait dû avoir. Il ne dit rien. Il tenta même un sourire. On avait l'impression que quelque chose s'était coincé sous son bridge.

« Je suis censé décider qui, de nos vieux camarades, mérite un certificat de bonne conduite, expliquai-je. Il en faut un pour pouvoir demander un passeport dans ce pays.

— Je me serais attendu à ce que votre fidélité à votre sang et à votre serment de SS vous incite à traiter la question de documents de ce genre comme une simple formalité. » Il parlait avec raideur. S'adoucissant un peu, il ajouta : « Après tout, nous avons tous le même tatouage sous le bras, n'est-ce pas ? » Il finit bruyamment le maté comme un enfant aspirant jusqu'à la dernière goutte de son soda.

« À première vue, c'est vrai, dis-je. Toutefois, le régime péroniste est soumis à des pressions considérables des Américains…

— Des Juifs plutôt.

— … pour balayer devant sa porte. Même s'il n'est pas question qu'on nous flanque dehors, quelques personnes au sein du gouvernement craignent qu'un certain nombre d'entre nous ne soient coupables de crimes encore plus grands que ce que l'on pouvait supposer. » Je haussai les épaules et me tournai vers Geller. « Je veux dire, c'est une chose de tuer des hommes dans l'ardeur du combat. Et c'en est une autre de prendre plaisir à assassiner des femmes et des enfants innocents. Vous n'êtes pas d'accord ? »

Eichmann eut un haussement d'épaules.

« Pour les innocents, je ne suis pas au courant, répondit-il. Nous exterminions un ennemi. En ce qui me concerne, je ne détestais pas tellement les Juifs, mais je ne regrette rien de ce que j'ai fait. Je n'ai jamais commis le moindre crime. Et je n'ai jamais tué personne. Pas même dans l'ardeur du combat, comme vous dites. Je n'étais qu'un simple fonctionnaire. Un bureaucrate obéissant aux ordres. C'était le code que nous suivions tous dans la SS. Obéissance. Discipline. Sang et Honneur. Si j'ai un regret, c'est que nous n'ayons pas eu le temps de terminer le travail. De tuer tous les Juifs d'Europe. »

C'était la première fois que j'entendais Eichmann parler de l'extermination des Juifs. Désireux d'en savoir davantage, je tâchai de l'aiguiller dans ce sens.

« Je suis content que vous parliez de sang et d'honneur, dis-je. Parce qu'il me semble qu'il y en a quelques-uns qui ont traîné la réputation de la SS dans la boue.

— Tout à fait, approuva Geller.

— Quelques-uns qui ont outrepassé leurs ordres. Qui ont tué pour le sport et le plaisir. Qui se sont livrés à des expériences médicales inhumaines.

— Beaucoup de choses ont été exagérées par les Russes, affirma Eichmann. Des mensonges répandus par les communistes afin de justifier leurs propres crimes en Allemagne. D'empêcher le reste du monde de nous plaindre. De permettre aux Soviétiques d'avoir carte blanche pour faire ce qu'ils voudraient du peuple allemand.

— Ce n'étaient pas que des mensonges, dis-je. Il y avait pas mal de vrai, j'en ai bien peur, Ricardo. Et, même si vous n'y croyez pas, qu'une partie puisse être vraie, voilà ce qui inquiète le gouvernement à l'heure actuelle. Ce qui explique qu'on m'ait chargé de mener cette enquête. Écoutez, Ricardo, je n'en ai pas après vous. Mais je crains de ne pas pouvoir considérer certains SS comme de vieux camarades.

— Nous étions en guerre, répliqua Eichmann. Nous détruisions un ennemi qui voulait nous détruire. Cela peut devenir extrêmement brutal. À un certain niveau, les coûts humains ne comptent pas. Ce qui importe avant tout, c'est de veiller à ce que le travail soit fait. Des déportations sans anicroches. C'était ma spécialité, et, croyez-moi, j'ai essayé de rendre les choses aussi humaines que possible. Le gaz apparaissait comme une alternative plus humaine aux exécutions de masse. Certes, il y en a peut-être qui sont allés trop loin, mais enfin, il y a toujours un peu de mauvais orge dans la bière. C'est inévitable, dans n'importe quelle organisation. À plus forte raison, une organisation qui a accompli ce qui l'a été. Et en temps de guerre, par-dessus le marché. Cinq millions. Le croiriez-vous ? Non, je ne pense pas que vous puissiez vous rendre compte ni l'un ni l'autre. Cinq millions de Juifs. Liquidés en moins de deux ans. Et vous êtes en train d'ergoter sur le sens moral de quelques pommes pourries.

— Pas moi, dis-je. Le gouvernement argentin.

— Et quoi ? Vous voulez un nom, c'est ça ? En échange de mon certificat de bonne conduite. Vous voulez que je joue les Judas ?

— C'est à peu près ça, oui.

— Je ne vous ai jamais aimé, Gunther », rétorqua Eichmann, le nez froncé de dégoût.

Il ouvrit un paquet de cigarettes et en alluma une avec l'air d'un type qui n'en a pas savouré une bonne depuis une éternité. Puis il s'assit à une table en bois brut et se mit à scruter la fumée s'élevant du bout incandescent comme pour y chercher un conseil divin.

« Mais peut-être existe-t-il un homme répondant à votre description, reprit-il avec prudence. Seulement, je veux que vous me donniez votre parole que vous ne lui direz pas que c'est moi qui vous ai parlé de lui.

— Vous avez ma parole.

— Cet homme, nous nous sommes rencontrés par hasard, lui et moi, dans un café du centre de Buenos Aires. Peu après notre arrivée. Le café ABC. Il m'a raconté qu'il s'en sortait très bien depuis qu'il était ici. Vraiment très bien. » Eichmann eut un faible sourire. « Il m'a offert de l'argent. À moi. Un colonel dans la SS, et lui, un simple capitaine. Vous vous imaginez ? Sale petit arrogant. Lui, avec toutes ses relations et l'argent de sa famille. Pétant dans la soie. Et moi, enterré ici, dans ce trou perdu. » Eichmann tira une bouffée quasi mortelle de sa cigarette, l'avala puis secoua la tête. « Cruel, pour ça, il l'a été. Et il l'est encore. Je ne sais pas comment il fait pour dormir. Moi, je ne pourrais pas. Pas si j'étais à sa place. J'ai vu ce qu'il avait fait. Autrefois. Il y a longtemps de ça. Si longtemps qu'il me semble que j'étais encore un gamin quand c'est arrivé. Du reste, j'en étais peut-être un, d'une certaine façon. Mais je n'ai jamais oublié. Personne n'en aurait la force. Aucun être humain. J'ai fait sa connaissance en 1942, à Berlin. C'est fou ce que je regrette Berlin. Puis je l'ai retrouvé en 1943. À Auschwitz. » Il eut un sourire amer. « Cet endroit-là, je ne le regrette pas du tout.

— Ce capitaine, dis-je. Quel est son nom ?

— Il se fait appeler Gregor. Helmut Gregor. »

12

BERLIN, 1932

Après être descendu du train de Berlin, je me dirigeai vers l'extrémité du quai, donnai mon billet, puis cherchai du regard Paul Herzefelde. Ne le voyant pas, je m'achetai des cigarettes, un journal et m'installai sur un siège près du quai d'arrivée pour l'attendre. La lecture du journal ne me prit pas beaucoup de temps. Deux semaines seulement nous séparaient des élections et, comme on se trouvait à Munich, il était rempli de trucs comme quoi les nazis allaient gagner. La gare était à l'avenant. La trogne farouchement désapprobatrice de Hitler était placardée partout. Au bout de trente minutes, je n'en pouvais plus. Je flanquai le journal à la poubelle et sortis prendre l'air.

La gare se trouvait à l'extrémité ouest du centre de Munich. Le Präsidium de la police n'était qu'à dix minutes de marche à l'est, dans Ettstrasse, entre l'église Saint-Michel et la cathédrale Notre-Dame. C'était un beau bâtiment, presque neuf, construit sur l'emplacement d'un ancien monastère. Devant l'entrée principale, plusieurs lions en pierre. À l'intérieur, seulement des rats.

Le sergent de permanence était aussi gros qu'un boulet de démolition et tout aussi serviable. Il avait le crâne chauve et une moustache gominée semblable à un petit aigle allemand. Chaque fois qu'il faisait un geste, sa ceinture en cuir grinçait contre son ventre tel un navire tirant sur ses amarres. De temps à autre, il portait sa main à sa bouche et rotait. On pouvait sentir son petit déjeuner depuis la porte d'entrée.

Je touchai poliment mon chapeau et lui montrai ma plaque.

« Bonjour.

— Bonjour.

— Je suis le Kommissar Gunther, de l'Alexanderplatz de Berlin. Je voudrais voir le Kommissar Herzefelde. Je viens d'arriver à la gare. Je pensais qu'il serait venu me chercher.

— Vous arrivez juste à l'instant ? répondit-il sur un ton qui me donna envie de lui coller ma main dans la figure. C'est assez courant à Munich.

— Oui, dis-je calmement. Mais, comme il n'y était pas, j'ai pensé qu'il avait été retardé et que je ferais mieux de venir ici.

— C'est bien d'un policier de Berlin », répliqua-t-il sans l'ombre d'un sourire.

Je hochai la tête avec patience, dans l'espoir que les bonnes manières finiraient par l'emporter. En vain.

« Épargnez-moi votre numéro et prévenez-le que je suis ici. »

Le sergent montra d'un signe de tête un banc en bois près de la porte d'entrée.

« Asseyez-vous, dit-il froidement. Je suis à vous dans une minute. »

Je suivis son conseil.

« Je ne manquerai pas d'informer votre Kommissar que vous avez déroulé le tapis rouge pour m'accueillir, dis-je.

— Ne vous gênez pas. J'ai hâte de voir ça. »

Il griffonna quelques mots sur un bout de papier, frotta le jarret de porc qui lui servait de nez, se gratta les fesses avec son crayon puis l'utilisa pour se curer l'oreille. Après quoi, il se leva, sans se presser, et fourra quelque chose dans un classeur. Le téléphone se mit à sonner. Il laissa passer deux ou trois sonneries avant de répondre, écouta, nota des renseignements et glissa ensuite une feuille de papier dans une corbeille. La communication terminée, il regarda la pendule au-dessus de la porte. Puis il bâilla.

« Si c'est comme ça qu'on s'occupe des flics dans cette ville, je n'aimerais pas être un criminel. »

J'allumai une cigarette.

Ça ne parut pas lui plaire. Il pointa son crayon vers un écriteau marqué « Interdit de fumer ». J'écrasai ma cigarette. Je ne tenais pas à moisir là toute la matinée. Au bout d'un moment, il décrocha le téléphone et se mit à chuchoter. Une ou deux fois, il lança un coup d'œil de mon côté, ce qui me donna à penser qu'il parlait de moi. Quand il eut terminé l'appel, j'allumai une autre cigarette. Il tapa sur la table devant son bide avec son crayon et, ayant obtenu mon attention, montra à nouveau l'écriteau « Interdit de fumer ». Cette fois, je fis comme si de rien n'était. Ça ne parut pas lui plaire non plus.

« C'est interdit de fumer, grommela-t-il.

— Sans blague.

— Vous savez quel est le problème avec vous autres, flics de Berlin ?

— Si vous étiez capable d'indiquer Berlin sur une carte, ça m'intéresserait peut-être, mon gros.

— Vous êtes tous des suppôts des Juifs.

— Ah, nous y voilà ! » Je soufflai un peu de fumée dans sa direction et souris. « Nous ne sommes pas tous des suppôts des Juifs dans la police de Berlin. À vrai dire, nous avons aussi quelques flics comme vous, sergent. Ignares. Fanatiques. Et une honte pour l'uniforme qu'ils portent. »

Il s'appliqua à me faire baisser les yeux pendant une minute ou deux. Puis il dit :

« Les Juifs font notre malheur. Il est temps que la flicaille de Berlin s'en rende compte.

— Ma foi, c'est une idée intéressante. Vous avez trouvé ça tout seul, ou c'était écrit sur la peau de la banane que vous avez mangée ce matin ? »

Un inspecteur arriva. Je savais qu'il devait d'agir d'un inspecteur parce qu'il n'avait pas les phalanges qui traînaient par terre. Il regarda le singe au bureau, lequel fit un signe dans ma direction. L'inspecteur vint se planter devant moi, l'air penaud. Cela aurait pu être convaincant si sa tête n'avait pas ressemblé singulièrement à celle d'un loup. Les yeux étaient bleus et le nez tenait du mufle, mais surtout, les sourcils se rejoignaient sous le front et ses canines étaient plus longues que la normale. Remarquez, ça aussi, c'est assez courant à Munich.

« Kommissar Gunther ?

— Oui. Qu'y a-t-il ?

— Je suis l'inspecteur de la brigade criminelle Christian Schramma. » Nous nous serrâmes la main. « Hélas, j'ai de mauvaises nouvelles. Le Kommissar Herzefelde est mort. Il a été abattu la nuit dernière. Trois balles dans le dos alors qu'il sortait d'un bar dans Sendling.

— Vous connaissez le coupable ?

— Non. Comme vous le savez peut-être, il avait reçu des menaces de mort.

— Parce qu'il était juif. Évidemment. » Je me tournai vers le bureau du sergent. « Il y a de la haine et de la bêtise partout. Même dans la police. »

Schramma demeura silencieux.

« Je suis vraiment navré, dis-je. Je ne le connaissais pas depuis très longtemps, mais Paul était un brave type. »

Nous montâmes à la salle des inspecteurs. C'était une belle journée. Par les fenêtres ouvertes nous parvenait le brouhaha d'enfants jouant dans la cour d'une école voisine. Un bruit vivant, comme on n'en entendait plus si souvent.

« J'ai vu votre nom dans son agenda, dit Schramma. Mais il n'a pas pensé à noter un numéro de téléphone ni d'où vous étiez, sinon je vous aurais appelé.

— Ce n'est pas grave. Il s'apprêtait à me communiquer des informations concernant un meurtre sur lequel il travaillait. Elisabeth Bremer ? »

Schramma opina.

« Nous avons eu une affaire semblable à Berlin, expliquai-je. Je suis venu prendre connaissance du dossier pour voir jusqu'où allait la ressemblance. »

Il se mordit la lèvre, mal à l'aise, ce qui ne contribua pas à dissiper ma première impression. À savoir qu'il avait l'air d'un loup.

« Écoutez, je suis désolé de vous dire ça alors que vous avez fait tout le trajet depuis Berlin. Mais les dossiers d'enquête de Paul ont été portés à l'étage au-dessus. Au bureau du conseiller du gouvernement. Lorsqu'un officier de police se fait tuer, la procédure normale est de considérer que cela a peut-être un lien avec une affaire dont il s'occupait. Je doute fort que vous soyez en mesure de consulter ce dossier avant quelque temps. Peut-être deux ou trois semaines. »

Ce fut à mon tour de me mordre la lèvre.

« Je vois. Dites-moi, avez-vous travaillé avec Paul ?

— Il y a un moment. Je ne suis pas très au fait de ses enquêtes actuelles. Ces derniers temps, il travaillait surtout seul. Il préférait ça.

— Lui ou les autres policiers ?

— Je trouve ça un peu injuste.

— Vraiment ? »

Schramma ne répondit pas. Il alluma une cigarette, expédia l'allumette par la fenêtre ouverte et se percha sur le coin d'un bureau que je supposai être le sien. À l'autre bout de la grande salle, un policier qui avait le faciès de Schmeling interrogeait un suspect. Chaque fois qu'il obtenait une réponse, il paraissait peiné, comme si Jack Sharkey l'avait frappé au-dessous de la ceinture. Une jolie technique. Je sentais le moment où le flic allait gagner par disqualification, à l'instar de Schmeling. D'autres policiers allaient et venaient. Certains avec des éclats de rire tapageurs et des costumes qui ne l'étaient pas moins. Il y en avait beaucoup comme ça à Munich. À Berlin, quand un flic était tué, on mettait tous des brassards noirs. Mais pas à Munich. Un autre genre de brassard — nazi, rouge avec une svastika noire — semblait beaucoup plus probable. Ça ne donnait pas spécialement l'impression que quiconque allait verser des larmes sur la mort de Paul Herzefelde.

« Pourrais-je voir son bureau ? »

Schramma se leva lentement et me conduisit jusqu'à une table en métal grise, dans un coin reculé de la pièce, entourée d'une muraille d'étagères remplies de dossiers et de bouquins. Le ghetto d'un seul homme. Le dessus du bureau était débarrassé, mais ses photographies étaient encore fixées au mur. Je me penchai pour les examiner de plus près. Sur une, la femme et les parents de

Herzefelde. Sur une autre, lui portant un uniforme militaire et une décoration. Au mur, près de cette photo, on distinguait la forme d'un graffiti à moitié effacé, une étoile de David, accompagnée des mots : « Les Juifs dehors. » Je passai mon doigt sur les contours, juste pour que Schramma sache que je l'avais vu.

« Drôle de façon d'honorer un homme qui a reçu la Croix de chevalier avec feuilles de chêne, dis-je à haute voix en parcourant des yeux la salle des inspecteurs. Trois balles et de l'art rupestre. »

Le silence se fit dans la pièce. Les machines à écrire s'arrêtèrent. Les voix se turent. Même les enfants qui jouaient dehors semblèrent cesser un moment leur tapage. Tout le monde me regardait à présent comme si j'étais le fantôme de Walther Rathenau.

« Eh bien, qui a fait ça ? Qui a assassiné Paul Herzefelde ? Est-ce que quelqu'un le sait ? » Je marquai un temps d'arrêt. « Est-ce que quelqu'un a une hypothèse ? Après tout, vous êtes des policiers, paraît-il. » Silence encore plus profond. « Est-ce que quelqu'un se soucie de savoir qui a tué Paul Herzefelde ? » Je marchai jusqu'au milieu de la pièce et, défiant du regard la Kripo de Munich, attendis que l'un d'eux dise quelque chose. Je jetai un coup d'œil à ma montre. « Merde, ça fait à peine une demi-heure que je suis là, et je peux vous le dire, moi, qui l'a tué. Ce sont les nazis. Ce sont ces foutus nazis qui lui ont tiré dans le dos. Peut-être bien ces mêmes nazis qui ont écrit "Les Juifs dehors" sur le mur à côté de son bureau.

— Rentre chez toi, cochon de Prussien ! cria quelqu'un.

— Ouais, c'est ça, retourne à Berlin, abruti de Prusco ! »

Ils avaient raison, bien sûr. Il était temps de rentrer. Quelques minutes parmi les pithécanthropes de Munich suffisaient pour qu'un Berlinois ait déjà l'air d'avoir une bonne avance dans l'évolution humaine. On racontait que Munich était la ville préférée de Hitler. On comprenait vite pourquoi.

Je quittai le Präsidium en empruntant une autre série d'escaliers qui menait dans la cour centrale où étaient garés des voitures et des fourgons de police. Comme je gagnais la rue en longeant les arcades, je tombai sur le gros sergent de permanence qui venait de finir son service. Je le savais parce qu'il ne portait plus sa ceinture de cuir ni ses épaulettes. De plus, il avait une bouteille Thermos à la main. S'arrangeant pour me barrer le passage, il dit :

« Sûr que c'est toujours regrettable quand un flic se fait descendre dans l'exercice de ses fonctions. » Il gloussa. « Sauf quand c'est un Juif. Les types qui ont abattu ce sale youpin, Herzefelde, ils mériteraient une médaille, ouais. » Il cracha sur le sol devant moi pour faire bonne mesure. « Bon voyage de retour, sale suppôt des Juifs !

— Ta gueule, misérable gorille nazi, ou je t'arrache ta langue de gros Bavarois et je l'écrase avec le talon de ma chaussure. »

Le sergent posa sa Thermos sur un rebord de fenêtre et pencha sa sale gueule vers moi.

« Bon Dieu, pour qui tu te prends, à venir me menacer dans ma propre ville ? T'as de la veine que je ne te coffre pas, histoire de me marrer. Boucle-la toi-même, mon gars, ou ce sont tes balloches qui pendront à notre mât demain matin.

— Si je te menaçais, on en resterait là et tu m'écrirais une lettre de remerciements sur du joli papier à lettres de ta plus belle écriture.

— C'est un gars à la mâchoire en miettes qui me parle », rétorqua le sergent avant de m'envoyer son poing à la figure.

Il était grand et costaud, avec des épaules comme un joug à porteur sur une laitière frisonne et des poings gros comme des seaux. Mais sa première erreur fut de me rater. Sa tunique était toujours boutonnée, ce qui le ralentit, si bien que je me baissais déjà lorsque le coup arriva. Sa seconde erreur fut de me rater une nouvelle fois. Et de pointer le menton. À présent, j'étais prêt à lui en coller un comme si j'avais en face de moi le salaud qui avait abattu Paul Herzefelde. Et je cognai dur, très dur, juste sous le menton. C'était, comme l'aurait probablement admis Clausewitz, la meilleure partie du menton pour établir un contact décisif. Je vis ses jambes faiblir sous lui à l'instant où je le frappai. Mais je lui expédiai un nouveau coup, dans le ventre cette fois, et, quand il se plia en deux, je lui martelai les reins avec l'ambition féroce et la volonté de fer d'un prétendant au titre de champion du monde des poids lourds. Il s'effondra en arrière contre le mur de l'arcade. Et j'étais encore occupé à le tabasser quand trois Schupos m'empoignèrent et me plaquèrent contre la grille en fer forgé.

Lentement, le sergent se releva. Ça lui prit un moment pour se remettre d'aplomb, mais il finit par y parvenir. Je dois lui reconnaître une chose : il savait encaisser. Il s'essuya la bouche et s'avança vers moi, haletant, avec une lueur dans les yeux qui me dit qu'il n'allait pas m'inviter à rester pour l'Oktoberfest.

« Maintenez-le », dit-il aux autres flics en prenant son temps.

Sur ce il me frappa. Un brusque crochet du droit qui propulsa son coude dans mon estomac. Puis un autre, et encore un autre jusqu'à ce que ses jointures chatouillent mon épine dorsale. Sauf que ça n'avait rien de drôle. Et je ne riais pas. Ils me lâchèrent quand je me mis à vomir. Mais ils n'en avaient pas fini. En fait, ils commençaient seulement.

Ils me ramenèrent dans le bâtiment, me firent descendre dans les cellules, où ils remirent la sauce – de bons petits coups experts, donnés par des policiers qui savaient ce qu'ils faisaient et qui, visiblement, aimaient leur boulot. Au bout d'un moment, j'entendis une voix venant d'une contrée lointaine leur rappeler que j'étais flic. Alors seulement ils me laissèrent tranquille. J'eus l'impression que Schramma était intervenu pour qu'ils arrêtent, mais je n'en ai jamais eu confirmation. Je demeurai un certain temps allongé sur le sol de la cellule. Tant qu'on ne me flanquait pas de coups de pied, ça semblait être l'endroit le plus confortable du monde. Tout ce que je désirais, c'était rester là et dormir pendant vingt ans. Puis le sol s'inclina, et je tombai dans un lieu enveloppé de ténèbres épaisses où des nains disputaient une partie de jeu de quilles. Je me joignis quelques instants à la partie, mais ensuite un des nains me fit boire une potion magique, et je m'endormis du sommeil chaotique de Jacob sur le mont Moriah. Quelque chose de biblique en tout cas.

Les cellules sous le Präsidium de la police de Munich avaient été jadis occupées par des moines de l'ordre augustinien. Ils devaient être coriaces, ces frères augustiniens. Ma cellule avait une couchette en béton avec une paillasse à peu près de l'épaisseur d'une couverture. La couverture, quant à elle, tenait de la magie. Job et saint Jérôme auraient été comme des coqs en pâte là-dedans. Il y avait des toilettes sans siège et pas de fenêtre dans le mur lisse, tapissé de carreaux de céramique. La cellule était chaude et puante, tout comme moi. « Aimer le pécheur et détester le péché », conseillait saint Augustin. Il en parlait à son aise. Il n'avait jamais eu à passer la nuit dans une cellule sous le Präsidium de la police de Munich.

Ils laissaient la lumière continuellement allumée, et pas pour le cas où vous auriez peur dans le noir. Au bout d'un certain temps, je n'avais plus la moindre idée de l'heure ni du moment de la journée. Quelques jours de ce régime, et vous étiez prêt à faire plus ou moins tout ce qu'ils désiraient rien que pour revoir le ciel. Du moins, en théorie. Et, après ce qui paraissait une semaine mais qui n'était probablement que deux ou trois jours, un médecin vint me voir – un vrai personnage à la Schweitzer, avec une moustache comme une pieuvre et plus de cheveux blancs que la grand-mère de Liszt. Il examina les bleus sur mes côtes et me demanda comment je les avais attrapés. Je lui répondis que j'étais tombé de ma couchette en dormant.

« Ça vous fait mal ?

— Seulement quand je ris, ce qui n'est pas très fréquent depuis que je suis ici, assez curieusement.

— Vous avez sans doute quelques côtes cassées, déclara-t-il. Il faudrait que vous passiez une radio.

— Merci, mais ce dont j'aurais surtout besoin, c'est d'une cigarette. »

Il repartit. J'étais encore en train de la fumer quand un petit homme aux cheveux blondasses arriva pour me demander mes vêtements.

« Je ne pense pas qu'ils vous aillent », fis-je observer.

Mais je les lui donnai tout de même. Tout ce que je désirais, c'était rentrer chez moi.

« Nous allons laver ces affaires, expliqua-t-il en remettant mes vêtements à l'officier de détention. Vous pouvez en faire autant si vous voulez. Il y a une douche au bout du couloir. Du savon et un rasoir.

— Il est un peu tard pour faire preuve d'hospitalité, non ? »

Je pris malgré tout une douche et me rasai par la même occasion.

Lorsque je fus propre, le petit homme me donna une couverture et m'emmena dans une salle d'interrogatoire en attendant le retour de mes vêtements. Nous nous assîmes l'un en face de l'autre à une table. Il ouvrit un étui à cigarettes en cuir et le posa devant moi. Puis on m'apporta une tasse de café chaud et sucré. De l'ambroisie.

« Je suis le Kommissar Wowereit, dit-il. On m'a chargé de vous informer qu'aucune poursuite ne serait engagée et que vous êtes libre de partir.

— Eh bien, c'est très généreux à vous, répondis-je, et je pris une de ses cigarettes. » Il gratta une allumette, m'offrit du feu puis se laissa aller en arrière. Il avait des mains fines, délicates. Elles n'avaient pas l'air accoutumées à balancer des tomates, sans parler de coups de poing. Avec des mains pareilles, je ne parvenais pas à m'imaginer comment il s'intégrait parmi les flics de Munich. « Très généreux, répétai-je. Étant donné que c'est moi qui me suis fait bousculer.

— Un rapport sur l'incident qui a eu lieu a déjà été envoyé à votre nouveau directeur de la police et à son adjoint.

— Comment ça, mon nouveau directeur de la police et son adjoint ? Bon sang, de quoi parlez-vous, Wowereit ?

— Bien sûr. Je suis désolé. Comment pourriez-vous être au courant ?

— Au courant de quoi ?

— Déjà entendu parler d'Altona ?

— Ouais. C'est un dépotoir à la périphérie de Hambourg qui fait en principe partie de la Prusse.

— Beaucoup plus important, c'est une ville communiste. Le jour où vous êtes arrivé à Munich, des nazis en uniforme y ont organisé un défilé. Une bagarre a éclaté. En réalité, il faudrait plutôt parler d'émeute. Il y a eu dix-sept morts et plusieurs centaines de blessés.

— Hambourg est loin de Berlin. Je ne vois pas en quoi…

— Avec le soutien du général von Schleicher et d'Adolf Hitler, le nouveau chancelier, von Papen, a rédigé un décret présidentiel, signé par von Hindenburg, pour prendre le contrôle du gouvernement prussien.

— Un putsch.

— En fait, oui.

— Je suppose que l'armée n'a rien fait pour arrêter ça.

— Vous supposez bien. Le général Rundstedt a imposé la loi martiale dans le Grand Berlin et la province de Brandebourg, et pris en main les forces de police de la capitale. Grezinski a été limogé. Weiss et Heimannsberg ont été arrêtés. Le Dr Kurt Melcher est le nouveau président de la police de Berlin.

— Connais pas.

— Il était, me semble-t-il, le directeur de la police d'Essen.

— Et le nouvel adjoint, d'où sort-il ? Du royaume de Lilliput ?

— Il s'agit, si je ne m'abuse, d'un certain Dr Mosle.

— Mosle ! m'exclamai-je. Qu'est-ce qu'il connaît au maintien de l'ordre ? C'est le chef de la police de la circulation de Berlin.

— Le colonel Poten est le nouveau patron de la police en tenue. Je crois qu'il était directeur de l'école de police d'Eichen. Tous les fonctionnaires de police prussiens sont désormais sous les ordres de l'armée. » Wowereit se permit un mince sourire. « Vous y compris, je présume. Pour le moment.

— La police de Berlin ne le permettra pas. D'accord, Weiss n'était pas très apprécié. Mais Magnus Heimannsberg, c'est une autre histoire. Il jouit d'une énorme popularité parmi les hommes du rang.

— Que peuvent-ils faire ? Croire que l'armée n'utilisera pas la force pour réprimer toute résistance serait prendre ses désirs pour des réalités. » Il haussa les épaules. « Mais, dans l'immédiat, tout cela n'est pas notre affaire à Munich et n'a que peu de rapport avec le cas qui nous occupe. À savoir le vôtre. Le rapport que nous avons adressé à vos supérieurs décrit en détail ce que nous pensons qu'il s'est passé ici. Vous leur donnerez certainement votre propre version de l'histoire quand vous serez de retour à Berlin.

— Vous pouvez y compter.

— Une tempête dans un verre d'eau, ce n'est pas votre avis ? Comparé avec ce qui s'est produit. Politiquement parlant.

— Facile à dire. On voit bien que ce n'est pas vous qu'on a passé à tabac et flanqué au mitard pendant plusieurs jours. Et peut-être avez-vous oublié la raison de la prise de bec. Un officier de police assassiné a été diffamé par un de vos collègues. Je me demande si ça figurera dans votre fichu rapport.

— L'Allemagne est pour les Allemands désormais, dit Wowereit. Pas pour une bande d'immigrés qui ne sont là que pour le profit qu'ils peuvent en tirer. Et ce stupide putsch à Berlin ne résoudra rien. C'est le dernier acte désespéré d'une république essayant d'empêcher l'inévitable : l'élection d'un gouvernement national-socialiste le 31 juillet. Papen espère prouver qu'il est assez fort pour empêcher l'Allemagne de sombrer dans la chienlit que nous ont concoctée les Juifs et les communistes. Mais tout le monde sait qu'il n'y a qu'un homme qui soit à la hauteur de cette tâche histo-rique. »

Je répondis que j'espérais qu'il se trompait. Je le dis calmement et poliment. Nul doute que saint Augustin aurait été fier de moi. Tendre l'autre joue quand vous avez reçu une sévère correction peut présenter des avantages. Comme de rester en vie plus long-temps. De pouvoir rentrer à Berlin. Simplement, je me demandais si, une fois là-bas, j'arriverais encore à reconnaître quoi que ce soit.

De fait, la 3ᵉ Armée avait pris possession de la ville. Voitures blindées devant les édifices publics et détachements de soldats pro-fitant du soleil estival dans les principaux parcs. On se serait cru revenu en 1920. Sauf qu'il semblait peu probable que les ouvriers de Berlin organisent une grève générale pour s'opposer à ce putsch comme ça s'était passé à l'époque. C'est seulement à l'intérieur de l'Alex que se manifestaient quelques velléités de résistance. Le major Walter Encke, un des amis intimes du commandant Hei-mannsberg et qui habitait le même immeuble, était le centre d'un contre-putsch. L'Alex pullulait d'espions nazis, et le plan d'Encke consistant à utiliser les brigades anti-émeutes de la Schupo pour arrêter tous les nazis au sein de la police de Berlin tourna court quand le bruit se répandit que Heimannsberg et lui étaient amants. Par la suite, il se révéla que cette rumeur n'avait aucun fondement, mais il était déjà trop tard. Craignant pour sa réputation professionnelle et personnelle, Encke se hâta d'écrire et de faire circuler une lettre dans laquelle il condamnait tout projet de contre-putsch et assurait l'armée de sa loyauté d'« ancien officier des troupes impériales ». Pendant ce temps, pas moins de seize fonctionnaires de la Kripo, dont quatre Kommissars, dénonçaient Bernhard Weiss pour de prétendues irrégularités dans l'exercice de ses fonctions. Et je fus convoqué au bureau du nouveau président de la police de Berlin, le Dr Kurt Melcher.

Melcher était un proche collaborateur du Dr Franz Bracht, l'ancien maire d'Essen, à présent Reichskommissar adjoint du gouvernement de Prusse. D'abord avocat à Dortmund, Melcher était l'auteur d'une célèbre bien qu'indigeste histoire de la police prussienne, ce qui rend la suite d'autant plus remarquable. Ernst Gennat assistait à la réunion avec le nouveau directeur de la police. De même que le nouveau directeur adjoint, Johann Mosle. Mais c'est Melcher, quarante-quatre ans, qui parla pour l'essentiel. Personnage apparemment irascible, il ne mit pas longtemps à en venir au fait, avec l'aide d'un doigt accusateur et taché de nicotine.

« Je ne tolérerai pas que des officiers de la police de Berlin se bagarrent avec d'autres policiers. Est-ce clair ?

— Oui, monsieur.

— Vous pensiez, j'en suis sûr, avoir de bonnes raisons pour ça, mais je ne veux pas les entendre. Les divergences politiques ayant existé entre les divers membres de la police sont désormais caduques. Toutes les poursuites disciplinaires engagées contre des policiers ayant des affiliations nazies sont abandonnées, et l'interdiction d'être membre du parti nazi pour les fonctionnaires au service de l'État prussien va être levée. Si vous n'êtes pas capable d'accepter ces changements, il n'y a pas de place pour vous dans cette brigade, Gunther. »

Je m'apprêtais à lui dire que cela faisait déjà un moment que je travaillais aux côtés d'énergumènes qui ne cachaient pas leurs sympathies nazies. Mais j'aperçus alors Gennat, qui fermait les yeux tout en hochant imperceptiblement la tête comme pour me conseiller le silence.

« Oui, monsieur.

— Il existe un ennemi bien plus grand que le nazisme dans ce pays. Et en particulier dans cette ville. Le bolchevisme et l'immoralité. Nous allons attaquer les communistes. Nous allons sévir contre le vice sous toutes ses formes. Les spectacles de strip-tease seront fermés. Et les putains chassées de nos rues.

— Oui, monsieur.

— Et ce n'est pas tout. La Kripo fonctionnera davantage comme une équipe. Fini les détectives vedettes donnant des conférences de presse et ayant leur nom à la une des journaux.

— Et les officiers de police écrivant des livres ? demandai-je. Est-ce que ce sera permis ? J'ai toujours eu envie d'écrire un livre. »

Melcher se fendit d'un sourire de crapaud puis se pencha en avant comme pour examiner de plus près un écolier malpropre.

« Vous savez, il n'est pas difficile de deviner comment vous avez récolté ces bleus sur la figure, Gunther. Vous vous croyez malin. Et je n'aime pas les policiers qui se croient malins.

— Employer des policiers idiots n'aurait sûrement aucun intérêt, monsieur.

— Il y a malin et malin, Gunther. Et puis il y a intelligent. Un flic intelligent sait faire la différence. Il sait quand il doit se taire et écouter. Il sait mettre ses opinions politiques de côté et s'acquitter de la mission qu'on lui a confiée. Je ne suis pas sûr que vous sachiez quoi que ce soit de tout ça, Gunther. Autrement, je ne vois pas comment vous seriez resté trois jours et trois nuits dans une cellule de police à Munich. D'ailleurs, qu'est-ce que vous fichiez là-bas ?

— J'y suis allé sur l'invitation d'un camarade officier de police. Pour jeter un coup d'œil à un dossier en rapport avec un meurtre sur lequel j'enquêtais. L'affaire Anita Schwarz. Il existait des analogies frappantes entre cette affaire et un meurtre dont il s'était occupé. J'espérais trouver une nouvelle piste. Mais, en arrivant à Munich, j'ai appris que cet officier de police, le Kommissar Herzefelde, un Juif, avait été assassiné. »

J'avais utilisé à dessein le mot « camarade », histoire de provoquer chez Melcher une sorte de poussée de fièvre antisémite. Je n'avais pas oublié Izzy Weiss et les mensonges que l'on colportait à présent sur le compte de mon vieux patron et ami.

« Très bien. Et qu'avez-vous découvert ?

— Rien. Les dossiers du Kommissar Herzefelde ont été mis sous embargo par les policiers enquêtant sur sa mort. Du coup, il m'a été impossible de faire ce que j'avais prévu.

— Et donc, vous avez défoulé votre frustration de vous voir refuser l'accès au dossier de Herzefelde sur un collègue.

— Ce n'est pas du tout de cette manière que ça s'est passé, monsieur. Le sergent en question... »

Melcher secouait la tête.

« Je vous ai dit que je ne voulais pas entendre vos raisons, Gunther. Frapper un autre policier est inexcusable. »

Il regarda un instant du côté de Mosle.

« Inexcusable, fit en écho le directeur adjoint.

— Alors, où en êtes-vous de cette affaire ?

— Eh bien, monsieur, je pense que notre assassin pourrait être originaire de Munich. Quelque chose l'a amené à Berlin. De médical, peut-être. J'ai dans l'idée qu'il suit un traitement pour une maladie vénérienne. Un nouveau traitement, actuellement à l'étude dans une clinique de la ville. Toujours est-il qu'une fois ici, il a rencontré Anita Schwarz. Peut-être était-ce un de ses clients. Il semble que celle-ci était une prostituée occasionnelle.

— Absurde ! s'exclama Melcher. En général, un individu atteint d'une maladie vénérienne ne va pas s'amuser à avoir des relations sexuelles avec une prostituée. Ça ne tient tout simplement pas debout.

— Avec tout le respect que je vous dois, monsieur, c'est ainsi que se propagent les maladies vénériennes.

— Et cette idée qu'Anita Schwarz était une putain. Tout aussi absurde ! Je vous le dis franchement, Gunther : je crois, comme un certain nombre d'officiers supérieurs à l'Alex, que vous avez inventé cette théorie de toutes pièces pour mettre la famille Schwarz dans l'embarras. Pour des motifs politiques.

— C'est absolument faux, monsieur.

— Niez-vous avoir éludé la supervision de l'officier de police politique affecté à cette affaire ?

— Arthur Nebe ? Non, je ne le nie pas. Ça ne me semblait pas nécessaire, voilà tout. J'étais intimement persuadé de ne pas me montrer le moins du monde injuste avec la famille Schwarz. Tout ce que j'ai jamais voulu faire, c'est attraper le fou qui a tué leur fille.

— Eh bien, ça ne me satisfait pas. Et vous n'allez pas attraper son meurtrier. Je vous retire l'affaire, Gunther.

— Si vous me permettez, monsieur, vous commettez une grave erreur. Il n'y a que moi qui puisse pincer ce type. Si vous pouviez faire le nécessaire pour que je voie les dossiers de Herzefelde, je suis sûr que j'arriverais à boucler cette affaire en moins d'une semaine.

— Vous avez eu tout le temps voulu, Gunther. Je regrette, mais c'est ainsi. De plus, je vous réaffecte. Je vous enlève de la section A.

— Des Homicides ? Pourquoi ? Je fais bien mon métier, monsieur. » Je me tournai vers Gennat. « Dites-lui, Ernst. Au lieu de rester là comme un pâté en croûte. Vous le savez, vous, que je suis bon. C'est vous qui m'avez formé. »

Gennat remua gauchement son énorme postérieur. Il avait l'air de souffrir, comme si ses hémorroïdes le gênaient.

« Ça ne dépend plus de moi, Bernie, dit-il. Je suis désolé. Sincèrement. Mais la décision a été prise.

— Ouais, je comprends. Vous voulez une petite vie tranquille, Ernst. Pas de problèmes. Pas de politique. Et à propos, c'est vrai que vous faisiez partie des flics qui se sont pointés dans le bureau d'Izzy avec une bouteille de vin pour boire à la santé du Dr Mosle ici présent ? Alors qu'il prenait le boulot d'Izzy ?

— Ce n'était pas comme ça, Bernie, affirma Gennat. Je connais Mosle depuis plus longtemps que je ne vous connais. C'est quelqu'un de bien.

— Izzy aussi.

— Cela reste à voir, intervint Melcher. Non que votre opinion ait la moindre importance en la matière. Je vous transfère de la section A à la section J. Avec effet immédiat.

— J ? Mais c'est le service des archives. Ce n'est même pas une section à proprement parler, bon sang. Seulement une section auxiliaire.

— Ce déplacement n'est que temporaire, expliqua Melcher. Le temps que je décide laquelle des sept autres sections pourrait le mieux utiliser un homme possédant votre expérience en matière d'enquête. Jusque-là, je veux que vous utilisiez cette expérience pour proposer des moyens d'améliorer l'efficacité du service des archives. De l'avis général, le problème avec les gens des archives, c'est qu'ils n'ont aucune connaissance réelle de la façon dont marche une enquête. Votre travail consistera à arranger ça, Gunther. Est-ce clair ? »

En temps normal, j'aurais invoqué une foule de bonnes raisons. J'aurais même offert ma démission. Mais j'étais fatigué après le voyage en train depuis Munich et j'avais mal partout à cause de la raclée que j'avais reçue. Tout ce que je voulais, c'était rentrer chez moi, prendre un bain, boire un verre et dormir dans un vrai lit. D'ailleurs, il restait le petit détail des élections générales qui auraient lieu dans quelques jours, le 31 juillet. Je nourrissais encore l'espoir que le peuple allemand retrouverait ses esprits et ferait des sociaux-démocrates le plus grand parti au Reichstag. Après quoi, l'armée n'aurait guère le choix que de rétablir le gouvernement prussien et de chasser les Papen, Bracht, Melcher, Mosle et consort des postes qu'ils occupaient illégalement.

« Oui, monsieur, répondis-je.

— C'est tout, Gunther.

— M'autorisez-vous à prendre une semaine de congé, monsieur ?

— Accordé. »

Je sortis lentement, Ernst Gennat fermant la marche. Mosle demeura derrière, dans ce qui était, pour un moment, le bureau de Melcher.

« Je suis désolé, Bernie, déclara Gennat. Mais il n'y avait vraiment rien que je puisse faire.

— Vous auriez quand même pu dire quelque chose. »

Gennat eut un petit sourire las.

« Cela fait plus de trente ans que je suis dans la police, Bernie. J'étais Kommissar en 1906. Une des choses que j'ai apprises durant tout ce temps, c'est à savoir quand se battre et quand s'avouer vaincu. Ça ne sert à rien de discuter avec ces salauds-là, de même qu'il aurait été inutile de s'opposer à l'armée. À mon avis, le gouvernement Papen est condamné d'une manière ou d'une autre. Il n'y a plus qu'à croiser les doigts pour que les élections se passent bien. Ensuite, vous pourrez réintégrer la Criminelle. Et peut-être qu'Izzy et les autres aussi. Encore que, avec ce qui est arrivé à votre copain Herzefelde à Munich, j'aurais tendance à penser qu'il n'a pas de regret à avoir. La loi martiale sera levée d'ici quelques jours, je suppose. Ils n'oseront pas essayer de tenir les élections avec l'armée encore dans les rues. Et les poursuites contre Weiss et Heimannsberg seront abandonnées faute de preuves. Grezinski prévoit déjà une série de discours à travers la ville pour justifier sa politique de non-violence. Alors, rentrez chez vous. Tâchez de vous rétablir. Ayez foi dans la démocratie allemande. Et priez pour que Hindenburg reste en vie. »

13

BUENOS AIRES, 1950

Malgré l'heure tardive, j'étais en train de travailler à mon bureau de la Casa Rosada. Pour l'essentiel : une table, un classeur et un portemanteau dans un coin de la vaste pièce du SIDE donnant sur Irigoyen et faisant face au ministère des Finances. Mes soi-disant collègues me laissaient tout seul, ce qui n'était pas sans me rappeler le bureau de Paul Herzefelde dans la salle des inspecteurs de l'hôtel de police à Munich. Ce n'est pas qu'ils me croyaient juif, simplement ils ne me faisaient pas confiance, et je pouvais difficilement leur en vouloir. Je n'avais aucune idée de ce que le colonel Montalbán avait raconté à mon sujet. Peut-être rien. Peut-être tout. Peut-être des salades. Voilà le problème d'être un espion. On a vite fait de se croire espionné soi-même.

Les dossiers de la Kripo de Berlin étaient ouverts sur la table devant moi. La boîte qui les avait contenus était la meilleure machine à remonter le temps qu'il me serait jamais donné de contempler, vraisemblablement. Tout ça paraissait si loin. Et dater d'hier à la fois. Que disait Louis Adlon déjà ? La malédiction confucéenne. *Puissiez-vous toujours vivre à une époque intéressante !* Oui, c'était ça. De ce point de vue, je m'étais assurément bien débrouillé. La vie étant ce qu'elle est, la mienne avait été plus intéressante que beaucoup.

À présent, je me souvenais parfaitement de tout ce qui s'était passé pendant les derniers mois de la République de Weimar, et il me semblait évident que la seule raison pour laquelle je n'avais pas réussi à résoudre le meurtre d'Anita Schwarz, c'est que, à la suite de mon entrevue avec Kurt Melcher, je n'avais plus travaillé aux Homicides. De retour d'une semaine de congé, j'avais pris possession de mon nouveau poste au service des archives, espérant contre toute attente que le SPD parviendrait à renverser la situation et que la République retrouverait force et vigueur. Ce ne fut pas le cas.

Les élections du 31 juillet 1932 virent les nazis gagner des sièges au Reichstag, mais sans obtenir pour autant la majorité absolue qui aurait permis à Hitler de former un gouvernement. Chose incroyable, les communistes se rangèrent alors du côté des nazis pour faire voter au parlement une motion de censure contre le malheureux gouvernement Papen. Après ça, je me mis à détester les communistes encore plus que les nazis.

À nouveau, le Reichstag fut dissous. Et à nouveau, on annonça des élections, cette fois pour le 6 novembre. Et à nouveau, la République s'accrocha bec et ongles tandis que les nazis ne parvenaient pas à obtenir la majorité absolue. À présent, c'était à Schleicher de tenter sa chance pour devenir chancelier d'Allemagne. Il dura deux mois. Un nouveau putsch se profilait. Cherchant désespérément un homme capable de gouverner le pays avec une certaine autorité, Hindenburg vira l'incompétent Schleicher et demanda à Adolf Hitler, le seul chef de parti à ne pas avoir eu droit à un petit tour de piste à la chancellerie, de former un gouvernement.

Moins d'un mois plus tard, Hitler s'arrangea pour qu'il ne puisse plus y avoir d'élections mi-figue mi-raisin. Le 27 février 1933, il réduisit le Reichstag en cendres. La révolution nazie avait commencé. Peu après, je quittai la police pour aller travailler à l'hôtel Adlon. J'oubliai tout ce qui concernait Anita Schwarz. Et je n'eus plus l'occasion de parler à Ernst Gennat. Même pas lorsque, cinq ans plus tard, je réintégrai l'Alex à la requête du général Heydrich.

Tout était là, dans la boîte à archives. Mes notes, mes rapports, mon agenda, mon mémorandum, le rapport d'expertise d'Illmann, ma liste initiale de suspects. Et davantage. Bien davantage. Parce que c'est à cet instant seulement que je m'aperçus que la boîte ne contenait pas uniquement le dossier d'Anita Schwarz, elle contenait aussi le dossier sur le meurtre d'Elisabeth Bremer. Après mon départ des Homicides, on avait passé l'affaire Schwarz à mon sergent, Heinrich Grund, qui avait réussi à se faire envoyer de Munich le dossier de Herzefelde. À ma grande surprise, j'avais maintenant sous les yeux les documents mêmes pour lesquels j'avais fait le voyage depuis Berlin en ce fatidique mois de juillet 1932.

L'enquête de Herzefelde avait eu principalement pour cible Walter Pieck, un jeune homme de vingt-deux ans, originaire de Günzburg. Pieck était le professeur de patinage d'Elisabeth Bremer au Prinzregentenstadion. En été, il était moniteur de tennis à l'Ausstellungspark. De plus, il faisait partie du Stahlhelm, l'association d'extrême droite, et était membre du parti nazi depuis 1930. On voyait mal ce qu'un jeune homme de vingt-deux ans avait pu trouver à une gamine de quinze ans. Jusqu'à ce qu'on regarde la photographie d'Elisabeth Bremer. Elle ressemblait comme deux gouttes d'eau à Lana Turner et, à l'instar de Lana, elle remplissait chaque centimètre du pull-over qu'elle portait sur la photo. La période la plus heureuse de ma vie est celle que j'ai passée chez moi au sein de ma famille. Elle aurait été encore plus heureuse avec une parente roulée comme Elisabeth Bremer.

En lisant les notes de Herzefelde, il me revint en mémoire que Pieck avait prétendu qu'Elisabeth l'avait quitté une semaine avant sa mort parce qu'elle l'avait surpris à lire son journal intime. Aux yeux d'Elisabeth, c'était une faute impardonnable, et je comprenais facilement sa contrariété : au fil du temps, j'ai lu moi-même quelques journaux intimes, et pas toujours avec les meilleures intentions du monde. Peu satisfait par cette explication, Grund s'était procuré le journal en question et avait constaté qu'Elisabeth avait l'habitude de noter ses règles à l'aide de la lettre grecque l'oméga. Dans les semaines ayant précédé le meurtre, un sigma avait remplacé oméga, ce qui avait conduit Grund à supposer qu'elle était enceinte. Grund avait interrogé Pieck et suggérait que là résidait la vraie raison qui l'avait poussé à lire le journal de sa jeune petite amie ; et qu'il l'avait aidée à se faire avorter de façon clandestine. Mais, bien que cuisiné pendant plusieurs jours, Pieck n'avait cessé de nier catégoriquement. En outre, il possédait un alibi en béton, à savoir son père, qui se trouvait être le chef de la police de Günzburg, ville située à plusieurs centaines de kilomètres de Berlin.

Ni le médecin d'Elisabeth ni aucun de ses camarades d'école n'étaient au courant d'une quelconque grossesse. Mais Grund notait qu'Elisabeth avait hérité de son grand-père un peu d'argent qu'elle avait utilisé pour ouvrir un compte d'épargne ; et qu'elle avait retiré presque la moitié de cet argent la veille de sa mort, bien qu'on n'en eût pas trouvé sur son cadavre. Il en concluait que, si Pieck ne l'avait pas aidée à se faire avorter, c'est qu'Elisabeth – jeune fille capable et pleine de ressources au dire de tous – avait dû se procurer elle-même des adresses. Et qu'Anita Schwarz en avait probablement fait autant. Que ces avortements avaient été bâclés. Et que l'avorteur avait cherché à brouiller les pistes en faisant passer leur décès accidentel pour un crime sexuel.

Je ne pouvais qu'approuver la plupart des conclusions de Grund. Et pourtant, personne ne fut inquiété pour les meurtres. Les pistes semblaient s'arrêter brusquement, et, après 1933, ne figuraient plus que deux notes dans le dossier. Selon la première, Walter Pieck s'était engagé dans la SS en 1934 avant de devenir gardien au camp de concentration de Dachau. La seconde concernait Otto, le père d'Anita Schwarz.

Entré dans la police de Berlin en 1933 comme secrétaire adjoint de Kurt Daluege, Otto Schwarz avait été par la suite nommé juge.

Je me levai de mon bureau et allai à la fenêtre. Les lumières étaient allumées dans le ministère des Finances. Sans doute les employés s'efforçaient-ils de mettre au point des mesures pour juguler l'inflation galopante en Argentine. Ou bien ils faisaient des heures supplémentaires pour trouver un moyen de payer les bijoux d'Evita. La rue en contrebas était noire de monde. Pour je ne sais quelle raison, il y avait une longue file d'attente devant le ministère du Travail. Et de la circulation. Buenos Aires était toujours embouteillée : taxis, trolleybus, *micros*, voitures américaines et camions, comme autant d'idées décousues dans une cervelle de flic. De l'autre côté de ma fenêtre, la circulation se dirigeait dans le même sens. Mes pensées aussi. J'avais peut-être bien tout compris, plus ou moins.

Anita Schwarz était sûrement tombée enceinte et, craignant le scandale qui pourrait résulter de la découverte que leur fille infirme était une prostituée occasionnelle, Herr et Frau Schwarz avaient probablement payé le charlatan de Munich pour pratiquer un avortement sur elle. Ce qui expliquait sans doute qu'elle ait eu autant d'argent en poche. Seulement l'opération avait mal tourné et, voulant dissimuler son forfait, le charlatan avait essayé de maquiller la mort de la jeune fille en crime sexuel. Comme il l'avait fait à Munich. Après tout, mieux valait pour lui que la police pourchasse une espèce de tueur sexuel fou plutôt qu'un médecin incompétent. Des tas de femmes étaient mortes aux mains d'avorteurs clandestins. On ne les appelait pas des faiseurs d'anges pour rien. Je me rappelais le cas d'un homme, un dentiste d'Ulm, en Bavière, qui, dans les années 1920, avait étranglé plusieurs femmes enceintes pour des motifs sexuels alors qu'il était censé les avorter.

Plus j'y réfléchissais et plus ma solution me plaisait. L'homme que j'avais cherché était un médecin, ou une sorte de guérisseur, habitant très probablement Munich. Mon premier suspect fut Kassner, le docteur vérole, jusqu'à ce que je me souvienne que j'avais vérifié son alibi : le jour du meurtre d'Anita Schwarz, il était allé à un congrès d'urologues à Hanovre. Je repensai alors au jeune ami de son ex-femme, le type aux allures de manouche avec une petite Opel découverte, immatriculée à Munich. Beppo. Tel était son nom. Un drôle de nom pour un Allemand. Kassner avait déclaré qu'il étudiait à l'université de Munich. Un étudiant en médecine, peut-être. Mais combien d'étudiants avaient les moyens de s'offrir une Opel neuve ? À moins, bien sûr, d'arrondir ses fins de mois en pratiquant des avortements clandestins. Éventuellement dans l'appartement même de Kassner quand celui-ci s'absentait. Et si, comme beaucoup d'étudiants venant goûter à la fameuse vie nocturne de Berlin, Beppo avait attrapé une maladie vénérienne, qui était mieux placé que

Kassner pour lui venir en aide à grand renfort de Protonsil, la nouvelle Balle magique ? Cela expliquait assurément pourquoi la propre adresse de Kassner figurait sur la liste de suspects que j'avais établie en me servant du Répertoire du Diable de la Kripo, ainsi que sur la liste de patients recopiée dans le bureau de Kassner. Donc Beppo. L'homme que j'avais rencontré devant la porte du domicile de Kassner. Pourquoi pas ? Auquel cas, si d'aventure il se trouvait en Argentine, je n'aurais pas de mal à le reconnaître. Naturellement, s'il se trouvait en Argentine, cela voulait dire en premier lieu qu'il avait commis des actes criminels l'ayant forcé à quitter l'Allemagne. Peut-être dans la SS. Non qu'il fît l'effet de correspondre à l'image idéale d'un SS. Pas en 1932. À cette époque-là, on préférait le style aryen, blond aux yeux bleus, comme Heydrich. Ou comme moi. Pas le physique de Beppo, loin de là.

J'essayai de me l'imaginer. Taille moyenne, beau gosse, mais avec le teint basané. Ouais, façon gitan. Les nazis avaient détesté les gitans presque autant que les Juifs. Bien sûr, il n'aurait pas été le premier à entrer dans la SS sans avoir le type aryen parfait. À commencer par Himmler. Ou encore Eichmann. Mais si Beppo possédait des compétences médicales et qu'il avait été en mesure de prouver qu'il n'y avait pas de sang non aryen dans sa famille depuis quatre générations, il avait très bien pu se faire verser dans le corps médical d'une unité de la Waffen SS. Je décidai de demander au Dr Vaernet s'il se souvenait d'un type de ce genre.

« On travaille tard, à ce que je vois. »

C'était le colonel Montalbán.

« Oui. Je réfléchis mieux la nuit. Dans le calme.

— Moi, je suis plutôt du matin.

— Vous m'étonnez. Je pensais que vous autres, vous aimiez bien arrêter les gens au milieu de la nuit. »

Il sourit.

« En fait, non. Nous préférons faire ça aux aurores.

— Je tâcherai de m'en souvenir. »

Il s'approcha de la fenêtre et indiqua la file devant le ministère du Travail.

« Vous voyez ces gens ? De l'autre côté d'Irigoyen ? Ils sont là pour Evita.

— Je me disais aussi qu'il était un peu tard pour chercher du travail.

— Elle passe là chacune de ses soirées et une partie de la nuit. À distribuer de l'argent et des faveurs aux pauvres, aux malades et aux sans-abri.

— Très noble. Et, pendant une année d'élection, très pragmatique aussi.

— Ce n'est pas pour ça qu'elle le fait. Vous êtes allemand. Je ne m'attendais pas à ce que vous compreniez. Ce sont les nazis qui vous ont rendu aussi cynique ?

— Non. Je suis cynique depuis mars 1915.

— Que s'est-il passé alors ?

— La seconde bataille d'Ypres.

— Bien sûr.

— Je me dis parfois que, si nous avions gagné celle-là, nous aurions gagné la guerre, ce qui aurait beaucoup mieux valu pour tout le monde à long terme. Britanniques et Allemands auraient conclu un traité de paix, et Hitler serait resté dans une obscurité bien méritée.

— Luis Irigoyen, qui fut notre président et, plus tard, notre ambassadeur en Allemagne – d'où le fait que cette rue porte son nom –, a eu souvent l'occasion de s'entretenir avec Hitler et il l'admirait énormément. Il m'a confié un jour que c'était l'homme le plus fascinant qu'il ait jamais rencontré. »

La mention de Hitler me fit penser à Anna Yagubsky et à ses parents disparus. Choisissant mes mots avec soin, j'essayai alors d'amener le sujet des Juifs argentins sur le tapis.

« Est-ce pour ça que l'Argentine s'est opposée à l'émigration juive ? »

Il haussa les épaules.

« C'était une époque très difficile. Il y en avait énormément à vouloir venir ici. Nous ne pouvions pas les recevoir tous. Nous ne sommes pas un grand pays comme l'Amérique, ou le Canada. »

Je résistai à la tentation de rappeler au colonel que, d'après mon guide touristique, l'Argentine était le huitième pays du monde en terme de superficie.

« Et c'est comme ça que la Directive Onze a vu le jour ? »

Les yeux de Montalbán s'étrécirent.

« En Argentine, il n'est pas sain de connaître la Directive Onze. Qui vous a parlé de ça ?

— On entend des choses.

— Certes, mais venant de qui ?

— Le Service central de renseignement, répondis-je. Pas Radio El Mundo. Ce serait bien étonnant si l'on n'apprenait pas un ou deux petits secrets dans ce genre d'endroit. De plus, mon espagnol est en progrès constant.

— J'avais remarqué.

— J'ai même entendu dire que Martin Bormann vivait en Argentine.

— Les Américains en sont certainement persuadés. Ce qui est encore la meilleure raison de penser que c'est faux. Rappelez-vous ce que je vous ai dit. En Argentine, il vaut mieux tout savoir plutôt que d'en savoir trop.

— Dites-moi, colonel. Y a-t-il eu d'autres assassinats ?

— Des assassinats ?

— Vous savez. Quand une personne en tue une autre délibérément. Une écolière, en l'occurrence. Comme celle que vous m'avez montrée à l'hôtel de police. Celle à qui il manquait son trousseau de mariage. »

Il secoua la tête.

« Et la fille disparue ? Fabienne von Bader.

— Elle est toujours portée disparue. » Il sourit tristement. « J'avais espéré que vous l'auriez déjà retrouvée.

— Non. Pas encore. Mais je ne suis peut-être pas loin de découvrir la véritable identité du meurtrier d'Anita Schwarz. »

Il resta un moment perplexe.

« La fille tuée à Berlin, en 1932. Vous vous souvenez ? Celle sur laquelle vous aviez lu des articles dans les journaux allemands du temps où je répondais encore à votre conception d'un héros.

— Oui, naturellement. Vous pensez qu'il pourrait être ici en fin de compte ?

— Il est un peu tôt pour le dire. D'autant plus que j'attends toujours de rencontrer ce médecin dont vous m'avez parlé. Celui de New York. Le spécialiste.

— Le Dr Pack ? C'est justement pour ça que je suis venu vous voir. Pour vous prévenir. Il est ici, à Buenos Aires. Il est arrivé aujourd'hui. Il peut vous examiner demain, ou peut-être après-demain, tout dépend…

— De son autre patient plus éminent. Je sais, je sais. Mais pas trop. Juste tout. Je ne l'oublierai pas.

— Cela vaudrait mieux. Dans votre propre intérêt. » Il hocha la tête. « Vous êtes un homme intéressant, señor. Aucun doute là-dessus.

— Oui. Je sais ça aussi. J'ai eu une vie intéressante. »

J'aurais dû me montrer plus attentif à l'avertissement du colonel, mais j'ai toujours eu un faible pour les jolis minois. En particulier les jolis minois aussi séduisants que celui d'Anna Yagubsky.

Mon bureau était situé au deuxième étage. À l'étage au-dessous se trouvait l'*archivo*, où étaient conservés les dossiers du SIDE. Je décidai d'y faire un saut en partant. J'avais déjà l'habitude d'y aller. Chaque fois que je questionnais un vieux camarade, j'ajoutais à son dossier un compte rendu détaillé sur qui il était et les forfaits qu'il avait commis. Je ne pensais pas risquer grand-chose en jetant un coup d'œil à d'autres dossiers n'ayant aucun lien. La seule question était : comment y parvenir ?

À Berlin, tous les ennemis du IIIe Reich, réels ou supposés, étaient répertoriés dans le Fichier A, installé au siège de la Gestapo, dans Prinz Albrechtstrasse. Ce fichier, encore appelé le Fichier bureautique, était le système d'archivage judiciaire le plus moderne du monde. Du moins, d'après ce que m'avait affirmé un jour Heydrich. Il comprenait un demi-million de cartes sur des individus que la Gestapo considérait comme méritant d'être tenus à l'œil. Il s'agissait d'une sorte de grande roue, actionnée par un moteur électrique, avec un opérateur attitré capable de localiser n'importe quelle carte parmi ce demi-million en moins d'une minute. Fervent adepte du vieil axiome selon lequel le savoir c'est le pouvoir, Heydrich l'avait surnommée sa roue de la fortune. Plus que quiconque, c'était Heydrich qui avait contribué à la rénovation de la police politique prussienne et fait du SD l'un des premiers employeurs d'Allemagne. En 1935, plus de six cents fonctionnaires travaillaient au seul service des archives de la Gestapo de Berlin.

Il n'existait rien d'aussi perfectionné ni d'aussi conséquent à Buenos Aires, même si le système à la Casa Rosada fonctionnait assez bien. Vingt personnes, réparties en cinq équipes de quatre, se relayaient en permanence. Il y avait des dossiers sur les politiciens de l'opposition, les représentants des syndicats, les communistes, les intellectuels de gauche, les homosexuels et les leaders religieux. Ces dossiers étaient conservés sur des étagères mobiles actionnées par des manettes et catalogués en fonction du nom et du sujet dans une série de registres reliés en cuir appelés *los libros marrones*. L'accès aux dossiers était régi par un simple dispositif de signature, à moins que le dossier ne fût jugé sensible, auquel cas la consultation des *los libros marrones* était inscrite en rouge.

L'officier supérieur de service à l'*archivo*, l'OR comme on l'appelait – l'*oficial del registro* –, était censé superviser la consultation et l'utilisation de tout matériel écrit. Je connaissais assez bien au moins deux de ces OR. Je leur avais avoué que j'avais été policier à Berlin et, pour m'insinuer dans leurs bonnes grâces, je les avais même régalés de descriptions de l'apparente omniscience du système de classement de la Gestapo. Même si la majeure partie de ce que je leur racontais était fondée sur les quelques mois passés au service des archives de la Kripo après mon départ de la brigade des homicides, il m'arrivait d'inventer purement et simplement. Non que les OR fussent à même de faire la différence. L'un d'entre eux, que je connaissais seulement sous le nom de Marcello, s'était mis en tête de prendre le système de classement de la Gestapo comme modèle pour actualiser son équivalent du SIDE, et j'avais promis de l'aider à rédiger une note dans ce sens destinée au chef du SIDE, Rodolfo Freude.

Je savais que Marcello serait de service à l'*archivo*. En franchissant les portes battantes je l'aperçus à sa place habituelle derrière le bureau principal. C'était une salle entièrement ronde. Avec son drapeau argentin et ses officiers armés au côté, elle ressemblait davantage à une redoute qu'à un service d'archives. Si ce n'est que Marcello n'avait rien de très militaire dans son uniforme flottant de partout. Chaque fois que je le voyais, il me faisait penser à ces soldats en herbe aux visages poupins chargés de défendre le bunker de Hitler contre l'Armée rouge lors de la chute de Berlin.

Je rendis les dossiers mis à jour de Carl Vaernet et de Pedro Olmos et demandai celui de Helmut Gregor. Marcello récupéra les dossiers, chercha Helmut Gregor dans *los libros marrones*, puis envoya un de ses sous-fifres le chercher sur les étagères. Je regardai celui-ci tourner les manettes comme s'il ouvrait la serrure d'une grille, jusqu'à ce que la bonne étagère ait avancé suffisamment sur un rail invisible pour qu'il l'ait à portée de main.

« Dites-m'en davantage sur votre Fichier A, demanda Marcello, qui était d'origine italo-argentine.

— D'accord, dis-je en espérant pouvoir le faire valser dans la direction que je désirais. Il y avait trois sortes de cartes. Dans le Groupe Un, toutes les cartes avaient une marque rouge indiquant un ennemi de l'État. Dans le Groupe Deux, une marque bleue indiquait un individu à arrêter en cas d'urgence nationale. Et dans le Groupe Trois, une marque verte indiquait des personnes faisant l'objet d'une surveillance permanente. Toutes ces marques figuraient sur le côté gauche de la carte. Sur le côté droit, une seconde marque colorée indiquait un communiste, quelqu'un soupçonné d'appartenir à la résistance, un Juif, un Témoin de Jéhovah, un homosexuel, un franc-maçon, etc. L'ensemble du fichier était mis à jour deux fois par an. Au commencement et à la fin de l'été – la période où nous avions le plus de boulot. Himmler y tenait beaucoup.

— Fascinant ! s'exclama Marcello.

— Les indicateurs avaient des dossiers spéciaux. Les agents aussi. Mais tous ces dossiers étaient complètement séparés de ceux de l'Abwehr – le renseignement militaire allemand.

— Vous voulez dire qu'ils n'échangeaient pas leurs informations ?

— Absolument pas. Ils se haïssaient mutuellement. »

Maintenant que j'avais bien dansé avec lui, il était temps d'avancer mes pions.

« Avez-vous un dossier sur un couple juif, les Yagubsky ? » demandai-je innocemment.

Marcello prit l'épais registre en cuir marron sur l'étagère incurvée derrière lui et le consulta en s'humectant fréquemment l'index. Comme il devait le lécher cent fois par jour, j'étais surpris qu'il ne fût pas rongé comme un bâton de sel. Au bout d'une minute environ, il secoua la tête.

« Rien, malheureusement. »

Je lui en dis encore un peu plus. Des sornettes comme quoi Heydrich avait prévu de faire construire une gigantesque machine électronique fonctionnant de façon automatique afin de fournir les mêmes informations sur du ruban perforé de télescripteur et en dix fois moins de temps. Je laissai Marcello pousser des « oh ! » et des « ah ! » pendant un moment avant de lui demander si je pouvais voir les dossiers relatifs à la Directive Onze.

Marcello ne consulta même pas ses livres marron avant de répondre ; et il sourcilla légèrement comme s'il craignait de me décevoir à nouveau.

« Non, nous n'avons rien non plus là-dessus. Ce type de dossier n'est pas conservé ici. Plus maintenant. Tous les dossiers concernant les services argentins de l'immigration ont été déménagés par le ministère des Affaires étrangères il y a à peu près un an. Pour être entreposés, je présume.

— Ah oui ? Où ça ?

— Au vieil Hotel de Inmigrantes. Le long du bassin Nord, de l'autre côté de l'avenue Eduardo Madero. Il a été bâti au début du siècle pour s'occuper du nombre énorme d'immigrants en Argentine. Un peu comme Ellis Island à New York. Aujourd'hui l'endroit tombe plus ou moins en ruine. Même les rats l'évitent. Je crois qu'une équipe réduite au strict minimum y travaille encore. Je n'y suis jamais allé moi-même, mais un des OR qui a aidé à y transporter des classeurs a raconté que c'était plutôt rudimentaire. Si vous cherchez quelque chose là-bas, il vaudrait probablement mieux vous adresser au ministère des Affaires étrangères. »

Je secouai la tête.

« Ce n'est pas vraiment important. »

Je me rendis à la gare Presidente Perón, garai ma voiture et trouvai un téléphone. J'appelai le numéro que m'avait communiqué Anna Yagubsky. Un vieil homme me répondit, la voix pleine de méfiance. Sans doute son père. Comme je lui donnais mon nom, il se mit à poser un tas de questions auxquelles j'aurais été bien incapable de répondre même si je l'avais voulu.

« Écoutez, señor Yagubsky, je serais ravi de discuter avec vous, mais je manque de temps pour cette fois. Est-ce que ça vous dérangerait de mettre vos questions entre parenthèses et d'aller chercher votre fille ?

— Inutile d'être grossier, répondit-il.

— En vérité, je faisais de gros efforts pour ne pas l'être.

— Cela m'étonne que vous ayez des clients, señor Hausner, si c'est comme ça que vous les traitez.

— Des clients ? Hein hein. Qu'est-ce que vous a dit exactement votre fille sur moi, señor Yagubsky ?

— Que vous étiez détective privé. Et qu'elle vous avait engagé pour retrouver mon frère. »

Je souris.

« Et votre belle-sœur ?

— Pour être tout à fait franc avec vous, je peux parfaitement vivre sans ma belle-sœur. Je n'ai jamais compris pourquoi Roman l'avait épousée, et nous ne nous sommes jamais très bien entendus. Vous êtes marié, señor ?

— Je l'ai été. Plus maintenant.

— Eh bien, au moins, vous savez que vous pouvez vous en passer. »

Je glissai une nouvelle pièce dans le téléphone.

« Présentement, je risque surtout de ne pas pouvoir parler à votre fille. C'étaient mes derniers cinq centavos.

— Très bien, très bien. C'est l'ennui avec vous autres Allemands. Vous avez toujours une bonne raison d'être pressés. »

Il posa le combiné avec un bruit sourd et, une longue minute plus tard, Anna vint en ligne.

« Qu'avez-vous dit à mon père ?

— Il n'y a vraiment pas le temps pour des explications. Je veux que vous me retrouviez à la gare Presidente Perón dans une demi-heure.

— Cela ne peut pas attendre demain soir ?

— Demain, impossible. Il se peut que j'aie un rendez-vous à l'hôpital. Et peut-être qu'après-demain également. » J'allumai rapidement une cigarette. « Écoutez, soyez ici au plus tôt. Je vous attendrai à côté du quai de Belgrano.

— Pouvez-vous m'en dire un peu plus ?

— Mettez de vieux vêtements. Et apportez une lampe de poche. Deux si vous les avez. Et une bouteille de café. Il y a des chances que ça prenne un moment.

— Mais où allons-nous ?

— Faire quelques fouilles.

— Vous m'effrayez. Je devrais peut-être apporter aussi une pioche et une pelle.

— Non, mon ange, pas avec de jolies mains comme les vôtres. Calmez-vous, il n'est pas question de déterrer qui que ce soit. Nous allons seulement fureter dans de vieux dossiers d'immigration, et il risque d'y avoir de la poussière, c'est tout.

— Je suis ravie de l'entendre. Pendant un instant, j'ai cru... je veux dire, exhumer des cadavres me dégoûte un peu. Surtout la nuit.

— J'ai entendu dire que c'est en général la meilleure heure pour ce genre de chose. Même les morts ne font guère attention.

— Nous sommes à Buenos Aires, señor Hausner. À Buenos Aires, les morts font toujours attention. C'est pourquoi on a construit La Recoleta. Afin de ne pas l'oublier. La mort est une forme de vie pour nous.

— Vous parlez à un Allemand, mon ange. En inventant la SS, nous avons eu ce qui se fait de mieux en matière de culte funéraire. » Le téléphone se remit à réclamer de l'argent. « Et c'étaient mes cinq derniers centavos, alors ramenez votre splendide derrière ici, comme je vous l'ai demandé.

— Oui, monsieur. »

Je reposai le combiné. J'étais désolé de mettre Anna dans le coup. Ce que je prévoyais de faire présentait des risques. Mais je ne voyais personne d'autre pour m'aider à comprendre la nature des documents entreposés à l'Hotel de Inmigrantes. Du reste, elle était déjà impliquée. Nous recherchions son oncle et sa tante. Elle ne me payait pas assez pour que je sois tout seul à courir des risques. Et, dans la mesure où elle ne me payait rien du tout, elle pouvait bien y aller elle-même si ça lui chantait. J'hésitais sur le fait qu'elle m'ait appelé monsieur. Ça me donnait l'impression d'être quelqu'un inspirant le respect à cause de son âge. Ce à quoi, me disais-je, j'allais devoir m'habituer. À condition que je fasse de vieux os. Ça me convenait. Pour faire de vieux os, il faut rester en vie.

J'achetai un nouveau paquet de cigarettes, la *Prensa* ainsi qu'un exemplaire de l'*Argentisches Tageblatt* – le seul journal en langue allemande qu'on pouvait lire sans danger, en ce sens qu'il ne vous désignait pas comme un nazi. Mais la principale raison de ma venue à la gare, c'était la boutique de couteaux. Il s'agissait en majorité de lames destinées aux touristes, avec des manches en os pour arpenteurs-géomètres et experts comptables désireux de jouer les gauchos ou les danseurs de tango version combats de rue. Quelques couteaux moins spectaculaires semblaient convenir à ce que j'avais en tête. J'en achetai deux : un stylet long et mince pouvant passer dans une fente et faire pivoter un loquet de serrure ; et quelque chose de plus gros pour forcer une fenêtre. J'enfonçai le gros sous ma ceinture, au creux de mon dos, style gaucho, et glissai le petit stylet dans ma poche de poitrine. Comme le vendeur me décochait un regard, je lui souris d'un air affable.

« J'aime être bien armé quand ma sœur vient dîner. »

Il aurait eu l'air encore plus surpris s'il avait vu mon étui d'épaule.

Une demi-heure s'écoula. Quarante-cinq minutes se changèrent en une heure. Je m'étais mis à maudire Anna quand elle finit par arriver, dans une tenue dessinée par Edith Head. Une coquette chemise en tissu écossais, un jean impeccablement repassé, une veste de tweed ajustée, des talons plats et un grand sac à main en cuir. Et, trop tard, je compris mon erreur. Dire à une femme comme Anna de porter de vieux vêtements, c'était comme demander à Berenson d'encadrer un tableau de maître avec du bois de chauffage. Il y avait gros à parier qu'elle s'était changée plusieurs fois, histoire de s'assurer que ce qu'elle avait sur le dos était le plus élégant possible. Non que ce qu'elle portait eût beaucoup d'importance. Anna Yagubsky aurait fait un tabac avec un costume de clown.

Elle regarda d'un air hésitant le train de Belgrano.

« On prend le train ?

— L'idée m'avait traversé l'esprit. Mais pas celui-là. Il paraît que le tortillard pour le paradis est plus confortable. Non, je voulais vous rencontrer ici pour ne pas vous rater dehors dans l'obscurité. Mais maintenant que je vous ai revue, je me rends compte que je ne vous raterais pas dans tout un exode. »

Elle rougit légèrement. Je l'entraînai hors de la gare. Laissant cette espèce de gigantesque cathédrale pleine d'échos derrière nous, nous nous dirigeâmes vers l'est, passâmes une double rangée de trolleybus en stationnement, avant de déboucher sur une immense place dominée par une tour en brique rouge avec une horloge en train de sonner l'heure. Sous les acacias, des gens jouaient de la musique et des amoureux folâtraient sur les bancs. Anna me prit le bras, et cela aurait pu sembler romantique si nous n'avions pas prévu de nous introduire sans permission dans un édifice public.

« Que savez-vous sur l'Hotel de Inmigrantes ? lui demandai-je tandis que nous traversions l'avenue Eduardo Madero.

— C'est là que nous allons ? Je me posais la question. » Elle haussa les épaules. « Il date du milieu du siècle dernier. Mes parents pourraient probablement vous en dire plus. Ils y ont séjourné lorsqu'ils ont débarqué en Argentine. Au début, n'importe quel immigrant pauvre arrivant dans le pays pouvait y être logé et nourri gratuitement pendant cinq jours. Puis, dans les années 1930, c'est devenu les immigrants pauvres non juifs. Je ne sais pas au juste quand on l'a fermé. Je me rappelle avoir lu quelque chose à ce propos dans le journal l'année dernière. »

Nous approchions d'un bâtiment de quatre étages beige presque aussi massif que la gare. Entouré d'une clôture, il ressemblait davantage à une prison qu'à un hôtel, ce qui avait été sans doute plus proche de son objectif réel. La clôture ne dépassait pas un mètre quatre-vingts, mais le fil de fer au sommet était du fil barbelé, ce qui faisait l'affaire. Nous continuâmes à marcher jusqu'à ce que nous trouvions un portail. Il y avait un panneau sur lequel on pouvait lire : PROHIBIDA LA ENTRADA, et en dessous, un gros cadenas Eagle qui devait être là depuis la construction de l'hôtel.

À la vue du grand couteau de gaucho dans ma main, Anna écarquilla les yeux.

« Voilà ce qui arrive quand on pose des questions que les gens n'ont pas envie que vous posiez, dis-je. Ils mettent les réponses sous clé. »

J'ouvris rapidement le cadenas.

« Aïe, fit Anna avec une grimace.

— Heureusement pour moi, ils se servent de verrous minables qui n'arrêteraient pas un rat muni d'un cure-dent. »

Je poussai la porte et m'avançai dans une cour des arrivées envahie de touffes d'herbe et de jacarandas. Une rafale de vent fit voler une feuille de papier journal jusqu'à mes pieds. Je la ramassai. Il s'agissait d'une page d'un numéro d'*El Laborista*, un torchon péroniste, vieux de deux mois. J'espérais que c'était la dernière fois que quelqu'un avait été là. Ça en avait tout l'air. On ne voyait aucune lumière à la centaine de fenêtres, et seul le bruit lointain de la circulation dans l'avenue Eduardo Madero et celui d'un train pénétrant dans un dépôt venaient troubler le silence de l'hôtel abandonné.

« Je n'aime pas ça, admit Anna.

— J'en suis navré. Mais mon espagnol n'est pas à la hauteur du genre de jargon juridique et de langage administratif que l'on rencontre habituellement dans les documents officiels. Si nous découvrons quelque chose, nous aurons probablement besoin pour le lire de ces magnifiques yeux qui sont les vôtres.

— Et moi qui pensais que vous vouliez juste un peu de compagnie. » Elle regarda avec appréhension autour d'elle. « J'espère seulement qu'il n'y a pas de rats. Il y en a déjà assez au bureau.

— Ne vous énervez pas, d'accord ? Vu l'état des lieux, ça fait un bout de temps qu'il n'y a plus personne. »

La porte principale dégageait une forte odeur de pisse de chat. Les vitres en verre dépoli étaient couvertes de toiles d'araignées et de sel provenant de l'estuaire. Une grosse bestiole prit la fuite alors que mes chaussures dérangeaient son repos arachnéen. Je forçai un second cadenas au moyen du grand couteau et triturai la Yale sur la porte avec le stylet.

« Vous vous promenez toujours avec un tiroir entier de couverts dans vos poches ? demanda-t-elle.

— C'est ça ou un trousseau de clés, répondis-je en triturant le mécanisme de la serrure.

— Où étiez-vous pendant les heures de chorale ? On dirait que vous n'en êtes pas à votre coup d'essai.

— J'ai été flic, vous vous souvenez ? Nous faisons tout ce que font les criminels, mais pour beaucoup moins d'argent. Ou même pour rien, dans le cas présent.

— L'argent est une chose importante pour vous, à ce que je vois.

— Peut-être parce que je n'en ai pas beaucoup.

— Eh bien, nous avons au moins un trait en commun.

— Qui sait, quand tout sera terminé, peut-être pourrez-vous me montrer votre gratitude.

— Bien sûr. Je vous écrirai une gentille lettre sur mon plus beau papier. Qu'en dites-vous ?

— Si nous dénichons votre merveille, vous pourrez écrire à l'archevêque local pour témoigner de mes vertus héroïques. Et, dans une centaine d'années, peut-être qu'ils me canoniseront. Saint Bernhard. Ils l'ont déjà fait, ils peuvent bien le refaire. Bon sang, ils l'ont même fait pour un foutu chien. Au fait, c'est mon vrai nom. Bernhard Gunther.

— Je suppose que vous possédez des affinités avec l'espèce canine. »

Je finis de trifouiller dans la serrure.

« Sûr et certain. J'adore les enfants et je suis loyal envers ma famille, quand j'en ai une. Simplement, ne m'attachez pas un petit tonneau de cognac autour du cou si vous ne voulez pas que je le boive. »

Ma voix était pleine de bravade. Je m'efforçais de l'empêcher d'avoir peur. En vérité, je me sentais aussi nerveux qu'elle. Encore plus, probablement. Quand vous avez vu autant de morts que moi, vous savez combien il est facile d'en devenir un.

« Vous avez apporté les lampes de poche ? »

Elle ouvrit son sac pour révéler une lampe de vélo et une petite dynamo à main sur laquelle il fallait appuyer sans arrêt pour qu'elle éclaire. Je pris la lampe de vélo.

« N'allumez pas avant qu'on soit à l'intérieur », lui dis-je.

J'ouvris la porte et pointai le museau dans l'hôtel. Pas celui de mon visage. Celui de mon arme.

Nous entrâmes, nos pas résonnant sur le sol de marbre ordinaire comme ceux de deux fantômes se demandant quelle partie de la bâtisse ils allaient hanter. Il régnait une forte odeur d'humidité et de moisissure. J'allumai la lampe de vélo, éclairant un hall sur deux niveaux. Il n'y avait personne dans les parages. Je rengainai mon pistolet.

« Qu'est-ce que nous cherchons ? murmura-t-elle.

— Des boîtes. Des caisses d'emballage. Des classeurs. N'importe quoi pouvant contenir des dossiers d'immigration. Le ministère des Affaires étrangères a décidé de les entreposer ici quand l'endroit a fermé. »

J'offris ma main à Anna, mais elle la repoussa et se mit à rire.

« Je n'ai plus peur dans le noir depuis l'âge de sept ans. Ces derniers temps, j'arrive même à me coucher toute seule.

— Vous ne devriez peut-être pas.

— C'est étrange de ma part, je sais, mais de cette façon je me sens plus en sécurité. »

Nous parcourûmes la longueur du bâtiment. Il y avait quatre grands dortoirs au rez-de-chaussée. L'un d'entre eux contenait encore des lits. J'en comptai deux cent cinquante, ce qui voulait dire que près de cinq mille personnes avaient autrefois vécu entre ces murs.

« Mes pauvres parents, dit Anna. Je n'avais pas idée que c'était comme ça.

— Ce n'est pas si mal. Croyez-moi, la notion allemande de repeuplement était bien pire. »

Dans les toilettes communes entre les dortoirs s'alignaient seize lavabos carrés de la taille de portières de voiture. Et, au-delà du dernier lavabo, une porte verrouillée. Le cadenas, neuf, me dit que nous nous trouvions probablement au bon endroit. Quelqu'un s'était senti obligé de protéger ce qu'il y avait de l'autre côté au moyen d'un dispositif de verrouillage d'une qualité supérieure à ceux du portail et de la porte d'entrée. Mais, neuf ou pas, ce cadenas capitula tout aussi aisément devant mon outil de gaucho. Je poussai la porte avec la semelle de ma chaussure et éclairai l'intérieur.

« Je crois que nous avons trouvé ce que nous cherchions », annonçai-je, même s'il était évident que le vrai travail ne faisait que commencer.

Il y avait des dizaines de classeurs – pas loin d'une centaine – sur cinq rangées, chacun l'un devant l'autre comme des haies compactes de soldats, de sorte qu'il était impossible d'en ouvrir un sans déplacer celui de devant.

« Cela va prendre des heures, fit observer Anna.

— On dirait que nous allons passer la nuit ensemble, en fin de compte.

— Alors, vous feriez bien d'en profiter au maximum. »

Elle posa la lampe par terre, se planta devant le classeur en tête de la première rangée et indiqua le classeur au début de la deuxième rangée.

« Bon, vous regardez dans celui-ci et moi dans celui-là. »

Je soufflai sur un peu de poussière. Une erreur. Il y en avait trop. Elle remplit l'air et nous fit tousser. Je tirai le tiroir du haut du classeur et me mis à parcourir un tas de noms commençant par la lettre Z.

« Zhabotinsky, Zhukov, Zinoviev. Rien que des Z. Vous ne pensez pas que celui d'après pourrait être le classeur des Y ? Y comme Yrigoyen, Youngblood et Yagubsky ? »

Je refermai le tiroir et nous dégageâmes ce classeur du chemin pour pouvoir accéder à celui de derrière. Avant même que je n'aie eu le temps de m'y attaquer, Anna avait fait coulisser le tiroir du haut du classeur suivant. Elle avait plus de vigueur dans les bras qu'elle ne l'imaginait. Ou peut-être était-elle soudain trop excitée pour connaître sa force. Quoi qu'il en soit, elle réussit à sortir complètement le tiroir du classeur, lequel, manquant de peu mes orteils et les siens, s'écrasa sur le sol en marbre avec le bruit d'une porte se refermant au fond des enfers.

« Vous voulez refaire un essai ? demandai-je. Je crois qu'ils n'ont pas entendu à la Casa Rosada.

— Désolée, chuchota-t-elle.

— Du moins, espérons-le. »

Anna était déjà à genoux devant le tiroir qui était tombé et, à la lumière de la petite dynamo à main, elle en inspectait le contenu.

« Vous aviez raison ! s'écria-t-elle avec agitation. Il s'agit des Y. »

Je ramassai la lampe de vélo par terre et braquai le faisceau sur ses mains.

« Je n'arrive pas à y croire », dit-elle, et elle retira une mince chemise du paquet. Yagubsky.

Même dans la pénombre, je pouvais voir les larmes dans ses yeux. Elle avait aussi la voix étranglée.

« Après tout, il semble que soyez capable de faire des miracles. Saint Bernhard. »

Puis elle ouvrit la chemise.

Il n'y avait rien dedans.

Anna resta à contempler le dossier vide. Puis elle le jeta sur le côté et, se laissant aller en arrière, poussa un immense soupir.

« Autant pour vos dons de faiseur de miracles.

— Je suis désolé.

— Ce n'est pas votre faute.

— Être un saint ne m'a jamais tenté, de toute façon. »

Au bout d'un moment, je m'approchai du dossier. Je le ramassai pour l'examiner de plus près. Certes, il était vide. Mais pas dépourvu d'indications pour autant. Il y avait une date sur la couverture en papier kraft.

— Quand avez-vous dit qu'ils avaient disparu ?

— Janvier 1947.

— Le dossier est daté de mars 1947. Et regardez. Sous leurs noms sont écrits les mots "Judío" et "Judía". Juif et juive. Et il y a le petit problème de ce cachet à l'encre rouge. »

Anna jeta un coup d'œil.

« D12, dit-elle. Qu'est-ce que c'est que D12 ?

— Il y a une autre date et une signature à l'intérieur du cachet. La signature est illisible. Mais la date est relativement nette. Avril 1947.

— Oui. Mais qu'est-ce que c'est que D12 ?

— Aucune idée. »

Je retournai au classeur et pris un autre dossier. Celui-là concernait un certain John Yorath. Originaire du pays de Galles. Et il regorgeait d'informations. Renseignements sur les visas d'entrée, description des antécédents médicaux de John Yorath, compte rendu de son séjour à l'Hotel de Inmigrantes, copie d'une *cédula*, tout. Mais pas juif. Et pas de tampon D12 sur la couverture.

« Ils se trouvaient ici, dit Anna d'une voix fébrile. Cela prouve bien qu'ils étaient ici.

— Cela prouve aussi, je pense, qu'ils n'y sont plus.

— Que voulez-vous dire ? »

J'eus un haussement d'épaules.

« Je ne sais pas. Quoi qu'il en soit, à l'évidence, ils ont été arrêtés. Et peut-être déportés ensuite.

— Je vous l'ai dit. Nous n'avons jamais eu de nouvelles d'eux. Pas depuis janvier 1947.

— Alors ils ont peut-être été emprisonnés. » Me prenant d'enthousiasme pour mon sujet, j'ajoutai : « Vous êtes avocate, Anna. Parlez-moi des prisons de ce pays.

— Voyons. Il y a la prison de Parque Ameghino, ici en ville. Et, bien sûr, la Villa Devoto, où Perón enferme ses ennemis politiques. Et puis il y a San Miguel, où sont incarcérés les délinquants ordinaires. Quoi d'autre ? Ah oui, il y a une prison militaire sur l'île Martín García, sur le Río de la Plata. C'est là que Peron lui-même a été détenu lors de sa destitution en octobre 1945. Oui, oui, on pourrait emprisonner pas mal de monde à Martín García. » Elle réfléchit un instant. « Mais attendez une minute. Il n'y a pas de prison plus isolée que celle de Neuquén, dans les contreforts des Andes. Des histoires circulent, mais on ne sait pratiquement rien, si ce n'est que les gens qui sont envoyés là-bas ne reviennent jamais. Vous pensez vraiment que c'est possible ? Qu'ils aient été emprisonnés ? Pendant tout ce temps ?

— Je l'ignore, Anna. » J'indiquai d'un signe de la main le régiment de classeurs alignés devant nous. « Mais il se pourrait fort bien que la réponse se trouve dans l'un d'eux.

— On peut dire que vous vous y entendez pour donner du bon temps à une fille, Gunther. »

Se levant, elle s'approcha du classeur suivant et ouvrit le tiroir.

Une heure environ avant l'aube, épuisés, couverts de poussière et n'ayant rien trouvé d'autre d'intéressant, nous décidâmes d'arrêter.

Nous étions restés trop longtemps. Parce que, lorsque nous regagnâmes le hall d'entrée, quelqu'un alluma les lumières. Anna poussa un petit cri étouffé. La tournure des événements ne m'enchantait guère non plus. D'autant que la personne ayant allumé pointait une arme à feu sur nous. Non qu'elle eût grand-chose d'une personne. Il était facile de voir pourquoi Marcello avait parlé d'une équipe réduite au strict minimum. J'avais déjà vu des types ayant l'air en meilleure santé dans des cercueils. Il mesurait environ un mètre soixante-dix, avec des cheveux gris, graisseux et ternes, des sourcils ressemblant à deux moitiés d'une moustache qu'on aurait séparée pour son bien, et des traits minces, perfides, de rat. Il portait un complet bon marché, un maillot de corps évoquant un chiffon crasseux dans les mains d'un mécanicien, pas de chaussettes ni de chaussures. Il y avait une bouteille dans sa poche de veste, probablement son petit déjeuner, et, à un coin de sa bouche, un cylindre de cendre en train de s'affaisser, vestige d'une cigarette. Tandis qu'il parlait, elle dégringola par terre.

« Qu'est-ce que vous fichez ici ? » demanda-t-il d'une voix rendue indistincte par les mucosités, l'alcool et l'absence de dents.

En réalité, il n'y avait qu'une dent à sa mâchoire supérieure proéminente : une dent de devant, telle l'ultime cible encore debout d'une partie de quilles.

« Je suis policier, répondis-je. J'avais besoin de consulter d'urgence un vieux dossier. J'ai bien peur de ne pas avoir eu le temps de passer par les procédures normales.

— Vraiment ? » Il montra Anna d'un signe de tête. « Et elle, qu'est-ce qu'elle raconte ?

— Ce ne sont pas vos oignons. Écoutez, jetez donc un coup d'œil à mes papiers. C'est comme je viens de vous le dire.

— Vous n'êtes pas flic. Pas avec cet accent.

— J'appartiens à la police secrète. Le SIDE. Je travaille pour le colonel Montalbán.

— Connais pas.

— Nous sommes tous les deux sous les ordres de Rodolfo Freude. Lui, vous le connaissez ?

— Oui, c'est même de lui que je tiens mes ordres. Des ordres explicites. Il a dit, *personne*. Et je dis bien *personne*. Personne n'entre ici sans l'autorisation expresse, par écrit, du président lui-même. » Il sourit. « Vous avez une lettre du président ? »

Il s'avança à pas feutrés et me fouilla, ses doigts retournant rapidement mes poches. Il sourit à nouveau.

« C'est bien ce que je pensais. »

Le voir de près ne contribua pas à modifier mon impression. Il avait l'air d'un petit subalterne de seconde zone. Mais l'arme qu'il tenait était loin d'être de seconde zone. C'était du spécial. Un 38 Police Special avec un canon de deux pouces et une jolie finition bleu brillant. La seule chose chez lui qui semblait en parfait état de fonctionnement. J'avais songé à le saisir à bras-le-corps pendant qu'il me faisait les poches. Mais le Police Special me fit rapidement changer d'avis. Il trouva mon pistolet et le jeta au loin. Il trouva même le petit stylet dans ma poche de poitrine. Mais pas le couteau de gaucho sous ma ceinture, au creux de mon dos.

Il se recula et se mit à palper Anna, surtout sa poitrine, ce qui lui donna apparemment une idée.

« Toi, ma jolie. Enlève ta veste et ton chemisier. »

Elle le dévisagea avec un mutisme insolent, et, comme il ne se passait rien, il eut recours à son flingue, qu'il appuya contre son menton.

« Tu as intérêt à obéir, ma jolie, ou je te fais sauter la cervelle.

— Faites ce qu'il dit, Anna. Il ne plaisante pas. »

L'homme se fendit d'un sourire qui découvrit son unique dent et s'écarta pour se délecter du spectacle.

« Le soutien-gorge aussi. Enlève-le. Voyons ces nichons. »

Anna se tourna vers moi d'un air éperdu. Je lui répondis par un hochement de tête. Elle dégrafa le soutien-gorge et le laissa tomber par terre.

L'homme se lécha les babines en fixant des yeux les seins nus.

« Mais c'est qu'ils sont mignons. Mignons tout plein. Les plus mignons que j'aie vus depuis un bail. »

Je pressai légèrement ma colonne vertébrale contre ma ceinture, sentant la gaine du couteau et me demandant si je savais seulement en lancer un – surtout celui-ci, qui aurait été plus à sa place sur un billot de boucher.

N'a-qu'une-dent s'avança et fit mine de saisir un des mamelons d'Anna entre le pouce et l'index ; mais elle eut un mouvement de recul, se servant de ses avant-bras comme bouclier.

« Bouge pas, dit-il en s'agitant nerveusement. Bouge pas ou je te descends, ma jolie. »

Anna ferma les yeux et le laissa s'emparer de son mamelon. Tout d'abord, il se contenta de le pétrir comme s'il roulait une cigarette. Puis il se mit à serrer, cruellement. Je pouvais le lire sur le visage de la jeune femme. Et sur le sien aussi. Il souriait avec un plaisir sadique, savourant la douleur qu'il lui infligeait. Anna endura en silence pendant un moment, mais cela sembla le rendre d'autant plus brutal. C'est alors qu'elle se mit à gémir et à le supplier d'arrêter. Ce qu'il fit. Mais seulement pour s'en prendre à l'autre mamelon.

J'avais maintenant le couteau en main. Je le fis remonter dans ma manche de chemise. Il y avait trop de distance entre nous pour que je prenne le risque de lui foncer dessus avec. Il m'aurait très probablement abattu, puis il l'aurait violée et tuée. Avec un tel pistolet, mieux valait ne pas tenter le coup. Mais lancer le couteau était risqué également.

Je laissai le couteau glisser dans ma paume et l'empoignai comme un marteau.

Anna s'affaissa sur ses genoux, geignant de douleur, mais il continua à la pincer, les traits tordus par une joie effrayante, savourant chaque seconde de l'angoisse inscrite sur le visage de celle-ci.

« Salaud ! » fit-elle.

Ce fut mon signal. Avançant d'un pas et pointant les deux bras vers la cible, je lançai le couteau, me servant de ma hanche pour augmenter la puissance du jet. J'avais visé le flanc, juste sous la main tendue qui continuait à tordre le mamelon.

Il poussa un cri. Le couteau sembla toucher ses côtes avant de se matérialiser brusquement dans sa main. Il le lâcha. En même temps, il fit feu et me manqua. Je sentis la balle passer en sifflant au-dessus de ma tête. Je fis rapidement un roulé-boulé en avant, m'attendant à me retrouver face à un canon de deux pouces, ou pire. Au lieu de quoi, je me retrouvai à regarder dans le blanc des yeux un type à quatre pattes, crachant du sang sur le sol entre ses mains, puis couché en boule et se tenant les côtes. Je jetai un coup d'œil au couteau et, à la vue du sang sur la lame, je compris qu'il avait dû s'enfoncer de plusieurs centimètres dans son torse avant qu'il ne le retire.

Ma proximité parut détourner son esprit de la douleur et du désarroi que lui causait sa blessure. Se traînant sur le côté en se contorsionnant, il tenta de tirer à nouveau, cette fois sans lever son avant-bras de la blessure à son flanc.

« Attention ! » hurla Anna.

Mais j'étais déjà sur lui, arrachant le pistolet de sa main ensanglantée alors même qu'il expédiait une balle inoffensive dans le plafond. Anna se mit à crier. Je le frappai violemment à la tempe, mais il était déjà hors de combat. Je m'éloignai sur la pointe des pieds, m'efforçant d'éviter la mare de sang qui s'élargissait sur le sol tel un ballon rouge qui se dilate. Il n'était pas encore mort, mais rien ne pouvait le sauver. La lame avait sectionné une grosse artère. D'un coup, comme une baïonnette. D'après la quantité de sang par terre, il était évident qu'il n'en avait plus pour longtemps.

« Ça va ? »

Je ramassai le soutien-gorge d'Anna et le lui tendis.

« Oui », murmura-t-elle.

Ses mains étaient plaquées sur sa poitrine et ses yeux remplis de larmes. Elle le regardait presque comme si elle avait pitié de lui.

« Habillez-vous. Il faut qu'on fiche le camp. Tout de suite. Quelqu'un a peut-être entendu les coups de feu. »

Je fourrai le pistolet sous ma ceinture, remis le mien dans son étui, rangeai les lampes dans le sac d'Anna et récupérai les deux couteaux. Puis je regardai autour de moi à la recherche de quelque chose que les flics pourraient se mettre sous la dent. Un bouton. Une mèche de cheveux. Une boucle d'oreille. Autant de petites taches de couleur sur une toile, comme avec Georges Seurat, si cher à Ernst Gennat. Il n'y avait rien. Juste ce type en train de rendre le dernier soupir. Un cadavre qui ne le savait pas encore.

« Et lui ? demanda Anna en boutonnant son chemisier. On ne peut pas le laisser là.

— Il est foutu. Le temps qu'une ambulance s'amène, il sera mort. » Je la pris par le bras, l'entraînai vivement vers la porte puis éteignis la lumière. « Avec un peu de chance, quand on le retrouvera, les rats auront fait place nette. »

Anna ôta ma main de son bras et ralluma la lumière.

« Je vous l'ai dit. Je n'aime pas les rats.

— Pendant que vous y êtes, vous pourriez peut-être envoyer un message en morse. Pour qu'on comprenne bien qu'il y a quelqu'un ici. »

Néanmoins, je laissai la lumière allumée.

« C'est tout de même un être humain », répondit-elle en se dirigeant vers le corps allongé par terre.

Alors qu'elle s'efforçait de ne pas marcher dans le sang, elle s'étala de tout son long. Secouant la tête d'un air désemparé, elle se tourna vers moi comme pour solliciter un conseil.

L'homme se tortilla, plusieurs fois, puis resta immobile.

« Ce n'est pas tout à fait l'impression que j'ai eue », rétorquai-je.

M'accroupissant à côté d'elle, j'appuyai fortement avec mes doigts sous l'oreille du zèbre et marquai une pause par souci de vraisemblance.

« Eh bien ?

— Il est mort, dis-je.

— Vous êtes sûr ?

— Qu'est-ce que vous voulez que je fasse, que je rédige un certificat de décès ?

— Le pauvre homme », dit-elle à voix basse.

Puis elle fit un truc qui me parut assez curieux de la part d'une Juive : elle se signa.

« Pour ma part, je suis bien content que le pauvre homme soit mort. Le pauvre homme s'apprêtait à vous violer et à vous tuer. Mais pas avant que le pauvre homme ne m'ait probablement troué la peau. Le pauvre homme a eu ce qu'il méritait, si vous voulez mon opinion. Bon, maintenant, si vous avez fini de pleurer le pauvre homme, j'aimerais filer d'ici avant que la police ou les copains du pauvre homme ne rappliquent en se demandant si l'arme du crime que j'ai à la main fait de moi un suspect. Au cas où vous l'auriez oublié, le meurtre est passible de la peine de mort en Argentine. »

Anna regarda le couteau de gaucho et opina.

Je me dirigeai vers la porte et éteignis la lumière. Elle me suivit dehors. Au portail, je lui dis de m'attendre une minute. Je courus jusqu'à l'extrémité du bassin Nord et balançai le couteau le plus loin possible dans le Río de la Plata. Dès que j'entendis la pièce à conviction toucher l'eau, je me sentis mieux. J'ai vu ce que les hommes de loi sont capables de faire avec une pièce à conviction.

Nous retournâmes ensemble jusqu'à l'endroit où j'avais laissé ma voiture, devant la gare. Le soleil se levait. Une nouvelle journée commençait pour tout un chacun, sauf N'a-qu'une-dent, qui gisait inerte sur le sol de l'Hotel de Inmigrantes. Je me sentais recru de fatigue. Ça avait vraiment été une nuit chargée.

« Dites-moi. Cela vous arrive souvent, ce genre de chose, Herr... quel est votre vrai nom déjà ?

— Gunther, Bernhard Gunther. À vous entendre, on croirait que vous n'étiez pas là, Anna.

— Je ne suis pas près d'oublier cette soirée, je peux vous l'assurer. »

Elle s'arrêta et se mit à vomir.

Je lui passai mon mouchoir. Elle s'essuya la bouche, respira à fond.

« Ça va mieux ? »

Elle acquiesça. Nous arrivâmes à la voiture et montâmes dedans.

« Eh bien, vous parlez d'une sortie, dit-elle. La prochaine fois, allons simplement au théâtre.

— Je vous ramène chez vous. »

Anna secoua la tête et baissa la vitre.

« Non, je ne peux pas rentrer chez moi. Pas encore. Pas dans l'état où je me sens à présent. Et après ce qui s'est passé, je ne tiens pas à être seule non plus. Restons ici un moment. J'ai juste besoin de me calmer les nerfs. »

Je lui versai un peu du café qu'elle avait apporté. Elle le but en me regardant fumer une cigarette.

« Qu'est-ce qu'il y a ?

— Pas de mains qui tremblent. Pas de lèvres mal assurées sur cette cigarette. Pas de longues bouffées avides. Vous êtes donc sans pitié, Herr Gunther ?

— Je suis encore là, Anna. Je suppose que c'est assez parlant. »

Je me penchai sur mon siège et l'embrassai. Ça sembla lui plaire. Puis je dis :

« Donnez-moi votre adresse, que je vous reconduise. Vous avez passé la nuit dehors. Votre père doit se faire du souci.

— Je présume que vous n'êtes pas aussi impitoyable que je le pensais.

— Ne comptez pas trop là-dessus. »

Je mis le moteur en marche.

« Alors comme ça, vous allez vraiment me ramener chez moi. Ça, c'est une première. Vous avez peut-être envie d'être un saint, après tout. »

Elle avait raison, évidemment. En réalité, je tenais à lui montrer à quel point mon armure était astiquée et brillante. Je roulai à tombeau ouvert. Je voulais la déposer devant chez elle avant d'avoir eu le temps de changer d'avis. L'élégance coule dans mes veines tant qu'elle ne se heurte pas à un obstacle infranchissable. C'était particulièrement vrai en ce qui la concernait.

14

BERLIN, 1932, ET BUENOS AIRES, 1950

Ce qui nous alerta tout d'abord fut une forte odeur de brûlé. Puis nous entendîmes les voitures de pompiers et les ambulances venant d'Artillerie Strasse. Frieda sortit sur le perron de l'hôtel pour jeter un coup d'œil et vit une foule excitée traverser Pariser Platz en direction du nord-est. Au-dessus des toits de l'ambassade de France, le ciel nocturne était illuminé comme si on avait ouvert la porte d'une chaudière.

« C'est le Reichstag ! s'écria Frieda. Il y a le feu au Reichstag ! »

Nous rentrâmes précipitamment dans l'hôtel avec l'intention de grimper sur le toit pour avoir une meilleure vue. Mais, dans le hall, je croisai Herr Adlon. Je lui dis que le Reichstag brûlait. Il était dix heures du soir.

« Oui, je sais. »

Il m'entraîna dans un coin, fut sur le point de dire quelque chose, se ravisa, puis me fit entrer dans le bureau du directeur. Il referma la porte.

« J'aimerais que vous me rendiez un service. Mais cela pourrait être dangereux. »

J'ignorai la remarque.

« Savez-vous où se trouve l'ambassade de Chine ?

— Oui, dans Kurfürstendamm. À côté du Nelson-Theater.

— Je voudrais que vous alliez là-bas, à l'ambassade de Chine, dans la camionnette de la blanchisserie de l'hôtel, dit Louis Adlon en me remettant des clés. Vous prendrez plusieurs passagers et vous les ramènerez directement ici. Mais sous aucun prétexte vous ne les déposerez devant l'hôtel. Franchissez le portail et conduisez-les jusqu'à l'entrée des fournisseurs. Je vous y attendrai.

— Puis-je vous demander de qui il s'agit ?

— Oui. C'est Bernhard Weiss et sa famille. Quelqu'un l'a prévenu que les nazis allaient venir chez lui cette nuit pour l'exécuter sommairement. Heureusement, Tchang Kai-chek est un ami d'Izzy et a accepté qu'il se réfugie à l'ambassade avec les siens. Il vient de m'appeler il y a quelques minutes pour savoir si je pouvais l'aider. Naturellement, j'ai accepté de le loger ici. Et j'ai supposé que vous auriez envie de lui donner un coup de main également.

— Bien sûr. Mais est-ce qu'il ne vaudrait pas mieux pour sa sécurité qu'il reste à l'ambassade ?

— Peut-être, mais il sera installé plus confortablement ici, vous ne croyez pas ? De plus, nous avons l'habitude d'entourer les occupants de nos suites VIP d'une discrétion presque totale. Non, nous nous occuperons très bien de lui, et aussi longtemps que ce sera nécessaire.

— Cela a un rapport avec l'incendie du Reichstag, j'en suis persuadé. Les nazis ont sûrement prévu d'en finir une fois pour toutes avec la République. Et de proclamer la loi martiale.

— Vous avez sans doute raison. Portez-vous une arme ?

— Non. Mais je peux aller en chercher une.

— Le temps presse. Prenez la mienne. » Il sortit un porte-clés et ouvrit le coffre. « La dernière fois que ce pistolet a quitté ce coffre, c'est durant l'insurrection spartakiste de 1920. Mais il a été bien graissé. » Il me donna un Mauser à poignée en bruyère et une boîte de munitions. Puis il renversa une serviette en cuir dont il vida le contenu sur son bureau. « Mettez le Mauser là-dedans. Et soyez prudent, Bernie. Cela risque de ne pas être le genre de nuit qui rend fier d'être allemand. »

Louis Adlon ne se trompait pas. Les rues de Berlin étaient pleines de membres des sections d'assaut en maraude. Ils chantaient à tue-tête et agitaient des drapeaux comme si l'incendie était un motif de célébration. J'en vis plusieurs casser les vitrines d'un magasin juif près du zoo. On ne pouvait que trop facilement imaginer ce qui se serait passé s'ils avaient croisé un vieux rabbin ou un malheureux imbécile avec une casquette à visière à la Lénine et un insigne rouge à son revers. Il y avait des fourgons de police et des voitures blindées partout, mais on pouvait parier qu'ils n'étaient pas là pour protéger les communistes et les Juifs. Et, à voir le peu d'empressement des hommes de la Schupo à mettre un frein aux désordres dans la ville, je me félicitais de ne plus être policier. En revanche, c'était une nuit idéale pour être chinois.

Laissant le moteur tourner et les portières ouvertes, je descendis de la camionnette et pressai la sonnette de l'ambassade. Un Chinetoque ouvrit et me demanda qui j'étais. Je répondis que j'étais envoyé par Louis Adlon. Là-dessus, des doubles portes s'écartèrent brusquement sur un vestibule, et je vis Izzy et sa famille attendant avec leurs bagages. Ils me regardèrent d'un air anxieux. Izzy me serra la main et hocha la tête en silence. Personne ne dit grand-chose. Le temps manquait. J'empoignai leurs valises, les jetai dans la camionnette et, après m'être assuré que la voie était libre, je fis signe à mes passagers de sortir de l'ambassade, puis claquai les portes de la camionnette derrière eux.

Une fois à l'Adlon, j'allai jusqu'à l'entrée des fournisseurs comme on m'en avait donné l'ordre. Louis Adlon s'y trouvait. Max, le portier du hall, chargea les affaires de la famille Weiss sur un chariot à bagages et disparut dans un ascenseur de service. Sans même un pourboire. Cette nuit, tout était étrange. Pendant ce temps, nous nous dépêchâmes de faire monter les réfugiés dans un autre ascenseur de service jusqu'à la meilleure suite de l'hôtel. C'était typique de Louis Adlon, et je savais que la signification de ce geste n'échapperait pas à Izzy.

À l'intérieur de la suite somptueuse, les lourds rideaux en soie étaient déjà tirés et des bûches flambaient dans la cheminée. La femme d'Izzy disparut dans la salle de bains avec les enfants. Adlon nous servit à boire. Puis Max fit son apparition et se mit à ranger les bagages. Si l'on ne pouvait rien voir de ce qui se passait dehors, on pouvait largement entendre. Des troupes d'assaut avaient envahi la Wilhelmstrasse et scandaient « Mort aux marxistes ». Izzy avait les larmes aux yeux, mais s'efforçait de sourire.

« On dirait qu'ils ont déjà trouvé des coupables à qui imputer l'incendie, déclara-t-il.

— Les gens ne croiront jamais ça, protestai-je.

— Ils croiront ce qu'ils ont envie de croire, rétorqua Izzy. Et, pour le moment, ils ne veulent pas croire aux communistes. »

Il prit le verre que lui offrait Louis et nous trinquâmes.

« À des jours meilleurs, dit celui-ci.

— Oui, répondit Izzy. Mais je crains que ça ne fasse que commencer. C'est plus qu'un simple incendie. Souvenez-vous de ce que je vous dis : il s'agit du bûcher funéraire de la démocratie allemande. » Il posa une main paternelle sur mon épaule. « Vous allez devoir faire attention, mon jeune ami.

— Moi ? Ce n'est pas moi qui me cachais à l'ambassade de Chine.

— Oh, cela fait déjà un moment que c'en est fini pour moi ! Nous nous attendions à quelque chose de ce genre. Nos valises étaient prêtes depuis des semaines.

— Où irez-vous ?

— En Hollande. Nous serons plus en sécurité là-bas. »

Il était visiblement fatigué. Épuisé. Aussi je lui serrai la main et m'en allai. Je ne l'ai jamais revu.

Je trouvai Frieda sur le toit, regardant l'incendie en compagnie de quelques clients et du personnel de l'hôtel. Un des serveurs du bar avait monté une bouteille de schnaps pour conjurer l'air froid de la nuit, mais personne ne buvait beaucoup. Chacun savait ce que signifiait l'incendie. On aurait dit un signal lumineux venu de l'enfer.

« Je suis contente de te voir, dit-elle. J'ai peur. »

Je passai mon bras autour d'elle.

« Pourquoi ? Il n'y a pas de raison d'avoir peur. Tu es parfaitement à l'abri ici.

— Ce n'est pas ce que je voulais dire. Je suis juive, Bernie, tu te souviens ?

— Pardon. J'avais oublié. »

Je l'attirai contre moi et l'embrassai sur le front. Ses cheveux et son manteau sentaient la fumée presque autant que si elle avait pris feu elle-même.

Je fus secoué d'une légère quinte de toux.

« Au temps pour le fameux air pur de Berlin, dis-je.

— Je m'inquiétais pour toi. Où es-tu allé ? »

Une violente bourrasque d'un vent glacial nous inonda le visage de fumée. Où étais-je allé ? Je n'en savais rien. Je me sentais engourdi, la tête vide. Je n'arrivais plus à parler. À présent, la fumée me gênait beaucoup. Il y en avait tellement que je ne parvenais même plus à distinguer l'incendie. Ni le toit. Ni même Frieda. Au bout d'une minute, j'avalai une longue goulée d'air qui me fit mal à la gorge. Puis je l'appelai.

« Où es-tu ? »

Un homme me scrutait à travers la fumée. Il portait une blouse blanche et une montre-bracelet en or. Son regard était posé sur ma clavicule, puis ses doigts me palpèrent, comme s'il cherchait quelque chose sous ma pomme d'Adam.

Je tournai la tête sur l'oreiller et bâillai.

« Comment vous sentez-vous ? demanda l'homme en blouse blanche.

— J'ai un peu mal à la gorge quand j'avale, m'entendis-je répondre. Sinon, ça va. »

Il était bronzé, rayonnait de santé, avec un sourire aussi net que les dents d'un peigne. Son espagnol laissait plutôt à désirer. Il avait l'air anglais, ou peut-être américain. Son haleine était aussi froide et parfumée que ses doigts.

« Où suis-je ?

— À l'Hôpital britannique de Buenos Aires, señor Hausner. Vous avez été opéré de la thyroïde. Vous vous rappelez ? Je suis votre médecin. Le Dr Pack. »

Je fronçai les sourcils, essayant de me souvenir qui était Hausner.

« Eh bien, vous avez de la chance. Voyez-vous, la thyroïde est placée de chaque côté de la pomme d'Adam, comme deux petites prunes. L'une d'elles était cancéreuse. Nous avons retiré cette partie de votre thyroïde. Mais l'autre était parfaitement saine. Nous l'avons donc laissée. Tout cela pour dire que vous n'aurez pas à prendre des pilules de thyroxine le restant de votre vie. Juste un peu de calcium, jusqu'à ce nous soyons satisfaits de vos analyses de sang. Dans quelques jours tout au plus, vous serez sorti d'ici et à nouveau d'attaque. »

Quelque chose était attaché à ma gorge. J'essayai de le toucher, pour savoir ce que c'était, mais le toubib m'arrêta.

« Ce sont des agrafes destinées à maintenir la plaie fermée, expliqua-t-il. Nous ne ferons de suture définitive qu'une fois que nous serons certains que tout se passe bien à l'intérieur.

— Et dans le cas contraire ? croassai-je.

— Neuf fois sur dix, cela se passe bien. Si le cancer ne s'est pas déjà étendu de part et d'autre de votre thyroïde, il ne le fera probablement plus maintenant. Non, la raison pour laquelle nous ne vous recousons pas encore, c'est que nous préférons surveiller votre trachée. Parfois, lorsque la thyroïde a été enlevée partiellement ou en totalité, il existe un léger risque d'asphyxie. » Il brandit une pince chirurgicale. « Auquel cas, nous ôterions les broches avec ceci pour vous ouvrir à nouveau. Mais il y a très peu de risque que cela se produise, je vous assure. »

Je fermai les yeux. Je ne voulais pas paraître impoli. Mais j'étais trop drogué pour surveiller mes manières. De plus, je me donnais un mal de chien pour essayer de me rappeler mon vrai nom. Ce n'était pas Hausner, j'en étais pratiquement certain.

« J'espère que vous avez opéré le bon patient, doc, m'entendis-je murmurer. Je suis quelqu'un d'autre, vous savez. Quelqu'un que j'étais autrefois, il y a longtemps. »

Lorsque j'émergeai à nouveau, elle était là, ramenant doucement en arrière les cheveux couvrant mon front. J'avais oublié son nom, mais nullement à quel point elle était ravissante. Elle portait une robe moulante, brun tabac, aux manches courtes ajustées. On aurait dit qu'elle avait été roulée sur la cuisse d'une jeune Cubaine. Si j'en avais eu la force, je l'aurais mise dans ma bouche et je lui aurais sucé les orteils.

« Tenez, dit-elle en me passant un collier autour du cou. C'est un collier lehaïm. À la vie. Pour vous aider à vous rétablir.

— Merci, mon ange. Au fait, comment avez-vous su que j'étais ici ?

— On me l'a dit à votre hôtel. » Elle promena son regard à travers la chambre. « Pas mal. Vous vous êtes bien débrouillé. »

J'avais une chambre privée à l'Hôpital britannique parce que l'Hôpital américain n'en avait pas et que le colonel Montalbán ne tenait pas à ce que le Dr George Pack, du Memorial Sloan-Kettering Hospital de New York, soit vu à l'hôpital Presidente Juan Perón, et encore moins à l'hôpital Eva Perón. Mais je ne pouvais pas le dire à Anna. C'était une chambre typiquement anglaise. Avec une jolie photo du roi sur le mur.

« Mais pourquoi ici plutôt qu'à l'Hôpital allemand ? demanda-t-elle. Vous aviez peur que quelqu'un vous reconnaisse, c'est ça ?

— C'est parce que mon médecin est américain et qu'il ne parle pas l'allemand, répondis-je. Et que son espagnol ne vaut guère mieux.

— En tout cas, je suis en colère contre vous. Vous ne m'avez pas prévenue que vous étiez malade.

— Je ne suis pas malade, mon ange. Plus maintenant. Je vous le prouverai dès que je serai sorti d'ici.

— Tout de même, si moi j'avais eu le cancer, j'en aurais fait mention. Je croyais que nous étions amis. C'est à ça que servent les amis.

— Je me suis peut-être dit que vous penseriez que c'était contagieux.

— Je ne suis pas stupide, Gunther. Je sais que le cancer n'est pas contagieux.

— Je n'ai peut-être pas voulu prendre ce risque. »

Je savais que le roi était d'accord avec moi. Il n'avait pas l'air particulièrement en forme lui non plus. Il portait un uniforme de la marine et assez de galons dorés pour approvisionner tout un bateau d'officiers dévorés d'ambition. Il y avait de la souffrance dans ses yeux et dans les tendons de ses mains fines, mais il semblait du style à se cramponner en silence. Manifestement, nous avions beaucoup en commun.

« Et, à propos de risque, dis-je d'un ton sévère. Je ne plaisantais pas, mon ange. Vous ne devez parler à personne de ce qui s'est passé. Ni poser de questions à propos de ce que nous avons découvert sur la Directive Onze.

— Je n'ai pas l'impression que nous ayons découvert grand-chose, répondit-elle. Je ne suis pas persuadée que vous soyez le grand détective que mon ami m'a décrit.

— Alors, nous sommes deux. Mais, dans tous les cas, ce n'est pas un sujet sur lequel les autorités de ce pays souhaitent qu'on pose des questions, Anna. J'ai exercé ce métier suffisamment long-temps pour savoir reconnaître un bon gros secret quand j'en flaire un. Je ne vous en ai pas parlé avant, mais, quand j'ai fait allusion à la Directive Onze auprès de quelqu'un du SIDE, il s'est mis à s'agiter comme un pendule. Promettez-moi que vous n'en souffle-rez mot. Pas même à votre père et à votre mère, ni à votre rabbin.

— D'accord, concéda-t-elle d'un air boudeur. Je vous le pro-mets. Je n'en dirai rien. Pas même dans mes prières.

— Dès que je serai sorti, on remettra la machine en route. Pour voir ce qu'il est possible de dénicher. En attendant, vous êtes sûre-ment en mesure de répondre à la question suivante : qu'est-ce que vous êtes ? Une catholique juive ? Ou une juive catholique ? Je ne suis pas sûr de pouvoir faire la différence. Du moins, pas sans vous balancer dans l'étang du village.

— Mes parents se sont convertis lorsqu'ils ont quitté la Russie, expliqua-t-elle. Parce qu'ils voulaient s'intégrer une fois arrivés ici. Mon père prétendait qu'on se faisait trop remarquer en étant juif, qu'il valait mieux garder un profil bas et avoir l'air comme tout le monde. » Elle secoua la tête. « Pourquoi ? Vous avez quelque chose contre les catholiques juifs ?

— Au contraire. Si l'on remonte suffisamment dans le temps, on s'aperçoit que tous les catholiques sont juifs. C'est ce qu'il y a de formidable avec l'histoire. Si l'on remonte suffisamment dans le temps, même Hitler est juif.

— Je suppose que ça explique tout, fit-elle, et elle m'embrassa tendrement.

— C'était pour quoi ?

— À la place de raisin. Pour vous aider à être rapidement d'aplomb.

— Il se pourrait que ça aide, en effet.

— Alors ceci également. Je suis tombée amoureuse de vous. Ne me demandez pas pourquoi car vous êtes trop vieux pour moi, mais c'est ainsi. »

J'eus d'autres visiteurs, mais aucun d'aussi charmant qu'Anna Yagubsky, ni qui ait une influence aussi bénéfique. Le colonel fit un saut. Tout comme Pedro Geller. Et Melville, du café Richmond. Il eut la gentillesse de me battre aux échecs. Rien que de parfaitement courtois et banal, comme si j'étais partie intégrante d'une communauté et non un exilé. À une exception près, d'une taille imposante et au visage balafré.

Il devait mesurer au moins un mètre quatre-vingt-dix pour quelque cent vingt kilos. Ses cheveux drus et noirs coiffés en arrière, dégageant un front large et bosselé, faisaient l'effet d'un béret basque. Il avait d'énormes oreilles d'éléphant des Indes, et sa joue gauche était couverte de *Schmisses*, ces balafres chères aux étudiants allemands pour qui le duel au sabre avait été une distraction plus attirante qu'un mince volume de poésie. Il portait une veste de sport marron clair, un pantalon de flanelle large, une chemise blanche et une cravate en soie verte. Ses chaussures robustes étaient impeccablement cirées et, en marchant, il faisait autant de bruit qu'un régiment en manœuvres. Sa main gauche tenait une cigarette. Je lui donnais tout juste la quarantaine. Il parlait l'allemand avec un fort accent viennois.

« Eh bien, vous êtes réveillé. »

Je m'assis dans le lit et hochai la tête.

« Qui êtes-vous ? »

Il prit la pince chirurgicale dans ses énormes paluches – celle qui était censée servir à ôter les broches de mon cou si ma trachée avait quelque chose qui clochait – et se mit à jouer avec.

« Otto Skorzeny », répondit-il.

Sa voix semblait presque aussi rauque que la mienne, comme s'il se faisait des gargarismes avec de l'acide de batterie.

« Ouf, quel soulagement. Jusqu'ici, les infirmières étaient plutôt pas mal. »

Il gloussa.

« J'avais remarqué. Je devrais peut-être remplir une fiche. Une vieille blessure de guerre que j'ai reçue en 1941 continue à m'empoisonner. J'ai été soufflé par une fusée Katioucha et je suis resté enterré vivant pendant un bon moment.

— Il paraît que c'est le meilleur moyen, à long terme. »

Il gloussa à nouveau. On aurait dit une chasse d'eau qui se vide.

« Que puis-je faire pour vous, Otto ? »

Je l'appelai Otto parce que les trois boutons de sa veste étaient fermés et qu'il y avait une bosse sous l'aisselle de son bras droit. Ça m'aurait étonné que ce soit sa thyroïde.

« J'ai entendu dire que vous posiez des questions sur moi. »

Il sourit, mais c'était plus une façon d'étirer son visage que d'être aimable.

« Oh ?

— À la Casa Rosada.

— Une ou deux peut-être.

— Il se pourrait que ce ne soit pas une chose très saine à faire, mon vieux. Surtout pour un homme dans votre situation. » Il actionna les mâchoires de la pince d'un geste éloquent. « D'ailleurs, à quoi sert ce machin ? »

Je jugeai préférable de ne pas entrer dans les détails.

« C'est une pince chirurgicale.

— Vous voulez dire pour retirer les ongles incarnés et ce genre de trucs ?

— Je suppose.

— Une fois, j'ai vu un homme se faire arracher tous les ongles par la Gestapo. Ça se passait en Russie.

— Un pays fascinant, à ce qu'on raconte.

— Ces maudits Russes sont capables de supporter la douleur comme personne, affirma-t-il avec une réelle admiration dans la voix. Un jour, j'ai vu un soldat russe dont les deux bras avaient été amputés à peine une ou deux heures plus tôt au niveau du coude se lever de son matelas pour aller tout seul aux latrines.

— Ça devait être de sacrées pinces.

— Bref, me voilà. Alors, qu'est-ce que vous vouliez savoir ? Et épargnez-moi cette histoire de passeport bidon. De certificat de bonne conduite ou je ne sais quoi. Qu'est-ce que voulez réellement savoir ?

— Je suis à la recherche d'un tueur.

— C'est tout ? » Il eut un haussement d'épaules. « Nous en sommes tous, j'imagine. » Il écrasa sa cigarette dans le cendrier posé sur ma table de chevet. « Sans quoi, nous ne serions sûrement pas ici, en Argentine.

— Exact. Mais ce type a tué des enfants. Ou du moins des fillettes. Étripées comme des porcs. Au début, j'ai pensé qu'un de nos vieux camarades avait pris goût aux meurtres en série. À présent, je sais qu'il s'agit de tout autre chose. Il y a aussi une jeune fille disparue qui pourrait avoir ou non un rapport avec cette affaire. Peut-être morte. Ou bien enlevée.

— Et vous vous êtes dit que j'étais peut-être mêlé à ça ?

— L'enlèvement était votre principal titre de gloire, si je me souviens bien.

— Vous voulez parler de Mussolini ? » Skorzeny sourit. « C'était une mission de sauvetage. Il y a une sacrée différence entre empêcher Mussolini de se faire griller les couilles et kidnapper une foutue écolière.

— Je sais. Néanmoins, je me sentais obligé de regarder sous chaque pierre. En tout cas, ce sont mes ordres.

— Donnés par qui ?

— Je ne peux pas vous le dire.

— Je vous aime bien, Hausner. Vous avez du cran. Contrairement à beaucoup de nos vieux camarades. Je suis là, à vous intimider gentiment...

— C'est ce que vous êtes en train de faire ?

— ... Et vous refusez de vous laisser intimider, nom d'un chien !

— Jusqu'ici.

— Je pourrais m'occuper de vos agrafes avec cette pince. Je parie que c'est à ça qu'elle sert, en fait. Mais je préférerais avoir un homme comme vous de mon côté. Des alliés, des types sur qui on peut compter, c'est une denrée plutôt rare dans ce pays. »

Il opina du chef comme pour s'approuver lui-même. Vu sa tête et sa réputation, c'était sans doute la meilleure chose à faire.

« Ouais, un type capable pourrait m'être utile, en Argentine.

— Ça ressemble fort à une offre d'emploi, Otto.

— Possible.

— Ils veulent tous que je bosse pour eux. Si ça continue, je vais devenir l'employé de l'année.

— À condition que vous soyez encore de ce monde.

— Ce qui signifie ?

— Que je n'aimerais pas que vous ouvriez votre bec au sujet de mes affaires. Sinon je me verrais forcé de lui faire des trous d'aération. »

Sa façon de le dire me donna à penser qu'il trouvait ça très malin. Mais je ne doutais pas un instant qu'il fût sérieux. D'après ce que je savais d'Otto Skorzeny – colonel de la Waffen SS, décoré de la Croix de chevalier, héros du front de l'Est, l'homme qui avait délivré Mussolini au nez et à la barbe des Britanniques –, ne pas le prendre au sérieux aurait été une grave erreur.

« Je sais la boucler.

— Tout le monde, répondit Skorzeny. Le truc, c'est de le faire et de rester en vie en même temps. »

Ça aussi, c'était malin. Les cicatrices, la Croix de chevalier, la réputation de brutalité, tout ça commençait à tenir pas mal debout. L'homme qui mettrait Otto Skorzeny en rogne n'était pas près de lui emprunter sa collection de fleurs séchées. Il s'agissait d'un tueur. Peut-être pas du style à tuer pour le plaisir, mais certainement du style à tuer sans avoir la moindre idée qu'on puisse en perdre le sommeil.

« D'accord. Je vous aiderai si je peux, Otto. Je ne suis pas terriblement occupé en ce moment, alors allez-y. Faites comme si j'étais votre curé ou votre médecin. Dites-moi quelque chose de confidentiel.

— Je cherche de l'argent. »

J'essayai de réprimer une envie de bâiller.

« Le monde est petit.

— Pas ce genre d'argent, répliqua-t-il avec hargne.

— Il y a un genre que je ne connais pas ?

— Oui. Celui qu'on ne peut pas compter tellement il y en a. De l'argent sérieux.

— Oh ! Ce genre-là.

— Ici en Argentine, environ deux cent millions de dollars américains.

— Eh bien, je comprends que vous couriez après ce genre d'oseille, Otto.

— Peut-être le double. Je ne suis pas certain. »

Cette fois, je gardai le silence. Quatre cent millions de dollars, c'est un chiffre qui commande le respect, et pas qu'un peu.

« Pendant la guerre, trois ou peut-être quatre sous-marins sont arrivés en Argentine avec de l'or, des diamants et des devises étrangères. De l'argent youpin en majeure partie. Provenant des camps. À son arrivée, le magot fut administré par cinq banquiers allemands censés financer l'effort de guerre de ce côté de l'Atlantique. » Il eut un haussement d'épaules. « Je n'ai pas besoin de vous dire avec quel succès ils s'acquittèrent de leur tâche. Et une grande partie de l'argent est demeurée inemployée. Enfermée bien à l'abri dans des coffres à la Banco Germánico et à la Banco Tourquist.

— Un gentil petit legs pour quelqu'un.

— Vous avez tout compris, dit Skorzeny. Après la guerre, les Perón ont eu la même idée que vous. Le gros général et sa garce blonde commencèrent à mettre la pression sur ces cinq banquiers, laissant entendre qu'ils auraient peut-être envie de faire une généreuse contribution à la campagne électorale en échange de l'hospitalité traditionnelle dont bénéficiaient nos vieux camarades. Si bien que les banquiers payèrent en espérant que ça s'arrêterait là. Ce qui ne fut pas le cas, bien évidemment. Être dictateur coûte cher. Surtout sans la ligne de crédit juive dont jouissait Hitler. Alors, avec l'assistance de leurs braves chemises noires, les Perón réclamèrent une nouvelle contribution. Cette fois, les banquiers rechignèrent. Comme le font les banquiers. Grosse erreur. Le président serra légèrement la vis. Un des banquiers, le plus vieux, Ludwig Freude, fut accusé d'espionnage et de détournement de fonds. Freude passa un marché avec Perón, et, en échange du contrôle d'une jolie petite partie du fric, son fils, Rodolfo Freude, fut nommé chef de la sûreté.

— Une contrepartie pas déplaisante.

— N'est-ce pas ? Heinrich Dorge, l'ex-conseiller de Hjalmar Schacht, se montra moins coopératif. Il n'avait pas un fils comme Rodolfo. Ce qui était bien dommage pour lui. Les Perón le firent assassiner. Histoire de stimuler les trois autres banquiers – von Leute, von Bader et Staudt. Lesquels se le tinrent pour dit. Ils remirent le tout. La totalité du magot. Depuis, ils sont en réalité assignés à résidence.

— Pourquoi ? Si les Perón ont le fric, à quoi bon ?

— Parce qu'il y a beaucoup plus en jeu que ce qui a descendu la passerelle d'une poignée de sous-marins. Beaucoup plus d'argent, en tout cas. Voyez-vous, les Perón ont lancé cette fondation. Au cours de ces cinq dernières années, Eva a distribué l'argent de la Reichsbank à chaque enfoiré d'Argentin capable de lui raconter une histoire à pleurer dans les chaumières. Ils achètent la loyauté des gens. Le problème, c'est qu'à la vitesse où ils jettent la manne sous-marine par les fenêtres, ils ne vont pas tarder à se retrouver à sec. Et donc, pour rester au pouvoir encore dix ou vingt ans, ils aimeraient vivement mettre la main sur le véritable gros lot. Le filon principal.

— Vous voulez dire, vos quatre cent millions de dollars ?

— Nous n'avons pas perdu la guerre par manque d'argent, mon vieux. À la fin des hostilités, il y en avait tellement sur les comptes suisses de la Reichsbank que ce qui se trouvait dans les banques allemandes ici n'était que de la menue monnaie en comparaison. Il y a des milliards de dollars nazis à Zurich. Et tout ça, jusqu'au dernier cent, est sous le contrôle des banquiers restants à Buenos Aires. Du moins, tant qu'ils sont en vie.

— Je vois.

— Pour les Perón, la question est la suivante : comment s'en emparer ? Effectuer des opérations sur les comptes de Zurich exige la présence physique en Suisse d'au moins un des banquiers en question, muni de lettres signées par les deux autres. Mais lequel d'entre eux pourrait être suffisamment digne de confiance pour aller là-bas ? Digne de confiance aux yeux des Perón. Et digne de confiance aux yeux des autres banquiers. Naturellement, rien ne garantit que celui qui se rendra à Zurich reviendra un jour. Ni que, une fois sur place, il fera ce que désirent les Perón. À savoir, bien sûr, leur transférer en bonne et due forme le contrôle du fric. Ce qui les met tous les trois dans la mélasse. Et c'est là que j'interviens.

— Ah ? Vous êtes banquier à présent, Otto ? »

Je m'efforçais de donner l'impression que tout ça était nouveau pour moi. Mais, après mon entrevue avec les von Bader, je ne doutais pas un instant que la disparition de leur fille Fabienne fût liée d'une manière ou d'une autre à l'argent.

« Plutôt un régulateur bancaire, en quelque sorte, répondit Skorzeny. Voyez-vous, je suis ici pour veiller à ce que les Perón ne voient pas un pfennig de cet argent. À cette fin, je suis parvenu à devenir assez proche d'Eva. En grande partie grâce à la manière dont j'ai réussi à déjouer un attentat contre elle. Ce qui a été assez facile, en fait. » Il gloussa. « D'autant plus que c'est moi qui l'avais organisé. Bref, elle a fini par se reposer sur moi, vraiment.

— Otto, fis-je avec un grand sourire. Vous ne voulez pas insinuer… ?

— Nous ne sommes pas exactement amants. Mais, comme je l'ai dit, elle a fini par se reposer sur moi. Alors, qui sait ce qui pourrait se passer ? Surtout pendant que le président s'envoie des jeunettes.

— Oh ! Jeunes comment ?

— Treize. Quatorze. Quelquefois encore plus jeunes, d'après Eva.

— Et comment cette confiance en vous pourrait-elle se manifester relativement à l'argent en Suisse ? demandai-je avec circonspection.

— En me mettant en position de savoir si elle arrive à envoyer un de ces banquiers à Zurich. Parce qu'alors, il me faudra agir pour empêcher que ça se produise.

— Vous voulez dire, tuer quelqu'un. Un des banquiers. Peut-être les trois.

— Probablement. Comme je l'ai dit, les fonds ne seront pas éternellement sous leur contrôle. Un jour, l'argent sera réparti entre certaines organisations à travers l'Allemagne. Vous comprenez, notre plan, c'est d'utiliser cet argent pour reconstruire les bases du fascisme européen.

— Notre plan ? Vous voulez dire le plan de la Fraternité, n'est-ce pas, Otto ? Le plan nazi.

— Bien sûr.

— Et de doubler les Perón ? Ça semble dangereux, Otto.

— Ça l'est. » Il sourit. « Voilà pourquoi j'ai besoin de quelqu'un dans la police secrète pour surveiller mes arrières. Quelqu'un comme vous.

— Supposez que je sois du genre nerveux. Que je n'aie pas envie d'être mêlé à ça.

— Ce serait dommage. En premier lieu, cela voudrait dire que vous n'auriez personne pour surveiller *vos* arrières. Eva me fait confiance. Vous, elle vous connaît à peine. Si vous me dénonciez, celui qui disparaîtrait, ce serait vous, pas moi. Pensez-y.

— Je dispose de combien de temps ?

— Le délai est écoulé.

— Je peux difficilement dire non, pas vrai ?

— C'est aussi mon avis. Vous et moi, nous sommes de la même espèce. Voyez-vous, c'est Eva qui m'a parlé de vous. À propos de ce petit discours que vous leur avez servi, à elle et au gros lard. Comme quoi vous aviez été flic. Ce genre de truc. Fallait des couilles ! Perón a apprécié. Moi aussi. Nous sommes des francs-tireurs, vous et moi. Des solitaires. Des étrangers. Nous pouvons nous entraider. Un petit coup de fil par-ci, un petit coup de fil par-là. Et nous n'oublions jamais nos amis, soyez-en sûr. » Il sortit une carte de visite qu'il plaça soigneusement sur ma table de chevet. « D'un autre côté…

— D'un autre côté ? »

Il jeta un coup d'œil à la photo de Sa Majesté britannique accrochée au mur près du lit. Pendant un moment, il se contenta de la fixer du regard avec quelque chose comme de la malveillance, puis, brusquement, il lui flanqua un coup de poing. Suffisamment fort pour casser la vitre et détacher la photo du mur. Elle s'écrasa sur le sol. Des bouts de verre s'abattirent sur ma poitrine et mes jambes. Skorzeny fit comme si de rien n'était, préférant s'appliquer à ce qu'un petit filet de sang dégoutte de ses articulations écorchées pour atterrir sur ma tête.

« D'un autre côté, à notre prochaine rencontre, il se pourrait que ce soit votre sang que nous ayons sous les yeux, pas le mien.

— C'est une vilaine coupure que vous vous êtes fait là, Otto. Vous devriez la faire examiner. Il y a une bonne clinique vétérinaire dans Viamonte, paraît-il. Avec un peu de chance, ils vous feront même une piqûre contre la rage pendant qu'ils s'occupent de votre patte.

— Ça ? » Skorzeny leva sa main, laissant le sang dégouliner sur mon visage. Il parut un instant fasciné par ce spectacle. Il y avait une foule d'énergumènes dans la SS que les effusions de sang avaient fascinés. Dont la majeure partie semblait vivre en Argentine. « C'est juste une égratignure.

— Vous savez, ce serait peut-être une bonne idée si vous partiez maintenant, Otto. Après ce que vous avez fait à leur souverain. C'est tout de même l'Hôpital britannique. »

Otto cracha sur la photo par terre.

« J'ai toujours détesté ce fumier.

— Inutile de vous justifier. Totalement inutile. » Je m'efforçais à présent de l'amadouer. J'avais hâte qu'il s'en aille. « Pas de la part d'un homme qui a rencontré une fois Hitler.

— Plus d'une fois, rectifia-t-il avec calme.

— Vraiment ? fis-je, l'air faussement intéressé. Lorsque nous nous reverrons, il faudra que vous me racontiez ça. À vrai dire, je vais attendre ce jour avec impatience.

— Alors, nous sommes associés.

— Bien sûr, Otto, bien sûr. »

Il me tendit sa main ensanglantée pour que je la serre. Je la pris et sentis la force dans son avant-bras. Maintenant que j'étais plus près de lui, je pouvais distinguer la glace sale dans ses yeux bleus et l'odeur nauséabonde de son haleine fétide. Il y avait une petite étoile dorée épinglée à son revers. Je ne savais pas ce que c'était, mais il me vint à l'esprit que, si je l'avais retirée, il se serait peut-être figé tout à coup comme la créature meurtrière du livre de Gustav Meyrink, *Le Golem*.

Si seulement la vie était aussi simple.

15

BUENOS AIRES, 1950

Ce fut une brève convalescence. Mais pas au point que je ne puisse rester allongé dans un lit sans rien faire d'autre que cogiter. Au bout d'un certain temps, je parvins à mettre plusieurs morceaux bout à bout. Malheureusement, c'était le genre de puzzle où la scie sauteuse continuait à se déplacer. Si je ne me montrais pas extrêmement prudent, la fine lame verticale me couperait les doigts alors que j'essayais d'insérer les pièces manquantes. Ou pire. Vivre assez longtemps pour voir l'image dans son intégralité risquait donc de se révéler ardu. Pourtant, je pouvais difficilement laisser tomber et prendre le large. Le mot « retraite » ne m'a jamais beaucoup excité, mais c'était ce à quoi j'aspirais. Je me sentais fatigué d'assembler des puzzles. L'Argentine était un pays splendide. J'avais envie d'aller m'asseoir sur la plage de Mar del Plata, de voir les *regatas* du Tigre ou de visiter les lacs de Nahuel Huapi. Hélas, personne ne voulait me laisser faire ce dont j'avais envie. Ce qu'ils voulaient, c'est me voir faire ce dont eux avaient envie. Et, en dépit de mon désir qu'il en aille autrement, je ne voyais aucun moyen d'y échapper. Je décidai, cependant, de m'occuper des choses en fonction de ma propre idée de la priorité.

Contrairement à ce que j'avais dit au colonel Montalbán, j'avais horreur des détails inexpliqués. Cela m'avait toujours ennuyé de ne pas avoir arrêté l'assassin d'Anita Schwarz. Pas seulement pour ma réputation, mais aussi pour celle de Paul Herzefelde. Aussi, la première chose que je fis en sortant de l'hôpital fut de me rendre en voiture au domicile de Helmut Gregor. Maintenant, j'avais à peu près compris qui et ce qu'il était, mais je tenais à m'en assurer avant de jeter ça à la figure du colonel.

Helmut Gregor vivait dans la partie la plus agréable de Florida. La maison, au 2460 Calle Arenales, était une belle et spacieuse demeure en stuc blanc de style colonial, appartenant à un riche homme d'affaires argentin du nom de Gérard Malbranc. Il y avait une élégante galerie à colonnes sur le devant et, attaché à la balustrade, un chien de taille moyenne qui faisait de son mieux pour ignorer la proximité alléchante d'un matou à poils longs ayant apparemment la jouissance des lieux.

Je me mis en planque devant la maison. J'avais une Thermos de café, un peu de cognac, des journaux et quelques livres en allemand achetés à la librairie Dürer Haus. J'avais même emprunté un petit télescope. C'était une jolie rue tranquille, tant et si bien qu'en dépit de mes bonnes intentions je laissai tomber livres et journaux et me mis à somnoler, un œil à demi-ouvert. À un moment donné, me redressant, j'aperçus un couple plutôt élégant monté sur des chevaux encore plus élégants. Ils portaient des vêtements normaux et utilisaient des selles anglaises. Pour le pittoresque, c'est à peu près tout ce qu'on pouvait espérer d'un quartier comme Florida. Dans la Calle Arenales, un gaucho serait passé aussi inaperçu qu'un ballon de football sur un autel de cathédrale. À un autre moment, je levai les yeux pour voir une camionnette de Gath & Chaves livrer un lit à une femme en robe de chambre de soie rose. Étant donné la façon dont elle était vêtue, elle envisageait probablement de se glisser dedans dès que les deux brutes qui assuraient le transport auraient réintégré leur camion. Ça ne m'aurait pas déplu de la rejoindre.

En fin d'après-midi, alors que j'étais là depuis plusieurs heures, une voiture de police fit son apparition. Un policier et une fille d'environ quatorze ans en descendirent. Le policier avait l'air assez âgé pour être son grand-père. Il aurait pu être son *caballero blanco*, selon l'expression employée par les *porteños* pour désigner un vieux protecteur, mais en général les flics en uniforme ne sont pas assez bien payés pour dépenser leur argent avec qui que ce soit d'autre que leur femme obèse et leurs enfants affreux. Bien sûr, il aurait pu s'agir d'un père emmenant sa fille remarquablement séduisante à un rendez-vous avec le médecin de famille – mis à part le fait que la plupart des pères n'ont pas l'habitude de passer les menottes à leur fille. Sauf si elle a été très méchante, bien entendu. Le chien se mit à aboyer quand ils gravirent les marches menant à la porte d'entrée. Le flic tapota la tête du chien, qui cessa d'aboyer.

Je braquai le télescope sur la porte d'un noir luisant. Elle fut ouverte par un homme vêtu d'un costume en tweed de couleur claire. Il avait des cheveux châtains et une petite moustache à la Errol Flynn. Le policier et lui semblaient se connaître. L'occupant de la maison sourit, révélant un espace ostensible entre les deux incisives du haut. Puis il posa une main paternelle sur l'épaule de la gamine et lui parla gentiment. Ce qui rassura l'adolescente, qui avait paru nerveuse jusque-là. L'homme indiqua les menottes et le policier les retira. La fille se frotta les poignets puis se mit à se ronger l'ongle du pouce. Elle avait de longs cheveux bruns et un teint de miel. Elle portait une robe en velours rouge et des bas rouge et noir. Ses genoux se touchaient quand elle parlait et, quand elle souriait, on aurait dit le soleil sortant de derrière un nuage. L'homme la fit entrer, puis se tourna vers le policier et lui fit un signe comme pour l'inviter à entrer également, ce que l'autre refusa en secouant la tête. L'homme pénétra à l'intérieur, la porte se referma et le flic alla s'asseoir dans la bagnole, où il fuma une cigarette, inclina son képi en avant, croisa les bras et s'assoupit.

Je jetai un coup d'œil à ma montre. Il était deux heures.

Quatre-vingt-dix minutes s'écoulèrent avant que la porte ne s'ouvre à nouveau. L'homme suivit la fille sur la véranda. Il prit le chat, qu'il lui fit admirer. Elle lui caressa la tête et se fourra un bonbon dans la bouche. L'homme reposa l'animal, et ils descendirent les marches. L'adolescente se déplaçait plus lentement qu'auparavant, négociant chaque marche comme si elle faisait un mètre de haut. Je regardai à nouveau à travers le télescope. Sa tête pendait lourdement sur ses épaules, mais pas autant que ses paupières. Elle donnait l'impression d'avoir été droguée. La précédant de quelques pas, l'homme tapa à la vitre de la voiture, et le flic se redressa d'un seul coup comme si un objet pointu avait transpercé son siège. L'homme ouvrit la porte arrière, se tourna vers la fille pour s'apercevoir qu'elle avait complètement cessé d'avancer, et même qu'elle tenait à peine debout. On aurait dit un arbre sur le point de s'abattre. Son visage était pâle, elle avait les yeux fermés et elle respirait profondément par le nez comme pour ne pas s'évanouir. L'homme revint vers elle et lui passa une main autour de la taille. L'instant suivant, elle se plia en deux et vomit dans le caniveau. L'homme chercha le policier du regard et lui parla avec brusquerie. Le flic s'approcha, prit la fillette dans ses bras et la déposa sur la banquette arrière. Il ferma la portière, ôta son képi, s'essuya le front avec un mouchoir et dit quelque chose à l'homme, qui se pencha en avant, fit un signe à travers la vitre à l'adolescente prostrée, puis recula et attendit. Il jeta un coup d'œil circulaire. Regarda dans ma direction. Je me trouvais à une trentaine de mètres un peu plus haut dans la rue. Je ne pensais pas qu'il puisse me voir. Il ne me vit pas. La voiture de police démarra, l'homme agita à nouveau la main tandis qu'elle s'éloignait, puis il pivota et regagna la maison.

Je repliai le télescope et le rangeai dans la boîte à gants. Après avoir avalé une lampée de cognac du flacon que j'avais dans ma poche, je sortis de la voiture. J'attrapai un dossier et un bloc-notes sur le siège arrière, déplaçai de quelques centimètres mon étui d'épaule, frottai la cicatrice encore sensible à ma clavicule et grimpai les marches. Le chien se remit à aboyer. Le chat, qui avait la taille et la forme d'un plumeau, se percha sur la balustrade et me toisa de ses yeux fendus. C'était un démon mineur, le démon familier de son diabolique propriétaire.

Je tirai la sonnette, entendis une sorte de carillon qui semblait provenir d'un clocher et, me retournant, inspectai la rue. La femme en robe de chambre rose était à présent habillée. Je la regardais encore quand la porte s'ouvrit derrière moi.

« Vous ne risquez pas de rater le facteur, dis-je en allemand. Avec une sonnette pareille. Elle est aussi interminable qu'un chœur céleste. » Je lui montrai mes papiers. « Je me demandais si je pouvais vous poser quelques questions. »

Une forte odeur d'éther flottait dans l'air, soulignant le caractère manifestement importun de ma visite. Mais Gregor était allemand, et aucun Allemand n'aurait la sottise de mettre en cause une identité telle que la mienne. Même si la Gestapo n'existait plus, l'idée et l'influence de celle-ci demeuraient vivantes dans l'esprit de tous les Allemands en âge de faire la différence entre une alliance et un coup-de-poing américain. Surtout en Argentine.

« Vous feriez mieux d'entrer, dit-il en s'effaçant poliment. Herr… ?

— Hausner. Carlos Hausner.

— Un Allemand travaillant pour le Service central de renseignement. C'est assez inhabituel, non ?

— Oh, je ne sais pas. Il fut une époque où nous n'étions pas mauvais pour ce genre de chose. »

Il eut un faible sourire et ferma la porte.

Nous nous tenions dans une entrée au plafond surélevé et au sol en marbre. J'entrevis brièvement ce qui ressemblait à un cabinet de consultation au bout du couloir avant que Gregor ne referme la porte en verre dépoli qui y menait.

Il s'immobilisa – on aurait dit qu'il voulait me forcer à poser mes questions dans le couloir –, puis il sembla changer d'avis et me conduisit dans un élégant salon. Sous un miroir doré chargé d'ornements se dressait une belle cheminée de pierre, devant laquelle étaient posés une table basse chinoise en bois et deux luxueux fauteuils en cuir. Il m'indiqua l'un d'eux d'un signe de la main.

Je m'assis et jetai un coup d'œil autour de moi. Sur un buffet, il y avait une collection de gourdes à maté en argent et, sur la table devant nous, un exemplaire de *Free Press*, le quotidien en langue allemande de tendance nazie. Sur une autre table trônait une photographie d'un homme portant une culotte de golf et faisant de la bicyclette. Une seconde photographie montrait un homme en queue-de-pie le jour de son mariage. Sur aucune des deux photos, le type en question ne portait de moustache, si bien que je n'eus pas de mal à reconnaître en lui l'homme que j'avais rencontré sur les marches de la maison du Dr Kassner à Berlin, à l'été 1932.

L'homme qu'il avait appelé Beppo. L'homme qui se faisait à présent appeler Gregor. Excepté la moustache, il ne semblait pas avoir tellement changé. Il n'avait pas tout à fait la quarantaine, et ses cheveux étaient encore drus et d'un châtain foncé, sans une trace de gris. Il ne souriait pas, mais sa bouche demeurait légèrement ouverte, la lèvre retroussée comme un chien prêt à grogner, ou à mordre. Ses yeux étaient différents du souvenir que j'en avais gardé. On aurait dit des yeux de chat : prudents et attentifs. Et pleins du poids de neuf vies de sombres secrets.

« Je m'excuse d'interrompre votre déjeuner. »

Je pointai un doigt vers un verre de lait et un sandwich intacts sur un plateau en argent posé par terre, près du pied de son siège. En même temps, je me demandai si lait et sandwich n'étaient pas destinés à sa jeune visiteuse.

« Ce n'est pas grave. Que puis-je pour vous ? »

Je débitai mon boniment habituel sur le passeport argentin et le certificat de bonne conduite, et que tout ça n'était qu'une formalité puisque j'étais moi-même un ancien SS et que je savais de quoi il retournait. Il m'interrogea alors sur mes états de service pendant la guerre et, après que je lui eus servi la version revue et corrigée omettant mes activités au Bureau allemand des crimes de guerre, il parut se détendre un peu, comme une ligne de pêche donnant du mou après quelques minutes dans l'eau.

« Moi aussi, j'ai été en Russie, dit-il. Avec le corps médical de la Division Viking. Et en particulier à la bataille de Rostov.

— J'ai entendu dire que ça avait été rude là-bas, hasardai-je.

— Ça a été rude partout. »

J'ouvris le dossier que j'avais pris avec moi. Le dossier de Helmut Gregor.

« Si je pouvais juste vérifier quelques renseignements élémentaires.

— Mais certainement.

— Vous êtes né le… ?

— 16 mars 1911.

— À… ?

— Günzburg. »

Je secouai la tête et répondis :

« Ça se trouve quelque part le long du Danube. C'est tout ce que je sais. Je suis moi-même de Berlin. Non. Attendez. Je connaissais quelqu'un de Günzburg. Un certain Pieck. Walter Pieck. Il était également dans la SS. Ça devait être au camp de concentration de Dachau. Son nom vous dit peut-être quelque chose.

— Oui. Son père était le chef de la police locale. On se connaissait un peu avant la guerre. Mais je ne suis jamais allé à Dachau. Je ne suis jamais allé dans un camp de concentration. Comme je vous l'ai dit, j'appartenais à la Division Viking de la Waffen SS.

— Et que faisait votre propre père ? À Günzburg ?

— Il vendait, et continue à vendre, des machines agricoles. Des batteuses, ce genre de chose. Rien que de très banal, mais je crois qu'il est toujours le plus gros employeur de la ville.

— Désolé, dis-je, le stylo suspendu en l'air. J'ai sauté une question. Nom du père et de la mère, s'il vous plaît.

— Est-ce vraiment nécessaire ?

— C'est habituel pour la plupart des demandes de passeport. »
Il opina.

« Karl et Walburga Mengele.

— Walburga. Un prénom peu courant.

— Oui, n'est-ce pas ? Walburga est une sainte anglaise qui a vécu et est morte en Allemagne. Vous avez entendu parler de la nuit de Walpurgis, je suppose. Le premier mai. C'est alors que sa dépouille fut transportée dans une église quelconque.

— Je pensais que c'était une sorte de sabbat de sorcières.

— Ça aussi, me semble-t-il.

— Et vous êtes Josef. Des frères ou des sœurs ?

— Deux frères. Alois et Karl.

— Je ne vous retiendrai pas longtemps, docteur Mengele. » Je souris.

« Je préfère docteur Gregor.

— Oui, naturellement. Je vous demande pardon. Bien, alors, où avez-vous obtenu votre diplôme ?

— Quel rapport ?

— Vous continuez à exercer la médecine, n'est-ce pas ? Je dirais que ça a un rapport étroit.

— Oui. Oui, bien sûr. Excusez-moi. C'est simplement que je ne suis pas habitué à répondre franchement à autant de questions. J'ai passé ces cinq dernières années à être quelqu'un d'autre. Vous savez ce que c'est, bien sûr.

— Et comment. À présent, vous comprenez peut-être pourquoi le gouvernement argentin m'a demandé de m'acquitter de cette tâche. Parce que je suis un Allemand et un ancien SS, tout comme vous. Pour que vous et nos vieux camarades vous sentiez plus à l'aise au regard de l'ensemble de la procédure. Vous voyez ce que je veux dire.

— Oui, c'est tout à fait logique quand on y réfléchit. »

Je haussai les épaules.

« D'un autre côté, si vous ne souhaitez pas de passeport argentin, nous pouvons très bien nous arrêter là. » Je secouai la tête. « Personnellement, je m'en lave les mains, comme on dit.

— Je vous en prie, continuez. »

Je fronçai soudain les sourcils comme si je venais de penser à quelque chose.

« J'insiste, ajouta-t-il.

— Non, c'est juste que j'ai l'impression que nous nous sommes déjà rencontrés.

— Je ne pense pas. Sans quoi je m'en souviendrais.

— Ce n'était pas à Berlin ? L'été 1932.

— À l'été 1932, j'étais à Munich.

— Mais oui, vous vous rappelez sûrement. C'était au domicile d'un autre médecin. Le Dr Richard Kassner. Sur Dönhoff Platz ?

— Je ne me souviens d'aucun Dr Kassner. »

Je déboutonnai mon manteau pour lui donner un petit aperçu de l'arme que je portais. Juste au cas où il songerait à tenter une expérience chirurgicale sur ma modeste personne. Comme de me forer un petit trou dans la tête avec un pistolet. Parce que, à ce stade, il ne faisait aucun doute pour moi qu'il était armé. Il y avait quelque chose de plus lourd qu'un paquet de cigarettes dans une des poches de son manteau. Je ne savais pas au juste ce qu'il avait fait pendant la guerre. Tout ce que je savais, c'est ce qu'Eichmann m'avait dit. Que Mengele avait eu un comportement bestial à Auschwitz. Et que, pour cette raison, il s'agissait d'un des hommes les plus recherchés en Europe.

« Allons ! Vous vous rappelez certainement. Comment est-ce qu'il vous appelait ? Biffo ? Non, attendez. Beppo. Oui, c'est ça. Qu'est devenu Kassner ?

— Vraiment, je pense que vous me confondez avec quelqu'un d'autre. Si vous me permettez, cela fait dix-huit ans de ça.

— Non, voilà que tout me revient maintenant, voyez-vous, Herr Doktor Mengele. Beppo. J'étais policier en 1932. Je travaillais pour la brigade des homicides à la Kripo de Berlin. Un inspecteur enquêtant sur le meurtre d'Anita Schwarz. Vous vous souvenez peut-être d'elle ? »

Il croisa les jambes, calmement.

« Non. Écoutez, tout ceci est extrêmement déconcertant. Je crois que j'ai besoin d'une cigarette. »

Sa main s'enfonça dans sa poche. Mais je fus plus rapide.

« Hé ! » fis-je. Tenant le Smith & Wesson à quelques centimètres au-dessus de son ventre, je tirai brutalement sa main hors de sa poche puis en sortis un PPK à crosse en noyer. Je l'examinai rapidement. C'était un 38 avec un aigle nazi sur la crosse. « Pas très malin de votre part. Conserver un truc pareil.

— C'est vous qui n'êtes pas très malin », rétorqua-t-il.

J'empochai le pistolet et me rassis.

« Ah ? Et en quoi ?

— Parce que je suis un ami du président.

— Tiens donc.

— Je vous conseille de ranger cette arme et de filer d'ici sur-le-champ.

— Pas avant que nous ayons eu une petite conversation, Mengele. Au sujet du bon vieux temps. » J'armai le chien du Smith avec le pouce. « Et si vos réponses ne me plaisent pas, je me verrai forcé de vous souffler la réplique. D'abord dans le pied. Et ensuite dans la jambe. Je suis sûr que vous savez comment ça marche, docteur. Un dialogue socratique ?

— Socratique ?

— Oui. Je vous incite à réfléchir, à faire fonctionner vos méninges et, ensemble... » J'agitai l'arme sous son nez. « ... Ensemble, nous recherchons la vérité sur des questions importantes. Aucune formation philosophique n'est requise, mais, si je sens que vous n'essayez pas de nous aider à parvenir à un consensus... eh bien, vous vous rappelez ce qui est arrivé à Socrate ? Ses compatriotes athéniens l'ont obligé à se coller une arme sur la tempe et à se faire lui-même sauter la cervelle. Enfin, quelque chose comme ça.

— Bon Dieu, qu'avez-vous à fiche d'Anita Schwarz ? demanda Mengele avec colère. Cela fait près de vingt ans.

— Pas seulement Anita Schwarz. Elisabeth Bremer également. La fille à Munich ?

— Ce n'était pas ce que vous croyez.

— Non ? Alors quoi ? Du dadaïsme ? Il me semble me rappeler que c'était assez en vogue avant les nazis. Bon, voyons. Vous avez éventré ces deux fillettes parce que vous étiez un artiste croyant à la révélation du sens par le chaos. Vous vous êtes servi de leurs entrailles pour faire un collage. Ou peut-être une jolie petite photographie. Il y avait Max Ernst, Kurt Schwitters et vous. Non ? Et que diriez-vous de ceci : vous étiez un étudiant en médecine ayant décidé de faire des extras en proposant des avortements clandestins à des filles mineures. Ce sont les détails qui ne me paraissent pas clairs. Le quand et le comment.

— Si je vous le dis, vous me laisserez tranquille ?

— Si vous ne me le dites pas, je vous tirerai dessus. » Je visai son pied. « Après quoi je vous laisserai tranquille. Pendant que vous saignez à mort.

— D'accord, d'accord.

— Commençons à Munich. Avec Elisabeth Bremer. »

Mengele secoua la tête puis, voyant que je visais à nouveau son pied, il se mit à agiter les mains.

« Non, non, j'essaie seulement de me souvenir. Ce n'est pas facile. Il s'est passé tant de choses depuis. Vous n'avez pas idée combien, pour un homme comme moi, tout cela a l'air dérisoire. Vous me parlez de deux décès accidentels qui ont eu lieu il y a près de vingt ans de ça. » Il eut un rire amer. « J'étais à Auschwitz, vous savez. Et, à coup sûr, ce qui s'est passé là-bas était tout à fait inouï. La chose la plus inouïe qui soit jamais arrivée. Trois millions de personnes sont mortes à Auschwitz. Trois millions. Et vous venez me parler de deux gamines !

— Je ne suis pas ici pour vous juger. Je suis ici pour terminer une enquête.

— Écoutez-vous. On croirait entendre un de ces stupides cow-boys canadiens. La police montée. C'est bien comme ça qu'on l'appelle ? Elle finit toujours par attraper son homme. N'est-ce pas de ça qu'il s'agit, en réalité ? De fierté professionnelle ? Ou ai-je raté quelque chose ?

— Je vous pose la question, docteur. Mais il se trouve qu'il y a un peu de fierté professionnelle, en effet. Je suis sûr que vous savez ce que c'est. Vous êtes vous-même un professionnel. On m'a dessaisi de cette affaire pour des raisons politiques. Parce que je n'étais pas un nazi. Ça ne m'a pas beaucoup plu alors et ça ne me plaît toujours pas. Bon. Commençons par Walter Pieck. Vous le connaissiez assez bien. À Günzburg.

— Bien sûr. Tout le monde se connaît à Günzburg. C'est une petite ville très catholique. Walter et moi étions à l'école ensemble. Du moins, jusqu'à ce qu'il échoue à son Abitur. Il avait toujours été plus intéressé par les sports, surtout les sports d'hiver. C'était un patineur et un skieur fantastiques. Et je crois pouvoir dire que je suis un bon skieur, moi aussi. Quoi qu'il en soit, il s'est disputé avec son père et il est allé travailler à Munich. J'ai passé mon Abitur et je suis parti faire des études à Munich. Nous menions des vies très différentes, mais, de temps à autre, on se retrouvait pour boire une bière. Je lui prêtais même de l'argent par-ci par-là.

« Ma famille était relativement riche, d'après les critères de Günzburg. Aujourd'hui encore, Günzburg *est* la famille Mengele. Mais mon père, Karl, était un individu froid et quelque peu jaloux de moi, je pense. Pour cette raison peut-être, il m'a laissé sans un sou quand j'étudiais la médecine, si bien que j'ai décidé de me faire moi-même un peu d'argent. Il se trouvait que la copine d'un autre vieil ami était enceinte, et, ayant déjà lu pas mal de choses en matière d'obstétrique et de gynécologie comme étudiant, je leur ai proposé de s'en débarrasser. En fait, il s'agit d'une procédure assez simple. Peu après, j'avais effectué plusieurs avortements. Je gagnais pas mal d'argent. J'ai acheté une petite voiture avec les recettes.

« Puis la petite amie de Walter est tombée enceinte. Elisabeth était une fille charmante. Beaucoup trop bien pour lui. Toujours est-il qu'elle affirmait catégoriquement qu'elle ne voulait pas garder l'enfant. Elle souhaitait aller à l'université pour suivre des cours de médecine, elle aussi. » Mengele fronça les sourcils et secoua la tête. « Je croyais lui rendre service, mais il y a eu des complications. Une hémorragie. Même dans un lit d'hôpital, elle serait probablement morte, vous comprenez, mais cela se passait dans mon appartement à Munich. Et je n'avais aucun moyen de la secourir. Elle a perdu tout son sang sur ma table de cuisine. » Il s'interrompit un instant et parut presque troublé à ce souvenir. « N'oubliez pas que j'étais encore un jeune homme, avec tout son avenir devant lui. Je voulais aider les gens. En tant que médecin, vous comprenez. Bref, je me suis affolé. J'avais un cadavre sur les bras. N'importe quel médecin légiste se serait aperçu qu'elle avait subi un avortement. Je voulais à tout prix brouiller les pistes.

« En fait, c'est Walter qui a eu l'idée que je devrais lui retirer ses organes sexuels. Des détails horribles sur un vieux crime de sadique avaient paru dans un magazine qu'il avait lu, et il prétendait que, si la mort d'Elisabeth était maquillée de manière à faire croire que c'en était un, cela éviterait au moins que la police ne recherche un avorteur clandestin. J'étais aussi de cet avis. Alors, je l'ai disséquée, comme lors d'une leçon d'anatomie, et Walter s'est débarrassé du corps. Son père lui a fourni un alibi à Günzburg, en déclarant qu'il se trouvait à la maison au moment de la mort d'Elisabeth. Il avait l'habitude de faire ça pour Walter. Mais, ensuite, Walter a dû filer doux, faire tout ce que son père lui disait. C'est ainsi qu'il a fini par s'engager dans la SS. Pour éviter de se retrouver dans le pétrin. » Mengele se mit à rire. « Quelle ironie, quand on y pense. Les Américains l'ont fusillé à Dachau. » Il secoua la tête. « Je n'avais aucunement l'intention de tuer cette pauvre fille. Elle était ravissante. Une vraie beauté aryenne. J'essayais de l'aider. Et pourquoi pas ? Elle avait commis une erreur, c'est tout. Ça arrive tout le temps. Même aux gens les plus respectables.

— Parlez-moi de Kassner. Comment l'avez-vous rencontré ?

— À Munich. Sa femme habitait là. Il s'efforçait de la persuader de revenir vivre avec lui. Sans succès, en l'occurrence. Quelqu'un nous a présentés l'un à l'autre au cours d'une soirée. Et il est apparu que nous avions plusieurs centres d'intérêt en commun. Concernant l'anthropologie, la génétique humaine et le national-socialisme. C'était un ami de Goebbels, vous savez. Bref, j'avais l'habitude d'aller lui rendre visite à Berlin. De dépenser dans les lieux de plaisir une partie de ce que j'avais gagné en pratiquant des avortements. Ça a été la plus belle période de ma vie. Je n'ai sûrement pas besoin de vous dire comment était Berlin à l'époque. Il y régnait une liberté sexuelle complète.

— C'est comme ça que vous avez attrapé la vérole.

— Oui, c'est exact. Comment le savez-vous ?

— Et Kassner vous soignait à l'aide de la nouvelle Balle magique qu'il testait pour IG Farben. Le Protonsil. »

Mengele eut l'air impressionné.

« Oui, c'est vrai aussi. Je vois que la réputation de la police de Berlin n'est pas usurpée.

— Il soignait également Goebbels pour une maladie vénérienne. Vous étiez au courant ? Je soupçonne que c'est une des raisons pour lesquelles on m'a retiré l'affaire. De peur que je découvre la chose. Ce que j'ai fait, bien sûr.

— Je savais qu'il soignait quelqu'un de célèbre, mais j'ignorais qu'il s'agissait de Goebbels. En fait, je pensais plutôt à Hitler. Des bruits couraient. Comme quoi le Führer était syphilitique. Alors, c'était Goebbels. » Mengele haussa les épaules. « En tout cas, le Protonsil se montrait hautement efficace. Jusqu'à l'arrivée de la pénicilline, c'est à mon avis le meilleur médicament que le Consortium des colorants ait jamais conçu. Lorsque Kassner a commencé à travailler pour eux, j'en suis venu à les connaître assez bien. J'ai testé un certain nombre de médicaments pour eux à Auschwitz. C'était une tâche d'une importance capitale. Non que les gens s'en souviennent aujourd'hui. Tout ce qui les intéresse, ce sont les accidents médicaux qui, j'en ai peur, étaient une conséquence inévitable, au vu des exigences de la vie médicale et scientifique en temps de guerre.

— Quel joli euphémisme pour des tueries de masse.

— Parce que vous êtes en Argentine pour le bœuf, j'imagine.

— Ce ne sont pas vos oignons. Parlez-moi plutôt d'Anita Schwarz.

— Je ne peux pas croire que vous me fassiez perdre mon temps avec ces foutaises.

— Si vous ne me croyez pas, alors croyez ça. » Je brandis le pistolet pendant une seconde. « Comment avez-vous fait sa connaissance ?

— J'ai rencontré son père quand j'ai commencé à me rendre à Berlin. Il était dans la SA. Par la suite, lorsqu'il est devenu juge, nous avons fini par mieux nous connaître. Quelqu'un nous a présentés. Kurt Daluege, je pense. J'avais pratiqué un avortement sur sa maîtresse sans anicroches. En fait, c'était son second, et j'ai demandé à Daluege s'il avait déjà songé aux avantages de la faire stériliser. Non, bien sûr. Mais il a fini par la convaincre.

— Vous plaisantez.

— Pas du tout. Il est simplement question de ligaturer les trompes de Fallope. En tout cas, Daluege en a touché un mot à son beau-frère, Otto Schwarz. Comme une possibilité pour sa fille. »

Je secouai la tête, horrifié par les propos de Mengele, même si, compte tenu de mes souvenirs de l'attitude d'Otto Schwarz en apprenant la mort de sa fille, l'explication du médecin semblait sinistrement vraisemblable.

« Êtes-vous en train de me dire que vous avez stérilisé une gamine de quinze ans ?

— Écoutez, on ne pouvait guère comparer cette fille à Elisabeth Bremer. Même pas du tout. Anita Schwarz était une handicapée et, en dépit de son jeune âge, une prostituée occasionnelle. On comprend bien pourquoi il fallait la stériliser. Pas seulement dans l'intérêt de ses malheureux parents, mais aussi dans celui de la santé génétique du pays. Elle était totalement inapte à procréer. Par la suite, bien sûr, Otto et moi sommes devenus collègues. Il a été nommé juge dans un des tribunaux de santé génétique créés, en vertu de la loi de 1933 sur la prévention d'une descendance héréditairement malade, pour statuer en matière d'"hygiène raciale". Certaines personnes n'avaient pas le droit de se marier tandis que d'autres étaient soumises à des stérilisations forcées. » Il marqua un temps d'arrêt.

« Ainsi, la stérilisation d'Anita Schwarz a été concoctée par vous deux, pour la santé génétique du pays. Est-ce qu'Anita a eu son mot à dire dans l'histoire ? »

Mengele secoua la tête avec irritation.

« Son consentement ne comptait pas. C'était une handicapée moteur, vous comprenez, indigne de vivre. N'importe quel tribunal de santé génétique aurait approuvé notre décision.

— Où l'opération a-t-elle eu lieu ?

— Dans une clinique privée à Dahlem, où la mère de la fille était infirmière de nuit. Un établissement tout à fait adapté, je peux vous le garantir.

— Mais quelque chose a mal tourné. »

Il acquiesça.

« Contrairement aux avortements, les stérilisations nécessitent une anesthésie générale. Les services d'un anesthésiste sont donc indispensables. Naturellement, j'ai fait appel à la même personne que dans le cas de la maîtresse de Kurt Daluege. Quelqu'un que Daluege connaissait, et qui s'est révélé parfaitement incompétent, en définitive. J'ignorais que c'était un drogué. Et il a commis une erreur. Ce n'est pas l'opération qui l'a tuée, vous comprenez, mais l'anesthésie. Nous n'avons pas pu la ranimer, tout bonnement. Et, face à un dilemme analogue à celui du décès d'Elisabeth Bremer à Munich, j'ai décidé de mutiler son cadavre de la même façon spectaculaire. Avec, dois-je ajouter, la totale complicité de la mère. C'était une catholique fervente, persuadée que Dieu, de toute manière, n'avait pas voulu que sa fille vive, ce qui a été un grand soulagement pour mon collègue et moi-même. Ensemble, nous avons déposé le corps à l'autre bout de la ville, dans le parc de Friedrichshain. Vous savez le reste.

— Et après ça ?

— Je suis rentré chez moi.

— Je veux dire, les années suivantes. Avant que vous ne rejoigniez la SS.

— J'ai effectué des avortements et des stérilisations jusqu'en 1937. Légalement, dois-je préciser. Puis je suis entré à l'Institut du Reich pour l'hérédité, la biologie et la pureté raciale de l'université de Francfort, où je suis devenu assistant de recherche.

— Et maintenant ?

— Maintenant ? Je mène une vie extrêmement paisible. Je suis un humble médecin, comme vous pouvez le voir.

— Pas si humble que ça, j'ai l'impression. Parlez-moi de la fille qui était ici il y a une demi-heure. Je suppose que vous lui avez juste verni les ongles de pied et donné un coup de peigne.

— Vous êtes loin de votre port d'attache.

— Ça ne fait rien. Je suis bon nageur.

— Il vaudrait mieux pour vous. Vous savez ce qu'ils font aux individus qu'ils n'aiment pas, en Argentine ? Ils les emmènent faire un petit tour en avion et ils les balancent au-dessus du Río de la Plata, à trois milles mètres d'altitude. Écoutez-moi, mon vieux. Oubliez que vous avez vu cette fille. »

Posant le pistolet, je bondis en avant, puis, serrant les revers de son manteau de cachemire, je le giflai brutalement, de chaque côté de son visage basané et ahuri – coup droit et revers, comme un champion de ping-pong.

« Quand j'aurai envie de vous écouter, je vous ferai signe en vous flanquant des baffes, répliquai-je. À présent, crachez le reste. Chaque détail minable de votre sale boulot dans cette ville. Compris ? Je veux tout, ou je vais vous montrer ce que c'est que d'être indigne de vivre. »

Le poussant sur son siège, je lâchai ses revers. Les yeux de Mengele étaient devenus froids et minces, son visage avait pâli sauf là où la paume de ma main avait rendu ses joues cramoisies. Il toucha sa mâchoire et me répondit avec hargne comme un chien battu.

« Perón a un penchant pour les petites filles. Douze, treize, quatorze. Vierges. Et qui n'utilisent pas plus la contraception que lui. Il aime l'étroitesse des filles jeunes car son pénis est tout petit. Si je vous le dis, c'est parce que, dans ce pays, rien que de savoir ça fait de vous un homme mort, Hausner. Il me l'a raconté la première fois que nous nous sommes rencontrés, et, depuis juillet de l'année dernière, date de mon arrivée en Argentine, j'ai effectué pas moins de trente avortements pour lui.

— Et Grete Wohlauf ?

— Qui est-ce ?

— Une adolescente de quinze ans à la morgue de la police.

— J'ignore leur nom. Mais je peux vous dire ceci : aucune de ces filles n'est morte. Je suis devenu très adroit. »

Je n'en doutais pas. Chacun possède un don. Le sien, c'était de détruire la vie.

« Fabienne von Bader. Ça vous dit quelque chose ?

— Je vous le répète, je ne connais pas leur nom. »

Pour une raison ou pour une autre, je le crus.

« Je ne suis pas le seul, vous savez, reprit-il. Le seul médecin allemand à faire ça, s'entend. Être un médecin SS présente de nombreux avantages pour le général. Cela veut dire que, contrairement aux médecins catholiques locaux, qui ont des scrupules à pratiquer des avortements, nous devons faire tout ce qu'on nous dit ou risquer d'avoir à affronter la justice alliée.

— C'est donc pour ça qu'il aime rencontrer les médecins venus d'Allemagne.

— Oui. Et cela signifie que je compte pour lui. Que je sers ses besoins. Pouvez-vous en dire autant ? » Mengele sourit. « Non, c'est bien ce que je pensais. Vous n'êtes qu'un flic stupide versant dans la sensiblerie. Vous ne ferez pas long feu ici. Ces gens sont aussi impitoyables que nous autres Allemands. Voire davantage. Mais ils sont plus faciles à comprendre. Seuls l'argent et le pouvoir les motivent. Pas l'idéologie. Ni la haine. Ni l'histoire. Uniquement l'argent et le pouvoir. »

Je lui montrai le Smith dans mon poing.

« Ne soyez pas si sûr que je suis moins impitoyable qu'eux. Je pourrais bien vous tirer une balle dans le ventre et me carrer dans ce fauteuil pour vous regarder crever. Juste parce que ça me chante. Vous appelleriez ça une expérience, je suppose. Peut-être que je vais vous tuer, en fait. On me donnera probablement le prix Nobel de médecine. Cependant, dans l'immédiat, vous allez prendre un stylo et du papier et écrire tout ce que vous venez de me raconter. Y compris le chapitre sur le goût du président pour les petites filles et le précieux service de nettoyage que vous lui offrez ensuite. Après quoi, vous apposerez votre signature.

— Avec plaisir, dit Mengele. Ce sera comme signer votre arrêt de mort. Avant que vous ne rendiez l'âme, je pense que j'irai vous rendre visite dans votre cellule. Je veillerai à apporter ma trousse médicale. Peut-être que je prélèverai un de vos organes pendant que vous êtes encore en vie.

— Jusque-là, vous ferez ce que je vous demande, et avec le sourire, ou il faudra me dire pourquoi. »

Je le giflai à nouveau, rien que pour le plaisir. J'aurais pu le gifler tout l'après-midi. Il y a des gens comme ça. Qui font ressortir ce qu'il y a de pire en vous.

Il rédigea les aveux. Je les lus et les fourrai dans ma poche.

« Puisque vous êtes en veine de confidences, j'ai encore une question à vous poser. » J'approchai le pistolet de son visage. « Et rappelez-vous, je suis d'humeur à en faire usage. Alors, vous auriez intérêt à bien réfléchir avant de répondre. Que savez-vous de la Directive Onze ?

— Seulement que ça avait rapport avec le fait d'empêcher les Juifs déplacés de venir ici. » Il haussa les épaules. « C'est tout. »

Je mis la main dans ma poche et en tirai le collier lehaïm qu'Anna Yagubsky m'avait donné. Je le laissai tourner un instant dans la lumière. Je pus voir qu'il avait reconnu ce que c'était.

« Une excellente idée que de leur arracher les tripes comme ça pour nous expédier sur une fausse piste. Sauf que vous n'êtes pas le seul à pouvoir faire ce genre de truc. Si je dois vous descendre, je laisserai ce petit lehaïm près de votre cadavre. Lehaïm signifie "à la vie" en hébreu. En le trouvant, la police pensera qu'un de ces escadrons de la mort israéliens a fini par vous coincer. Ce n'est pas moi qu'elle cherchera, Mengele. Alors, je vous le demande une dernière fois. Que savez-vous de la Directive Onze ? »

Mengele avait agrippé le dessous de son siège. Continuant à le serrer avec force, il se pencha en avant et me hurla :

« Je ne sais rien d'autre là-dessus ! Je ne sais rien d'autre ! Je ne sais rien d'autre ! »

Puis sa tête retomba sur sa poitrine et il se mit à pleurer.

« Je ne sais rien d'autre, sanglota-t-il. Je vous ai dit tout ce que je savais. »

Je me levai, quelque peu atterré par cette explosion et par la façon dont je l'avais soudain réduit au niveau d'un simple collégien. C'était bizarre. Je n'éprouvais pour lui que du dégoût. Mais le plus bizarre, c'était le dégoût que j'éprouvais à présent pour moi-même. Pour les ténèbres qui résidaient en moi. Pour les ténèbres qui résident en nous tous.

16

BUENOS AIRES, 1950

Je me levai à six heures, comme toujours, pris un bain et avalai un petit déjeuner. Les Lloyd servaient ce qu'ils appelaient un « petit déjeuner frit » : deux œufs au plat, deux tranches de bacon, une saucisse, une tomate, des champignons et du pain grillé. Lorsque j'eus fini, j'avais le ventre plein à craquer. Chaque fois, la même pensée me venait : qu'il aurait été difficile à quiconque de faire la guerre avec un petit déjeuner pareil.

Je sortis acheter des cigarettes. Je ne prêtai aucune attention à la voiture qui me dépassa avant qu'elle ne s'arrête et que les portières ne s'ouvrent. C'était une Ford noire banalisée. Rien n'indiquait qu'elle appartenait à la police, si l'on excepte les deux types aux lunettes noires et aux moustaches assorties qui en surgirent et marchèrent promptement vers moi. Je les avais déjà vus. À Berlin. À Munich. À Vienne. Partout dans le monde, c'étaient les mêmes brutes épaisses, nanties de crânes épais et d'articulations tout aussi épaisses. Et ils avaient la même attitude pragmatique et diligente, me considérant comme une pièce de mobilier encombrante à charger le plus vite possible sur la banquette arrière d'une voiture noire. Je m'étais déjà fait ramasser. Bien des fois. En tant qu'enquêteur privé à Berlin, c'était une sorte de risque du métier. La Gestapo n'avait jamais pu supporter les privés, même si Himmler avait utilisé une fois une agence de Munich pour savoir si son beau-frère trompait sa sœur.

Instinctivement, je tournai les talons pour les éviter et me heurtai à la brute épaisse numéro trois. Je fus fouillé et flanqué dans la bagnole avant d'avoir eu le temps d'aspirer nerveusement une nouvelle goulée d'air. Personne ne parlait. Sauf moi. Ça m'évitait de penser à la route devant et à l'allure à laquelle nous roulions à présent.

« Vous êtes des as, les gars, dis-je. Je ne pense pas que ça avancerait à grand-chose de mentionner que mes papiers du SIDE sont dans ma poche de poitrine. Non ? Je suppose que non. »

Nous nous dirigions cap au sud, vers San Telmo. Je plaisantai encore en espagnol, ce qui passa totalement inaperçu, et je finis par capituler devant leur silence d'airain. La voiture tourna en direction de l'ouest près du ministère de la Guerre. Avec ses seize étages et ses deux ailes séparées, c'était la bâtisse la plus imposante de Buenos Aires, et elle dominait les alentours telle la Grande Pyramide de Khéops. Ce qui n'augurait rien de bon pour les pays voisins comme le Chili et l'Uruguay. Au bout d'un moment, nous atteignîmes un charmant petit parc, derrière lequel se dressait une forteresse de style féodal qui donnait l'impression d'exister depuis que Francisco Pizarro avait débarqué en Amérique du Sud. Alors que nous franchissions le portail en bois, je m'attendais presque à nous voir assaillis par un déluge de pierres et d'huile bouillante lancées du haut des remparts. Nous nous garâmes dans la cour, et l'on me tira hors de la voiture avant de me faire descendre quelques marches. Au bout d'un long couloir humide, je fus mis dans une cellule exiguë et suintante, fouillé par un gaillard presque aussi massif que le ministère de la Guerre, puis laissé seul avec une chaise, un bat-flanc et un pot pour toute compagnie. Le pot était à moitié plein ou à moitié vide, selon le point de vue que l'on adoptait.

Je m'assis par terre, ce qui semblait plus confortable que la chaise ou le bat-flanc. Dans quelque tour lointaine infestée de rats, un homme riait de façon hystérique. Plus près de là où j'étais enfermé, de l'eau dégoulinait sur le sol, mais, n'ayant pas spécialement soif, je ne me préoccupais guère du bruit. Toutefois, après plusieurs heures, mon avis sur la question commença à changer.

Il faisait nuit quand la porte finit par se rouvrir. Deux types entrèrent dans la cellule. Ils avaient les manches retroussées et ne semblaient pas d'humeur à plaisanter. L'un était petit et musclé, et l'autre, grand et musclé. Le petit tenait une espèce de canne en métal, avec une prise électrique à deux broches fixée au bout. Le plus grand me tenait. Je me débattais, mais il ne paraissait pas s'en apercevoir. Je ne voyais pas sa tête. Elle se trouvait quelque part au-dessus de la ligne des nuages. Le plus petit avait de minuscules yeux bleus comme des pierres semi-précieuses.

« Bienvenue à Caseros, dit-il avec une fausse politesse. Dehors, il y a un petit monument aux victimes de l'épidémie de fièvre jaune de 1871. Le cachot le plus profond de cette forteresse contient un puits où l'on jette les corps. Et chaque année, il y a de plus en plus de victimes de l'épidémie de fièvre jaune de 1871. Pigé ?

— Je crois.

— Vous avez posé des questions sur la Directive Onze.

— Moi ?

— J'aimerais que vous me disiez pour quelle raison. Et ce que vous pensez savoir.

— Très peu de chose pour l'instant. Peut-être précède-t-elle la Directive Douze. Et je ne serais pas du tout surpris si l'on découvrait un jour qu'elle a suivi la Directive Dix. Comment je m'en sors jusque-là ?

— Pas très bien. Vous êtes allemand, hein ? »

J'acquiesçai.

« La patrie de Beethoven et de Goethe. De l'imprimerie et des rayons X. De l'aspirine et du propulseur de fusée.

— Sans oublier le *Hindenburg*, dis-je.

— Vous devez être très fier. En Argentine, nous n'avons donné au monde qu'une invention. » Il leva sa canne métallique. « L'aiguillon électrique. Il parle de lui-même n'est-ce pas ? Cet appareil émet une forte décharge d'électricité, suffisante pour faire avancer une vache où vous voulez. En moyenne, une vache pèse une tonne. Environ dix fois votre poids. Mais cela reste un moyen extrêmement efficace de forcer l'animal à obéir. Aussi, vous pouvez imaginer quel effet cela aurait sur un être humain. Du moins, j'espère que vous pourrez l'imaginer pendant que je vous pose la question suivante.

— Je ferai de mon mieux, soyez-en sûr. »

Il remonta une manche, révélant un bras affreusement poilu. Quelque part en Argentine, il y avait une exhibition de monstres à laquelle manquait son chaînon manquant. Il tira le poignet usé de la manche le long de son bras jusqu'au croissant de sueur sous son aisselle. Il ne tenait probablement pas à tacher sa chemise. Au moins, il avait l'air de prendre son travail au sérieux.

« J'aimerais connaître le nom de la personne qui vous a parlé de la Directive Onze.

— Quelqu'un à la Casa Rosada. Un de mes collègues, je suppose. Je ne me rappelle pas exactement. Écoutez, on entend raconter toutes sortes de trucs dans ce genre d'endroit. »

Le nabot velu déchira le devant de ma chemise, découvrant la cicatrice sur ma clavicule. Il lui donna une tape de son ongle le plus crasseux.

« Ouille ! Vous avez eu une opération. Pardonnez-moi, je l'ignorais. Qu'est-ce qui vous est arrivé ?

— On m'a enlevé la moitié de la thyroïde.

— Pourquoi ?

— Elle était cancéreuse. »

Il hocha la tête, presque avec compassion.

« Ça a l'air de guérir gentiment. »

Puis il toucha la cicatrice avec le bout de l'aiguillon. Heureusement pour moi, il n'était pas encore branché.

« D'habitude, nous nous concentrons sur les organes génitaux. Mais, dans votre cas, nous pouvons probablement faire une exception. »

Il adressa un signe de tête à l'armoire à glace qui me tenait. En un rien de temps, j'étais ligoté solidement à la chaise dans la cellule.

« Le nom de la personne qui vous a parlé de la Directive Onze, je vous prie », dit-il.

Je m'efforçai de reléguer le nom d'Anna Yagubsky dans le coin le plus reculé de mon esprit. Même si je ne craignais pas de révéler que c'était elle qui m'avait informé de l'existence de la Directive Onze, j'avais vu la façon dont la douleur peut délier la langue à un homme. Je préférais ne pas penser à ce qu'un tel tandem ferait à une femme comme elle. Aussi, je me répétai que la personne qui m'avait parlé de la Directive Onze était Marcello, l'officier de permanence au service des archives de la Casa Rosada. Juste au cas où il me faudrait leur lâcher quelque chose. Je secouai la tête.

« Écoutez. Sincèrement. Je ne me souviens pas. Il y a des semaines de ça. Nous étions plusieurs à discuter au service des archives. Ça aurait pu être n'importe qui. »

Mais il n'écoutait pas.

« Allons. Laissez-moi vous rafraîchir la mémoire. »

Il toucha mon genou avec l'aiguillon, et cette fois il était branché. Même à travers le tissu de mon pantalon, la douleur me fit me déplacer d'un bon mètre avec la chaise, ma jambe continuant à s'agiter de manière incontrôlable pendant plusieurs minutes.

« Agréable, n'est-ce pas ? Et vous allez trouver que ce n'était qu'un simple chatouillis quand je vais le poser sur la chair nue.

— J'en ris d'avance.

— Hélas, il y a de fortes chances pour que vous soyez le dindon de la farce. »

Il s'approcha à nouveau avec l'aiguillon, visant carrément la cicatrice sur ma clavicule. Pendant une fraction de seconde, j'eus la vision des restes de ma thyroïde grésillant dans ma gorge comme un morceau de foie en train de frire. Puis une voix que je reconnus aussitôt lança :

« Ça suffit, je pense. »

C'était le colonel Montalbán.

« Détachez-le. »

Il n'y eut pas un murmure de protestation. Certainement pas de ma part. Mes deux bourreaux en puissance obéirent instantanément, presque comme s'ils s'étaient attendus à être interrompus. Montalbán lui-même alluma une cigarette et la mit dans ma bouche tremblante et reconnaissante.

« Je suis bien content de vous voir.

— Venez, dit-il calmement. Sortons d'ici. »

Résistant à l'envie de dire deux mots au type à l'aiguillon, je suivis le colonel dans la cour de la forteresse, où était garée une ravissante Jaguar blanche. J'avalai une longue goulée d'air mêlant soulagement et euphorie. Il ouvrit le coffre et prit une chemise soigneusement pliée et une cravate qu'il me sembla reconnaître.

« Tenez. Je vous ai apporté ceci de votre chambre d'hôtel.

— C'est très aimable à vous, colonel, dis-je en déboutonnant les lambeaux de chemise qui me couvraient à peine.

— Je vous en prie, répondit-il avant de s'installer au volant.

— Belle voiture, comme toujours, colonel, fis-je observer en montant à côté de lui.

— Elle a appartenu à un amiral qui préparait un coup d'État, expliqua-t-il. Vous vous imaginez, un amiral avec un engin pareil ? »

Il alluma une cigarette et franchit l'entrée.

« Et où est-il à présent ? Cet amiral ?

— Il a disparu. Peut-être est-il au Paraguay. Ou bien au Chili. À moins qu'il ne soit nulle part en particulier. Là encore, il y a des questions qu'il vaut mieux parfois ne pas poser. Vous saisissez ?

— Je pense. Du reste, qui se soucie encore de la marine ?

— En vérité, les seules questions raisonnables à se poser en Argentine sont celles qui portent sur soi-même. C'est pourquoi il y a une telle quantité de psychanalystes dans ce pays. »

Nous roulions vers l'est, vers le Río de la Plata.

« Vraiment ? Il y en a tant que ça ?

— Oh oui ! À la pelle. On fabrique plus de psychanalystes à Buenos Aires que presque n'importe où dans le monde. Personne en Argentine ne s'estime parfait au point de ne pas pouvoir s'améliorer. Vous, par exemple. Un gentil petit psychanalyste pourrait vous aider à éviter les ennuis. C'est du moins ce que j'ai pensé. Voilà pourquoi je me suis arrangé pour vous faire rencontrer deux des plus grands spécialistes de la ville. Afin de vous permettre de mieux vous connaître, vous et vos rapports à la société. Et d'apprécier à sa juste valeur ce que je vous ai déjà dit : en Argentine, il est préférable de tout savoir plutôt que d'en savoir trop. Bien sûr, mes hommes sont meilleurs que beaucoup pour aider un individu à se connaître lui-même. Moins de séances sont nécessaires. Quelque-fois une seule suffit. Et, naturellement, ils travaillent pour nette-ment moins cher que le genre d'analyste freudien que vont consulter la plupart des gens. Sans compter que les résultats, vous en conviendrez, sont beaucoup plus spectaculaires. Il est rare que quelqu'un sorte d'une séance à Caseros sans avoir une conscience aiguë de ce qu'il faut pour survivre dans une ville comme celle-ci. Oui. Oui, j'en suis absolument persuadé. Cette ville vous tuera à moins que, psychologiquement, vous ne soyez suffisamment équipé pour la prendre telle qu'elle est. J'espère ne pas me montrer trop sibyllin.

— Pas du tout, colonel. Je vous comprends parfaitement.

— Vous trouverez une flasque dans la boîte à gants. Il arrive que la thérapie vous donne soif d'autre chose que de la simple connais-sance de soi. »

La flasque contenait du cognac. Il avait un goût délicieux. Ça me donna un moment de répit, comme si on avait ouvert une fenêtre. Je lui tendis le flacon. Il secoua la tête et sourit.

« Vous êtes un type sympathique, Gunther. Je ne voudrais pas qu'il vous arrive quelque chose. Je vous le répète, vous étiez un véritable héros pour moi. Dans la vie, un homme doit avoir un héros, ce n'est pas votre avis ?

— Vous êtes trop aimable, colonel.

— Rodolfo, je veux dire Rodolfo Freude, le chef du SIDE, pense que mon admiration pour vos capacités est irrationnelle, et peut-être a-t-il raison. Mais ce n'est pas un vrai policier comme nous, Gunther. Il ne sait pas ce qu'il faut pour être un grand détective.

— Je ne suis pas sûr de le savoir moi-même, colonel.

— Alors, je vais vous le dire. Pour être un grand détective, il faut être aussi un protagoniste. Un personnage dynamique qui provoque les événements rien qu'en étant lui-même. Et je pense que vous appartenez à cette catégorie, Gunther.

— Aux échecs, on appellerait ça un gambit. Le plus souvent, cela implique le sacrifice d'un pion ou d'un cavalier.

— Oui. C'est bien possible aussi. »

Je me mis à rire.

« Vous êtes un homme intéressant, colonel. Un tantinet excentrique, mais intéressant. Et n'allez pas croire que je ne vous sois pas reconnaissant de votre confiance, parce que je vous en suis très reconnaissant, au contraire. Presque autant que de votre alcool et de vos cigarettes. » Je m'emparai de son paquet et en allumai une autre.

« Bien. Parce que cela m'ennuierait de penser que vous avez besoin d'une seconde séance de thérapie à Caseros. »

C'était le soir. Les boutiques fermaient et les boîtes de nuit ouvraient. Dans toute la ville, les gens déprimaient à l'idée de se trouver aussi loin du reste du monde civilisé. Je savais ce qu'ils ressentaient. D'un côté la mer et de l'autre le vide immense des pampas. Nous étions tous entourés par rien, sans nulle part où aller. Peut-être la plupart s'y résignaient-ils tout simplement. Comme ils l'avaient fait dans l'Allemagne nazie. Je n'étais pas comme ça. Dire une chose et en penser une autre était une seconde nature chez moi.

« Compris, colonel. Je claquerais des talons en saluant si je n'étais pas assis. » Je repris une gorgée de cognac. « Le cheval a désormais bride et œillères. » J'indiquai un point à travers le pare-brise. « La route droit devant et rien d'autre. » Je laissai échapper un petit rire désabusé comme si j'avais appris une dure leçon.

Cet aveu eut l'air de faire plaisir au colonel.

« Maintenant, vous y êtes. Je regrette seulement que cela vous ait coûté une chemise pour le comprendre.

— Je peux acheter une nouvelle chemise, dis-je en feignant d'acquiescer lâchement. Une nouvelle peau est plus difficile à se procurer. Vous n'aurez plus besoin de me mettre en garde. Je n'ai aucun désir de finir dans votre morgue. À ce propos, la fille, Grete Wohlauf ? Je ne suis pas sûr d'avoir trouvé son assassin, en revanche je pense avoir découvert l'homme qui a tué ces deux gamines en Allemagne. Et vous aviez raison. Il vit ici à Buenos Aires. Comme je viens de vous le dire, je ne suis pas certain qu'il ait quoi que ce soit à voir avec la mort de Grete Wohlauf. Ou qu'il sache quelque chose sur Fabienne von Bader. Mais je ne serais pas du tout surpris s'il continuait à s'adonner au même petit trafic d'avortements clandestins auquel il se livrait là-bas. Son nom est Josef Mengele, bien qu'il se fasse appeler Helmut Gregor. Mais j'imagine que vous étiez déjà au courant. En tout cas, vous trouverez tous les détails dans une déclaration que je l'ai persuadé de rédiger. Je l'ai cachée dans ma chambre d'hôtel. »

Le colonel Montalbán glissa la main dans sa poche de poitrine et en tira l'enveloppe contenant la confession manuscrite de Mengele.

« Vous voulez parler de ceci ?

— Ça en a tout l'air.

— Naturellement, lorsque vous avez été arrêté, nous avons fouillé votre chambre à l'hôtel San Martín.

— Naturellement. Et je suppose que vous allez la détruire.

— Au contraire. Je vais la mettre dans un endroit tout à fait sûr. On ne se sait jamais, elle pourrait se révéler extrêmement utile.

— Pour se débarrasser de Mengele, vous voulez dire.

— Ce n'est que du menu fretin. Non, je veux dire, pour se débarrasser de Perón. Nous sommes un pays extrêmement catholique, Herr Gunther. Même un électorat dûment acheté pourrait trouver difficile de voter pour un président ayant utilisé un criminel de guerre nazi pour pratiquer des avortements clandestins sur des mineures avec lesquelles il a eu des rapports sexuels. Bien entendu, j'espère ne pas avoir besoin de cette déclaration, mais, placée en lieu sûr, elle représente une précieuse assurance. Pour un homme tel que moi, exerçant un métier des plus aléatoires, on ne fait pas mieux en matière de sécurité de l'emploi. Voilà déjà un certain temps que je soupçonnais quelque chose de ce genre, seulement je n'arrivais pas à relier ça à Perón. Du moins, jusqu'à ce que vous entriez en scène.

— Mais comment pouviez-vous savoir que c'était l'homme que je traquais en 1932 ? demandai-je. Je viens seulement de m'en apercevoir.

— Un mois ou deux après la venue de Mengele en Argentine, une caisse de papiers est arrivée d'Allemagne, adressée à Helmut Gregor, à Buenos Aires. Il s'agissait des dossiers de recherche personnels de Mengele, du temps où il travaillait au Bureau de la race et du repeuplement de Berlin, et à Auschwitz. Le médecin avait apparemment du mal à se séparer de l'œuvre de sa vie, aussi, se croyant en sécurité ici, il s'était fait expédier tous ses papiers depuis sa ville natale de Günzburg. Pas seulement ses dossiers de recherche. Il y avait aussi un dossier de la SS et un dossier de la Gestapo. Pour une raison ou pour une autre, celui de la Gestapo contenait vos dossiers de la Kripo. Ceux que je vous ai remis lorsque vous avez commencé à travailler pour moi. Il semblerait qu'on ait essayé de rouvrir l'affaire Schwarz pendant la guerre. Essayé et échoué parce qu'il était protégé par quelqu'un de haut placé dans la SS. Un colonel appelé Kassner, qui avait également travaillé pour IG Farben. Toujours est-il que Mengele n'a jamais reçu aucun de ses papiers. Il croit qu'ils ont été détruits lorsque le chargement du bateau les ramenant d'Allemagne a été inondé accidentellement. En fait, les dossiers ont été interceptés par mes hommes.

« Avant qu'ils ne tombent entre mes mains, je nourrissais déjà des soupçons quant à la véritable identité de Helmut Gregor et au fait qu'il pratiquait des avortements clandestins ici à Buenos Aires. Je suspectais Perón de lui envoyer des jeunes filles qu'il avait mises enceintes, mais je ne pouvais rien prouver. Je n'osais pas. Pas même quand une des *frutas inmaduras* de Perón – c'est ainsi qu'il appelle ses jeunes petites amies – a été retrouvée morte. Elle s'appelait Grete Wohlauf. Et elle avait succombé à une infection due à un avortement. À l'arrivée des papiers de Mengele, j'ai compris qu'il était l'homme que vous aviez recherché. Et j'ai décidé de réveiller votre intérêt pour l'affaire d'une manière qui pourrait tourner à mon avantage. Je l'ai donc fait mutiler par le pathologiste afin de piquer votre curiosité.

— Mais pourquoi ne pas avoir été franc avec moi, tout simplement ?

— Parce que cela ne répondait pas à mes desseins. Mengele est protégé par Perón. Vous avez réussi à esquiver cette protection. Je n'aurais pas pu faire ce que vous avez fait tout en gardant la confiance de Perón. Comme vous l'avez dit vous-même, vous avez été mon gambit, Herr Gunther. Lorsque j'ai appris que les hommes de Perón vous avaient arrêté et emmené à Caseros, j'ai pu user de mon influence sur une autre instance pour vous faire libérer. Mais pas avant de vous avoir donné une leçon. Comme j'ai déjà eu l'occasion de vous le dire, poser des questions sur la Directive Onze n'est pas une bonne idée.

— Ça, j'avais deviné. Et Fabienne von Bader ? Elle a vraiment disparu ?

— Oh oui ! Avez-vous retrouvé sa trace ?

— Non. Mais je commence à comprendre pourquoi elle s'est volatilisée. Son père contrôle en partie les comptes suisses de la Reichsbank, et les Perón tiennent à mettre la main sur cet argent. D'après moi, les von Bader l'ont cachée par mesure de précaution, afin que les Perón ne puissent pas se servir d'elle pour forcer son père à faire ce qu'ils veulent. Ou quelque chose de ce genre. »

Le colonel sourit.

« Comme toujours, c'est un peu plus compliqué que ça.

— Ah ? Compliqué comment ?

— Vous n'allez pas tarder à le savoir, je pense. »

17

BUENOS AIRES, 1950

Le colonel passa devant le ministère du Travail, où, comme à l'accoutumée, une file interminable de gens attendait déjà pour voir Evita, et tourna le coin avant de s'arrêter devant une porte à l'aspect quelconque.

Je n'avais cessé de retourner dans ma tête ce qu'il m'avait raconté à propos de Mengele. Et, comme nous sortions de la voiture, je lui fis remarquer que j'avais probablement gaspillé pas mal de temps à parler à de vieux camarades ; un temps qui aurait été mieux employé s'il m'avait fourni des indications un peu plus précises.

« Nous avons un proverbe qui dit : "Il faut plus qu'une souris morte pour faire un bon chat". » Devant la porte, il tira un trousseau de clés de sa poche, ouvrit et me fit entrer. « Lorsque j'ai intercepté les papiers personnels de Mengele, cela m'a rappelé que nous en savions en réalité fort peu sur tous ces ex-nazis venus en Argentine. Perón a beau se contrefiche de ce que vous autres avez fait pendant la guerre, il n'en va pas exactement de même en ce qui me concerne. Après tout, c'est mon travail de m'informer sur les gens. J'ai donc décidé qu'il était grand temps de nous mettre à rassembler des renseignements sur nos "travailleurs immigrés". Et notre meilleur moyen pour les obtenir, c'était vous. »

Il referma la porte, et nous grimpâmes un escalier en marbre désert. La rampe était poisseuse d'encaustique et les marches aussi blanches et brillantes qu'un collier de perles d'eau douce. Sur le palier du premier étage se trouvait un portrait d'Evita. Elle avait une robe bleue à pois blancs, une grosse rose-thé sur l'épaule, une rivière de rubis et de diamants et un sourire assorti.

. « Tôt ou tard, les relations avec les États-Unis devront s'améliorer si l'Argentine retrouve la prospérité économique qui était la sienne il y a une décennie, déclara le colonel. Pour ce faire, il serait sans doute de bonne politique, finalement, de prier quelques-uns de nos immigrants les plus tristement célèbres d'aller s'installer ailleurs. Au Paraguay, par exemple. Le Paraguay est un pays primitif, sans lois, où même les pires brutes peuvent vivre tout à fait ouvertement. Alors, vous voyez, pendant tout ce temps, vous avez rendu à ce pays un fier service pour lequel, un jour que je soupçonne proche, nous aurons à vous remercier.

— Je me sens déjà patriote.

— Accrochez-vous à cette sensation. Vous risquez d'en avoir besoin en rencontrant Evita. Je ne connais pas plus patriote que cette femme.

— C'est là que nous allons ?

— Oui. Et, entre parenthèses, vous vous rappelez que je vous ai dit que j'avais pu user de mon influence sur une autre instance pour vous faire libérer ? Eh bien, l'instance en question, c'est Evita. C'est elle votre nouveau protecteur. Vous auriez probablement intérêt à ne pas l'oublier. »

Le colonel Montalbán s'arrêta devant une épaisse porte en bois. De l'autre côté, on entendait comme un bourdonnement de ruche. Il me regarda de haut en bas puis me tendit un peigne. Je le passai rapidement dans mes cheveux avant de le lui rendre.

« Si j'avais su que j'allais rencontrer la femme du président ce soir, j'aurais consacré la journée à faire les magasins pour trouver un costume neuf. J'aurais peut-être même pris un bain.

— Elle ne remarquera guère votre odeur, croyez-moi. Pas dans cet endroit. »

Il ouvrit la porte et nous pénétrâmes dans une pièce lambrissée d'environ la taille d'un court de tennis. À l'extrémité, on voyait un autre tableau, plus grand, d'Evita. Vêtue d'une robe bleue et souriant à un groupe d'enfants. Avec, derrière sa tête, une lumière éclatante. À croire qu'elle avait un mari appelé Joseph et un fils charpentier. La pièce était remplie de gens et des effluves de leurs corps mal lavés. Parmi eux des infirmes, des femmes enceintes, la plupart l'air misérable. Tous croyant dur comme fer que la femme qu'ils attendaient de voir n'était rien moins que la Madone de Buenos Aires, *la Dama de la Esperanza*. Pourtant, on ne voyait aucune bousculade. Chacun avait un ticket et, de temps à autre, un fonctionnaire venait annoncer un numéro. C'était le signal pour une mère célibataire, une famille sans abri ou un orphelin estropié de s'avancer et d'être introduit dans la sacro-sainte présence.

Je suivis le colonel dans la pièce située au-delà. Il y avait une longue table en acajou contre un des murs. Trois téléphones et quatre vases de lis calla étaient posés dessus. Il y avait aussi un canapé recouvert de soie or et trois chaises assorties, ainsi que quatre secrétaires tenant un bloc et un stylo, ou un téléphone, ou une enveloppe remplie d'argent. Evita elle-même se tenait près de la fenêtre, ouverte pour chasser une partie de l'odeur de corps sales. Laquelle était plus forte que dans l'antichambre parce que la pièce était plus petite.

Elle portait une robe gris perle nouée à la taille par une ceinture. À son revers était fixée une broche composée de petits saphirs et diamants qui avait la forme et les couleurs du drapeau argentin. C'était une chance qu'elle ne soit pas l'épouse du président de l'Allemagne ; il n'y a pas grand-chose qu'un bijoutier puisse faire avec du noir, du jaune et du rouge. Au doigt de sa main gauche brillait une bague sertie de diamants de la grosseur d'une anémone de mer, avec son frère et sa sœur à ses petites oreilles. Sur sa tête, un béret de soie grise émaillé de rubis, évoquant plus Lucrèce Borgia que Notre Sainte Mère. Elle n'avait pas l'air particulièrement malade. Beaucoup moins que la femme et l'enfant squelettiques baisant une de ses mains dégantées. Evita donna à la femme une liasse pliée de billets de cinquante pesos. Si Otto Skorzeny avait raison, un peu du butin nazi s'était frayé un chemin jusque dans les mains méritoires des pauvres d'Argentine. Je ne savais pas s'il fallait rire ou pleurer. Comme moyen d'empêcher le renversement démocratique d'un gouvernement, il manquait à cette scène touchante le symbolisme de l'incendie du parlement, mais, à première vue, cela paraissait tout aussi efficace. Les Apôtres eux-mêmes n'auraient pas pu user de ce genre de charité avec plus de succès.

Un photographe d'un journal péroniste prit un cliché de la scène. On pouvait gager qu'il n'avait pas laissé hors champ l'immense tableau du Christ lavant les pieds de ses disciples qui se trouvait derrière l'épaule d'Evita. Du coin de son œil bleu, le charpentier semblait considérer son élève et ses bonnes œuvres avec une certaine approbation. *Ceci est ma fille bien-aimée, en qui j'ai mis toute mon affection. Ne votez pour personne d'autre.*

Evita attira l'attention du colonel. Comme ils continuaient de se confondre en remerciements, la femme et l'enfant squelettiques furent conduits dehors. Evita pivota avec grâce sur ses talons et franchit une porte située au fond de la pièce. Le colonel et moi lui emboîtâmes le pas. Elle referma la porte derrière nous. La pièce où nous nous trouvions à présent contenait un lavabo, une coiffeuse, un portant chargé de vêtements et seulement une chaise. Evita la prit. Parmi le maquillage et les nombreux flacons de parfum et de laque trônait une photo de Perón. Elle s'en saisit et l'embrassa, ce qui me donna à penser qu'Otto Skorzeny se faisait des illusions s'il croyait que cette femme prendrait le risque d'avoir une liaison avec un gangster balafré comme lui.

« Très impressionnant », dis-je avec un signe de tête en direction de la porte.

Elle poussa un soupir et hocha la tête.

« C'est bien peu de chose. Loin d'être suffisant. Nous faisons des efforts, mais les pauvres sont toujours avec nous. »

J'avais déjà entendu ça quelque part.

« Malgré tout, votre travail doit vous donner beaucoup de satisfaction.

— Un peu, mais je n'en tire aucune fierté. Je ne suis rien. Une *grasa*. Une personne ordinaire. Le travail contient sa propre récompense. En outre, rien de ce que je donne ne m'appartient. Tout est à Perón. Le saint, c'est lui, pas moi. Voyez-vous, je ne considère pas cela comme de la charité. La charité est humiliante. Ce qui se passe là, c'est de l'aide sociale. Un État-providence. Ni plus, ni moins. Je m'occupe personnellement de la distribuer parce que je sais ce que c'est d'être à la merci de la bureaucratie dans ce pays, et que je ne fais confiance à personne d'autre pour s'en charger. Il y a beaucoup trop de corruption dans nos institutions publiques. » Elle s'efforça d'étouffer un bâillement. « Je viens donc ici, chaque soir, et je le fais moi-même. Particulièrement importantes pour moi sont les filles-mères d'Argentine. Savez-vous pourquoi, señor Gunther ? »

Je voyais bien une raison, mais je n'étais pas prêt à risquer les foudres de ma bienfaitrice en évoquant les tentatives de son mari pour faire avorter toutes les mineures avec lesquelles il couchait. Je souris donc patiemment et secouai la tête.

« Parce que j'en ai été une moi-même. Avant de rencontrer Perón. J'étais alors actrice. Pas la *putita* que mes ennemis se plaisent à dépeindre. Cependant, en 1937, alors que je n'étais encore qu'Eva Duarte et que je jouais dans un feuilleton radiophonique, j'ai rencontré un homme dont j'ai eu un enfant. Cet homme s'appelait Kurt von Bader. C'est exact, señor, Fabienne von Bader est ma fille. »

Je lançai un regard du côté du colonel. Il opina en manière de confirmation.

« Lorsque Fabienne est née, Kurt, déjà marié, a accepté de l'élever. Sa femme ne pouvait pas avoir d'enfant. Et, à l'époque, je pensais en avoir d'autres par la suite. Malheureusement, car nous adorons les enfants le président et moi, cela s'est révélé impossible. Fabienne est mon unique enfant et, à ce titre, je tiens énormément à elle.

« Au début, Kurt et sa femme se sont montrés très généreux et m'ont permis de voir Fabienne chaque fois que j'en avais envie, à condition qu'elle ne sache jamais que j'étais sa vraie mère. Mais, dernièrement, tout cela a changé. Kurt von Bader est l'un des gardiens d'une grosse somme d'argent déposée en Suisse par l'ancien gouvernement allemand. Je souhaite qu'une partie de cet argent serve à arracher les pauvres à leur pauvreté. Pas uniquement ici, en Argentine, mais dans tout le monde catholique. Von Bader, qui continue à caresser l'espoir de rétablir un gouvernement nazi en Allemagne, a refusé. Lui et moi nous sommes disputés, violemment. Beaucoup de choses ont été dites. Trop. Fabienne a dû entendre des bribes et apprendre ainsi la vérité sur ses origines. Peu de temps après, elle s'est enfuie de chez elle. »

Evita poussa un nouveau soupir et se laissa aller en arrière, comme si l'effort exigé par ce récit l'avait mise à rude épreuve.

« Voilà. Je vous ai tout dit. Êtes-vous choqué, Herr Gunther ?

— Non, madame, pas choqué. Surpris peut-être. Et probablement un peu étonné que vous ayez choisi de vous confier à moi.

— Je veux que vous la retrouviez, naturellement. Est-ce si difficile à comprendre ?

— Non, pas du tout. Mais, alors que vous avez une police entière à votre disposition, madame, j'ai un peu de mal à concevoir que vous attendiez de moi que je réussisse là où elle a...

— Échoué, dit-elle devant mon hésitation à finir ma phrase. Est-ce que je me trompe, colonel ? Vos hommes ont échoué, n'est-ce pas ?

— Jusqu'ici, nous n'avons obtenu aucun résultat, señora, répondit le colonel.

— Vous l'entendez ? » s'exclama Evita. Elle laissa échapper un rire méprisant. « Il ne peut même pas se résoudre à prononcer le mot "échec". Mais c'est bien de ça qu'il s'agit. Vous, en revanche, vous avez de l'expérience en matière de recherche des personnes disparues, n'est-ce pas ?

— Une certaine expérience, en effet, mais dans mon propre pays.

— Oui, vous êtes allemand. Comme ma fille, qui a reçu une éducation germano-argentine. L'espagnol est sa seconde langue. Déjà, vous évoluez avec aisance parmi ces gens, et je suis persuadée que c'est là que vous la trouverez. Trouvez-la. Trouvez ma fille. Si vous réussissez, je vous donnerai cinquante mille dollars en liquide. » Elle hocha la tête avec un sourire. « Oui, je savais bien que cela vous ferait dresser l'oreille. » Elle leva la main comme pour prêter serment. « Je ne suis pas *chupacirios*, mais je jure solennellement par la Sainte Vierge que, si vous la retrouvez, cet argent est à vous. »

La porte s'ouvrit brièvement pour laisser entrer un de ses chiens. Evita l'accueillit d'un « Canela » et l'embrassa tel un enfant gâté.

« Eh bien, demanda-t-elle. Qu'en dites-vous, l'Allemand ?

— Je ferai de mon mieux, madame. Cependant, je ne peux rien promettre. Même pour cinquante mille dollars. Mais je ferai de mon mieux.

— Oui. Oui, c'est une bonne réponse. » Elle regarda à nouveau le colonel Montalbán d'un air accusateur. « Vous entendez ? Il ne dit pas qu'il la retrouvera. Il dit qu'il fera de son mieux. » Elle me fit un signe de tête. « On me décrit dans le monde entier comme une femme égoïste et ambitieuse, mais ce n'est pas le cas. »

Posant le chien, elle saisit ma main dans les siennes, qui étaient aussi froides que celles d'un cadavre. Avec des ongles rouges, longs et magnifiquement manucurés, semblables aux pétales d'une fleur pétrifiée. Des mains menues, mais pleines de force, bizarrement, comme si une mystérieuse électricité circulait dans ses veines. Il en allait de même de ses yeux, qui, pendant un moment, me retinrent dans leur regard humide. L'effet était remarquable, et cela me rappela la manière dont ceux qui avaient rencontré Hitler décrivaient leurs impressions, affirmant que ses yeux avaient quelque chose de particulier également. Puis, sans crier gare, elle ouvrit le devant de sa robe et plaça ma main entre ses seins, de sorte que ma paume se trouvait juste sur son cœur.

« Je veux que vous sentiez cela, dit-elle d'une voix pressante. Je veux que vous sentiez le cœur d'une femme argentine comme les autres. Et que vous sachiez que tout ce que je fais, je le fais pour des motifs élevés. Est-ce que vous le sentez, l'Allemand ? Est-ce que vous sentez le cœur d'Evita ? Est-ce que vous sentez la vérité de mes paroles ? »

Je n'étais pas sûr de sentir autre chose que le renflement de sa poitrine de chaque côté de mes doigts et la fraîcheur soyeuse de sa chair parfumée. Je savais que je n'avais qu'à déplacer ma main d'un centimètre ou deux pour envelopper un sein entier et sentir le mamelon frotter contre mon pouce. Mais des battements de son cœur, il n'y avait aucun signe. Instinctivement, elle pressa ma main plus fort contre son sternum.

« Est-ce que vous le sentez ? » demanda-t-elle avec insistance.

Elle avait à présent les larmes aux yeux. On comprenait à quoi elle devait ses succès d'actrice de radio. Cette femme était l'incarnation même du mélodrame et de l'émotion forte. Elle aurait été le violoncelle de Duport qu'elle n'aurait pas été plus tendue. La laisser continuer présentait des risques. Elle pouvait très bien s'enflammer, se mettre à léviter ou se changer en beurre clarifié. Je commençais à me sentir légèrement excité moi-même. Ce n'est pas tous les jours que la femme d'un président glisse de force votre main dans son soutien-gorge. Je décidai de lui dire ce qu'elle avait envie d'entendre. Pour ça, j'étais bon. J'avais eu un tas d'autres femmes pour m'entraîner.

« Oui, señora Perón », je le sens, dis-je en m'évertuant à ce que ma voix ne trahisse pas mon érection.

Elle lâcha ma main et, à mon grand soulagement, sembla se détendre un peu. Puis elle sourit et dit :

« Vous pouvez ôter votre main de ma poitrine quand vous voulez, l'Allemand. »

Je la laissai un court instant. Suffisamment long pour croiser son regard et lui faire comprendre que j'avais plaisir à l'avoir là où elle se trouvait. Puis je la retirai. Je songeai à baiser mes doigts ou peut-être à humer simplement le parfum qui s'y attardait, mais cela m'aurait rendu aussi mélodramatique qu'elle. Je l'enfonçai donc dans ma poche, la gardant pour plus tard, comme un cigare de choix ou une carte postale cochonne.

Elle rajusta sa robe avant d'ouvrir un tiroir, dont elle sortit une photographie qu'elle me tendit. C'était la même photo que celle que m'avait donnée Kurt von Bader. La récompense qu'il avait mentionnée était du même montant. Je me demandai si, au cas où je parviendrais à retrouver Fabienne, chacun d'eux me paierait, ou un seul. Ou même aucun. Aucun semblait le plus vraisemblable. D'ordinaire, lorsque vous retrouvez un enfant disparu, les parents laissent éclater leur colère, d'abord contre l'enfant et ensuite contre vous. Non que tout cela fût particulièrement d'actualité. S'ils s'adressaient à moi, c'est parce qu'ils avaient essayé tout le reste. Comme ça n'avait rien donné, je me dis que je n'avais pratiquement aucune chance de dénicher la piste de la gamine. Pour réussir, il m'aurait fallu penser à quelque chose auquel personne n'avait encore pensé, un pari plutôt hasardeux. La gosse se trouvait sans doute en Uruguay, ou elle était morte, ou, si elle était en vie, il y avait sûrement un adulte qui l'aidait à demeurer introuvable.

« Pensez-vous pouvoir la retrouver ? interrogea Evita.

— C'est justement ce que je me demandais. Peut-être, si je disposais de tous les faits.

— Pardonnez-moi, mais n'est-ce pas le propre du métier de policier ? De travailler sans disposer de tous les faits ? Je veux dire, si nous connaissions tous les faits, nous pourrions probablement la retrouver nous-mêmes. Nous n'aurions pas besoin de vous, l'Allemand. Et nous n'offririons certainement pas une récompense de cinquante mille dollars. »

Elle avait raison, bien sûr. Son goût du mélodrame ne la rendait pas stupide pour autant.

« Qu'est-ce qui vous fait penser qu'elle est encore dans le pays ? Est-ce qu'elle n'aurait pas pu prendre le bateau pour Montevideo tout simplement ? Vingt-neuf dollars. Fin de l'histoire.

— Une chose, répondit Evita. Je suis mariée au président de l'Argentine. Aussi, je sais qu'elle n'a pas de passeport. Et même si elle en avait un, elle n'a pas de visa. Nous en sommes sûrs, parce que mon mari a demandé à Luis Berres, le président de l'Uruguay. Et avant que vous ne posiez la question, il a aussi demandé aux présidents Videla, Chaves et Odría.

— Peut-être que si je pouvais parler de nouveau à ses parents. » Me corrigeant, j'ajoutai : « Enfin, à son père et à sa belle-mère.

— Si vous pensez que cela servirait », dit Montalbán.

Je ne le pensais pas une seconde. Mais je ne voyais pas quoi proposer d'autre. Tout ça sentait l'impasse à plein nez. Je l'avais compris dès ma première rencontre avec von Bader. D'après les éléments que je possédais, sa fille et la personne qui l'accompagnait ne voulaient pas qu'on les retrouve. Pour un policier, quand les gens ne veulent pas qu'on les retrouve, c'est comme chercher le sens de la vie. Vous n'êtes même pas sûr que ça existe. J'ai horreur de prendre un boulot qui a aussi peu de chance de succès. Et, en temps normal, j'aurais sans doute refusé. Mais cette situation n'avait rien de normal. Eva

Perón n'était pas le genre de femme de président à qui on dit non. Surtout après mon petit voyage à Caseros.

« Eh bien ? demanda-t-elle. Comment allez-vous vous y prendre ? »

Je pris une cigarette et l'allumai. Je n'avais pas envie de fumer, mais ça me donnait le temps de réfléchir à ce que j'allais répondre. Le colonel Montalbán s'éclaircit la gorge. Cela fit le bruit d'une bouée de sauvetage heurtant l'eau au-dessus de ma tête.

« Dès que nous aurons quelque chose, nous vous contacterons, madame. »

Une fois hors de l'antichambre, alors que nous descendions l'escalier, je le remerciai.

« De quoi ?

— D'être venu à mon secours. Cette question qu'elle m'a posée.

— Comment allez-vous vous y prendre ?

— Oui.

— Et *comment* allez-vous vous y prendre ? »

Il sourit aimablement et alluma une cigarette à la mienne.

« Oh, je ne sais pas ! Je vais chercher l'inspiration, probablement. Lui coller un revolver sous le nez. La tabasser un peu. Pour voir ce qui se passe. L'approche médico-légale, judiciaire. D'un autre côté, il me suffit peut-être de compter sur la chance. D'habitude, ça me réussit assez bien. Ça n'en a peut-être pas l'air, colonel, mais je suis un sacré veinard. Ce matin, j'étais en prison. Il y a cinq minutes, j'avais la main dans le décolleté de l'épouse du président de l'Argentine. Croyez-moi, pour un Allemand, il est difficile de demander plus par les temps qui courent !

— Je n'en doute pas.

— Evita ne semblait pas malade.

— Vous non plus.

— Peut-être plus maintenant. Mais je l'ai été.

— Pack est un bon médecin, affirma le colonel. Le meilleur qui soit. Vous avez tous les deux de la chance d'avoir quelqu'un comme lui pour vous soigner.

— Je crois.

— J'appellerai les von Bader et je leur dirai que vous voulez leur parler à nouveau. Peut-être avons-nous omis quelque chose.

— On omet toujours quelque chose. Pour la bonne raison que les policiers sont des êtres humains et que l'erreur est humaine.

— Disons à midi demain ? »

J'acquiesçai.

« Venez. Je vais vous ramener à votre hôtel. »

Je secouai la tête.

« Non merci, colonel. Je préfère marcher, si ça ne vous dérange pas. En me voyant arriver dans votre Jaguar blanche, la patronne est capable d'augmenter le prix de ma chambre. »

18

BUENOS AIRES, 1950

Je fus reçu à bras ouverts à l'hôtel San Martín. Ce qui, bien sûr, n'était pas étranger au fait que la police secrète avait fouillé ma chambre – encore qu'on ne s'en serait pas aperçu. Il n'y avait pas grand-chose à fouiller. Mr et Mrs Lloyd m'accueillirent comme s'ils s'attendaient à ne jamais me revoir.

« On entend raconter un tas d'histoires sur la police secrète et tout ça, me confia Mr Lloyd au bar de l'hôtel, devant un verre de whisky tombant à point nommé. Mais, euh, ce genre de chose ne nous était encore jamais arrivé.

— Il y a eu un malentendu au sujet de ma *cédula*, c'est tout. Je ne pense pas que ça se reproduise. »

Je payai quand même ma chambre pour le mois, au cas où. Ce qui ne fut pas sans rassurer les Lloyd. Perdre un client est une chose. Perdre un client qui n'a pas payé en est une autre. Ça avait beau être de braves gens, ils faisaient ça pour gagner de l'argent, après tout. Comment le leur reprocher ?

Je montai à ma chambre. Elle contenait un lit, une table et une chaise, un fauteuil, un radiateur électrique à trois résistances, un téléphone et une salle de bains. Naturellement, j'avais ajouté quelques touches personnelles : une bouteille, deux verres, un jeu d'échecs, un dictionnaire d'espagnol, une édition Weimar de Goethe trouvée dans une librairie d'occasion, une valise et quelques vêtements. Toutes mes possessions terrestres. J'aurais bien voulu voir comment le jeune Werther s'en serait tiré avec les souffrances de Gunther. Je me servis un verre, disposai les pièces d'échecs, allumai la radio et m'assis dans le fauteuil. Il y avait plusieurs messages téléphoniques dans une enveloppe. Tous étaient d'Anna Yagubsky sauf un, d'Isabel Pekerman. Je ne connaissais personne du nom d'Isabel Pekerman.

Agustín Magaldi entonna *Vagabundo* sur Radio El Mundo. Dans les années trente, ça avait été son plus gros succès. J'éteignis la radio et fis couler un bain. Je songeai à sortir pour acheter quelque chose à me mettre sous la dent et sirotai un autre verre à la place. Je m'apprêtais à aller me coucher quand la sonnerie du téléphone retentit. C'était Mrs Lloyd.

« Une señora Pekerman désire vous parler.

— Qui ça ?

— Elle a déjà appelé. Elle dit que vous la connaissez.

— Merci, Mrs Lloyd. Passez-la-moi. »

J'entendis quelques déclics puis la voix d'une autre femme qui remerciait.

« Señora Pekerman ? Ici Carlos Hausner. Je ne crois pas que nous ayons eu le plaisir.

— Oh que si !

— Alors, vous avez l'avantage sur moi, señora. J'ai bien peur de ne pas me souvenir de vous.

— Êtes-vous seul, señor Hausner ? »

Je regardai autour de moi les quatre murs nus et muets, ma bouteille à moitié vide et ma partie d'échecs désespérée. Aucun doute, j'étais seul. De l'autre côté de ma fenêtre, les gens allaient et venaient dans la rue, mais ils auraient aussi bien pu se trouver sur Saturne, pour ce que ça changeait. Parfois, le profond silence de cette pièce m'effrayait car il semblait faire écho à quelque chose de silencieux en moi. En face, à l'église de Santa Catalina de Siena, une cloche se mit à sonner.

« Oui, je suis seul, señora. Que puis-je pour vous ?

— Ils m'ont demandé de venir demain après-midi, señor Hausner, mais on vient de me proposer un petit rôle dans une pièce donnée par un théâtre de Corrientes. Un rôle secondaire, mais intéressant. Dans une bonne pièce. De plus, les choses ont évolué depuis que nous nous sommes vus. Anna m'a mise au courant. Elle m'a dit que vous l'aidiez à retrouver son oncle et sa tante. »

Je fis la grimace, me demandant à combien de personnes elle en avait parlé.

« Quand exactement nous sommes-nous rencontrés, señora Pekerman ?

— Chez le señor von Bader. Je faisais semblant d'être sa femme. »

Elle marqua un temps d'arrêt. Moi aussi. Ou plus précisément mon cœur.

« Vous vous souvenez de moi à présent ?

— Oui, je me souviens, en effet. Le chien ne voulait pas rester avec vous. Il est venu avec von Bader et moi.

— C'est que ce n'est pas mon chien, señor Hausner, dit-elle comme si je n'avais pas encore très bien compris de quoi elle parlait. Pour être franche, je ne pensais pas que vous dénicheriez quoi que ce soit sur l'oncle et la tante d'Anna. Mais, je me trompais, bien entendu. Certes, ce n'est pas beaucoup, mais c'est déjà quelque chose. La preuve qu'ils sont au moins entrés dans ce pays. Voyez-vous, je suis logée à la même enseigne qu'Anna. Moi aussi, je suis juive. Et j'ai également des parents qui sont entrés illégalement en Argentine et qui ont ensuite disparu.

— Il vaudrait mieux que vous n'en disiez pas plus au téléphone, señora. On pourrait peut-être se rencontrer pour en parler. »

Le soir, lorsqu'elle ne jouait pas, Isabel Pekerman travaillait dans une *milonga*, un genre de club de tango, dans Corrientes. Je ne savais pas grand-chose sur le tango, sinon qu'il avait vu le jour dans les bordels argentins. C'est assurément l'impression que me donna le Club Seguro. Il était situé au bas de quelques marches, sous une petite enseigne au néon, au fond d'une cour éclairée par une simple flamme nue. Émergeant des ombres tremblotantes, un malabar s'approcha. Le *vigilante* qui gardait la porte. Il avait un sifflet autour du cou pour appeler la police au cas où éclaterait une bagarre dont il n'arriverait pas à venir à bout.

« Vous avez un couteau ? me demanda-t-il.

— Non. »

Cet aveu parut l'étonner.

« Il faut quand même que je vous fouille.

— Alors, pourquoi poser la question ?

— Parce que si vous racontez des bobards, je vais me dire que vous risquez de causer des problèmes, répondit-il en me palpant. Et je devrai vous avoir à l'œil. »

S'étant assuré que je n'étais pas armé, il pointa la main en direction de la porte. De la musique, essentiellement un accordéon et quelques violons, filtrait jusque dans la cour.

Dans l'entrée se trouvait une sorte de cage à poules où se tenait la tenancière, une Noire corpulente assise dans un fauteuil rembourré et fredonnant un air complètement différent de celui que jouait l'orchestre de tango. Posées sur sa cuisse, une serviette en papier et deux côtes d'agneau. C'était peut-être son dîner, mais cela aurait pu être aussi les restes du dernier lascar à avoir causé des problèmes à l'énorme *vigilante*. Elle me gratifia d'un grand sourire irrégulier, aussi blanc qu'un tapis de perce-neige, et me toisa de la tête aux pieds.

« On cherche une *pedney* ? »

Je haussai les épaules. Mon espagnol s'était beaucoup amélioré, mais il tombait en pièces comme un costume bon marché dès qu'il affrontait l'argot local.

« Vous savez. Une café au lait.

— Je cherche Isabel Pekerman.

— D'où est-ce que vous venez, mon chou ?

— D'Allemagne.

— C'est vingt pesos, Adolf. Sais pas ce que vous avez en tête, dit la tenancière, mais le *cafinflero* de la dame est Blue Vincent, et il préfère que vous lui filiez le petit cadeau avant de parler à la *gallina*.

— Je veux juste m'entretenir avec elle.

— Que vous en croquiez ou pas, c'est du pareil au même. Chacun de ces *creolos* est du Centre, et, si vous parlez à la fille, vous devez lui donner un petit cadeau. C'est comme ça dans cette boîte.

— Je m'en souviendrai. »

Je sortis quelques billets et les pressai dans sa main tannée.

« D'accord. »

Elle se trémoussa pendant un moment puis fourra les billets sous une de ses énormes fesses. Ils avaient l'air d'y être aussi en sécurité que dans le coffre d'une banque.

« Vous la trouverez sur la piste de danse, probablement. »

Je fis la brasse avec un rideau de perles pour me retrouver dans un décor tout droit sorti des *The Four Horsemen of the Apocalypse*. Les murs en brique étaient couverts de graffitis et de vieilles affiches. Autour d'une piste en bois crasseuse étaient disposées de petites tables à plateau en marbre. Les lampes miteuses du plafond avaient du mal à éclairer la vie miteuse se déroulant au-dessous. Il y avait des femmes affublées de jupes fendues jusqu'au nombril et des hommes aux chapeaux mous rabattus sur leurs yeux aux aguets. L'orchestre semblait aussi huileux que la musique qu'il jouait. Il ne manquait plus que Rudolph Valentino vêtu d'un poncho, une cravache à la main et une moue sur les lèvres. Personne ne fit attention à moi. Personne à l'exception de la plus grande des deux femmes en train de danser le tango avec des regards rien moins qu'innocents.

Je la reconnus à peine. On aurait dit un cheval de cirque. Sa crinière était longue et très blonde, avec juste une touche de gris. Elle avait de grands yeux, mais pas autant que son splendide postérieur galbé, que sa jupe ne faisait rien pour dissimuler. Elle portait également une sorte de justaucorps pailleté qui préservait presque sa pudeur. Du moins, je suppose qu'il s'agissait d'un justaucorps, encore qu'on pouvait difficilement en être certain vu la manière dont il disparaissait entre ses fesses.

Je la regardai fixement pour lui faire savoir que je l'avais repérée. Elle me rendit mon regard puis indiqua une table. Je m'assis. Un serveur fit son apparition. Tout le monde semblait boire du *cubano* dans de grands verres ballon. Je commandai la même chose et allumai une cigarette.

Un grand gaillard s'approcha de ma table. Il portait des bottes, un pantalon noir, une veste grise trop petite et un foulard blanc. Le mot maquereau se lisait sur sa figure comme les chiffres sur un paquet de cartes. Il s'assit, se tourna lentement vers le cheval de cirque. Comme elle lui faisait un signe de tête, il me considéra, sa bouche s'élargissant en un sourire qui exprimait à la fois de l'approbation et de la pitié. Il approuvait mon choix de femme, mais me plaignait d'être le genre de minable capable d'envisager une transaction aussi humiliante que celle qui allait avoir lieu. Il n'y avait aucune peur sur ses traits taillés à la serpe. C'était un visage dur. Comme un truc dont on aurait pu se servir pour battre un tapis. Lorsqu'il se mit à parler, son haleine aiguisa ma soif de boissons fortes. Je gardai le nez dans mon verre jusqu'à ce qu'il ait terminé son baratin.

Sans un mot, je jetai quelques billets sur la table. Je n'étais pas d'humeur à échanger autre chose que des informations, mais il arrive que les informations coûtent aussi cher que des relations plus intimes. Il rassembla l'argent dans son poing et s'en alla. C'est alors seulement qu'elle vint s'asseoir.

« Je suis désolée. Je lui reprendrai l'argent à la fin de la soirée et je vous le rendrai plus tard, mais vous avez bien fait de le payer. Vincent n'est pas un garçon déraisonnable, mais c'est mon *creolo*, et les *creolos* aiment bien que les choses se passent comme elles doivent se passer. Au cas où vous vous poseriez la question, ce n'est pas mon maquereau.

— Si vous le dites.

— Un *creolo* veille simplement sur une fille. Un peu comme un garde du corps. Il arrive que certains des types avec lesquels je danse deviennent légèrement brutaux.

— Pas de problème pour l'argent. Gardez-le.

— Vous voulez dire que ça ne vous déplairait pas ?

— Je veux dire, gardez l'argent. C'est tout. Ce sont des informations que je cherche, rien de plus. Ne vous froissez pas, mais j'ai eu une sacrée journée.

— Vous avez envie d'en parler ?

— Non. Juste de bavarder un peu. » Je bus une gorgée de mon *cubano*. « Vous me semblez bien différente de notre dernière rencontre. »

Un serveur posa un verre devant elle. Elle ignora l'un et l'autre.

« Qu'est-ce qui vous a poussée à faire ça ?

— Le flic. Celui qui vous a amené. Il est venu à mon appartement et m'a dit qu'il m'avait vue dans un spectacle et qu'il avait
un travail d'un genre particulier pour moi. Si j'acceptais, ça me
rapporterait de l'argent, et quelques jolis vêtements en plus. Tout
ce que j'avais à faire, c'était de jouer le rôle d'une mère riche et
inquiète. » Elle eut un haussement d'épaules. « Plutôt facile. Il fut
une époque où j'avais moi aussi une mère riche et inquiète. » Elle
alluma une cigarette. « J'ai donc rencontré von Bader et nous
avons discuté.

— Combien de temps êtes-vous restée là ?

— La plus grande partie de la journée. Nous ne savions pas
exactement à quelle heure vous alliez venir.

— Et tout ça pour moi ?

— Apparemment, oui. Mais le colonel Montalbán voulait aussi
que je lui fasse un rapport sur von Bader.

— En effet, ça lui ressemble bien. Deux boulots pour le prix
d'un. » Je hochai la tête. « Et comment était-il ? Von Bader ?

— Nerveux. Mais gentil. À deux ou trois reprises, je l'ai entendu
au téléphone. Je suppose qu'il avait l'intention de se rendre à
l'étranger. Il a échangé plusieurs coups de fil avec la Suisse le temps
que j'étais là. Je le sais parce qu'une fois il m'a demandé de
répondre alors qu'il se trouvait dans la salle de bains. Je parle allemand, comme vous le savez. Et aussi polonais et espagnol. Je suis
d'origine germano-polonaise. Née à Dantzig. » Elle tira une bouffée de sa cigarette, mais sembla en avoir assez et l'écrasa à moitié
fumée. « Désolée, cette histoire me met un peu à cran. Le colonel
n'était pas particulièrement ravi quand je lui ai expliqué que je ne
pourrais pas réitérer le numéro demain matin. Ce n'est pas le genre
de type qu'il fait bon envoyer promener.

— Alors, pourquoi l'avoir fait ?

— Lorsque von Bader m'a dit que vous étiez un détective allemand célèbre et que vous aviez souvent enquêté sur des personnes
disparues à Berlin avant la guerre, cela a passablement diminué
mon intérêt pour leur petite machination. Quelle qu'elle soit.
Voyez-vous, c'est moi qui ai parlé de vous à Anna Yagubsky. Moi
également qui lui ai suggéré d'aller vous voir pour obtenir votre

aide. Je pensais qu'en aidant Anna à retrouver sa tante et son oncle vous pourriez également m'aider à retrouver mes sœurs disparues. Et, comme vous me rendiez service, bien que par personne interposée, j'ai décidé de vous rendre service à mon tour. En vous informant, dans la mesure de mes moyens, de ce que manigancent le colonel et von Bader. Voyez-vous, cette fille, Fabienne, est partie avec sa mère, et personne ne connaît l'endroit où elles sont allées. C'est à peu près tout ce que je sais. Von Bader veut quitter le pays, mais il ne le peut pas avant d'être certain qu'elles sont en sécurité. Enfin, quelque chose de ce genre. Dans tous les cas, je prends un gros risque en vous racontant tout ça.

— Alors, pourquoi ne pas vous taire ?

— Parce qu'Anna dit qu'elle est sûre que vous allez les retrouver. Et je ne parle pas de Fabienne et de sa mère. Je parle de nos parents. À Anna et à moi. »

Je poussai un soupir.

« Bon, d'accord, allez-y. Parlez-moi d'elles. Parlez-moi de vous. » Je haussai les épaules. « Pourquoi pas ? Votre temps est payé.

— Ma mère m'a fait sortir de Pologne juste avant la guerre. J'avais vingt-cinq ans. Elle m'a donné quelques bijoux, et j'ai réussi à arriver en Argentine à coups de pots-de-vin. Mes deux sœurs étaient trop jeunes pour m'accompagner. L'une avait alors dix ans et l'autre huit. Je devais les faire venir dès que possible. J'ai écrit à ma mère pour lui dire que j'allais bien et j'ai reçu en retour une lettre d'un voisin m'informant que mes sœurs et elle se trouvaient en France, où elles se cachaient. Puis, en 1945, j'ai été avisée que mes deux sœurs étaient du faux poids à bord d'un navire de charge en provenance de Bilbao.

— Du faux poids ?

— C'est ainsi qu'on appelle les immigrants clandestins sur un bateau. Cependant, lorsque le navire a accosté à Buenos Aires, il n'y avait trace ni de l'une ni de l'autre. Mon mari de l'époque a effectué des recherches. C'était un ancien policier. Il a découvert qu'elles avaient été vendues par un capitaine à une *casita*. Comme *franchuchas*. »

Je secouai la tête.

« Une *franchucha* est le nom donné par les *porteños* à une prostituée française. Une *gallina* à une prostituée russe. D'où qu'elles viennent, elles avaient en général une chose en commun : elles étaient juives. À un moment, la moitié des prostituées de cette ville étaient juives. Pas par choix. La plupart avaient été vendues, comme des esclaves. C'est alors que mon mari a filé avec le reste de mon argent et la plus grande partie de celui d'Anna. À son retour, il avait tout dépensé. Il a donc fallu que je me mette à gagner ma vie. Et me voilà maintenant. Je fais un peu de théâtre, un peu de danse. Quelquefois davantage quand le type est gentil. Ma nouvelle existence présentait néanmoins un gros avantage. Elle me permettait de rechercher mes sœurs, et, il y a environ deux ans, j'ai appris qu'elles avaient été arrêtées l'année précédente, lors d'une descente de police dans une *casita*. Elles ont été conduites à la prison San Miguel. Mais, au lieu de passer devant les juges, elles ont complètement disparu de la prison. Depuis, je n'ai plus eu de nouvelles. Ni moi ni personne. C'est comme si elles n'avaient jamais existé.

« Mon ex-mari, Pablo, m'a présentée au colonel. En réalité, si j'ai pris ce travail avec le señor von Bader, c'est uniquement dans l'espoir de trouver une occasion d'interroger le colonel sur mes sœurs.

— Et vous lui avez parlé ?

— Non. Pour la bonne raison que von Bader et lui ont fait certaines remarques sur les Juifs. Des remarques antisémites. Vous vous rappelez ?

— Oui.

— Du coup, je me suis dit qu'il était peu probable qu'il s'apitoie sur mon sort. Puis je me suis rendu compte que ces remarques ne semblaient pas vous mettre particulièrement à l'aise non plus. Et que vous faisiez une drôle de tête. Si bien que j'ai décidé de renoncer à mon idée de parler au colonel et de vous parler à la place. Ou au moins de persuader Anna de vous exposer notre situation. Vous savez le reste. Elle est fauchée, naturellement, mais très belle. J'osais à peine espérer que vous nous aideriez pour rien.

Dans ce pays, personne ne fait rien pour rien, je peux vous l'assurer.

— Ne vous bercez pas trop d'illusions. Je ne suis pas plus généreux qu'un autre. Parfois, l'auréole se détache et je suis pris d'appétit pour tous les vices habituels, et aussi quelques-uns d'inhabituels.

— Je tâcherai de m'en souvenir. Cela me donnera de quoi méditer la prochaine fois que je ne pourrai pas dormir.

— Quel âge avaient vos sœurs lorsqu'elles ont débarqué ?

— Quatorze et seize ans.

— Il y a un important trafic de traite des blanches à Buenos Aires ?

— Écoutez, il y a un trafic de ce genre presque partout où vous allez. Les filles arrivent quelque part, très loin de chez elles. Elles n'ont pas d'argent, pas de papiers. Elles s'aperçoivent qu'il leur faut travailler pour payer les faux frais de leur voyage. J'ai simplement eu de la chance que ça ne se passe pas comme ça pour moi. Ce que je fais, je le fais de mon plein gré. Plus ou moins.

— Qui s'occupe de l'achat et de la vente ?

— Vous voulez dire des bagages ? Des filles ? »

J'acquiesçai.

« En premier lieu, ce n'est plus un phénomène aussi répandu. L'approvisionnement en nouvelles filles a diminué. Les vendeurs étaient habituellement les mêmes que ceux qui organisaient leur passage. Des capitaines de vaisseau, des seconds, tous venant de villes telles que Marseille, Bilbao, Vigo, Oporto, Ténérife et même Dakar. Les jeunes filles comme mes sœurs étaient de la "souscharge". Les plus âgées de la "surcharge". Si elles étaient vraiment très jeunes, elles étaient qualifiées de "fragiles" – trop jeunes pour voir la lumière du jour pendant le voyage. Le trafic était contrôlé par un Polonais de Montevideo nommé Mihanovitch. Tous les bateaux faisaient escale à Montevideo avant de venir à Buenos Aires. Certains restaient en Uruguay, mais en général les filles étaient expédiées ici, où leur vente pouvait rapporter davantage. Mihanovitch concluait un marché avec les hommes du Centre. C'est ainsi qu'on désigne le crime organisé dans cette ville. On l'appelle le Centre parce qu'il est installé dans le périmètre s'étendant entre Corrientes, Belgrano, les docks et San Nicolás. Il est dirigé notamment par deux familles françaises, l'une originaire de Marseille et l'autre de Paris. Les hommes du Centre achetaient donc les filles à Mihanovitch, leur flanquaient une peur bleue à leur arrivée et les mettaient au travail dans les *casitas* de Buenos Aires. Vous êtes un marin disposant de quelques jours de relâche et désireux de tirer un coup ? C'est l'endroit où aller. Il y a plus de *casitas* dans cette partie de Buenos Aires que dans le reste de l'Argentine. Même les flics hésitent à s'y aventurer. Alors, vous imaginez ce que j'éprouvais en sachant que mes deux sœurs encore adolescentes travaillaient là. » Elle secoua la tête avec amertume. « Cette ville a quelque chose du Jugement dernier. »

J'allumai une autre cigarette et laissai la fumée monter en spirale dans mes yeux. Je voulais les punir de lorgner dans son décolleté quand ce dont j'avais le plus besoin était qu'ils continuent à la regarder bien en face pour savoir si elle disait la vérité. Mais je suppose qu'il en va ainsi depuis l'invention du décolleté. Je remuai sur ma chaise et contemplai la salle. La façon dont Isabel Pekerman parlait de Buenos Aires me rappelait le Berlin des derniers jours de la République de Weimar. Mais, à mes yeux de vieux cynique, rien de ce que j'avais vu ici n'était comparable avec l'ancienne capitale allemande. Les filles qui dansaient avaient encore leurs vêtements et les hommes leur servant de partenaires étaient au moins des hommes, et pas quelque chose entre les deux. L'orchestre pouvait tenir une note, et il n'y avait aucune prétention au raffinement. Je ne doutais pas de ce qu'Isabel Pekerman avait dit. Mais, alors que Berlin faisait étalage de son vice et de sa corruption, Buenos Aires cachait son goût pour la dépravation comme un vieux prêtre qui dissimule une bouteille de cognac dans sa poche de soutane.

Elle prit ma main, ouvrit la paume et l'examina attentivement. Faisant courir son index sur les divers sillons et monticules, elle déclara :

« D'après votre main, il semble bien que nous allons quand même passer la nuit ensemble, en fin de compte.

— Comme je le disais, j'ai eu une sacrée journée.

— Dans le cas contraire, ça pourrait me causer du tort, ajouta-t-elle, contredisant une bonne partie de ses paroles précédentes. Après tout, vous avez déjà payé. Blue Vincent risque de penser que je ne suis plus dans le coup.

— Non. Pas s'il a des yeux pour voir. »

Elle passa ses bras autour de moi.

« Non ? Allons, venez. Ça pourrait être amusant. Ça fait une éternité que je n'ai pas couché avec un homme qui me plaise vraiment.

— Le monde est petit », répondis-je en me levant pour la quitter.

En l'occurrence, j'aurais dû rester.

19

BUENOS AIRES, 1950

Le lendemain matin, je réfléchis un peu plus à ce qu'Isabel Pekerman m'avait dit sur la traite des blanches en Argentine. Je me demandais si cela pouvait être lié à ce que Perón et Mengele fabriquaient avec ces gamines. Tout ça ne tenait pas debout. Je décidai que mon cerveau avait besoin de travailler sur un problème d'un genre entièrement différent. Comme je disposais de presque toute la matinée avant d'aller rejoindre von Bader et le colonel, je me rendis au Richmond en quête d'une partie d'échecs.

Melville était là, et je jouai une défense Caro-Kann jusqu'à une victoire en trente-trois coups dont Bronstein aurait été fier. Ensuite, je le laissai m'offrir un verre, et nous nous assîmes un moment dehors à regarder les passants. D'habitude, je ne prêtais guère attention, voire pas du tout, aux bavardages du petit Écossais. Cette fois-ci, pourtant, je me retrouvai à l'écouter attentivement.

« Drôlement belle, la fille que vous avez amenée ici l'autre jour, remarqua-t-il, plein d'envie.

— N'est-ce pas ? répondis-je, devinant qu'il parlait d'Anna.

— Beaucoup trop grande pour moi, évidemment », ajouta-t-il en riant.

Melville ne devait pas mesurer plus d'un mètre soixante. Roux, barbu, nanti d'un sourire édenté à l'expression diabolique, il ressemblait à une curiosité réservée au divertissement de la famille royale espagnole.

« Moi, j'ai besoin qu'elles soient beaucoup plus petites. Ce qui veut dire, en général, plus jeunes aussi. »

Je sentis mes oreilles se dresser à cet aveu.

« Plus jeunes de combien ?

— L'âge n'a pas d'importance. Pas pour un bas-du-cul comme moi. Je prends ce qui présente.

— Oui, mais il y a jeune et trop jeune, tout de même.

— Vous croyez ? » Il rit. « Je ne sais pas.

— Voyons, c'est quoi, trop jeune ? Vous avez sûrement une idée. »

Il réfléchit un instant puis haussa les épaules en silence.

« Quelle est la plus jeune que vous ayez jamais eue ?

— Qu'est-ce que ça peut vous faire ?

— Ça m'intéresse, c'est tout. Ces filles qu'on rencontre de nos jours, parfois, il est un peu difficile de leur donner un âge. » J'espérais l'entraîner sur un sujet à l'égard duquel il commençait déjà à se montrer évasif. « Leur maquillage. Leurs vêtements. Certaines ont beaucoup plus d'expérience que ne le laisserait supposer leur aspect. En Allemagne, par exemple, je l'ai échappé belle à plusieurs reprises, je vous assure. J'étais moi-même plus jeune à l'époque, ça va sans dire. Et l'Allemagne était l'Allemagne. Les filles se montraient à poil dans les boîtes de nuit, à poil dans les parcs. Avant les nazis, la mode des bains de soleil – le naturisme, comme on l'appelait – faisait rage. Le sexe était notre passe-temps national. Sous la République de Weimar, nous étions célèbres pour ça. Mais ici ? Dans un pays catholique ? J'aurais pensé que les choses étaient un peu différentes.

— Et vous auriez tort. » Melville éclata de son rire de gargouille hystérique. « À vrai dire, ce pays représente un paradis pour les pervers comme moi. C'est d'ailleurs une des raisons pour lesquelles je vis ici. Tous ces fruits verts. Vous n'avez qu'à tendre la main pour les cueillir sur l'arbre. »

Là encore, je sentis mes oreilles se dresser. L'expression espagnole que Melville avait employée pour parler des jeunes filles était *frutas inmaduras*, la même que celle dont le colonel s'était servi pour décrire le penchant analogue de Perón.

« En ce qui concerne l'Allemagne, je ne sais pas, reprit Melville. En fait, je n'y suis jamais allé. Mais il faudrait qu'elle ait été sacrément fortiche pour surpasser l'Argentine en matière de *lecheras*.

— *Lecheras* ?

— Tailleuses de pipes. »

J'acquiesçai.

« C'est vrai ce que j'ai entendu dire ? Que le président les aime plutôt jeunes, lui aussi ? »

Melville pinça les lèvres, l'air à nouveau évasif.

« C'est peut-être pour ça qu'on vous laisse faire.

— À vous entendre, Hausner, on croirait qu'il s'agit d'un crime.

— Ah bon ? Je me demande.

— Ces filles savent très bien ce qu'elles font, je vous le garantis. »

Il roula une petite cigarette décharnée et leva une allumette à hauteur de sa bouche. La cigarette s'enflamma en grésillant comme un minuscule incendie de forêt. D'une seule bouffée goguenarde, il réussit à en consumer près d'un tiers.

« Et où est-ce que j'irais ? demandai-je en affectant une curiosité nonchalante. Si je songeais à cueillir sur l'arbre, comme vous dites.

— Dans une des boîtes de *pesar poco* du côté des quais, dans La Boca répondit-il. Bien sûr, il faudrait que vous soyez introduit par un membre. » Il leva sa tasse en l'air avec un grand rictus satisfait. « Comme moi. »

Refrénant mon impulsion première, qui aurait été d'introduire auprès de sa mâchoire un rapide uppercut, je souris et déclarai :

« Eh bien, c'est entendu.

— Cela dit, le milieu *fruta inmadura* n'est plus ce qu'il était. Juste après la guerre, le pays a été inondé de bagages en sous-charge. Ainsi qu'on appelait les fruits vraiment fragiles venus d'Europe. De petites pucelles juives fuyant pour avoir une vie meilleure, s'imaginaient-elles. Toutes à la recherche du *caballero blanco*. Quelques-unes le trouvaient. Certaines se mettaient à faire le trottoir au bout d'un certain temps. Pour le reste... Qui sait ?

— Qui sait, effectivement ? D'après ce qu'on m'a raconté, une partie de ces Juives en situation irrégulière se serait fait ramasser par la police secrète. Et aurait disparu. »

Melville fit la moue et secoua la tête.

« Tout le monde disparaît à un moment ou à un autre en Argentine. C'est un passe-temps national. Les *porteños* se démoralisent pour un rien et ils prennent alors la poudre d'escampette. Tôt ou tard, la plupart d'entre eux reviennent sans un mot d'explication. Comme si de rien n'était. Quant aux Juifs, si j'en crois mon expérience, c'est une race particulièrement mélancolique. Ce qui, sans vouloir vous froisser, est en grande partie la faute de vos propres compatriotes, Hausner. »

J'opinai, reconnaissant ce point, qui ne faisait guère de doute.

« Prenez Perón, continua-t-il, s'enthousiasmant pour son sujet. Il a été vice-président et ministre de la Guerre dans le gouvernement du général Edelmiro Farrell. Puis il a brusquement disparu. Ses collègues l'avaient arrêté et emprisonné sur l'île Martin Garcia. Là-dessus, Evita organise de grandes démonstrations de soutien populaire et, une semaine plus tard, le voilà de retour. Six mois plus tard, il est président. Il disparaît. Il réapparaît. C'est une histoire très argentine.

— Tout le monde n'a pas une Evita, fis-je observer. Et tous ceux qui disparaissent ne reviennent pas. Vous ne pouvez pas nier que les prisons sont remplies d'adversaires politiques de Perón.

— On ne peut pas faire d'omelette sans casser des œufs. Sans compter que, pour la plupart, ces individus sont des communistes. Vous voulez que ce pays tombe sous la coupe des communistes, comme la Pologne, la Hongrie ou l'Allemagne de l'Est ? Ou encore la Bolivie ?

— Non, pas du tout.

— Eh bien ! Si vous voulez mon avis, ils font de leur mieux. C'est un beau pays. Peut-être même le plus beau de toute l'Amérique du Sud. Avec d'excellents projets de croissance économique. Et je préfère vivre en Argentine plutôt qu'en Grande-Bretagne. Même sans fruits verts.

— Qu'est-ce que vous faites ici au juste, Melville ? demandai-je, essayant de cacher mon exaspération. Je veux dire, vous faites dans quoi ? Votre travail. Votre boulot.

— Je vous l'ai déjà dit. Mais, apparemment, vous n'écoutiez pas. » Il rit. « Du reste, la façon dont je gagne ma vie n'a rien de mystérieux. Contrairement à certains que je connais. » Il me décocha un regard comme s'il faisait allusion à moi. « Je travaille pour Glasgow Wire. Nous fournissons une gamme de clôtures et d'articles en fil de fer aux éleveurs de bétail dans toute l'Argentine. »

Je m'efforçai d'étouffer un bâillement, sans succès. Il avait raison. Il me l'avait déjà dit. Simplement, je n'avais pas cru bon de m'en souvenir.

« Ça a l'air ennuyeux, je sais, dit-il avec ironie. Mais, sans fil de fer galvanisé, il n'y aurait pas d'industrie du bœuf dans ce pays. Je le vends en rouleaux de cinquante mètres, à la palette. Les bouviers achètent des kilomètres de ce truc. Ils n'en ont jamais assez. Et pas seulement eux. Le fil de fer est important pour toutes sortes de gens.

— Vraiment ? »

Cette fois, les bâillements l'emportèrent.

Melville sembla interpréter mon désintérêt apparent comme un défi.

« Oh oui. Tenez, il y a de ça quelques années, un de vos compatriotes m'a passé un assez gros contrat. C'était un ingénieur travaillant pour le ministère des Affaires étrangères. Comment s'appelait-il déjà ? Kammler, c'est ça. Dr Hans Kammler. Vous avez entendu parler de lui ? »

Le nom me disait quelque chose, sans que je sache pourquoi.

« J'ai eu plusieurs rendez-vous avec votre Herr Kammler, au palais San Martín, dans Arenales. Un type intéressant. Pendant la guerre, il était général dans la SS. Je pensais que vous le connaissiez.

— Ça va. J'ai été dans la SS. Satisfait ? »

Melville se donna une claque sur la cuisse avec le plat de la main.

« Je le savais ! s'exclama-t-il d'un air triomphant. Je le savais ! Naturellement, je me fiche de ce que vous avez fait. La guerre est finie maintenant. Et nous allons avoir besoin de l'Allemagne si nous voulons maintenir les Russes hors d'Europe.

— Qu'est-ce que le ministre des Affaires étrangères ferait d'une grosse quantité de grillage ?

— Vous devriez demander à votre général Kammler. Toujours est-il que nous nous sommes rencontrés à plusieurs reprises. La dernière fois à un endroit près de Tucumán, où je lui ai livré le fil de fer.

— Ah, d'accord ! fis-je, ma curiosité s'émoussant quelque peu. Vous voulez sans doute parler de l'usine hydro-électrique dirigée par la Capri.

— Non, non. C'est un client à moi, d'accord. Mais là, il s'agissait d'autre chose. Quelque chose de beaucoup plus confidentiel. D'après moi, ça avait rapport avec la bombe atomique. Bien sûr, je peux me tromper, mais Perón a toujours voulu faire de l'Argentine la première puissance nucléaire d'Amérique du Sud. Kammler appelait le projet la circulaire je ne sais quoi. Un numéro.

— Onze ? La Directive Onze ?

— C'est ça. Non, attendez. C'était la Directive Douze.

— Vous en êtes sûr ?

— Et comment que j'en suis sûr. Dans tous les cas, il s'agissait d'un truc top secret. Ils ont payé le fil de fer bien au-dessus du prix. En grande partie, j'imagine, parce qu'on a dû l'acheminer jusqu'à une vallée au milieu de nulle part dans la Sierra de Aconquija. Oh, jusqu'à Tucumán même, c'était assez facile ! De Buenos Aires à Tucumán, il y a une ligne de chemin de fer à peu près potable, comme vous le savez sans doute. Mais de là à Dulce – c'est comme ça que s'appelait l'installation qu'ils étaient en train de construire, d'après la rivière du même nom, je présume –, on a dû utiliser des mulets. Des centaines de mulets.

— Melville... Pensez-vous pouvoir m'indiquer l'endroit sur une carte ? »

Il eut un sourire hésitant.

« Je pense surtout que j'en ai déjà trop dit. S'il s'agit d'une installation nucléaire secrète, ils ne tiennent probablement pas à ce que je raconte où ça se trouve.

— Vous marquez un point. Ils vous tueraient sans doute s'ils s'apercevaient que vous en avez parlé à quelqu'un comme moi. En fait, j'en suis même à peu près certain. Mais, d'autre part… » J'écartai ma veste de l'étui d'épaule que je portais, lui laissant entrevoir le Smith qui y était niché. « D'autre part, ce n'est pas terrible non plus. Dans un instant, nous allons marcher, vous et moi, jusqu'à la librairie en face, où j'achèterai une carte. Et je n'en ressortirai qu'avec votre cervelle ou votre doigt dessus.

— Vous rigolez.

— Je suis allemand. Nous ne sommes pas précisément réputés pour notre sens de l'humour, Melville. Surtout quand il s'agit de tuer les gens. Nous prenons ce genre de chose tout à fait au sérieux. Ce qui explique que nous soyons si efficaces dans ce domaine.

— Supposons que je ne veuille pas aller à la librairie, dit-il en regardant autour de lui. » Le Richmond était bondé. « Vous n'oseriez pas me descendre ici, devant tous ces gens.

— Pourquoi pas ? J'ai fini mon café et vous avez judicieusement payé l'addition. Vous coller une balle dans le crâne ne devrait pas me prendre toute la matinée. Et si les flics me demandent pour quelle raison je l'ai fait, je leur dirai simplement que vous avez résisté à une arrestation. » Je sortis mes papiers du SIDE. « Vous voyez, je suis moi-même une espèce de flic. Du genre secret qui n'est généralement pas tenu de rendre des comptes.

— C'est donc ça que vous faites ! » Melville éclata de son rire hystérique. Mais il trahissait plus encore la nervosité. « Je me posais justement la question.

— Eh bien, maintenant que votre curiosité est satisfaite, allons-y. Et rappelez-vous ce que je vous ai dit sur le sens de l'humour allemand. »

À la librairie Figuera, au coin de Florida et d'Alsina, j'achetai une carte de l'Argentine pour une centaine de pesos. Puis, prenant Melville par le bras, je l'emmenai sur la Plaza de Mayo, où, en pleine vue de la Casa Rosada, je dépliai la carte sur l'herbe.

« Allez-y, fis-je. Où se trouve exactement cet endroit ? Et si je découvre que vous avez menti, je reviendrai comme Banquo dans votre pièce de théâtre, l'Écossais. Et je m'arrangerai pour que votre tignasse soit beaucoup plus rouge qu'elle ne l'est à présent. »

Du nord de Buenos Aires, l'index de l'Écossais dépassa Córdoba et Santiago del Estero pour se diriger vers l'ouest de La Cocha, où vivait actuellement Eichmann.

« À peu près ici, répondit-il. En fait, ce n'est pas marqué sur la carte. Mais c'est là que j'ai rencontré Kammler. Juste au nord d'Andalgalá, il y a deux lagunes dans une dépression près du bassin de la Dulce. Ils construisaient une petite voie ferrée quand j'y suis allé. Probablement pour faciliter le transport des matériaux.

— Ouais, probablement, dis-je en repliant la carte et en la glissant dans ma poche. Si je peux vous donner un conseil, ne parlez de ça à personne. Ils vous tueraient probablement avant moi, mais seulement après vous avoir torturé. Heureusement pour vous, ils m'ont déjà torturé et ça n'a rien donné, si bien que vous êtes au-dessus de tout soupçon en ce qui me concerne. À présent, ce que vous pourriez faire de mieux, ce serait de déguerpir et d'oublier m'avoir jamais vu. Même devant un jeu d'échecs.

— Ça me va », fit Melville avant de s'éloigner rapidement.

Je jetai un nouveau coup d'œil à la carte, tout en me disant que le colonel Montalbán aurait été déçu : j'étais vraiment un piètre détective. Qui aurait imaginé que Melville – le raseur du bar du Richmond – se révélerait détenir la clé de toute l'affaire ? Je trouvais presque comique la manière fortuite dont j'étais parvenu à obtenir le tuyau quant à la nature de la Directive Douze et à l'endroit où elle avait été mise en place. Mais Melville se trompait sur un point. La Directive Douze n'avait rien à voir avec une installation nucléaire secrète, et tout à voir avec le dossier vide du ministère des Affaires étrangères qu'Anna et moi avions découvert dans l'ancien Hotel de Inmigrantes. J'en étais certain.

20

BUENOS AIRES, 1950

Je téléphonai à Anna en lui demandant de me retrouver pour déjeuner vers deux heures, au Shorthorn Grill dans Corrientes. Puis je me rendis en voiture à la maison d'Arenales où von Bader et le colonel m'attendaient. Après ce qu'Isabel Pekerman m'avait raconté au Club Seguro, je perdais probablement mon temps, mais je tenais à voir comment ils s'en sortiraient sans elle, et de quoi leur histoire aurait l'air à la lumière de ce que je savais maintenant. Non que je sois sûr de grand-chose. Ç'aurait été trop demander. Je supposais que von Bader projetait d'aller en Suisse et qu'Evita n'avait pas l'intention de le laisser filer avant que la vraie baronne n'ait rendu Fabienne.

Il y avait une foule de raisons pour lesquelles la vraie baronne aurait pu disparaître avec la fille d'Evita – toujours en admettant que Fabienne *fût* la fille d'Evita. Dont quelques-unes en rapport avec les comptes de la Reichsbank à Zurich, mais je n'arrivais pas à voir très bien comment. Le moins qu'on puisse dire, c'est que le colonel Montalbán m'avait donné du fil à retordre. Je connaissais ses motifs pour me faire rouvrir une enquête criminelle vieille de vingt ans. Ils me les avaient exposés très clairement. Mais qu'il ne m'ait pas dit que Fabienne s'était éclipsée avec sa mère avait une seule explication possible : il savait de source sûre qu'elles se cachaient chez un des vieux camarades. En tout cas, il avait eu une raison pour monter la petite comédie impliquant Isabel Pekerman. Le colonel n'était pas homme à agir sans une bonne raison.

« Votre femme ne se joindra-t-elle pas à nous ? demandai-je à von Bader comme il refermait la porte du salon.

— Hélas non, répondit-il avec décontraction. Elle se trouve dans notre maison de week-end, à Pilar. J'ai bien peur que tout cela l'ait terriblement fatiguée.

— Je n'en doute pas. D'ailleurs, ce sera sans doute plus commode. »

Devant son expression ébahie, j'ajoutai :

« Pour parler de la vraie mère de Fabienne. » Je le laissai se tortiller un instant. « L'épouse du président m'a tout dit.

— Oh, je vois ! Oui, en effet.

— Elle m'a dit que votre fille avait surpris une dispute entre vous et qu'elle s'était sauvée.

— Oui. Je suis désolé de vous avoir quelque peu induit en erreur, Herr Gunther, admit von Bader. » Il avait changé de costume, mais arborait le même air d'aisance insouciante. Ses cheveux gris avaient été rafraîchis depuis notre dernière rencontre. Ses ongles étaient plus courts également, mais rongés plutôt que manucurés. Et même rongés jusqu'au sang. « Mais j'étais, et je suis encore, extrêmement inquiet qu'il ne lui soit arrivé quelque chose.

— Diriez-vous que Fabienne est proche de sa belle-mère ?

— Oui. Très. Elle traite ma femme comme s'il s'agissait de sa véritable mère. Et pour tous ceux qui nous connaissent, il en a toujours été ainsi. Evita a eu très peu de contacts avec sa fille jusqu'à une date relativement récente. »

Je me tournai vers le colonel Montalbán.

« Qu'est-ce qui vous fait penser qu'elle ait pu se cacher dans une famille allemande ? Et, au cas où vous ne vous en seriez pas aperçu, colonel, il s'agit d'une question directe appelant une réponse directe.

— Je crois pouvoir vous répondre, Herr Gunther, répondit von Bader. Fabienne est une fille très mûre pour son âge. Elle en sait pas mal sur la guerre et ce qui s'est passé, et pourquoi beaucoup d'Allemands tels que vous ont choisi de s'installer en Argentine. On pourrait presque dire que Fabienne est une nationale-socialiste.

Elle-même se définirait ainsi. Ma femme et elle se sont parfois disputées à ce sujet.

« La raison pour laquelle le colonel voulait que vous cherchiez parmi nos vieux camarades ici en Argentine est très simple, en réalité : Fabienne elle-même avait parlé de s'enfuir et de se réfugier chez l'un d'eux. Il lui arrivait fréquemment de brandir cette menace après avoir découvert qu'Evita était sa vraie mère. Fabienne pouvait être cruelle. Elle disait qu'il n'y avait pas mieux pour la cacher que quelqu'un lui-même obligé de se cacher. Je sais que cela peut paraître prétentieux de la part d'un père de dire cela de sa propre fille, mais Fabienne est une enfant extrêmement charismatique. Ses photographies ne lui rendent pas justice. Elle est typiquement aryenne, au point que, de l'avis de tous ceux qui l'ont rencontrée, elle aurait ensorcelé le Führer lui-même. Si vous avez vu Leni Riefenstahl dans *La Lumière bleue*, Herr Gunther, vous savez de quoi je parle. »

J'avais vu le film. Un film alpin, comme on appelait ça. Ce que j'ai préféré dedans, c'étaient les Alpes.

« À cet égard, c'est bien la fille d'Evita. Comme vous l'avez rencontrée, vous comprenez ce que je veux dire, je suppose. »

J'opinai.

« D'accord, je vois le topo. C'est la petite préférée de tout le monde. Geli Raubel[1], Leni Riefenstahl, Eva Braun et Eva Perón réunies en une seule et même sirène précoce. Pourquoi ne pas avoir joué franc jeu plus tôt ?

— Nous n'étions pas libres de le faire, répondit le colonel. Evita ne voulait pas que son secret soit connu. Que ses ennemis se servent de ce type d'information pour tenter de la détruire. Néanmoins, j'ai fini par la convaincre de vous en parler, et maintenant vous savez tout.

— Hmmm.

— Qu'est-ce que ça veut dire ? demanda le colonel.

— Ça veut dire peut-être que oui ou peut-être que non, ou peut-être que je suis habitué à ce que ça ne fasse aucune différence. Et

---

1. Nièce de Hitler, avec laquelle celui-ci aurait eu une idylle.

d'ailleurs, c'est sa fille, alors pourquoi mentirait-il à ce propos, si ce n'est que les gens mentent à tout propos et en toutes circonstances, à l'exception des mois en X, bien entendu. » J'allumai une cigarette. « Ces vieux camarades qu'elles fréquentaient, ils ont un nom ?

— Il y a environ un an, dit von Bader, ma femme et moi avons organisé une garden-party pour souhaiter la bienvenue en Argentine à de nombreux compatriotes.

— Très aimable à vous, vraiment.

— Un de mes anciens collègues s'occupait de la liste des invités. Le Dr Heinrich Dorge. Il avait été autrefois le conseiller du Dr Schacht. Le ministre des Finances de Hitler ? »

J'acquiesçai.

« Fabienne était la vedette de la réception, continua son père. Elle avait l'air si fraîche, si éblouissante que bien des hommes semblèrent en oublier pourquoi ils étaient là. Je me rappelle qu'elle a chanté de vieilles chansons allemandes. Ma femme l'accompagnait au piano. Fabienne a ému beaucoup d'entre eux aux larmes. Elle a été remarquable. » Il marqua un temps d'arrêt. « Le Dr Dorge est mort, malheureusement. Il a eu un accident. Ce qui signifie que nous sommes incapables de nous souvenir de tous les invités. Ils devaient être au moins cent cinquante. Peut-être plus.

— Et vous pensez qu'elle se cache chez l'un d'eux, c'est ça ?

— Je dirais que c'est une sérieuse possibilité.

— Une possibilité qui mérite d'être examinée, ajouta le colonel. C'est pourquoi j'aimerais que vous poursuiviez votre enquête initiale. Il y a une foule de gens auxquels vous n'avez pas encore parlé.

— Exact, dis-je. Mais, écoutez, à mon avis, si on ne l'a pas encore dénichée, c'est parce qu'elle n'est plus à Buenos Aires. Il y a fort à parier qu'elle se trouve quelque part à la campagne. À Tucumán, par exemple. Il y a là-bas un tas de vieux camarades travaillant pour Capri, au barrage de Los Quiroga. Je devrais peut-être aller y jeter un coup d'œil.

— Nous l'avons déjà fait, répondit le colonel. Mais pourquoi pas. Il est possible que quelque chose nous ait échappé. Quand pouvez-vous partir ?

— Je prendrai le train du soir. »

Le menu du Shorthorn Grill ne comportait que deux plats : bœuf aux légumes et bœuf sans rien. Il y avait un tas de brochettes de bœuf exposées en vitrine et des photos de différents morceaux de bœuf – crus ou non – accrochées aux murs couleur rosbif. Une tête de bœuf contemplait le restaurant et ses consommateurs d'un regard vitreux rempli de perplexité. Le bœuf n'était pas plus tôt cuit et apporté aux tables qu'il était englouti dans un silence complice, comme si manger du bœuf constituait une chose beaucoup trop grave pour être interrompue par des conversations. C'était le genre d'endroit où même le cuir de vos chaussures se sent légèrement nerveux.

Anna était assise dans un coin derrière une table couverte d'une nappe à carreaux rouges. Une lithographie représentant un gaucho attrapant un bœuf au lasso était accrochée au-dessus de sa tête. Il y avait de la souffrance dans ses yeux, mais j'aurais parié que ce n'était pas parce qu'elle était végétarienne. Je m'étais à peine installé qu'un serveur surgit et empila des saucisses de bœuf et des poivrons rouges sur nos assiettes. La plupart des serveurs avaient des sourcils se touchant au milieu ; ceux du nôtre s'étaient déjà accouplés. Je commandai une bouteille de vin rouge, celui qu'Anna appréciait, fait avec du raison et de l'alcool. Une fois le serveur parti, je posai une main sur les siennes.

« Qu'est-ce qu'il y a ? Vous n'aimez pas le bœuf ?

— Je n'aurais peut-être pas dû venir, dit-elle à voix basse. Je viens d'avoir de mauvaises nouvelles. Au sujet d'une de mes amies.

— Je suis désolé de l'apprendre. Souhaitez-vous m'en parler ?

— C'était une actrice. Du moins, à ce qu'elle prétendait. Franchement, j'avais quelques doutes à ce sujet, mais c'était une chic fille. Elle donnait l'impression d'avoir eu une vie dure. Bien plus dure qu'elle ne voulait l'admettre. Et maintenant, elle est morte. Elle ne devait pas avoir plus de trente-cinq ans. » Anna sourit d'un air contrit. « Je suppose que ça peut difficilement être pire, non ?

— Isabel Pekerman », dis-je.

Anna parut abasourdie.

« Oui. Comment le savez-vous ?

— Ne vous occupez pas de ça. Dites-moi seulement ce qui s'est passé.

— Après que vous m'avez téléphoné ce matin, j'ai reçu un coup de fil de Hannah, une amie mutuelle. Hannah occupe l'appartement au-dessus de celui d'Isabel. Dans le Once. Autrement dit le *barrio* connu officiellement sous le nom de Balvanera. Traditionnellement, c'est là que vivaient les Juifs de la capitale, et il en reste encore quelques-uns. Bref, Isabel a été retrouvée morte dans la matinée. D'après Hannah. Elle se trouvait dans sa baignoire, les veines des poignets ouvertes, comme si elle s'était suicidée.

— Comme si ?

— Isabel avait un instinct de survie très développé. Elle n'était pas du style suicidaire. Pas du tout, pas après toutes les épreuves qu'elle avait endurées. Et certainement pas alors qu'elle avait l'espoir que ses deux sœurs soient encore en vie. Voyez-vous…

— Je sais. Elle m'a parlé de ses sœurs. Hier soir. Elle n'avait assurément pas l'air de quelqu'un qui s'apprête à rentrer chez soi pour s'ouvrir les veines.

— Vous étiez avec elle ?

— Elle m'a téléphoné à mon hôtel et nous sommes convenus de nous rencontrer dans un endroit appelé le Club Seguro. Elle m'a tout raconté. Vos doutes au sujet de sa profession étaient parfaitement fondés, mais c'était quelqu'un de bien. En tout cas, elle m'a plu. Suffisamment pour avoir envie de coucher avec elle. Je regrette de m'être abstenu. Elle serait peut-être encore en vie.

— Pourquoi ne pas l'avoir fait ? Coucher avec elle ?

— Pour toutes sortes de raisons. La journée d'hier a été infernale.

— Je vous ai appelé deux fois, mais vous n'étiez pas là.

— On m'a arrêté. Brièvement.

— Pourquoi ?

— C'est une longue histoire. Comme celle d'Isabel. Si je ne suis pas rentré avec elle, c'est en grande partie à cause de vous, Anna. C'est du moins ce que je me suis dit ce matin. Je me sentais plutôt fier d'avoir résisté à la tentation. Jusqu'à ce que vous m'annonciez sa mort.

— Alors, vous pensez que j'ai raison, qu'elle pourrait avoir été assassinée ?

— Oui.

— Pourquoi vouloir tuer Isabel ?

— Être le genre d'actrice qu'elle était ne va pas sans risque. Mais on l'a tuée pour une autre raison. Je présume que ça a un rapport avec moi. Son téléphone était peut-être sur écoute ; mon téléphone est peut-être sur écoute. Elle a peut-être été suivie. J'ai peut-être été suivi. Difficile à dire.

— Vous savez qui a fait ça ?

— J'ai une idée assez précise de qui a donné les ordres, mais il est préférable que vous n'en sachiez pas plus. C'est déjà suffisamment dangereux comme ça.

— Il faut que nous allions à la police.

— Non. » Je souris, amusé par sa naïveté. « Non, mon ange, nous n'irons pas à la police, certainement pas.

— Insinuez-vous qu'elle est mêlée à ça ?

— Je n'insinue rien du tout. Écoutez, Anna, je suis venu ici pour vous dire que je pensais avoir découvert quelque chose à propos de la Directive Douze. Un endroit sur la carte. Il m'était venu cette idée d'un romantisme stupide que nous pourrions attraper le train de nuit pour Tucumán afin d'aller y jeter un coup d'œil. Mais c'était avant que je sache pour Isabel Pekerman. À présent, il vaut sans doute mieux que je ne dise plus un mot. Sur rien.

— Et vous pensez qu'essayer de me protéger contre quelque chose comme si j'étais une écolière candide ne vous rend pas stupide et romantique ?

— Croyez-moi. Il est plus prudent que je me taise. »

Elle poussa un soupir.

« Charmant déjeuner en perspective. En compagnie de quelqu'un qui n'ouvre pas la bouche. »

Lon Chaney revint avec la bouteille de vin. Il l'ouvrit et nous jouâmes la petite farce de rigueur, moi en le goûtant et lui en le versant. Aussi comique que la cérémonie du thé au Japon. Il avait à peine rempli le verre d'Anna qu'elle le prit et le vida d'un trait. Il sourit avec gêne et fit mine de le remplir à nouveau. Anna lui arracha la bouteille, se servit elle-même et but un second verre aussi vite que le premier.

« Eh bien, de quoi allons-nous parler maintenant ? » demanda-t-elle.

— Allez-y doucement avec ça. »

Le serveur s'éclipsa, sentant venir les ennuis.

« Nous pourrions parler football, je suppose. Ou politique. Ou de ce qu'on donne au cinéma. Mais il vaudrait mieux que vous commenciez. Vous êtes plus doué que moi pour éviter certains sujets. Après tout, j'imagine que vous avez beaucoup plus d'entraînement. » Elle se resservit du vin. « Je sais, parlons de la guerre. Mieux que ça, parlons de *votre* guerre. Bon, dans quoi est-ce que vous étiez ? La Gestapo ? La SS ? Avez-vous travaillé dans un camp de concentration ? Avez-vous tué des Juifs ? Des tas de Juifs ? Êtes-vous en Argentine parce que vous êtes un criminel de guerre nazi et que votre tête est mise à prix ? Est-ce qu'on vous pendra si jamais on vous attrape ? » Elle alluma nerveusement une cigarette. « Comment je m'en tire jusqu'ici, pour éviter de parler de ce dont nous sommes venus parler ? Au fait, qu'est-ce qui vous a poussé à me prendre pour cliente, Bernie ? La culpabilité ? Est-ce pour vous sentir mieux dans votre peau au regard de ce que vous avez fait à l'époque que vous êtes prêt à me rendre service ? C'est ça. Oui, je vois comment ça peut fonctionner. »

Ses yeux s'étrécirent, et elle se mordit la lèvre comme si elle mettait tout son corps dans chacun des coups de fouet verbal qu'elle m'assenait.

« Le SS avec une conscience. Toute une histoire quand on y pense. Un peu rebattue, mais c'est souvent le cas des histoires vraies, non ? La Juive et l'officier allemand. On devrait en faire un opéra. Une de ces œuvres d'avant-garde avec des chants affreux, des tonalités mineures et des fausses notes. Sauf qu'à mon avis, le baryton interprétant votre personnage devrait ne pas savoir vraiment chanter. Ou, mieux encore, ne pas vouloir. Ce serait son leitmotiv. Et son leitmotiv à elle ? Quelque chose de languide, de répétitif et de désespéré. »

Anna prit son verre, mais cette fois elle se leva après l'avoir vidé.

« Asseyez-vous. Vous vous conduisez comme une enfant.

— Peut-être parce que c'est ainsi que vous me traitez.

— Possible, mais je préfère ça à vous voir sur une table de dissection à la morgue de la police. C'est mon seul et unique motif, Anna.

— Maintenant, voilà que vous me rappelez mon père. Non, attendez, je pense que vous êtes un peu plus vieux que lui. »

Sur ce, elle s'en alla.

Je finis le reste de la bouteille et me rendis à la Casa Rosada pour parcourir les informations fournies par Montalbán sur les vieux camarades en Argentine. Il n'y avait rien sur un Hans Kammler. Mais il n'y avait rien non plus sur Otto Skorzeny. Certains vieux camarades étaient apparemment au-dessus de tout soupçon. Un peu plus tard, je téléphonai à Geller pour l'informer que je retournais à Tucumán et lui demander si je pouvais emprunter sa jeep.

« Tu comptes refaire une visite à Ricardo ? Parce qu'il ne m'a pas encore complètement pardonné de t'avoir dit où il habite, déclara-t-il en riant. Il n'a pas l'air de te porter dans son cœur.

— C'est sûr.

— À propos, tu m'as posé des questions sur les salopards qui font que nous autres salopards avons mauvaise réputation. Tu ne devineras jamais qui s'est pointé ici l'autre jour. Otto Skorzeny.

— Il travaille pour Capri, lui aussi ?

— C'est ça le plus drôle. Non. Pas d'après mes registres, en tout cas.

— Essaie de savoir ce qu'il fiche dans le coin, dis-je. Et pendant que tu y es, vois si tu ne peux pas trouver quelque chose sur un dénommé Hans Kammler.

— Kammler ? Jamais entendu parler.

— Il était général dans la SS, Pedro. »

Geller poussa un grognement.

« Qu'est-ce qu'il y a ?

— Bon sang, pourquoi ai-je accepté ce nom de Pedro ? Je sursaute à chaque fois que je l'entends. C'est un nom de péquenaud. Ça me rappelle que je sens probablement le crottin de cheval.

— Pas au point que ça se remarque, Pedro. Pas à Tucumán. Làbas, tout sent le crottin de cheval. »

Dans la soirée, j'allai à la gare. Comme d'habitude, il y avait foule, dont quantité d'Indiens du Paraguay et de Bolivie, aisément reconnaissables à leurs couvertures bariolées et à leurs chapeaux melon. Tout d'abord, je ne la vis pas, debout en tête du quai de la ligne Mitre. Elle portait un confortable ensemble deux pièces en laine, des gants et une écharpe. Près de sa jolie jambe se trouvait une petite valise et dans sa main un billet. Elle paraissait m'attendre.

« Je me demandais quand vous alliez arriver.

— Qu'est-ce que vous faites là ?

— Je pourrais vous répondre que nous sommes dans un pays libre, sauf que ce n'est pas le cas.

— Vous avez vraiment l'intention de venir à Tucumán ?

— C'est ce qui est écrit sur mon billet.

— Je vous le répète. C'est dangereux.

— Mon cœur bat la chamade. » Elle eut un haussement d'épaules. « Tout est dangereux si on lit les petits caractères, Gunther. Parfois, il vaut mieux ne pas prendre ses lunettes. De plus, il s'agit de mes parents, pas des vôtres. À supposer que vous ayez quoi que ce soit qui ressemble à des parents.

— Je ne vous l'ai pas dit ? Ils m'ont trouvé sous une pierre.

— Ça ne m'étonne pas. Vous rappelez une pierre par certains côtés.

— Alors, je suppose qu'il me serait difficile de vous arrêter, mon ange.

— Cela pourrait être amusant de vous voir essayer.

— Très bien. » Je laissai échapper un soupir. « Je sais reconnaître ma défaite.

— Ça, j'en doute.

— Êtes-vous déjà allée à Tucumán ?

— Je n'ai jamais vu la nécessité de rester enfermée vingt-trois heures à bord d'un train rien que pour échouer dans un dépotoir infesté de puces. C'est ce que tout le monde raconte, en tout cas. Qu'il y a juste deux ou trois églises et ce qui passe pour une université.

— Et aussi deux ou trois millions d'hectares de canne à sucre.

— À vous entendre, on croirait que j'ai raté quelque chose.

— Non, mais moi, oui. » Je la pris dans mes bras et l'embrassai. « J'espère que vous aimez les sucreries. Un million d'hectares, ça fait un joli tas de sucre.

— Après ce que je vous ai dit à midi, un peu de douceur ne serait pas de trop, vous ne pensez pas ?

— Vous avez vingt-trois heures pour vous faire pardonner.

— Une chance que j'aie apporté des cartes.

— Nous ferions mieux de monter dans le train. »

Je pris son sac et nous longeâmes le quai, passant devant des chariots chargés de boisson et de nourriture. Nous en achetâmes autant que nous pouvions en porter et nous nous retrouvâmes dans un compartiment. Quelques minutes plus tard, le train démarrait, mais, au bout d'une demi-heure, nous n'allions toujours pas plus vite qu'une vieille dame à bicyclette.

« À cette allure, pas étonnant que ça prenne vingt-trois heures, me plaignis-je.

— Ce sont les Britanniques qui ont construit les lignes de chemin de fer, fit-elle remarquer. Jusqu'à l'arrivée de Perón, ils en étaient également propriétaires.

— Ça n'explique pas que les trains aillent si lentement.

— Ils n'étaient pas conçus pour les gens, mais pour le transport du bétail.

— Et moi qui pensais que seuls les Allemands étaient passés maîtres dans l'art de transporter les gens comme du bétail.

— Hmm. Vous avez toujours été aussi cynique ?

— Non. Avant ça, j'étais dans le ventre de ma mère. Vous auriez dû me voir. Je pétais le feu.

— Pauvre femme.

— Elle a eu son heure de gloire.

— Aussi impitoyable que cynique. Comme tous les SS.

— Comment le savez-vous ? Je parie que je suis le premier SS que vous rencontrez.

— Je ne m'attendais certainement pas à éprouver du plaisir à en embrasser un.

— Je ne m'attendais pas à en devenir un, c'est sûr. Vous avez envie que je vous en parle ? Nous avons plein de temps.

— Et notre marché ? Vous aviez dit, pas de questions.

— Je pense qu'il est temps que vous en sachiez un peu plus sur moi. Juste au cas où je me ferais tuer.

— Vous dites ça pour me faire peur. Ne comptez pas là-dessus. Ces jours-ci, j'arrive même à dormir la lumière éteinte.

— Vous voulez que je vous en parle ou pas ?

— Je suppose qu'il me sera difficile de fiche le camp si je décide que vous m'êtes antipathique en fin de compte. Même à cette vitesse. Allez-y. Je peux toujours faire une patience si j'en ai assez de vous écouter.

— Ma marque de franc-parler est un alcool fort qui a besoin d'être allongé avec de l'eau gazeuse ou du tonic. » Je tirai une bouteille de whisky de mon sac et en versai une dose dans mon seul et unique petit verre. « Ou peut-être un doigt de ceci.

— Plutôt corsé comme tonic », dit-elle en buvant à minuscules gorgées comme si c'était de la nitroglycérine.

J'allumai deux cigarettes et en glissai une entre ses lèvres.

« C'est une histoire corsée. Allons. Finissez votre verre. Je ne peux vous la raconter que si vous voyez double et que je vous souffle de la fumée dans les yeux. De cette façon, vous ne vous apercevrez pas quand il me pousse un tas de poils sur la figure et que mes canines s'allongent. »

Le train laissait derrière lui les banlieues de Buenos Aires. Si seulement j'avais pu oublier mon passé aussi facilement. Une forte odeur d'eau salée pénétrait par la fenêtre ouverte. Des mouettes voltigeaient dans le ciel bleu tout près de la côte. Sous le plancher du wagon, les roues cliquetaient sur un rythme de marche en 6/8. Pendant un moment, je repensai aux fanfares qui avaient défilé sous les fenêtres de l'hôtel Adlon dans la nuit du lundi 30 janvier

1933. Le jour où le monde avait changé pour toujours. Le jour où Hitler avait été nommé chancelier du Reich. Je me souvenais que, comme elles approchaient de la Pariser Platz où se trouvaient l'hôtel Adlon et l'ambassade de France, elles s'étaient soudain interrompues pour se mettre à jouer le vieux chant guerrier prussien « Nous vaincrons les Français ». C'est alors que j'avais compris qu'une nouvelle guerre européenne était inévitable.

« Tous les Allemands portent en eux l'image d'Adolf Hitler, dis-je. Même ceux qui, comme moi, le haïssaient, lui et tout ce qu'il représentait. Ce visage, avec ses cheveux ébouriffés et sa moustache en timbre-poste, continue de nous hanter, aujourd'hui encore et à jamais, et, telle une douce flamme impossible à éteindre, brûle dans nos âmes. Les nazis parlaient d'un Reich de mille ans. Mais, parfois, je me dis qu'à cause de ce que nous avons fait, le nom de l'Allemagne et les Allemands sont couverts d'infamie pour mille ans. Qu'il faudra au reste du monde mille ans pour oublier. Vivrais-je un millier d'années que jamais je n'oublierais certaines des choses que j'ai vues. Et certaines de celles que j'ai commises. »

Je racontai tout à Anna. Tout ce que j'avais fait pendant la guerre et après, jusqu'à ce je m'embarque pour l'Argentine. C'était la première fois que j'en parlais avec franchise à quelqu'un, sans rien laisser dans l'ombre ni essayer de justifier mes actes. Mais, à la toute fin, je lui dis qui était vraiment à blâmer pour tout ça.

« J'en veux aux communistes d'avoir appelé en novembre 1932 à la grève générale qui a précipité la tenue d'élections. J'en veux à Hindenburg d'avoir été trop vieux pour se débarrasser de Hitler. J'en veux aux six millions de chômeurs – un tiers de la population active – d'avoir désiré un emploi à n'importe quel prix, même au prix d'Adolf Hitler. J'en veux à l'armée de ne pas avoir mis fin aux violences dans les rues pendant la République de Weimar et d'avoir soutenu Hitler en 1933. J'en veux aux Français. J'en veux à Schleicher. J'en veux aux Britanniques. J'en veux à Goebbels et à tous ces hommes d'affaires bourrés de fric qui ont financé les nazis. J'en veux à Papen et à Rathenau, à Ebert et à Scheidemann, à

Liebknecht et à Rosa Luxemburg. J'en veux aux spartakistes et aux Freikorps. J'en veux à la Grande Guerre d'avoir ôté toute valeur à la vie humaine. J'en veux à l'inflation, au Bauhaus, à Dada et à Max Reinhardt. J'en veux à Himmler, à Goering, à Hitler et à la SS, à Weimar, aux putains et aux maquereaux. Mais, par-dessus tout, je m'en veux à moi-même. Je m'en veux de n'avoir rien fait. Ce qui est moins que ce que j'aurais dû faire. Ce qui est tout ce dont le nazisme avait besoin pour l'emporter. Je suis coupable, moi aussi. J'ai mis ma survie au-dessus de toute autre considération. C'est une évidence. Si j'étais vraiment innocent, je serais mort, Anna. Ce qui n'est pas le cas.

« Pendant ces cinq dernières années, je me suis mis en dehors. Il a fallu que je vienne en Argentine et que je voie de mes propres yeux tous ces anciens SS pour comprendre. J'en faisais partie. J'ai essayé de ne pas en être, mais j'ai échoué. J'étais là. Je portais l'uniforme. Je partage la responsabilité. »

Anna Yagubsky haussa les sourcils puis détourna les yeux.

« Mon Dieu ! dit-elle. Vous avez eu une vie intéressante. »

Je souris, songeant à Louis Adlon et à sa malédiction chinoise.

« Oh, je ne vous juge pas ! poursuivit-elle. Du reste, je n'ai pas l'impression que vous soyez coupable de grand-chose. Mais enfin, vous n'êtes pas entièrement innocent non plus, n'est-ce pas ? Cependant, il me semble que vous avez déjà payé une sorte de prix. Vous avez été prisonnier des Russes. Cela a dû être terrible. Et maintenant, vous m'aidez. Je ne pense pas que vous le feriez si vous ressembliez à vos anciens camarades. Ce n'est pas à moi de vous pardonner. C'est à Dieu – en admettant que vous croyiez en Dieu –, mais je prierai pour qu'il vous pardonne. Et, de votre côté, vous pourriez peut-être essayer également. »

Je pouvais difficilement risquer à nouveau sa désapprobation en lui disant que je ne croyais pas plus en Dieu que je n'avais cru à Hitler. Il était peu probable qu'une juive convertie au catholicisme prenne mon athéisme à la légère. Après ce que je lui avais dit, j'avais besoin de regagner ses faveurs. Si bien que j'acquiesçai.

« Oui, je le ferai peut-être. »

Je songeais que, si un dieu existait, il comprendrait probablement. Après tout, il est facile de cesser de croire en Dieu quand on a cessé de croire à tout le reste. Quand on a cessé de croire en soi-même.

21

TUCUMÁN, 1950

Nous arrivâmes à Tucumán le lendemain soir. Ou à peu près. Le train avait du retard, et il était presque minuit lorsqu'il entra dans la gare en rugissant. Le coin avait meilleure allure la nuit. Le palais du gouverneur était illuminé comme un arbre de Noël. Sous les palmiers de la Plaza Independencia, des couples dansaient le tango. Manifestement, les Argentins n'avaient guère besoin de prétexte pour danser le tango. Voire pas du tout. Peut-être les danseurs sur la grand-place attendaient-ils en fait un autocar. La gare elle-même regorgeait d'enfants. Dont aucun ne portait le moindre intérêt à notre locomotive en forme de sous-marin qui refroidissait après notre journée de voyage. Ils voulaient de l'argent. Et, à cet égard, les gosses sont exactement comme n'importe qui. Je distribuai une poignée de pièces puis je trouvai un taxi. Je dis au chauffeur de nous conduire au Plaza.

« Pourquoi voulez-vous aller là ? demanda-t-il.

— Parce que la dernière fois que je l'ai vu, c'était encore un hôtel.

— Vous devriez aller au Coventry. Je pourrais vous avoir un prix.

— Vous et votre cousin, c'est ça ? »

Le chauffeur pouffa de rire et se retourna.

« C'est ça. Mon cousin vous plairait.

— J'en suis sûr. Il ne peut pas être pire que le Coventry, j'imagine. À vrai dire, j'ai dans l'idée qu'ils m'aimaient encore moins que moi là-bas parce que, quand je suis parti, j'étais couvert de piqûres d'insectes. Ça ne me dérange pas de partager mon lit, mais uniquement avec des bipèdes. Lorsque la Luftwaffe a bombardé Coventry en Angleterre, elle devait penser à l'hôtel de Tucumán. »

Nous nous rendîmes au Plaza.

Comme la plupart des bons hôtels en Argentine, il s'efforçait d'avoir l'air d'être ailleurs. À Madrid probablement. Ou peut-être à Londres. Il y avait la débauche habituelle de lambris en chêne sur les murs et de marbre sur le sol. M'accoudant au comptoir de la réception comme si je n'étais pas d'humeur à plaisanter, je lançai un regard à l'employé, vêtu d'un costume sombre assorti à sa moustache. Son visage et ses cheveux étaient aussi luisants que les rouages du petit ascenseur formant un angle droit avec la réception. L'homme me fit un bref salut de la tête, découvrant des dents fortement tachées de nicotine.

« Nous voudrions une grande chambre », déclarai-je. Cela faisait mieux que de demander un grand lit, même si c'est ce que je voulais en réalité. « Avec salle de bains. Et ce qui passe pour une vue de la ville.

— Et pas trop bruyante non plus, ajouta Anna. Nous n'aimons pas beaucoup le bruit sauf quand nous le faisons nous-mêmes.

— Il y a la suite nuptiale », répondit-il en jetant un coup d'œil affamé à Anna.

Je me sentais assez affamé moi-même. L'employé offrit de nous la montrer. Anna préféra consulter le tarif. Puis elle proposa de payer la moitié de ce qu'il réclamait en espèces. Ça n'aurait jamais marché en Allemagne, mais à Tucumán, rien de plus normal. À Tucumán, ils marchandaient même avec le curé quand il leur infligeait une pénitence. Dix minutes plus tard, nous étions dans la chambre.

La suite nuptiale était à la hauteur. Deux portes-fenêtres ouvraient sur un balcon avec une vue des hautes Sierras, et il régnait une forte odeur de fleur d'oranger qui changeait agréablement de celle des chevaux. Elle possédait aussi une grande salle de bains, avec une vue du reste de la suite et une forte odeur de savon qui changeait agréablement de celle des égouts. Mais surtout, il y avait un lit. De la taille du Matto Grosso. En peu de temps, il avait une vue du corps nu d'Anna et respirait la forte odeur de son parfum, qui changeait agréablement de ma propre odeur de célibataire. Nous fîmes la noce toute la nuit. Chaque fois que j'émergeais, je tendais la main vers elle. Et chaque fois qu'elle émergeait, elle tendait la main vers moi. Nous n'avons pas beaucoup dormi. Le matelas était trop dur pour ça, ce qui m'allait très bien. Et je n'aurais jamais espéré me plaire autant à Tucumán.

Quand le matin arriva enfin, je pris un bain froid pour m'aider à me réveiller. Puis je commandai un petit déjeuner pour deux. Nous étions encore attablés lorsque Pedro Geller appela pour dire qu'il m'attendait en bas. Je le retrouvai seul. Moins il y avait de gens au courant de l'implication d'Anna, mieux ça valait, me disais-je. Nous sortîmes, Geller et moi, et marchâmes jusqu'à l'emplacement où il avait laissé la Jeep.

« J'ai découvert où habite Skorzeny, dit-il. Dans un gros ranch à un endroit appelé Wiederhold. Le propriétaire est un riche planteur de canne à sucre du nom de Luis Freiburg. Et quand je dis riche, ça veut dire riche. Il a touché des millions de dédommagement lorsque le gouvernement a acheté deux mille hectares de son domaine dans le cadre du projet hydro-électrique. Ces terres doivent être inondées une fois le barrage de Los Quiroga terminé. » Il se mit à rire. « Et voici le plus intéressant. Il se trouve que Freiburg n'est autre que le général SS dont tu m'as parlé.

— Hans Kammler ?

— Exact. D'après Ricardo, Kammler est un ingénieur qui avait la responsabilité de tous les grands projets de construction SS pendant la guerre. Comme les installations de Mittelwerk et les camps d'extermination tels qu'Auschwitz et Treblinka. Ce qui lui a permis d'amasser une fortune. Ouais, ce n'était pas n'importe qui, ce Kammler. Ricardo prétend que Himmler le considérait comme un de ses hommes les plus capables et les plus talentueux.

— Ricardo t'a raconté tout ça ?

— Il peut devenir extrêmement bavard quand il a un coup dans le nez, répondit Geller. Hier soir, nous sortions des bureaux de la division technique de Capri quand il a aperçu une grosse voiture blanche américaine conduite par Skorzeny. Ricardo a tout de suite reconnu Kammler.

— À quoi ressemble-t-il, ce Kammler ?

— Maigre, osseux, le nez crochu. La cinquantaine. L'air d'un aigle, pourrait-on dire. Sa femme et sa fille étaient avec lui. Arrivées d'Allemagne, je suppose. C'est une des raisons pour lesquelles Ricardo le déteste. Qu'il ait sa femme et sa fille avec lui. Même si j'ai tendance à penser que Ricardo est jaloux de tous ceux qui quittent l'Allemagne avec du fric plein les poches. Sans parler de tous ceux qui s'en tirent mieux que lui en Argentine. Toi y compris.

— Est-ce que Ricardo t'a dit pourquoi Skorzeny habitait chez Kammler ?

— Oui. »

Pendant un moment, Geller parut mal à l'aise. Je lui tendis mon paquet de cigarettes. Il en prit une, me laissa l'allumer et demeura silencieux.

« Allons, Herbert », dis-je, me servant pour une fois de son vrai nom et en allumant une pour moi.

Geller poussa un soupir.

« C'est un truc top secret, Bernie. Même Ricardo avait l'air quelque peu fuyant quand il m'en a parlé.

— Ricardo a toujours l'air fuyant.

— Bien sûr, il a peur que son passé le rattrape. Comme nous tous. Toi aussi probablement. Mais il ne s'agit pas du passé. Il s'agit de maintenant. Tu as déjà entendu parler du Projet Peuplier ?

— Peuplier ? Comme l'arbre ? »

Geller opina.

« Apparemment, Perón veut fabriquer une bombe atomique. Le bruit court à Capri que Kammler dirige le programme d'armes nucléaires de Perón, tout comme il l'a fait à Riesenbirge et à Ebensee. Et que Skorzeny est son chef de la sécurité.

— Ce genre de chose nécessite beaucoup d'argent. »

Au même instant, je me souvins que Perón semblait déjà avoir accès à des centaines de millions de dollars de l'argent nazi ; et si Evita arrivait à ses fins, peut-être à des milliards de dollars supplémentaires en Suisse.

« Et aussi pas mal de scientifiques, ajoutai-je. Tu en as vu beaucoup ?

— Je ne sais pas. J'imagine qu'ils ne se baladent pas dans les parages en blouse blanche, une règle à calcul à la main.

— Très juste. »

Il y avait une carte sur le siège de la Jeep et une boîte à outils à l'arrière.

« Montre-moi où se trouve le ranch de Kammler, demandai-je.

— Wiederhold ? » Geller prit la carte et promena un doigt vers le sud-ouest de Tucumán. « C'est ici. À quelques kilomètres seulement au nord de la rivière Dulce. Plus au sud et un peu à l'est, les gelées rendent impossible la culture de la canne à sucre. Faire pousser de la canne à sucre serait impossible aussi à Tucumán sans la Sierra de Aconquija. » Il tira une bouffée de sa cigarette. « Tu ne songes pas à aller là-bas ?

— Non. Je vais ici. » J'indiquai une des lagunes sur la rivière Dulce. « Juste au nord d'Andalgalá. À un endroit appelé Dulce.

— Connais pas, dit Geller. Il y a la rivière Dulce, mais je n'ai jamais entendu parler d'une ville du même nom. »

La carte de Geller était beaucoup plus détaillée que celle achetée à Buenos Aires. Mais il avait raison : aucun village ne s'appelait Dulce. Juste deux lagunes anonymes. Malgré tout, je ne pensais pas que Melville aurait osé m'induire en erreur. Pas après les menaces que j'avais proférées à l'encontre de sa misérable existence.

« Est-ce que cette carte est fiable ?

— Très fiable. Elle est basée sur une ancienne carte de muletier. Jusqu'au début du siècle, les mulets étaient le seul mode de transport dans la région. À Santa, au nord d'ici, il se vendait en moyenne soixante mille mulets par an. Personne ne connaissait mieux toutes ces pistes que les vieux muletiers.

— Je peux te l'emprunter ?

— Bien sûr. Ne me dis pas que tu as trouvé ton salaud de première. Ce meurtrier que tu cherchais.

— Quelque chose comme ça. Il est préférable que je ne t'en dise pas plus, Herbert. Pas pour l'instant. »

Geller haussa les épaules.

« L'ignorer ne me donnera pas de l'urticaire. » Il sourit. « Pendant que tu m'empruntes ma Jeep, j'irai voir une fille plutôt pas mal qui travaille à l'Institut d'anthropologie, ici à Tucumán. Je compte la laisser m'examiner sous toutes les coutures. »

J'essayai de persuader Anna de rester à l'hôtel, mais elle ne voulut rien entendre.

« Je te l'ai déjà dit, Gunther. Rester à la maison en reprisant tes chaussettes n'est pas mon style. Je ne suis pas devenue avocate sans me montrer plus futée que bon nombre de flics stupides.

— Pour une avocate, tu n'as pas l'air très prudente.

— Je n'ai pas dit que j'étais une bonne avocate. Mais, entendons-nous bien sur ce point. J'ai commencé cette affaire et j'ai bien l'intention d'aller jusqu'au bout.

— Tu sais quoi ? Pour une avocate, tu es vraiment une fille ravissante. Je ne voudrais pas qu'il t'arrive quelque chose.

— Est-ce que tous les Allemands traitent les femmes comme si elles étaient en porcelaine ? Pas étonnant que vous ayez perdu la guerre ! Viens, montons dans la voiture. »

Une fois sortis de la ville, nous nous dirigeâmes vers le sud-ouest, Anna et moi. Peu après, nous roulions sur une petite route pleine de nids-de-poule, bordée de chaque côté par les vagues coupées en deux d'une mer Rouge de cannes à sucre. C'était vert au-dessus, avec un impénétrable maquis boisé au-dessous. Il y en avait des kilomètres, comme si le créateur de la Terre avait soudain été à court d'imagination.

« De la canne à sucre, dit Anna. C'est juste un tas d'herbe géante.

— Sûrement, mais je préfère ne pas penser aux tondeuses à gazon. »

De temps à autre, j'étais forcé de ralentir alors que nous dépassions de petits bouquets de canne ambulants qui, en regardant de plus près, se révélaient être des chargements sur des dos de mulets, lesquels arrachaient des cris de pitié à Anna. Tous les cinq ou six kilomètres, nous traversions un bidonville de taudis en béton aux toits de tôle ondulée. Des enfants à moitié nus, mâchant des morceaux de canne à sucre comme des chiens rongeant un os, obser-

vaient notre arrivée et notre départ depuis leurs *villas miseria* avec
de grands gestes enthousiastes. Vue de la capitale prospère,
l'Argentine avait semblé un pays riche ; mais ici, dans les planta-
tions de la pampa humide, le huitième plus grand pays du monde
faisait l'effet d'être l'un des plus pauvres.

Quelques kilomètres plus loin, la canne à sucre disparut pour
faire place à des champs de maïs descendant vers la rivière Dulce et
un pont en bois qui n'était guère plus que le prolongement du
chemin de terre. Je m'arrêtai de l'autre côté pour jeter un nouveau
coup d'œil à la carte. La Sierra se dressait face à moi ; à droite, la
rivière ; à gauche, les champs de maïs ; et, juste devant nous, la
route dévalant une longue pente.

« Il n'y a rien ici, dit Anna. Seulement un monceau de sucre et
encore plus de ciel. » Elle marqua un temps d'arrêt. « D'ailleurs, à
quoi ressemble cet endroit exactement ?

— Je ne sais pas au juste. Mais je le saurai quand je le verrai. »

Je jetai la carte sur ses genoux, enclenchai la première et redé-
marrai.

Quelques minutes plus tard, nous atteignîmes les ruines d'un
village – un village qui ne figurait pas sur la carte. De petites
cabanes blanches, sans toits, s'alignaient le long de la route, et une
église abandonnée abritait une multitude de chiens errants, mais à
part ça il n'y avait pas âme qui vive.

« Où sont partis les habitants ?

— Je suppose qu'ils ont été évacués par le gouvernement. Toute
cette zone sera inondée quand ils auront endigué la rivière.

— Elle me manque déjà », soupira-t-elle.

Au bas de la rue, une venelle tournait à droite. Sur un mur,
nous distinguâmes le léger contour d'une flèche avec les mots
Laguna Dulce – la lagune douce. Nous suivîmes la venelle, qui se
changea en une piste poussiéreuse menant à une étroite vallée. La
voûte épaisse des arbres recouvrait la piste, et j'allumai les phares
jusqu'à ce que nous soyons à nouveau au soleil.

« Je n'aimerais pas tomber en panne d'essence par ici, remarqua
Anna tandis que nous faisions des bonds d'un nid-de-poule à
l'autre. Le milieu de nulle part a quelque chose de déprimant.

— Si tu veux rentrer, il suffit de le dire.

— Pour rater ce qu'il y a après le prochain virage ? Non merci. »

Enfin, nous atteignîmes une clairière et une espèce de carrefour.

« Par où maintenant ? » demanda-t-elle.

Je continuai un peu avant de rebrousser chemin jusqu'au croisement pour prendre une autre direction. Quelques instants plus tard, je l'aperçus soudain.

« Nous sommes sur la bonne voie, annonçai-je.

— Comment le sais-tu ? »

Je ralentis. Dans les buissons sur le côté de la piste gisait un cylindre en bois vide marqué GLASGOW WIRE. Je le lui montrai.

« C'est ici que l'Écossais a livré son fil de fer.

— Et tu penses qu'il était destiné à un camp de réfugiés ?

— Oui. »

Mais j'avais à peine prononcé ces mots que je commençais déjà à me rendre compte que, si un camp de réfugiés avait existé autrefois ici, il n'y était plus. La vallée semblait complètement déserte. Un camp de réfugiés aurait nécessité des vivres. Donc des moyens de transport. Or rien ne permettait d'affirmer que cette piste d'argile rougeâtre eût servi récemment. Seules nos empreintes de pneus étaient visibles.

Nous parcourûmes près d'un kilomètre et demi avant de trouver ce que nous cherchions. Une épaisse rangée d'arbres et un portail en fil barbelé devant un simple chemin de terre s'enfonçant dans la vallée. Derrière la rangée d'arbres, une haute clôture également en barbelé. Un écriteau était fixé au portail :

PROPRIÉTÉ DE LA SOCIÉTÉ HYDRO-ÉLECTRIQUE ET DE CONSTRUCTION CAPRI. ACCÈS SANS AUTORISATION STRICTEMENT INTERDIT PAR ORDRE DU GOUVERNEMENT FÉDÉRAL. DÉFENSE D'ENTRER. DANGER.

Il y avait trois chaînes cadenassées autour du portail, à environ trois mètres de haut, et je nous voyais mal passer par-dessus. De plus, les cadenas étaient d'un modèle résistant au crochetage. Je garai la Jeep dans une petite trouée au milieu des arbres afin de dégager le chemin. Puis j'éteignis le moteur.

« Et maintenant ? » demanda Anna en inspectant la clôture.

J'allai ouvrir la boîte à outils à l'arrière de la Jeep et me mis à fouiller à l'intérieur, plein d'espoir. Geller semblait paré à presque toutes les éventualités. Je trouvai une solide pince coupante de poche. Nous n'avions pas besoin de plus.

« Maintenant, on se promène. »

Nous marchâmes à travers les arbres et le long de la clôture. Il n'y avait personne aux alentours. Ici, même les oiseaux se taisaient. Malgré tout, je pensais qu'il valait mieux couper le fil de fer à trente ou quarante mètres de la Jeep au cas où quelqu'un la verrait et s'arrêterait en se demandant ce qu'elle faisait là. La pince coupante en main, j'entrepris de nous ménager un passage.

« On va juste jeter un coup d'œil, histoire de se rendre compte.

— Tu ne penses pas qu'il vaudrait mieux attendre la nuit ? Pour ne pas risquer d'être vus ?

— Recule ! »

Alors que je coupais un nouveau tronçon du fil de fer de Melville, il fila comme une flèche dans les arbres avec un tintement de corde de piano cassée.

Anna regarda nerveusement autour d'elle.

« On peut dire que tu es tenace. »

J'empochai la pince coupante. Quelque chose me piqua, et je me donnai une claque sur le cou. Je regrettai presque que ce ne soit pas elle.

« Tenace ? » Je souris. « C'est toi qui cherches des réponses. Pas moi.

— Eh bien, je n'en ai peut-être plus envie. Ça doit être la peur. Je n'ai pas oublié ce qui est arrivé la dernière fois que nous nous sommes introduits quelque part où nous n'étions pas censés être.

— Très juste », dis-je en tirant mon arme.

J'ouvris puis refermai le chargeur, vérifiai que tout fonctionnait et enlevai le cran de sûreté. Après quoi, je me glissai à travers le trou que j'avais fait dans la clôture.

À contrecœur, Anna m'imita.

« Je suppose que plus on tue de gens, plus c'est facile. C'est du moins ce qu'on raconte, non ?

— En général, ceux qui racontent ça ne savent pas de quoi ils parlent, répliquai-je en avançant avec précaution à travers les arbres. La première fois que j'ai tué un homme, c'était dans les tranchées. Et c'était lui ou moi. Je ne pense pas avoir jamais tué quelqu'un qui ne l'avait pas cherché.

— Et la conscience ? »

Je laissai le pistolet sur le plat de ma main pendant un moment.

« Tu préférerais peut-être que je range ceci.

— Non, dit-elle aussitôt.

— Alors, ça ne te dérange pas que je sois forcé de tuer quelqu'un pourvu que tu aies la conscience tranquille, c'est ça ?

— Si j'étais aussi coriace que toi, je pourrais peut-être le faire. Je veux dire, tuer quelqu'un. Mais ce n'est pas le cas.

— Mon ange, s'il y a bien une chose qu'a montrée la dernière guerre, c'est que n'importe qui peut tuer n'importe qui. Tout ce qu'il faut, c'est un motif. Et une arme.

— Je n'y crois pas.

— Il n'y a pas de tueurs. Seulement des plombiers, des commerçants, et aussi des avocats. Chacun est parfaitement normal jusqu'à ce qu'il appuie sur la détente. Il n'en faut pas plus pour livrer une guerre. Des tas de gens ordinaires pour tuer des tas d'autres gens ordinaires. Rien de plus facile.

— Et ça la rend plus acceptable ?

— Non. Mais c'est ainsi. »

Elle ne répondit pas, et nous marchâmes un moment sans rien dire, comme si le silence surnaturel de la forêt avait en quelque sorte déteint sur nous. Seule la légère brise à la cime des arbres et le craquement des brindilles sous nos pieds nous rappelaient où nous nous trouvions. C'est alors que, émergeant du feuillage, une seconde clôture en fil de fer apparut devant nous. Elle faisait environ deux cents mètres de long. Derrière, on apercevait un certain nombre de bâtiments en bois à l'aspect provisoire. Aux deux extrémités de la clôture se dressaient des miradors, vides, fort heureusement pour nous. Le camp, si c'en était un, paraissait abandonné. Je sortis la pince coupante.

« Melville appelait cet endroit Dulce, dis-je en sectionnant un morceau du fil de fer galvanisé du petit Écossais, puis un autre.

— Quelqu'un a sans doute voulu faire une plaisanterie, rétorqua Anna. Ça n'a rien de doux.

— À mon avis, c'est ici qu'on enfermait les immigrants juifs clandestins comme ton oncle et ta tante, et les sœurs d'Isabel Pekerman. En tout cas, c'est l'hypothèse que je retiens. »

Nous nous faufilâmes à l'intérieur du camp.

Je dénombrai cinq miradors – un à chaque coin de la clôture d'enceinte et un cinquième au milieu du camp, surplombant une sorte de tranchée qui paraissait relier les longs baraquements entre eux. Près de l'entrée principale était installée une guérite. De l'entrée, une route menait à ce qui ressemblait à une place d'armes, avec au centre un mât nu. Tout près de l'endroit où nous avions pénétré dans le camp se trouvait une vaste maison style ranch. Nous regardâmes à travers les fenêtres couvertes de poussière. Il y avait des meubles : tables, chaises, une vieille radio, une photo de Perón, une pièce avec une douzaine de lits dont les matelas avaient été roulés. Dans une cuisine de la dimension d'une cantine, des casseroles étaient soigneusement suspendues à un râtelier mural. J'essayai d'ouvrir la porte pour m'apercevoir qu'elle n'était pas fermée.

Nous entrâmes, respirant une odeur de moisi. Sur une table était posé un vieux numéro de *La Prensa*. En première page s'étalait une photo de Perón en uniforme, casquette blanche d'officier, gants blancs, écharpe aux couleurs du drapeau argentin, et un grand sourire magnanime. L'article à la une se rapportait à l'annonce par celui-ci de son premier plan quinquennal destiné à stimuler les industries récemment nationalisées. Je le montrai à Anna, attirant son attention sur la date.

« 1947. Je suppose que c'est la dernière fois que quelqu'un est venu ici.

— J'espère bien », répondit-elle.

Dans une autre salle, je ramassai un vieux casque. Le reste du bâtiment n'était guère plus instructif.

« C'est sans doute là que les soldats venaient se détendre », suggérai-je.

Ressortant, nous traversâmes la place d'armes jusqu'à un groupe de quatre baraques tout en longueur. Nous entrâmes dans l'une d'elles. On aurait dit une écurie, sauf qu'à la place de box il y avait de larges étagères en bois, dont certaines couvertes de poignées de paille, et il me fallut près d'une minute pour comprendre que c'était censé être des lits. Deux ou trois personnes pouvaient probablement tenir sur chaque étagère.

Anna me regarda. À la souffrance dans ses yeux, je sus qu'elle était arrivée à la même conclusion. Aucun de nous ne parlait. Elle se tenait près de moi et elle finit par prendre ma main gauche. La droite était toujours occupée par mon pistolet. Nous entrâmes dans la troisième baraque, à peu près semblable à la première. Même chose pour la troisième. Cela me rappelait le camp de prisonniers où j'avais été détenu par les Soviétiques. Le climat mis à part, le décor avait l'air presque aussi lugubre.

La quatrième baraque n'était qu'un long hangar vide. L'extrémité débouchait sur une espèce de tranchée avec un toit en fil barbelé. La tranchée mesurait environ trente mètres de long sur deux de large. Nous y pénétrâmes pour arriver dans une baraque uniquement visible de l'intérieur de la tranchée. Cette baraque était divisée en trois chambres par deux cloisons en bois. Chacune mesurait à peu près trois mètres de haut sur neuf mètres de large, et les cloisons étaient recouvertes de feuilles de zinc. Au plafond pendaient des tuyaux de douches. La porte de chaque chambre, très épaisse, pouvait être fermée du dehors par une barre de verrouillage. Elle était en outre garnie de joints en caoutchouc le long des bords. Dans les trois chambres, un tuyau en cuivre traversait un mur à quelques centimètres au-dessus du sol carrelé. Les tuyaux étaient tous raccordés à un énorme four central situé dans le couloir à l'extérieur des chambres. J'avais à présent un très mauvais pressentiment.

Anna considérait les tuyaux au plafond.

« Eh bien, d'où venait l'eau ? demanda-t-elle en jetant des coups d'œil à la ronde. Je n'ai pas vu de citerne sur le toit.

— On l'a peut-être enlevée.

— Pourquoi ? On n'a rien enlevé d'autre. » Elle regarda le sol. « Et ça, qu'est-ce que c'est ? Des rails de wagonnets ou quoi ? »

Elle suivit les rails jusqu'à l'extrémité de la baraque, où des doubles portes voisinaient avec un gros extracteur fixé dans le mur. Puis elle poussa les portes et sortit.

« Il vaudrait peut-être mieux s'en aller à présent », lançai-je en lui emboîtant le pas.

Je rengainai mon arme et tentai de lui prendre la main, mais elle l'écarta et continua à marcher.

« Pas avant que j'aie compris ce que c'est que cet endroit. »

Je m'efforçai d'insuffler un peu de calme dans ma voix.

« Viens, Anna. Partons. » Je me demandais ce qu'elle savait sur ce qui s'était passé dans les camps en Pologne. « Nous en avons assez vu, tu ne penses pas ? Ils ne sont pas ici. Ils n'y ont peut-être jamais été. »

Les rails aboutissaient au flanc de cinq monticules herbeux d'environ six mètres de large sur douze mètres de long. Non loin, des espèces de chariots plats comme on aurait pu en utiliser dans un dépôt ferroviaire. Ils avaient beau être couverts de rouille, leur fonction n'était que trop évidente : chaque chariot pouvait être levé pour déverser son chargement dans une des fosses. Je commençais à soupçonner ce qui était enfoui sous les monticules tapissés d'herbe.

« Des terrassements, dis-je.

— Des terrassements ? Non, je ne crois pas.

— Si. J'imagine qu'ils s'apprêtaient à construire de nouveaux baraquements et qu'ils ont brusquement changé d'avis. »

C'était pitoyable. Je savais fort bien ce que j'avais sous les yeux. Et, à ce stade, elle aussi.

Avec lenteur, Anna se pencha en avant pour examiner quelque chose qu'elle avait remarqué sur le monticule. Elle s'accroupit. Puis s'agenouilla, cherchant un morceau de bois et s'en servant pour gratter la terre autour d'une plante presque incolore qui sortait du cratère devant elle.

« Qu'est-ce que c'est ? demandai-je en m'approchant. Tu as trouvé quelque chose ? »

Elle s'assit sur ses talons, et je vis qu'il ne s'agissait pas du tout d'une plante. Que la plante n'en était pas une, mais une main d'enfant – la main d'un cadavre en partie décomposé. Anna secoua la tête, murmura quelque chose puis, portant sa main à sa bouche, essaya de réprimer l'émotion montant dans sa gorge. Après quoi, elle se signa.

Je ne dis rien. Il n'y avait rien à dire. La finalité du camp nous apparaissait désormais clairement à l'un comme à l'autre. *Ces monticules étaient des charniers.*

« Combien, d'après toi ? finit-elle par demander. Dans chaque ? »

C'était à mon tour d'être nerveux. Je regardai autour de moi à la recherche d'un signe indiquant qu'on nous avait observés. Un camp de la mort, je ne m'y attendais pas. Loin s'en faut.

« Sais pas. Peut-être un millier. Écoute, nous devrions vraiment nous en aller. Tout de suite.

— Oui, tu as raison. » Elle sortit un mouchoir et s'essuya les yeux. « Donne-moi juste une minute, d'accord ? Ma tante et mon oncle sont probablement enterrés dans une de ces fosses.

— Tu n'en sais rien.

— Honnêtement, tu vois une autre explication ?

— Écoute. Les gens qui sont enterrés ici, tu ne sais pas s'ils sont juifs. Ça pourrait être des Argentins. Des opposants politiques aux Perón. Il n'y a aucune raison de supposer…

— Il y a une chambre à gaz là-dedans, dit-elle en se tournant vers les baraquements que nous venions de quitter. N'est-ce pas ? Allons, Gunther. Tu as été dans la SS. Tu devrais être capable d'en reconnaître une mieux que quiconque. »

Je ne dis rien.

« Je n'ai jamais entendu parler d'opposants politiques qu'on avait gazés, continua-t-elle. Fusillés, oui. Jetés d'un avion, oui. Mais pas gazés. Seuls les Juifs sont gazés. Cet endroit, ce camp, est un lieu de mort. Voilà pourquoi on les a amenés ici. Pour être gazés. Je le sens. Partout. Je l'ai senti dans cette fausse baraque de douches. Je le sens encore plus ici.

— Nous devons partir.

— Quoi ?

— Immédiatement. S'ils nous attrapent, ils nous tueront, c'est sûr. » Je lui saisis le bras et la forçai à se relever. « Jamais je ne me serais attendu à ça, mon ange. Sincèrement. Si j'avais eu le moindre soupçon, je ne t'aurais pas emmenée. Je me disais qu'il s'agissait peut-être d'un camp de concentration. Mais en aucun cas d'un camp de la mort. Pas ça. C'est encore pire que ce que je pensais. »

Je la ramenai au trou dans la clôture.

« Bon Dieu, s'exclama-t-elle, pas étonnant que ce soit un tel secret ! Tu imagines ce qui se passerait si l'existence de cet endroit venait à être connue hors de l'Argentine ?

— Anna. Écoute-moi. Tu dois me promettre de ne jamais en parler. Du moins, aussi longtemps que tu vivras dans ce pays. Ils nous tueraient tous les deux, ça ne fait aucun doute. Plus vite nous aurons filé d'ici, mieux ça vaudra. »

M'enfonçant à nouveau entre les arbres, je me mis à courir. Et elle en fit autant. Au moins, pensai-je, elle avait enfin compris toute la gravité de notre situation. Je me débarrassai de la pince. Nous retrouvâmes le trou que nous avions fait dans la clôture extérieure. Puis nous nous mîmes à cavaler vers l'endroit où nous avions laissé la Jeep.

Je les sentis en premier. Ou plutôt, je sentis leurs cigarettes. Je cessai de courir et pivotai pour faire face à Anna.

« Écoute, déclarai-je en la prenant par les épaules. Fais exactement ce que je te dis. Il y a des types qui nous cherchent sur la route.

— Comment le sais-tu ?

— À cause de l'odeur de leur tabac. »

Elle huma l'air puis se mordit la lèvre.

« Enlève tes vêtements.

— Qu'est-ce que tu racontes ? Tu es fou !

— Peut-être qu'ils ne trouveront pas le trou dans la clôture. »
J'étais déjà en train de me déshabiller. « Notre seule chance, c'est
de les convaincre que nous nous sommes arrêtés pour une partie de
jambes en l'air. Nous devons absolument nous cramponner à cette
version. S'ils nous croient, il se peut qu'ils nous laissent partir tout
simplement. Allez, mon ange. Retire tes vêtements. »

Elle hésita.

« Après avoir vu ce que nous venons de voir, qui aurait envie de
se déshabiller pour faire l'amour dans les bois ?

— Je t'avais bien dit que nous aurions dû revenir quand il faisait
nuit », répondit-elle avant de se dévêtir.

Lorsque nous fûmes nus tous les deux, je me glissai entre ses
cuisses.

« Maintenant, crie, que tu aies l'air de prendre ton pied. »

Anna gémit bruyamment. Puis elle recommença.

Je pressai mon pelvis contre elle comme si ce n'étaient pas seulement sa satisfaction sexuelle et la mienne qui dépendaient de
cette comédie, mais nos vies également.

22

TUCUMÁN, 1950

Je continuais à m'agiter entre les cuisses d'Anna quand j'entendis soudain des brindilles craquer sur le sol de la forêt. Je me tortillai pour voir plusieurs hommes. Aucun ne portait d'uniforme, mais deux d'entre eux avaient un fusil en bandoulière. Une bonne chose, me dis-je. En même temps, j'attrapai des affaires pour couvrir notre nudité.

Ils étaient trois, en tenue de cavalier. Chemises bleues, gilets en cuir, jeans, bottes de cheval et éperons. L'homme sans fusil avait un ceinturon en argent de la largeur d'un plastron de cuirasse, un pistolet décoré à la ceinture et, retenue par une boucle autour de son poignet, une courte cravache. Il faisait plus espagnol que ses compagnons, probablement des Indiens. Son visage était tout grêlé de petite vérole, mais il y avait dans ses manières une assurance qui semblait indiquer que ces marques étaient le cadet de ses soucis.

« Je voulais vous demander ce que vous faisiez là, dit-il avec un grand sourire. Mais ça paraît évident.

— En quoi est-ce que ça vous concerne ? rétorquai-je en me hâtant de m'habiller.

— C'est une propriété privée. Voilà en quoi ça me concerne. » Il ne me regardait pas. Il regardait Anna remettre ses vêtements, spectacle presque aussi agréable que de la voir les ôter.

« Désolé. Nous nous sommes perdus. Nous avons fait halte pour consulter la carte, puis une chose en a entraîné une autre. Vous savez ce que c'est, je suppose. » Je jetai des coups d'œil à la ronde. « Ça avait l'air d'un joli petit coin tranquille. Pas un chat à l'horizon.

— Eh bien, vous vous trompiez. »

C'est alors qu'émergea des arbres un quatrième homme, monté sur un superbe cheval blanc et très différent des trois autres. Il portait une chemise à manches courtes d'une blancheur immaculée, une casquette noire de style militaire, une culotte de cheval grise et des bottes noires qui ne brillaient pas moins que la montre en or fixée à son mince poignet. Sa tête ressemblait à celle d'un gigantesque oiseau de proie.

« La clôture a été coupée, dit-il au gaucho balafré.

— Pas par nous, affirma Anna.

— Prétendent s'être arrêtés ici pour baiser tranquillement », rapporta le gaucho en chef.

Sans un mot, l'homme sur le cheval blanc se mit à tourner autour de nous tandis que nous finissions de nous habiller. Mon arme et son étui étaient toujours quelque part sur le sol, mais je n'avais pas réussi à mettre la main dessus.

« Qui êtes-vous, demanda-t-il, et que faites-vous dans cette partie du pays ? »

Son espagnol était meilleur que le mien. Sa bouche avait quelque chose de plus propice à l'emploi de cette langue. La taille et la forme du menton actionnant cette bouche me donnèrent à penser qu'il y avait peut-être un ou deux Habsbourg dans sa famille. Mais il était allemand. Ça, j'en étais certain, et instinctivement je sus qu'il s'agissait de Hans Kammler.

« Je travaille pour le SIDE, expliquai-je. Mes papiers sont dans la poche de mon manteau. »

Je tendis le manteau au gaucho en chef, qui trouva rapidement mon portefeuille et le passa à son boss.

« Je m'appelle Carlos Hausner. Je suis allemand. Je suis venu interroger de vieux camarades afin de leur faire délivrer les certificats de bonne conduite nécessaires pour obtenir un passeport argentin. Le colonel Montalbán à la Casa Rosada se portera garant de moi. De même que Carlos Fuldner et Pedro Geller à Capri Construction. Je crains que nous ne nous soyons quelque peu égarés. Comme je le disais à ces messieurs, nous nous sommes arrêtés pour jeter un coup d'œil à la carte et, malheureusement, une chose en a entraîné une autre. »

L'Allemand sur le cheval blanc examina mon portefeuille puis me le lança avant de reporter son attention sur Anna.

« Et vous, qui êtes-vous ? lui demanda-t-il.

— Sa fiancée. »

L'Allemand se tourna vers moi en souriant.

« Et vous dites que vous êtes un vieux camarade.

— J'étais officier dans la SS. Tout comme vous, Herr General.

— C'est donc si flagrant ? »

L'Allemand avait l'air déçu.

« Seulement pour moi, répondis-je en claquant les talons avec l'espoir que cet étalage d'obséquiosité prussienne suffirait à nous disculper, Anna et moi.

— Un emploi au SIDE, une fiancée. » Il sourit. « Félicitations, vous vous êtes bien adapté. » Le cheval bougea sous lui, et il lui fit décrire des cercles sans nous quitter des yeux. « Dites-moi, Hausner. Vous emmenez toujours votre fiancée avec vous en mission ?

— Non. En fait, mon espagnol suffit pour Buenos Aires, mais par ici il me joue quelquefois des tours. L'accent est un peu difficile à comprendre.

— La plupart des habitants de cette région sont d'origine guarani, expliqua-t-il, se mettant enfin à parler en allemand. Une race indienne inférieure, mais, dans un ranch, ils ont leur utilité. Ils mènent les troupeaux, marquent le bétail, réparent les clôtures. »

J'indiquai d'un signe de tête les fils barbelés.

« Cette clôture est à vous, Herr General ?

— Non. Mais mes hommes gardent un œil dessus. Voyez-vous, il s'agit d'une zone de haute sécurité. Rares sont les gens qui s'aventurent aussi loin dans la vallée. Ce qui n'est pas sans me poser un dilemme.

— Ah ? Et lequel ?

— Je pensais que ça allait de soi. Si ce n'est pas vous qui avez coupé la clôture, alors qui ? Vous voyez mon problème.

— Oui, en effet. » Je secouai la tête avec embarras. « Ma foi, nous n'avons vu personne. Cela dit, nous ne sommes pas restés très longtemps.

— Peut-être. Peut-être. »

Le cheval leva sa queue pour faire ce que font les chevaux. Lui non plus n'avait pas l'air de gober mon histoire.

Le général adressa un bref signe de tête au gaucho en chef.

« Vous feriez mieux de les ramener. » Il parlait en espagnol, et il était visible que ni le chef ni les deux Guaranis ne connaissaient un traître mot d'allemand.

Nous retournâmes à l'endroit où nous avions laissé la Jeep. Trois chevaux attendaient patiemment leurs cavaliers. Les deux Guaranis se mirent en selle et prirent la bride du troisième cheval tandis que le gaucho en chef montait à l'arrière de la Jeep. Je notai au passage que son étui de revolver était déboutonné et décidai qu'il devait avoir la gâchette facile. En outre, il avait sous sa ceinture un couteau aussi long que le Chili.

« Tiens-t'en à cette version, dis-je à Anna en allemand.

— D'accord. Mais je ne pense pas qu'il y ait cru. »

Elle grimpa sur le siège du passager, alluma une cigarette avec nervosité et s'efforça d'ignorer les yeux marron du gaucho rivés sur sa nuque.

« Qui était ce nazi ? me demanda-t-elle.

— Celui qui a construit ce camp, je présume. Et beaucoup d'autres du même genre. »

Je m'installai derrière le volant, retirai la cigarette de ses lèvres et aspirai quelques bouffées avant de la remettre en place, sauf qu'elle ne voulut pas y rester. La mâchoire d'Anna pendait comme la rampe de chargement d'un camion. Si bien que je repris la cigarette.

« Tu veux dire… ?

— Ouais, c'est exactement ce que je veux dire. » Je démarrai la Jeep. « Ce qui le rend extrêmement dangereux. Aussi, fais ce que je te dis, et peut-être que nous vivrons assez longtemps pour ne pas avoir la bêtise d'en parler. »

Le gaucho en chef me donna avec impatience une tape sur l'épaule.

« Allez-y », dit-il en espagnol.

Il montrait la route un peu plus haut vers les trois cavaliers et les hautes Sierras.

J'embrayai et me mis à rouler lentement.

« Il est tout seul, dit Anna. Pourquoi ne pas le jeter par-dessus bord, par exemple ? On pourrait facilement échapper à trois hommes à cheval, non ?

— Primo, ce type derrière moi est armé jusqu'aux dents. Secundo, il en va de même de ses petits copains, et ils connaissent la région bien mieux que moi. Et puis, j'ai perdu mon arme là-bas dans les arbres.

— C'est ce que tu crois. Il est sous la fermeture de mon soutien-gorge, entre mes omoplates.

— Anna, écoute-moi. Promets de ne pas faire de bêtises. Tu ne sais pas à qui tu as affaire. Ces types sont des professionnels, ils se servent d'armes à feu chaque jour que Dieu fait. Aussi, laisse-moi m'occuper de ça. Je suis sûr que nous pouvons nous en sortir à coups de boniments.

— Ce général. S'il a vraiment fait ce que tu dis, il mérite qu'on le descende.

— C'est sûr. Mais s'il doit être tué, ce sera par quelqu'un qui sait ce qu'il en est. »

Le gaucho en chef poussa sa tête entre nous. À son haleine, je devinai que l'usage de la brosse à dents lui était inconnu.

« Cessez de parler allemand et conduisez », ordonna-t-il d'une voix féroce.

Pour souligner ses paroles, il sortit le couteau et pressa la pointe sous mes côtes. Je me sentais comme un cheval qu'on éperonne.

« Compris », dis-je, et j'abaissai mon pied.

Accroché à un flanc de montagne, avec une magnifique vue sur la vallée en contrebas, l'ensemble ressemblait moins à un ranch qu'à un petit morceau de ce cher Heidelberg : une mosaïque de jolis chalets en bois, de tourelles médiévales tapissées de lierre, au milieu desquels se dressait une petite chapelle couronnée d'un clocher. Sous la voûte du bâtiment principal était posé un énorme tonneau, qui, d'après les bouteilles entassées à côté, devait être rempli de vin rouge. Devant, dans une cour pavée, se trouvait un jardin d'agrément circulaire avec un faon en bronze bondissant à travers une simili cascade, au point que je m'attendais presque à voir le prince étudiant se rafraîchir la figure après une nuit passée à boire de la bière. Ma surprise en découvrant un coin de Bade-Wurtemberg en Argentine céda vite la place à celle d'apercevoir tout à coup un visage familier. Celui de mon vieux sergent, Heinrich Grund, marchant vers moi, la main tendue. À mon grand soulagement, il semblait heureux de me voir.

« Bernie Gunther ! s'écria-t-il. Je me disais bien que c'était toi. Qu'est-ce qui t'amène jusqu'ici ? »

Je montrai le gaucho en chef avec qui Gunther venait de parler quelques instants plus tôt.

« Lui », répondis-je.

Grund secoua la tête et se mit à rire.

« Sacré vieux Bernie ! Toujours en bisbille avec les pouvoirs constitués. »

Même vingt ans après, il faisait penser à un boxeur. Un boxeur à la retraite. Ses cheveux étaient plus gris que dans mon souvenir. Il y avait des rides profondes sur son visage et un ventre imposant à l'avant de sa personne. Mais il avait toujours une tête de masque à souder et un poing comme un ballon de hand-ball.

« C'est ce qu'il est ?

— Gonzalez ? Oh, oui, c'est le régisseur du domaine. Il dirige tout ici. Il semble croire que vous étiez en train d'espionner.

— Espionner ? Quoi au juste ?

— Ça, je l'ignore. »

Pendant un moment, les yeux de Grund léchèrent Anna de haut en bas.

« Tu ne me présentes pas à ton amie ?

— Anna ? Voici Heinrich Grund. Nous étions ensemble dans la police de Berlin il y a environ mille ans.

— Tant que ça ? »

C'est à coup sûr l'effet que ça me faisait. Je n'avais pas revu Grund depuis l'été 1938, époque où il était déjà officier supérieur dans la Gestapo et où nous avions pris pas mal de distances l'un vis-à-vis de l'autre. La dernière fois que j'avais eu de ses nouvelles, il commandait un Einsatzgruppe en Crimée. Je ne savais pas ce qu'il avait fait. Et je ne tenais pas à le savoir, même si ce n'était pas difficile à deviner.

« Heinrich, dis-je, continuant les présentations officielles, voici Anna Yagubsky. D'après elle, c'est ma fiancée.

— Dans ce cas, je m'en voudrais de la contredire. » Grund lui prit la main et, avec plus d'affabilité que je ne lui en connaissais, s'inclina comme un officier allemand digne de ce nom. « Absolument enchanté.

— J'aimerais pouvoir en dire autant, répondit Anna. J'ignore pourquoi on nous a amenés ici. C'est invraisemblable.

— J'ai bien peur qu'elle ne soit pas très contente de moi, dis-je à Grund. Je lui avais promis une jolie petite excursion depuis Tucumán et j'ai réussi à nous perdre complètement. Le général et ses hommes nous sont tombés dessus quelque part dans la vallée. Je n'en jurerais pas, mais j'ai l'impression que c'est quelque part où nous n'aurions pas dû nous trouver.

— Oui, Gonzalez m'a raconté qu'il vous avait découverts à Dulce, près de la lagune. C'est un endroit très secret. Et soit dit en passant, on ne l'appelle pas le général. On l'appelle le docteur. Dont vous avez déjà fait la connaissance, si je ne m'abuse. Quoi qu'il en soit, c'est un ami intime de Perón, et il prend toutes les infractions à la sécurité locale très au sérieux. »

Je haussai les épaules.

« Ce sont les risques du métier, je suppose. Je veux dire, nous devons tous prendre la sécurité très au sérieux.

— Ce n'est pas comme si on avait grand-chose à craindre dans le coin. » Grund se tourna et montra les cimes des Sierras derrière nous. « De l'autre côté, c'est le Chili. Il existe un passage secret dont se servaient les Indiens guarani et que le docteur et Gonzalez sont seuls à connaître. À la moindre alerte, on peut tous filer à nouveau. » Grund sourit. « Cet endroit est la planque rêvée.

— Et c'est quoi, cet endroit ? demanda Anna. Cela tient plus d'une ville que d'un ranch.

— Il a été construit par un Allemand. Un certain Carlos Wiederhold, à la fin du siècle dernier. Mais, peu après avoir fini, il a découvert un coin encore plus agréable au sud d'ici. Un endroit appelé Bariloche. Il y est donc allé et a bâti toute une ville dans un style analogue. Il y a des tas de vieux camarades là-bas. Tu devrais aller la visiter un de ces jours.

— Je le ferai peut-être. En admettant que je bénéficie d'un bilan de santé positif auprès du docteur.

— Je vais voir ce que je peux faire, bien entendu.

— Merci, Heinrich. »

Grund secoua la tête.

« N'empêche, je n'arrive toujours pas à y croire. Bernie Gunther ici en Argentine comme le reste d'entre nous. Moi qui avais toujours pensé que tu étais un peu coco sur les bords. Qu'est-ce qui s'est donc passé ?

— C'est une longue histoire.

— N'est-ce pas toujours le cas ?

— Mais pas maintenant, tu veux ?

— D'accord. »

Grund se mit à rire.

« Qu'est-ce qu'il y a de si drôle ?

— Toi, un criminel de guerre en fuite. Comme moi. La guerre nous a tous bien eus, pas vrai ?

— C'est effectivement mon sentiment. »

J'entendis un bruit de chevaux et regardai autour de moi pour voir Kammler et ses hommes monter la pente dans notre direction. Le général SS se dégagea des étriers et descendit de sa monture à la manière d'un jockey. Grund alla lui parler. Anna observait attentivement Kammler. J'observais Anna. Je posai discrètement ma main sur le creux de ses reins. Pas de pistolet.

« Où est-il ? murmurai-je.

— Sous ma ceinture. Là où je peux l'atteindre.

— Si tu le tues...

— Pour gâcher votre petite réunion nazie ? Jamais je ne ferais une chose pareille. »

Il semblait inutile de discuter.

« Si tu le tues, dis-je, ils nous tueront tous les deux.

— Après ce que j'ai vu, tu crois vraiment que j'en ai quoi que ce soit à fiche ?

— Oui. Et dans le cas contraire, tu aurais tort. Tu es encore jeune. Un jour, tu auras des enfants. Tu devrais peut-être songer à eux.

— Je ne pense pas que j'aie envie d'élever des enfants dans un pays comme celui-ci.

— Alors, choisis-en un autre. Fais comme moi.

— Oui, tu as l'air de te sentir plutôt à l'aise ici, dit-elle amèrement. Pour vous, ce doit être comme un second chez-soi.

— Anna, je t'en prie, tais-toi. Tais-toi et laisse-moi réfléchir. »

Lorsque Kammler eut fini de parler à Grund, il s'approcha de nous avec une sorte de sourire sur son visage émacié, la casquette à la main et le bras tendu en un étalage d'hospitalité patriarcale. Maintenant qu'il avait mis pied à terre, je pouvais mieux le voir. Il mesurait nettement plus d'un mètre quatre-vingts. Ses cheveux étaient courts, gris, presque invisibles sur les côtés, mais plus longs et plus foncés au sommet, ce qui leur donnait l'air d'une kippa. Le crâne surmontant le poteau de son cou avait sans doute été rapporté de l'île de Pâques. Les yeux étaient tapis dans des orbites caverneuses si profondes et si sombres qu'elles paraissaient vides, comme si l'oiseau de proie qui l'habitait les avait picorées. Il avait un corps sec mais robuste qui semblait sorti d'un des rouleaux de fil barbelé de Melville. Pendant un instant, j'eus du mal à situer son accent. Puis je me dis qu'il était prussien – un de ces Prussiens de la côte balte qui mangent des harengs au petit déjeuner et gardent les griffons pour le sport.

« J'ai parlé à votre vieil ami Grund, annonça-t-il, et j'ai décidé de ne pas vous tuer.

— Nous sommes tout à fait ravis de l'apprendre, répondit Anna avant de me sourire tendrement. N'est-ce pas, mon chéri ? »

Kammler lança un regard hésitant à Anna.

« Oui, Grund s'est porté garant de vous. Et votre colonel Montalbán aussi.

— Vous avez appelé Montalbán ? dis-je

— Ça a l'air de vous surprendre.

— C'est juste que je ne vois pas de lignes téléphoniques.

— Vous avez raison. Il n'y en a pas. Non, j'ai appelé d'un poste en bas. » Il se tourna et montra la vallée. « Un vieux service téléphonique datant de l'époque où les employés de Capri travaillaient ici.

— Vous avez là une vue superbe, docteur, remarqua Anna.

— En effet. Évidemment, sous peu, la plus grande partie sera sous plusieurs brasses d'eau.

— Est-ce que ça ne risque pas d'être un peu gênant ? Que deviendra votre téléphone ? Votre route ? »

Il sourit patiemment.

« Nous en construirons une nouvelle, bien entendu. Dans cette région du monde, la main-d'œuvre est abondante et bon marché.

— Oui, fit-elle avec un faible sourire. J'imagine.

— En outre, ajouta-t-il, un lac fera encore plus joli. Ce sera exactement comme la Suisse. »

Nous nous dirigeâmes vers la maison principale. Elle était en pierre de taille et en bois clair. Je comptai environ vingt-cinq fenêtres sur la façade de trois étages. La partie centrale était constituée d'une tourelle à toit rouge, en haut de laquelle se tenait un homme avec des jumelles et un fusil. Les fenêtres du bas arboraient des volets de style tyrolien et des jardinières pleines de fleurs. Alors que nous approchions de la porte d'entrée, je me dis que nous allions peut-être tomber sur l'Association aryenne de ski venant en sens inverse. De fait, l'air était plus alpin ici qu'au fond de la vallée.

Dans la maison, nous fûmes accueillis par des domestiques parlant allemand, dont un maître d'hôtel en veste de coton blanc. Une grosse bûche flambait dans la cheminée. Un peu partout, on voyait des fleurs dans de grands vases ainsi que des tableaux et des statuettes en bronze représentant des chevaux.

« Quelle maison ravissante, fit Anna. Tellement... germanique.

— Vous restez tous les deux dîner, naturellement, dit Kammler. Mon cuisinier était au service de Hermann Goering.

— Il y avait au moins quelqu'un pour apprécier sa cuisine », répliqua Anna.

Kammler lui sourit en se demandant comment il devait le prendre. Je savais ce qu'il ressentait. Je cherchais justement un moyen de la faire taire sans me servir du revers de ma main.

« Ma chère, dit-il, après toutes ces fatigues, vous désirez peut-être aller vous rafraîchir un peu. » Puis, à une grosse servante qui rôdait à l'arrière-plan : « Montrez-lui une des chambres du haut. »

Je regardai Anna monter un escalier de la largeur d'une départementale avec l'espoir qu'elle aurait assez de jugeote pour ne pas redescendre pistolet au poing. Maintenant que Kammler se sentait d'humeur cordiale et hospitalière, ma plus grande crainte était qu'elle ne se mette à jouer les anges exterminateurs.

Nous pénétrâmes dans une immense salle de séjour. Heinrich Grund suivait à une distance respectueuse, comme un aide de camp dévoué. Il portait une chemise et une cravate bleues ainsi qu'un costume gris bien coupé, mais pas suffisamment pour dissimuler son étui d'épaule. Tout ce beau monde semblait ne vouloir prendre aucun risque avec la sécurité. La salle de séjour ressemblait à une galerie d'art avec canapés. Il y avait plusieurs vieux maîtres et aussi quelques nouveaux. Visiblement, Kammler avait fui les ruines de l'Europe avec bien plus que la vie sauve. Dans une grande cage sur pied de style oriental, un canari battait des ailes et pépiait telle une petite fée jaune. Derrière les deux portes-fenêtres, une pelouse immaculée se déroulait au loin comme une table de billard divine. Tout ça semblait à des années-lumière d'Auschwitz-Birkenau. Mais, pour le cas où ce ne serait pas assez éloigné, il y avait un avion garé sur la pelouse.

J'entendis un bruit sec et me tournai pour voir Kammler ouvrir une bouteille.

« C'est l'heure où je bois habituellement un verre de champagne. Voulez-vous vous joindre à moi ? »

Je répondis par l'affirmative.

« C'est mon seul luxe. »

Je faillis me mettre à rire en voyant la boîte de Partagas sur le buffet, la carafe et les verres Lalique ainsi que la coupe en argent pleine de roses sur la table basse.

« Deutz, dit-il. Plutôt difficile à trouver par ici. » Il leva son verre pour un toast. « À l'Allemagne !

— À l'Allemagne ! » répétai-je avant d'avaler une gorgée du délicieux champagne. Jetant un coup d'œil par la fenêtre au petit avion gris métallisé sur la piste de gazon, je demandai : « Qu'est-ce que c'est. Un BFW ?

— Oui. Un 109 Taifun. Est-ce que vous pilotez, Herr Gunther ?

— Non. J'ai fini la guerre dans l'OKW. Le renseignement militaire, sur le front russe. Identifier avec précision les avions était une question de vie ou de mort.

— J'étais dans la Luftwaffe quand la guerre a commencé, dit Kammler. Je travaillais comme architecte au ministère de l'Air. Après 1940, pour un architecte, le RLM n'offrait guère de perspectives d'avenir, si bien que je me suis engagé dans la SS. J'étais chef du Département C, construction d'usines de savon et d'installations d'armes nouvelles.

— D'usines de savon ? »

Kammler gloussa.

« Oui. Vous savez. Le *savon*.

— Ah oui ! Les camps ! Bien sûr. » Je bus un peu de champagne.

« Comment le trouvez-vous ?

— Excellent. »

Mais, en réalité, ce n'était pas le cas. Plus maintenant. Le goût amer dans ma bouche y avait contribué.

« Heinrich et moi sommes partis rapidement, en mai 1945, reprit Kammler. C'était mon chef de la sécurité à Jonastal, n'est-ce pas, Heinrich ?

— Oui, Herr Doktor. » Grund leva son verre à son maître. « On est juste montés dans une voiture de fonction et on a roulé vers l'ouest.

— À Jonastal, nous fabriquions la bombe, de sorte que les Américains nous ont accueillis à bras ouverts, naturellement. Nous sommes partis pour le Nouveau-Mexique travailler sur leur propre projet de bombe. Nous sommes restés là-bas près d'un an. À cette date, toutefois, ils s'étaient aperçus que, à la fin de la guerre, j'étais en fait le numéro trois dans la hiérarchie SS, ce qui rendait mon emploi permanent aux États-Unis extrêmement délicat. Je suis donc venu en Argentine. Et Heinrich a eu la bonté de m'accompagner.

— C'était un honneur pour moi.

— J'ai pu sortir petit à petit mes affaires de l'endroit où elles étaient entreposées et les faire transporter par bateau. Et me voilà devant vous. C'est un peu isolé, mais nous avons pratiquement tout ce qu'on peut désirer. Ma femme et ma fille vivent avec moi ; elles nous rejoindront pour dîner. Où sont-elles au juste en ce moment, Heinrich ?

— Elles sont allées voir de jeunes veaux.

— Combien de bêtes avez-vous ? demandai-je.

— Environ trente mille têtes de bétail et quinze mille moutons. À bien des égards, ce travail n'est pas si différent de celui que je faisais pendant la guerre. Nous élevons les animaux puis nous les emmenons à Tucumán d'où ils sont transportés par chemin de fer à Buenos Aires pour y être abattus. »

Il semblait n'éprouver aucune honte de cette confession.

« Nous ne sommes pas la plus grosse *estancia* de la région. Et de loin. Mais nous apportons à la gestion d'un domaine une efficacité qu'on ne rencontre pas fréquemment en Argentine.

— L'efficacité *allemande*, ajouta Grund.

— Précisément, dit Kammler. » Il pivota pour faire face à un petit autel dédié au Führer que je n'avais pas remarqué jusque-là. Il y avait plusieurs photos de Hitler, un petit buste en bronze de sa tête reconnaissable entre toutes, quelques décorations, un brassard nazi et une paire de chandeliers de sabbat dont on aurait dit qu'elle servait à ranimer la flamme du guide suprême pour les grandes fêtes du calendrier nazi – 30 janvier, 20 avril, 30 avril et 8 novembre. « Oui, assurément. L'efficacité allemande. La supériorité allemande. Nous devons *lui* être reconnaissants de nous le rappeler sans cesse. »

Bien sûr, ce n'était pas ainsi que je voyais les choses, mais, pour le moment, je gardai mes réserves pour moi. Nous étions très loin de la relative sécurité de Buenos Aires.

Lorsque j'eus fini mon champagne, Kammler suggéra que je monte faire un brin de toilette. La servante me conduisit à une chambre où je trouvai Anna allongée sur un lit en bois richement sculpté. Elle attendit que la domestique fût partie pour se lever d'un bond.

« Très confortable, n'est-ce pas ? Il a son petit Berghof privé. Comme le Führer. Qui sait ? Peut-être celui-ci fera-t-il une apparition au dîner ? Voilà qui serait intéressant. Ou Martin Bormann ? J'ai toujours eu envie de faire sa connaissance, tu sais. Sauf que je suis un peu inquiète au sujet du dîner, je dois te le dire. Je ne connais pas les paroles du *Horst Wessel Lied*. Et inutile de tourner autour du pot. Je suis juive. Juifs et nazis ne se mélangent pas.

— En ce qui me concerne, tu peux bien continuer, Anna, mais, pour l'amour du ciel, arrête tes sarcasmes devant le général. Il commence à s'en rendre compte. Et pas d'allusions à qui ou ce que tu es. Ça ne servirait qu'à nous griller. » Je jetai un regard circulaire dans la chambre. « Où est le pistolet ?

— Caché.

— Où ça ? »

Elle secoua la tête.

« Tu as toujours dans l'idée de le tuer ?

— Je sais, il devrait souffrir davantage. L'abattre est trop rapide. Le gaz serait mieux. Je pourrais peut-être laisser le four de la cuisine allumé avant qu'on monte se coucher ce soir.

— Anna, je t'en prie. Écoute-moi. Ces types sont extrêmement dangereux. En ce moment même, Heinrich se balade avec une arme. Et c'est un professionnel. Tu n'auras pas eu le temps d'armer ce Smith qu'il t'aura fait exploser le crâne.

— Comment ça, "armer" ? »

Je hochai la tête.

« Tu vois ce que je veux dire ? Tu ne sais même pas tirer.

— Tu pourrais me montrer.

— Écoute, ces morts dans le camp. Ça pourrait être n'importe qui.

— Ça pourrait, mais ça ne l'est pas. Nous savons tous les deux qui ils sont. Tu me l'as dit toi-même. Ce camp a été créé sur ordre du ministère des Affaires étrangères. Pour quelle raison auraient-ils voulu un camp, sinon pour emprisonner des réfugiés étrangers ? Et ton ami. L'Écossais, Melville. C'est lui qui a parlé de la Directive Douze. Une commande de fil barbelé à livrer à un général SS appelé Kammler. La *Directive Douze*, Bernie. Ce qui suppose quelque chose de plus sérieux que la Directive Onze, tu ne penses pas ? » Elle respira un bon coup. « En outre, avant de quitter Tucumán ce matin, tu m'as dit que c'était Kammler qui avait construit les grands camps de la mort. Auschwitz. Birkenau. Treblinka. Ne serait-ce que pour ça, il mérite une balle dans la tête, tu es sûrement d'accord.

— Possible. Oui, bien sûr. Mais je peux te le garantir, tuer Kammler ici, aujourd'hui, ne résoudra rien. Il doit y avoir un autre moyen.

— Je ne vois pas comment tu pourrais l'arrêter. Pas en Argentine. N'est-ce pas ? »

Je secouai la tête.

« Alors, le mieux est de le descendre. »

Je souris.

« Tu te souviens de ce que je t'ai dit ? Il n'y a pas de meurtriers. Ceux qui tuent sont simplement des plombiers, des commerçants ou des avocats. Des gens ordinaires. Des gens comme toi, Anna.

— Il ne s'agit pas d'un meurtre. Il s'agit d'une exécution.

— Tu ne crois pas que c'est ce que les SS avaient l'habitude de se dire quand ils se mettaient à mitrailler des fosses pleines de Juifs ?

— Tout ce que je sais, c'est qu'on ne peut pas le laisser s'en tirer comme ça.

— Anna, je te promets de trouver quelque chose. Mais ne commets pas d'imprudence. D'accord ? »

Elle demeura silencieuse. Je lui pris le bras, mais elle se libéra avec colère.

« D'accord ? »

Elle poussa un long soupir.

« D'accord. »

Un peu plus tard, la domestique nous apporta des vêtements de soirée. Robe noire ornée de sequins dans laquelle Anna était éblouissante ; smoking, chemise blanche et nœud papillon qui m'allaient tant bien que mal.

« Eh bien, nous avons presque l'air civilisés », dit-elle en redressant mon nœud papillon.

Il y avait du parfum sur la coiffeuse. Elle en mit.

« On dirait une odeur de fleurs mortes.

— Moi, j'aime bien.

— C'est normal. Pour un nazi, tout ce qui est mort sent probablement bon.

— Tu ne pourrais pas laisser tomber avec ces histoires de nazis ?

— Je pensais que c'était justement le but, Gunther. Leur faire croire que tu es l'un d'entre eux pour nous permettre de sauver notre peau. » Elle se leva et s'immobilisa devant le miroir en pied. « Bon, je suis prête à tout. Peut-être même à une tuerie ou deux. »

Nous descendîmes dîner. Hormis Kammler, Grund, Anna et moi, il y avait trois autres convives.

« Voici ma femme, Pilar, et ma fille, Mercedes, déclara Kammler.

— Bienvenue à Wiederhold », dit Frau Kammler.

Elle était grande, mince et élégante. Ses sourcils à la courbure parfaite semblaient avoir été dessinés par Giotto, et un tas de boucles de chaque côté de son visage lui donnaient l'air d'un épagneul. Elle n'aurait pas déparé la tribune du gagnant du prix de Cologne au champ de courses de Weidenpesch. Sauf que je ne l'aurais pas fait courir ; je l'aurais mise dans un haras à un million de dollars la séance. La fille de Frau Kammler n'était pas moins belle ni charmante. Elle paraissait avoir environ seize ans, mais elle était peut-être plus jeune. Ses cheveux tiraient davantage sur le blond vénitien que sur le roux, et il suffisait d'un simple coup d'œil pour se dire qu'elle aurait eu sa place sur le divan en velours de l'atelier d'un grand peintre ayant le sens du beau. En la voyant, je regrettai de ne pas savoir peindre. Ses yeux étaient d'un vert particulier, comme une émeraude avec une trace de lapis-lazuli, mais aussi un petit air entendu, comme si elle allait vous mettre échec et mat et que vous étiez trop bête pour vous en douter.

Nous faisions tous de notre mieux pour nous montrer polis et courtois. Même Anna, qui répliqua au défi que représentait tant de beauté inattendue en trouvant un petit supplément de beauté en elle et en l'allumant comme une lampe électrique. Mais il était difficile de maintenir cette atmosphère distinguée alors que le dernier invité était Otto Skorzeny. Surtout qu'il avait bu.

« Qu'est-ce que vous faites ici ? demanda-t-il en m'apercevant.

— Dîner, j'espère. »

Skorzeny me passa un de ses bras énormes autour de l'épaule. Il semblait aussi lourd qu'une barre de fer.

« Ce gars est réglo, Hans, dit-il à Kammler. C'est mon confident. Il va m'aider à empêcher ces enfoirés de mettre la main sur l'argent de la Reichsbank. »

Anna me lança un regard.

« Et cette main, Otto ? » questionnai-je, désireux de changer de sujet.

Skorzeny examina sa grosse paluche. Elle était parsemée de marques blêmes après le coup de poing qu'il avait flanqué au portrait du roi George. Manifestement, il ne se rappelait plus du tout comment ces cicatrices étaient arrivées là.

« Ma main ? Ah oui ! Maintenant, ça me revient. Et comment va votre ongle incarné ou je ne sais quoi ?

— Il va très bien, dit Anna en passant son bras dans le mien.

— Qui êtes-vous ?

— Son infirmière. Encore qu'il se débrouille parfaitement sans moi. Au point que je me demande pourquoi je suis venue.

— Cela fait longtemps que vous vous connaissez ? s'enquit Frau Kammler.

— Ils sont fiancés, répondit Heinrich Grund.

— Vraiment ? fit Frau Kammler.

— C'est pour son bien, dit Anna.

— Avez-vous des amies aussi mignonnes que vous ? lui demanda Skorzeny.

— Non, mais il semble que ce ne soit pas les amis qui vous manquent. »

Skorzeny me regarda, puis Kammler et Grund.

« Vous avez raison. Mes vieux camarades. »

Anna se tourna à nouveau vers moi. J'espérais qu'elle n'avait pas le pistolet sur elle. À la façon dont les choses tournaient, elle risquait de zigouiller tout le monde, moi y compris.

« Mais j'ai besoin d'une bonne amie.

— Et Évita ? demandai-je. Comment ça avance avec elle ? »

Skorzeny fit la grimace.

« Aucune chance. La garce !

— Otto, je vous en prie ! intervint Frau Kammler. Il y a des enfants dans la pièce. »

Skorzeny regarda Mercedes et lui sourit avec une admiration non dissimulée. Elle lui rendit son sourire.

« Mercedes, une enfant ? Ce n'est pas tout à fait ce que je dirais.

— Merci, Otto, dit Mercedes. Au moins, il y a ici quelqu'un qui est prêt à me traiter comme une grande personne. En tout cas, il a raison, papa. Eva Perón est une garce.

— Ça suffit, Mercedes. »

Sa mère alluma une cigarette dans un fume-cigarette de la longueur d'une sarbacane. Tout en grondant gentiment Skorzeny, elle l'emmena jusqu'au canapé le plus confortable et s'assit avec lui. À l'évidence, elle avait l'habitude de son comportement car une minute plus tard, le héros de Gran Sasso dormait en émettant des ronflements sonores.

Nous dînâmes sans lui.

Comme promis, le dîner préparé par le chef cuisinier de Goering était excellent. Et très germanique. Je mangeai des choses auxquelles je n'avais plus goûté depuis la guerre. Même Anna était impressionnée.

« Dites à votre chef que je suis folle de lui », déclara-t-elle, tout charme à présent.

Kammler prit la main de son épouse.

« Et moi, c'est de ma femme que je suis fou », répliqua-t-il, portant la longue main fine à ses lèvres.

Elle lui rendit son sourire et, levant à son tour la main de son mari vers sa bouche, la bécota avec tendresse comme s'il s'agissait d'un animal domestique.

« Dites-moi, Anna, continua Kammler. Avez-vous jamais vu deux personnes aussi amoureuses l'une de l'autre ?

— Non. En effet. » Anna sourit poliment et me regarda. « Si seulement j'avais autant de chance que vous.

— Vous ne pouvez pas savoir combien cette femme me rend heureux. Si elle me quittait, je crois que j'en mourrais. Oui, c'est certain. Sans elle, je serais un homme mort.

— Eh bien, Anna, dit Grund. Quand avez-vous prévu de vous marier, Bernie et vous ?

— Tout dépend, répondit-elle en me gratifiant d'un de ses sourires les plus sirupeux.

— De quoi ? demanda Grund.

— Il doit d'abord s'acquitter d'un vœu.

— Un vrai chevalier, dit Mercedes. Que c'est romantique. Exactement comme Parsifal.

— Plutôt Don Quichotte, en fait, dit Anna en prenant ma main et en la pressant d'un air espiègle. Mon chevalier est un peu plus vieux que la plupart des chevaliers errants. N'est-ce pas, mon chéri ? »

Grund rit.

« Elle me plaît, Bernie. Elle me plaît vraiment beaucoup. Mais elle est trop intelligente pour toi.

— J'espère que non, Heinrich.

— Et quel est ce vœu ? demanda Mercedes.

— Terrasser un dragon, répondit Anna avec de grands yeux. Pour ainsi dire. »

Lorsque le dîner fut fini, nous retournâmes dans la salle de séjour. Skorzeny était parti, au grand soulagement de chacun. Peu après, Mercedes alla se coucher, bientôt suivie par sa mère puis par Anna, qui m'envoya un baiser malicieux en montant. Je poussai un soupir en songeant que nous avions réussi à terminer la soirée sans qu'elle tire sur quiconque. J'annonçai que j'avais besoin d'un peu d'air frais et, ayant pris un des cigares que m'offrait mon hôte, je sortis.

Il n'y a rien de tel que de regarder le ciel nocturne pour se sentir loin de chez soi. Surtout quand le ciel en question se trouve en Amérique du Sud et le chez-soi en Allemagne. Le ciel au-dessus des Sierras était plus vaste que tous ceux que j'avais eu l'occasion de contempler, ce qui me donnait la sensation d'être encore plus petit que le plus petit point de lumière argenté dans cette immense voûte noire. Voilà peut-être pourquoi il se trouvait là. Pour nous donner conscience de notre petitesse. Pour nous empêcher de penser que l'un de nous était assez important pour appartenir à une race de seigneurs et autres foutaises du même genre.

Au bout d'un moment, j'entendis le craquement d'une allumette et me retournai pour voir Heinrich allumer une cigarette. Il leva les yeux vers le ciel, aspira une longue bouffée et dit :

« Quel veinard, Bernie ! Elle est vraiment ravissante. Et pas de tout repos, je présume.

— Effectivement.

— Est-ce qu'il t'arrive de repenser à cette gamine de Berlin ? L'infirme qui s'est fait assassiner en 1932. Anita Schwarz ?

— Oui. Oui, ça m'arrive.

— Et tu te rappelles nos engueulades à ce sujet ? Moi disant que la mort vaudrait mieux pour des individus comme elles, et toi que l'euthanasie était une erreur. » Il haussa les épaules. « Ou un machin dans ce goût-là. Le fait est, Bernie, que je ne savais pas de quoi je parlais. Vraiment pas. C'est une chose de le dire et une tout autre de le faire. » Il demeura un instant silencieux, puis il demanda : « Est-ce que tu crois qu'il y a un dieu, Bernie ?

— Non. Quelle idée ? S'il y en avait un, tu ne serais pas ici en ce moment. Ni moi non plus. »

Grund acquiesça.

« Quand on a perdu la guerre, j'étais bien content. Je suppose que ça t'étonne, mais j'étais content que tout soit fini. Les massacres, je veux dire. Et quand on est venus ici, ça avait l'air d'un nouveau départ. » Il secoua la tête tristement, comme écrasé par un poids d'une lourdeur prodigieuse. « Sauf que ça ne l'était pas. »

Alors que cela faisait près d'une minute qu'il se taisait, je dis :

« Tu veux en parler, Heinrich ? »

Il laissa échapper un soupir mal assuré, tremblotant, et secoua la tête.

« Les mots ne servent à rien. Ils ne font qu'empirer les choses. En tout cas, pour moi. Je n'ai pas la force de Kammler. Sa certitude absolue.

— J'imagine que cela aide d'avoir sa famille dans les parages, dis-je, m'efforçant de changer de sujet. Il y a combien de temps qu'ils sont là ?

— Je ne sais pas. Quelques mois, je suppose. » Il se donna une tape sur la poitrine. « Pour lui, Hitler vit encore, là. Et il en sera toujours ainsi, probablement. Pour lui et pour un tas d'autres Allemands. Mais pas pour moi. Plus maintenant. »

Je n'avais rien à répondre à ça. Pas plus que je n'en avais le désir. Nous avions fait tous les deux nos choix et nous en supportions les conséquences, bonnes ou mauvaises. Je n'étais pas sûr de m'en être mieux tiré que Grund, mais, au moins, grâce à Anna, j'avais encore quelques espoirs pour l'avenir. Grund, lui, semblait ne plus en avoir du tout.

Je le laissai sur la terrasse, avec ses pensées et ses angoisses, et tout ce avec quoi un homme comme lui va se coucher, empalé sur les débris de sa conscience.

Alors que je franchissais la porte de notre chambre, Anna se redressa. La lampe de chevet était allumée. Je m'assis sur le bord du matelas et me mis à défaire mes chaussures. J'aurais voulu lui susurrer des mots doux, mais elle n'avait pas la tête à ça.

« Eh bien ? Tu as réfléchi à quelque chose ? Un type de punition pour ce salaud de Kammler ?

— Oui, répondis-je. Oh, oui.

— Quelque chose de terrible ?

— Oui. Je pense que ce le sera. Pour lui. »

23

BUENOS AIRES, 1950

Deux jours plus tard, nous étions de nouveau à Buenos Aires. Comme je doutais que le colonel aurait accueilli d'une âme sereine les nouvelles de Kammler – que ses hommes m'avaient surpris près du camp secret de Dulce –, je dis à Anna que j'avais besoin d'un peu de temps pour régler les choses avec lui avant qu'on puisse se croire tirés d'affaire. Pour l'heure, il valait mieux qu'elle rentre à la maison et qu'elle n'en sorte pas jusqu'à ce que je l'appelle. L'idéal serait qu'elle aille habiter chez des amis.

Je n'avais aucun moyen de savoir si Anna suivrait mon conseil, vu que, pendant la plus grande partie du voyage de retour depuis Tucumán, elle m'avait à peine adressé la parole. Elle n'aimait pas mon plan au sujet de Hans Kammler. Elle estimait que ce n'était pas une punition suffisante et elle me déclara qu'en ce qui la concernait notre relation était terminée.

Peut-être le pensait-elle. Ou peut-être pas. Le temps manquait pour s'en assurer. Je sortais du Richmond quand ils m'alpaguèrent pour la seconde fois. Il s'agissait sans doute du même trio, mais comment en être sûr, avec les lunettes noires et les moustaches assorties ? La voiture était aussi une Ford noire, mais pas la même que celle qui m'avait conduit à Caseros. Celle-là avait une brûlure de cigarette sur la banquette arrière et une grande tache de sang sur le tapis. Évidemment, ça aurait pu être du café ou même de la mélasse. Mais, avec les années, on finit par reconnaître une tache de sang quand on en voit une sur le sol d'une voiture. Je m'efforçai de garder mon calme, mais ça ne marcha pas cette fois-ci. Sauf que j'étais moins inquiet pour moi que pour Anna.

Je compris alors que je l'aimais. L'histoire habituelle, me direz-vous. C'est seulement quand on vous enlève quelque chose que vous vous rendez compte de son importance à vos yeux. Si je me faisais du souci pour elle, c'est qu'on m'avait averti après tout, et dans des termes on ne peut plus clairs. Naturellement, le colonel avait sûrement deviné ce que je faisais lorsque Kammler lui avait téléphoné, à savoir que j'étais en train de fourrer mon nez dans le plus grand secret de l'Argentine. Pas le chasseur Pulqui II, ni même une bombe atomique, mais le sort de plusieurs milliers de réfugiés juifs clandestins. L'énigme était la suivante : pourquoi le colonel n'avait-il pas tout simplement ordonné à Kammler de nous tuer tous les deux ? Je prévoyais que je n'allais pas tarder à le savoir. Sauf que, cette fois, nous passâmes à toute allure devant Caseros.

« Où allons-nous ? demandai-je.

— Tu le sauras bien assez tôt, grommela un de mes chaperons.

— Un voyage mystérieux. J'adore les surprises.

— Celle-là risque de ne pas te plaire », rétorqua-t-il d'un ton sinistre.

Sur ce, les autres éclatèrent de rire.

« Vous savez, j'ai essayé de contacter votre patron, le colonel Montalbán. Je l'ai appelé à plusieurs reprises la nuit dernière. Il faut que je lui parle de toute urgence. J'ai des informations très importantes pour lui. Est-ce qu'il sera là où nous allons ? » Je jetai un coup d'œil par la fenêtre et vis que nous roulions vers le sud-ouest. « Je sais qu'il voudra me parler. »

Je hochai la tête comme pour essayer de me persuader moi-même. Mais, en fouillant dans mon vocabulaire espagnol pour trouver un argument susceptible de les convaincre de mon besoin de voir le colonel, je m'aperçus que j'étais incapable d'en dire plus. J'avais un trou au creux de l'estomac de la taille du stade de football de La Boca. Ma plus grande crainte était que ce trou métaphorique n'en devienne un vrai à brève échéance.

« Quelqu'un a un dictionnaire d'espagnol ? » demandai-je. Personne ne répondit. « Ou une cigarette ? »

Un des gros bras qui m'encadraient remua son derrière, se serrant un instant contre moi pour chercher un paquet de cigarettes. Je sentis la sueur sur sa veste et l'huile dans ses cheveux, et vis une petite matraque dépassant de sa poche de poitrine. J'espérais qu'elle allait y rester. J'avais déjà été matraqué et je ne tenais pas à répéter l'expérience. Il se tourna à nouveau, le paquet à la main, et poussa le petit tiroir en carton. Mes doigts en saisirent une. Les cigarettes avaient l'air de petites têtes blanches alignées dans un lit, endroit où j'aurais préféré me trouver à cette minute. Je glissai la cigarette dans ma bouche et attendis qu'il ait trouvé son briquet.

« Merci », murmurai-je.

Et je penchai la tête vers la flamme.

Trop tard, je me souvins brusquement qu'il s'agissait d'un vieux truc de la Gestapo. Tiré du manuel non officiel, chapitre III. Comment réduire au silence un suspect trop bavard à l'arrière d'une voiture noire. Un poing tient le briquet. L'autre part horizontalement du coin opposé de la bagnole au moment où le suspect se baisse et le met KO. Du moins, c'est ce qui a dû se passer, j'imagine. Ça, ou bien les Argentins avaient vraiment la bombe atomique et quelqu'un avait pressé involontairement le bouton de mise à feu au lieu de la mollette d'un allume-cigare.

De toute façon, dans mon cas, le résultat fut à peu près le même. Il faisait une belle journée ensoleillée. Puis, d'un seul coup, les ténèbres sur toute la terre jusqu'à la neuvième heure. Et la sensation que je bourdonnais comme une abeille gravement malade. On aurait dit que quelqu'un avait envoyé vingt mille volts dans un casque métallique et une éponge imbibée d'eau salée fixés à mon crâne. Pendant quelques instants, je crus entendre un rire. Le genre auquel on a droit quand on est un chat dans un sac plein de pierres et qu'on vous balance dans un puits. Je touchai l'eau sans même un plouf et disparus sous la surface. Le puits était profond et l'eau très froide. Le rire s'éteignit. Je cessai de miauler. C'était l'idée générale. J'étais calmé, comme l'aimait la Gestapo. Pour une raison ou pour une autre, je repensai à Rudolf Diels, le premier chef de la Gestapo. Il n'était resté en poste que jusqu'en 1934, date à laquelle Goering avait perdu le contrôle de la police prussienne. Il s'était retrouvé fonctionnaire du gouvernement régional à Cologne ou à Hanovre, et avait été purement et simplement limogé quand il avait refusé d'arrêter les Juifs de la ville. Que lui était-il arrivé ensuite ? Un coup bas et un petit tour dans un camp de concentration, sans nul doute. Comme cette pauvre Frieda Bamberger qui était morte dans un coin perdu, avec des joints en caoutchouc aux portes des douches. Je ne savais pas où j'allais, mais j'avais l'impression d'être déjà sous terre. Je sentis ma main transpercer le sol. Se tendre vers la vie…

Quelqu'un me tordit les bras derrière le dos et me lia les poignets. J'avais à présent les yeux bandés. J'étais debout, penché au-dessus du capot brûlant de la Ford. J'entendais des bruits d'avion. Nous nous trouvions dans un aéroport. Vraisemblablement Ezeira, me dis-je.

Deux types m'empoignèrent chacun sous un bras et me traînèrent le long du tarmac. Mes pieds refusaient de me suivre. Ce qui ne semblait pas entraver notre progression. Le fracas d'un moteur devint de plus en plus fort. Une odeur de graisse et de métal emplissait l'air, et je sentis le vent de l'hélice sur mon visage. Ce qui parut me réveiller un peu.

« J'aime mieux vous prévenir tout de suite, dis-je. J'ai le mal de l'air. »

Ils me firent grimper quelques marches métalliques puis me jetèrent sur un sol dur. Il y avait une forme par terre à côté de moi, qui se tortillait en gémissant, et je compris que nous étions plusieurs dans le même bateau. Sauf qu'il ne s'agissait pas d'un bateau. Ce qui aurait peut-être été préférable. Dans tous les cas, j'avais maintenant compris ce qui nous attendait : une petite virée au-dessus du Río de la Plata. Tout compte fait, c'était sans doute mieux ainsi. Au moins, ça nous éviterait de nous noyer. La chute nous tuerait.

La porte se referma et l'avion commença à bouger. Un homme, à quelques pas de moi, récitait une prière. Un autre avait des hautle-cœur. Il y avait une forte odeur de vomi, d'incontinence humaine et d'essence.

« Alors, c'est vrai ce qu'on raconte ? dis-je. L'armée de l'air argentine n'a pas de parachutes ? »

Une femme se mit à crier. J'espérais qu'il ne s'agissait pas d'Anna.

Les moteurs de l'avion rugirent. Juste deux, pensai-je. Un C-47 Dakota, très probablement. On en voyait souvent survoler le Río de la Plata. Les clients assis à la terrasse du Richmond levaient la tête de leurs journaux et de leurs cafés, et faisaient des plaisanteries sur ces engins. « Tiens, voilà l'opposition qui passe. » Ou bien : « Pourquoi les communistes ne savent-ils pas nager dans le Río de la Plata ? Parce qu'ils ont les mains attachées. » Le plancher sous moi se mit à vibrer bruyamment. Je sentis l'avion accélérer, et nous prîmes notre envol. Quelques secondes plus tard, il y eut une embardée. Nous avions décollé. La vibration devint régulière et sourde, et nous commençâmes à grimper. La femme qui criait était devenue presque hystérique.

« Anna ? appelai-je. C'est toi ? C'est moi… »

Quelqu'un me gifla à toute volée. « Défense de parler », fit une voix d'homme. Il alluma une cigarette, et, soudain, je me souvins pourquoi j'étais un fumeur. Il n'y a pas d'odeur plus merveilleuse au monde que celle du tabac quand vous vous trouvez face à la mort. Je me rappelai un bombardement en 1916, et qu'une cigarette m'avait permis de m'en tirer sans que mes nerfs ou mes intestins me lâchent.

« Une clope ne serait pas de refus, dis-je. Étant donné les circonstances. »

J'entendis une voix d'homme murmurer quelque chose à l'autre bout de l'appareil, et, quelques instants plus tard, des doigts poussèrent une cigarette entre mes lèvres. Elle était déjà allumée. Je la fis rouler jusqu'au coin de ma bouche et laissai mes poumons se charger du reste.

« Merci. »

J'essayai de trouver une position plus confortable. Ce n'était pas facile, mais le contraire m'aurait étonné. La corde autour de mes poignets était aussi tendue que la peau d'un serpent trop nourri. Mes mains étaient comme des ballons. Je parvins à allonger mes jambes, qui n'étaient pas attachées, et donnai un coup de pied à quelqu'un. Je réussirais peut-être à donner un coup de pied dans l'œil d'un requin avant de me noyer. À supposer que je touche l'eau vivant. Je me demandai à quelle altitude le pilote comptait monter avant qu'on se mette à nous larguer.

Les minutes s'écoulèrent. Il ne restait plus que le filtre. Je crachai la cigarette, qui me brûla l'épaule avant d'échouer dans la cabine. Je formai des vœux pour qu'elle touche une flaque d'essence et provoque un incendie. Ça leur apprendrait. Puis, ce fut comme si une poignée de gravier s'abattait sur le fuselage. Il pleuvait. Je respirai un grand coup et tâchai de me calmer. De faire la paix avec moi-même. Les négociations démarrèrent lentement. Je dis à Gunther qu'il pouvait se considérer comme un veinard. Combien étions-nous à avoir réussi à échapper aux Russes ? Je me répétais encore à quel point j'avais de la chance quand quelqu'un interrompit ma série gagnante en ouvrant la porte. Air et pluie glacés se mirent à hurler à travers le ventre de l'appareil comme un horrible monstre de brume. Un minotaure du ciel réclamant sa ration quotidienne de sacrifices humains.

Impossible de deviner combien il y avait de sacrifices humains au programme. Nous devions être au moins six ou sept dans ce coucou. Avec la porte à présent ouverte, les moteurs semblèrent ralentir un peu. Il y avait de l'agitation tout autour de moi, mais, jusqu'ici, personne n'avait tenté de me déménager vers la porte. Une sorte de brouhaha éclata, et une femme nue s'affala sur moi. Je savais qu'elle était nue parce que sa poitrine s'écrasa contre mon visage tandis qu'elle poussait des cris perçants. Alors qu'ils la relevaient, je décidai que je devais dire quelque chose, ou ce serait aux mouettes que je le raconterais.

« Colonel Montalbán ? Si vous êtes là, parlez-moi, espèce de fumier ! »

La femme qui criait se mit à les supplier de ne pas la tuer. Il ne s'agissait pas d'Anna. La voix était plus âgée, plus mûre, plus rauque, empreinte de vulgarité. Il aurait été difficile de préciser davantage car, soudain, la voix disparut, et j'en conclus que sa propriétaire avait disparu également.

Derrière moi, un homme récitait sans cesse la même prière, comme si la répéter lui conférait un poids supplémentaire dans la longue série de suppliques s'élevant déjà à tire-d'aile vers la salle d'attente divine. À la rapidité de ses prières et de son souffle et à la façon dont sa position changea, je compris qu'il était le suivant dans la file devant la porte. Et à peine cette pensée venue, il était parti lui aussi, son cri ultime à jamais perdu dans le sillage de l'avion alors qu'on le jetait dehors.

J'essayai de secouer mon bandeau pour le faire glisser de mes yeux. En vain. J'aurais aussi bien pu ne pas avoir d'yeux du tout. Je regrettais qu'ils ne m'aient pas aussi bouché les oreilles, cependant que, un par un, ils poussaient les hommes et les femmes restants par la porte ouverte. C'était comme avoir un fauteuil aux premières loges de l'enfer.

Je hurlai tel un homme en train de rôtir à la broche et injuriai leurs mères, leurs pères et leurs sales bâtards. Je dis au colonel ce que je pensais de lui, de son pays, de son président et de la femme cancéreuse de son président, et que c'était moi qui rirais le dernier pour la bonne raison que je savais ce qu'ils désiraient tellement savoir, elle et lui, et que je ne leur dirais rien quand bien même ils me précipiteraient hors de cet avion. J'ajoutai que je leur crachais à la figure à tous les deux, vu que j'allais mourir avec la satisfaction d'avoir bousillé leurs plans stupides. Quelqu'un me gifla. Je n'en tins aucun compte et continuai à parler.

« Dans un mois, une semaine, peut-être même demain, vous et cette putain de blonde évaporée, vous vous demanderez si Gunther savait réellement ce qu'il prétendait savoir. S'il pouvait réellement vous dire ce qui vous intéresse le plus au monde. Où vous pouvez la trouver. Où elle se cachait pendant tout ce temps. Vous n'avez donc pas envie de le savoir, colonel ? »

J'entendis une femme crier à plusieurs reprises avant que la porte ouverte ne la réduise définitivement au silence. Une partie sadique de mon cerveau essaya de me persuader que ses cris avaient quelque chose de familier. Et aussi son parfum. Mais je ne marchais pas. Je n'avais pas plus de raison de croire à la présence d'Anna dans cet avion qu'à celle du colonel. Si elle avait suivi mes instructions et qu'elle était allée habiter chez des amis, il y avait toutes les raisons de l'imaginer saine et sauve.

Quelqu'un m'arracha mon bandeau. J'eus à peine le temps de voir deux de mes copains moustachus porter un homme jusqu'à la porte ouverte derrière l'aile. Dieu merci, il était sans connaissance. Il n'avait qu'un slip sur lui. Mains et pieds attachés, il semblait avoir été roué de coups. Ça ou bien son visage avait été piqué par une colonie de guêpes. Quant à ses orteils, mieux valait ne pas en parler. Les deux qui le balancèrent hors de l'avion pensaient probablement qu'ils lui rendaient service. L'un d'eux sortit un mouchoir crasseux de sa poche de pantalon et s'essuya le front. C'était un rude boulot. Puis ils se tournèrent vers moi.

« À quoi vous attendiez-vous ? fit une voix derrière moi. Je vous avais bien dit de ne pas vous mêler de ça. »

J'avais mal au cou depuis qu'on m'avait tapé dessus, mais, serrant les dents, je tournai la tête pour regarder le colonel.

« Je ne m'attendais pas à découvrir ce que j'ai découvert. Je ne m'attendais pas à l'impensable. Pas une fois encore. Pas ici. C'est censé être un monde nouveau. Je ne m'attendais pas à ce qu'il ressemble comme deux gouttes d'eau à l'ancien. Notez que, maintenant que j'ai vu votre aviation nationale et la manière dont elle traite les passagers en surnombre, eh bien, ça ne m'étonne pas beaucoup.

— Ça ? » Il eut un haussement d'épaules. « C'est plus commode. Pas de traces. Pas de camps. Pas de cadavres. Pas de tombes. Rien. Impossible de prouver quoi que ce soit. Un aller simple. Personne pour revenir raconter l'histoire.

— Qui étaient-ils ? Ces gens qui ont disparu il y a un instant ?

— Des gens comme vous, Gunther. Des gens qui posaient trop de questions.

— C'est tout ce que vous avez contre moi ? »

J'affichai un sourire et essayai de forcer ma bouche à s'y cramponner comme si j'avais encore un atout dans la manche. Ça n'avait pas l'air terrible. Mes lèvres tremblaient beaucoup trop.

Mais, à ce stade, il ne me restait plus que la parole pour me tirer d'affaire. S'il décidait que je bluffais, j'étais bon pour une petite leçon de vol. Il le savait. Je le savais. Les deux larbins près de la porte encore ouverte du Dakota le savaient également.

« Bon sang, je suis détective, colonel. C'est mon métier de poser trop de questions, de fourrer mon nez là où il est indésirable. Vous devriez le savoir mieux que quiconque. Tout m'intéresse jusqu'à ce que j'aie trouvé ce qu'on m'a demandé de trouver. C'est comme ça que ça marche dans ce boulot.

— Néanmoins, on vous avait déconseillé de poser des questions sur la Directive Onze. J'avais été on ne peut plus explicite. Après votre petite visite à Caseros, je pensais que vous vous montreriez un peu plus attentif. » Il poussa un soupir. « Je me trompais, bien sûr, et maintenant vous êtes dans de sales draps. Vraiment, je suis navré de devoir vous tuer, Gunther. Je pensais tout ce que j'ai dit lors de notre première rencontre. Vous étiez bel et bien un de mes héros.

— Alors, allons-y.

— Vous oubliez sûrement quelque chose, non ?

— Je ne prie plus tellement ces temps-ci, si c'est ce que vous voulez dire. Et ma mémoire ne vaut pas grand-chose en altitude. À combien sommes-nous ?

— Environ quinze cents mètres.

— Ça explique qu'il y ait autant de courants d'air là-dedans. Si ces deux enfants de chœur voulaient bien fermer la porte, je pourrais peut-être me réchauffer un peu. En l'occurrence, je me sens comme un lézard. Vous seriez surpris de voir tout ce que je peux faire pour vous si vous me laissiez me prélasser un moment sur une gentille petite pierre chaude. »

Le colonel indiqua la porte d'un signe de tête, et, avec un regard las et déçu, tels deux gentilshommes catholiques français privés du plaisir de défenestrer une grande gueule de huguenot, ils la refermèrent.

« Voilà. Comment va votre mémoire maintenant ?

— Elle ne cesse de s'améliorer. Quand nous serons à nouveau en bas, je me souviendrai peut-être du nom de la fille d'Evita. En admettant qu'elle soit vraiment sa fille. À mes yeux inexercés et cyniques, la femme du président et elle se ressemblent fort peu.

— Vous bluffez, Gunther.

— Possible. Mais vous ne pouvez pas vous permettre de prendre de risque sur ce point, n'est-ce pas ? Dans le cas contraire, colonel, je serais déjà dans le fleuve à chercher mes vieux camarades du *Graf Spee*.

— Alors, pourquoi ne rien dire ?

— Ne me faites pas rire. Dès que j'aurai vidé mon sac, plus rien ne vous empêchera de m'éjecter par la porte.

— Peut-être. Mais regardez les choses sous cet angle. Si vous me le dites une fois que nous aurons atterri, rien ne m'empêchera de vous tuer d'ici un jour ou deux, voire une semaine.

— Vous avez raison. Je n'y avais pas pensé. Vous feriez mieux de chercher un moyen de tranquilliser mon esprit quant à cette éventualité, sinon vous vous retrouverez à ne rien savoir du tout.

— Bon, alors, qu'est-ce qu'on fait ?

— Je n'en sais rien. Vraiment. À vous de décider, c'est vous le colonel. Si j'avais une autre cigarette et les mains libres, on pourrait peut-être parvenir à un arrangement. »

Le colonel glissa une main dans la poche de son costume. Elle en ressortit avec un couteau à cran d'arrêt de la longueur d'une baguette de tambour. Il me fit pivoter et coupa la corde me liant les poignets. Tandis que je me frottais les mains pour chasser la douleur, il rangea le couteau et prit ses cigarettes. Il en fit sortir une en secouant le paquet, me la planta dans la bouche puis me lança une boîte d'allumettes. Si mes doigts n'avaient pas été totalement dépourvus de sensibilité, j'aurais peut-être pu la rattraper. Un des sbires du colonel la ramassa et me donna du feu. Dans l'intervalle, le colonel se pencha à travers la porte ouverte du cockpit et parla au pilote. Un moment plus tard, l'avion faisait demi-tour.

Je voulais à tout prix savoir si Anna avait fait partie des malheureux jetés de l'avion, mais je ne voyais pas comment poser la question au colonel. Si je ne lui parlais pas d'Anna, il se dirait peut-être qu'il n'y avait personne d'important dans ma vie à utiliser contre moi. Si je le faisais, je la mettrais gravement en danger.

« Nous retournons à Ezeira, dit-il.

— Je me sens déjà mieux. Je n'ai jamais aimé les voyages en avion. »

Je parcourus du regard l'intérieur de l'appareil. Il y avait une grande mare de sang et quelque chose de pire sur le sol. Maintenant que la porte était fermée, je pouvais percevoir l'odeur nauséabonde de la peur dans le Dakota. Il y avait quelques sièges à l'avant. Le colonel en prit un. Je me relevai et allai m'asseoir à côté de lui. Me penchant par-dessus ses genoux, je contemplai par le hublot le fleuve grisâtre en dessous de nous.

« Les gens que vous venez d'assassiner. C'étaient des communistes, je suppose.

— Certains.

— Et les autres ? Il y avait des femmes, n'est-ce pas ?

— Nous vivons dans une époque éclairée, Gunther. Les femmes aussi peuvent être communistes. Et bien souvent, je devrais même dire en règle générale, elles sont encore plus fanatiques que les hommes. Plus courageuses également. Je me demande si vous seriez capable de supporter autant de tortures que l'une de celles que nous venons de larguer. »

Je ne répondis pas.

« Vous savez, je pourrais toujours vous réexpédier à Caseros. Où mes hommes vous feraient tâter de cet aiguillon électrique. Ensuite, vous me diriez tout ce que je désire.

— J'en sais un peu plus sur la torture que vous ne pensez, colonel. Je sais que, si l'on torture un homme pour lui faire dire un tas de choses, il les lâchera petit à petit, une par une. Mais si l'on torture un homme pour lui faire dire une seule chose, il y a des chances qu'il se taise et encaisse. Qu'il en fasse un duel de volontés. Maintenant que je sais à quel point c'est important pour vous, colonel, je ferai de mon silence la dernière mission de ma vie.

— Un dur, hein ?

— Seulement quand j'y suis obligé.

— Je n'en doute pas. Je suppose que c'est une des raisons pour lesquelles je vous aime bien.

— Bien sûr que vous m'aimez. Voilà pourquoi vous voulez me jeter d'un avion à quinze cents mètres d'altitude.

— Vous ne pensez quand même pas que je prends plaisir à ce genre de chose ? Mais il n'y a pas d'autre moyen. Si les communistes étaient au pouvoir, ils nous en feraient autant, je peux vous l'assurer.

— C'est ce que disait Hitler.

— Est-ce qu'il n'avait pas raison ? Voyez ce que Staline a fait.

— C'est la politique du cimetière, colonel. Je suis bien placé pour le savoir. Je viens d'en quitter un appelé l'Allemagne. »

Le colonel poussa un soupir.

« Peut-être bien. Mais, à mon avis, il vaut mieux vivre sans principes que mourir intègre. C'est ce que j'ai appris dans les cimetières. Et il y a autre chose que j'ai appris. Si mon père me laisse une montre en or, je veux que mon fils l'ait après moi et pas un quelconque *campesino* armé d'un exemplaire de Marx dont il n'a jamais lu une ligne. Ils veulent ma montre ? Il leur faudra d'abord me tuer. Ou bien ils auront droit au grand saut. Ils devraient savoir qu'en Argentine nous pratiquons la redistribution des richesses. Ceux qui croient que toute propriété est du vol ne tardent pas à découvrir que tout meurtre n'est pas un assassinat. Le dernier communiste que nous pendrons se sera passé lui-même la corde au cou.

— Je n'ai aucune envie de prendre quoi que ce soit à quiconque, colonel. Lorsque je suis venu ici, j'aspirais à une vie paisible, vous vous souvenez ? Si vos affaires sont devenues les miennes, c'est uniquement à cause de vous. Pour ce que j'en ai à faire, vous pouvez bien pendre tous les communistes d'Amérique du Sud à votre arbre de Noël. Et tous les nazis par la même occasion. Mais si vous m'engagez pour être votre chien et aller renifler dans tous les coins, vous ne devriez pas être surpris que j'aboie et que je pisse sur vos plates-bandes. Ça vous gêne peut-être, mais c'est comme ça. Il arrive que je sois une gêne pour moi-même.

— D'accord.

— D'accord, qu'il dit ! Pas un instant vous n'avez joué franc jeu avec moi depuis que j'ai débarqué de ce maudit bateau, colonel. Je veux tout savoir. Et une fois que je saurai tout, je sortirai de cet avion et j'irai à mon hôtel prendre un bain. Et quand j'aurai dîné, que je serai fin prêt et que j'aurai compris comment tout ça se goupille, je vous dirai ce que vous voulez savoir. Et quand vous saurez que je dis la vérité, alors vous, von Bader et Evita serez si sacrément pleins de reconnaissance que vous irez jusqu'à me payer, comme vous me l'avez promis tous les trois.

— Comme vous voudrez, Gunther.

— Non. Ce que j'ai dit suffira. Ce que je voudrais serait trop demander.

24

BUENOS AIRES, 1950

Lorsque nous atterrîmes à Ezeira, je savais tout. Ou presque : j'ignorais encore si Anna Yagubsky était morte ou vivante. Je trouvai une cabine téléphonique et appelai ses parents, qui me dirent ne pas l'avoir vue depuis le voyage à Tucumán ; mais elle avait laissé un mot annonçant qu'elle allait passer quelques jours chez des amis.

« Savez-vous quels amis ? demandai-je à Roman Yagubsky.

— En fait, je pensais qu'il s'agissait de vous.

— Si elle rentre ou téléphone, dites-lui que j'ai besoin de lui parler, de toute urgence.

— Toujours pressé.

— C'est le métier qui veut ça.

— Vous avez réussi à retrouver mon frère ?

— Pas exactement.

— Quel genre de réponse est-ce là ?

— Ce n'est pas vraiment une réponse, mais ça ne m'empêchera pas de dormir pour autant. Si vous pensez que j'ai mal fait mon travail, vous pouvez toujours refuser de payer. Je ne discuterai pas. Mais quand je dis "pas exactement", c'est exactement ce que je veux dire. Dans le métier de détective, il existe rarement des réponses précises. Il n'y a que des probabilités, des "peut-être" et des "pas exactement". C'est le genre de réponse qu'il faut aller chercher dans les interstices de ce qu'on peut savoir avec certitude. Je ne dispose d'aucune preuve pour affirmer que votre frère et votre belle-sœur sont morts. Je n'ai pas vu leurs corps. Je n'ai pas vu leurs certificats de décès. Je n'ai parlé à personne qui les ait vus passer de vie à trépas. Malgré ça, je sais qu'ils sont morts tous les deux. Ça n'a rien d'une connaissance exacte, mais c'est ainsi. De fait, il vaut mieux que je n'en dise pas plus. Dans votre intérêt comme dans le mien. »

Il y eut un silence. Puis le señor Yagubsky déclara d'un ton calme :

« Merci, jeune homme. Bien sûr, cela faisait déjà un bout de temps que je me doutais qu'ils étaient morts. S'ils avaient été en vie, ils nous auraient contactés, mais un frère est un frère, et un jumeau est un jumeau, et vous vous sentez l'obligation d'en apprendre le plus possible. D'avoir quelqu'un d'extérieur qui vous dise ce que vous pensez savoir déjà. Et vous avez raison, il ne s'agit pas d'une connaissance exacte, mais c'est toujours mieux que rien, pas vrai ? Alors, merci encore. Je vous suis très reconnaissant de votre franchise. Sans parler de votre discrétion. Je sais quelle sorte de gens appartient à ce gouvernement. Mais je suis juif, señor Hausner, j'ai l'habitude. Si j'avais davantage d'argent et dix ans de moins, peut-être que j'irais vivre en Israël, mais ce n'est pas le cas. Alors, que Dieu vous bénisse et qu'il me préserve des Perón, moi et les miens.

— N'oubliez pas. Dites à Anna de m'appeler. Je serai à mon hôtel.

— Je sais, je sais. De toute urgence. Ces Allemands. Chaque fois que vous ouvrez la bouche, vous autres, j'entends le tic-tac d'une pendule. Hitler serait peut-être encore au pouvoir s'il n'avait pas été si pressé. »

Le lendemain matin, j'allai retrouver le colonel au Jockey Club comme prévu.

Le Jockey Club de Buenos Aires pouvait en remontrer à n'importe quel club de Berlin ou de Londres en matière de luxe. À l'intérieur, il y avait une immense rotonde de style Empire, une magnifique statue en marbre de la déesse Diane et un somptueux escalier qu'on aurait pu prendre pour la huitième merveille du monde. Un peu partout se dressaient des colonnes corinthiennes ornées d'onyx, d'ivoire et de plus de lapis-lazuli qu'une cathédrale orthodoxe. Je trouvai le colonel dans la bibliothèque – même si appeler la bibliothèque du Jockey

Club une bibliothèque équivalait à appeler Rita Hayworth une actrice. Certes, il y avait des livres à foison, mais les dos étaient gravés à l'or, si bien qu'on avait l'impression de pénétrer dans une chambre funéraire de la Vallée des Rois ayant échappé à l'injure du temps. Sans parler du fait que, manifestement, une bonne partie des membres du club avait déjà un pied dans la tombe : des vieillards dont on aurait bien vu le profil sur les billets de mille pesos. Toutefois, il n'y avait pas de femmes. Ils n'auraient pas su quoi faire d'une femme au Jockey Club de Buenos Aires. Probablement essayer de lui mettre une selle sur le dos ou, dans le cas du colonel, la défenestrer.

Il posa le livre qu'il était en train de lire. Je m'installai dans le fauteuil en face de lui et, curieux, m'en emparai. Les lectures des tueurs de masse m'intéressent toujours.

« *Martín Fierro*, de José Hernández, dit-il. Notre poète national. Vous connaissez ce livre ?

— Non.

— Alors, je vous en fais cadeau. Je pense que ça vous plaira. C'est un peu romancé, mais il y a certains éléments qui devraient vous intéresser. Le héros est un gaucho misérable ayant tout perdu, maison, ferme, femme et enfants. Anéantis. Il ne cesse de s'attirer des ennuis. Rixes au couteau et autres altercations violentes, ainsi que diverses affaires d'honneur. Finalement, Martín Fierro devient un hors-la-loi traqué par la police. » Le colonel sourit. « Peut-être cette histoire a-t-elle quelque chose de familier pour un homme comme vous, Gunther. En tout cas, c'est un livre très populaire en Argentine. La plupart des gosses sont capables de réciter quelques strophes de *Martín Fierro*. Moi-même, je le connais presque par cœur.

— À supposer que vous en ayez un. »

Le colonel eut un sourire presque imperceptible.

« Passons aux choses sérieuses. »

Un porte-documents était posé à ses pieds. Pendant un moment, il garda la main dessus.

« Il y a là cent mille dollars américains. Cinquante d'Evita et cinquante de von Bader. Il y a aussi un passeport argentin au nom de Carlos Hausner. Cette mallette est à vous si vous me dites ce que je désire savoir. Où se trouve véritablement Fabienne von Bader ?

— N'oubliez pas sa mère, dis-je. Ilse von Bader. Sa vraie mère. Pas Evita Perón. Et certainement pas Isabel Pekerman. Que vous vous soyez donné autant de mal me dépasse.

— Au départ, nous pensions que cela conférerait à la chose un caractère d'urgence si vous étiez persuadé que seule la fille avait disparu. Une fille qui part simplement avec sa mère ne constitue guère une priorité.

— Exact. Mais pourquoi l'histoire Evita ?

— Evita croit beaucoup à la petite touche personnelle. Comme vous vous en souvenez, j'en suis sûr. Elle s'est dit que, si elle vous en faisait la requête en personne, cela vous motiverait encore plus pour rechercher Fabienne.

— Elle a été excellente. Mais enfin, c'est une actrice. Que leur arrivera-t-il ? À Ilse ? À Fabienne ?

— On les gardera ici, à Buenos Aires. En lieu sûr. Il ne leur sera fait aucun mal, je peux vous l'assurer. Comme je vous l'ai expliqué dans l'avion, des trois mandataires des comptes de la Reichsbank qui restent, von Bader est le seul à avoir une famille. Par conséquent, il est le seul en qui on puisse avoir confiance pour aller à Zurich faire ce que nous lui demandons, à savoir transférer lesdits comptes aux Perón. Ilse von Bader craignait que sa fille et elle ne soient utilisées comme otages pour le retour de son mari à bon port. Voilà pourquoi elles ont disparu. Ce qui compromettait à l'évidence nos plans, dans la mesure où nous pouvions difficilement laisser von Bader se rendre à Zurich sans avoir une garantie qu'il reviendrait. » Le colonel alluma une cigarette. « Ainsi, dès que vous m'aurez dit où elles se cachent, nous irons les cueillir, et il pourra se mettre en route.

— Combien y a-t-il ? Sur les comptes de Zurich ?

— Personne ne le sait au juste. Pas même les mandataires. Mais, selon toute probabilité, plusieurs milliards de dollars. »

Je laissai échapper un sifflement. Dans le Jockey Club, cela fit l'effet d'une bombe tombant d'un Junkers 88.

« Volés, bien entendu. À des millions de Juifs assassinés. »

Le colonel haussa les épaules.

« Peut-être. Toutefois, vous avez vu comment elle dispose de l'argent. Elle le distribue aux malades et aux pauvres. Quel meilleur usage pourrait-on en faire ?

— Elle s'achète un électorat.

— Ne soyez pas si naïf. Tous les électorats sont achetés d'une façon ou d'une autre. Promesses de réduire le chômage. Promesses de diminuer les impôts. Promesses d'augmenter les dépenses publiques. Pas de grande différence avec ce que fait Evita. Et qui pourrait prétendre que sa méthode n'est pas plus économique, sans toute une bureaucratie pour engloutir l'argent ? » Il tira sur sa cigarette avec patience. « Eh bien, où sont-elles ?

Je n'avais guère envie d'aider les Perón, mais c'était ça ou la petite promenade en avion pour le fond du fleuve.

« Elles habitent chez votre ami Hans Kammler. À Wiederhold, son ranch près de Tucumán. Se faisant passer pour sa femme et sa fille.

— Impossible, dit le colonel.

— Si.

— Vous devez certainement vous tromper. Sa femme et sa fille vivent à Ingenios. C'est moi qui leur ai obtenu des visas pour qu'elles puissent venir ici. Il y a plus d'un an. S'il ne s'agissait pas d'elles, je pense que je le saurais.

— Je me suis peut-être mal fait comprendre. Je n'ai pas dit que c'étaient sa femme et sa fille. J'ai dit qu'elles se faisaient passer pour sa femme et sa fille. Il m'a fallu un moment pour reconnaître Fabienne. Elle se fait appeler Mercedes à présent et s'est teint les cheveux en roux. Mais son père, von Bader, avait raison. Elle est toujours aussi ravissante. Sauf que ce n'est pas elle qui a fasciné Kammler, mais Ilse, une beauté également. Kammler est très amoureux d'elle.

— Dans ce cas, où se trouvent sa femme et sa fille ?

— Kammler est un homme riche, colonel. Il a un avion dans son jardin. À mon avis, il a donné une jolie somme à la véritable épouse puis il les a expédiées, sa fille et elle, au Chili. Au revoir et bonne chance. Peut-être sont-elles déjà de retour en Allemagne.

— J'ignorais qu'il possédait un avion sur place.

— Il a tout là-bas. La fortune. Une maison superbe. Une maîtresse superbe. Je l'enviais presque.

— Kammler. » Le colonel fronça les sourcils. « Quelle ingratitude de sa part ! » Son froncement s'accentua. « Vous êtes sûr de ça ?

— Évidemment ! Je n'oublie jamais un visage, surtout s'il est joli. C'est avec les noms que j'ai un problème.

— Oui, je vous crois volontiers. » Le colonel haussa les épaules. « Auquel cas, ceci vous appartient. » Il donna une tape sur le porte-documents. « Vous savez, cela fait toujours plaisir de constater que l'on avait raison. J'avais raison à votre sujet. À votre manière quelque peu aléatoire, vous êtes un détective du tonnerre, Gunther. » Il hocha la tête d'un air songeur. « Oui, c'est peut-être ça. Vous avez été le facteur de hasard dont nous avions besoin dans cette affaire.

— Si vous le dites, colonel.

— À propos, le passeport contient des visas pour un certain nombre de pays étrangers dont l'Uruguay, le Brésil, Cuba et l'Espagne. Il y a aussi un billet de première classe pour le bateau de ce soir à destination de Montevideo. Départ à vingt et une heures. Je sais que vous avez horreur des voyages en avion. Aussi, je vous recommande vivement d'être à bord. Très vivement. Vous n'aurez qu'à laisser la voiture au bureau de la CNFA à la gare maritime.

— On se débarrasse de moi, c'est ça ?

— Comme je vous l'ai déjà dit à maintes reprises, en Argentine mieux vaut tout savoir qu'en savoir trop. J'ai bien peur que vous n'en sachiez désormais un peu trop. Comme Isabel Pekerman, par exemple. Pour un homme qui ne tient pas à disparaître, quitter le pays pour de bon représente la seule solution possible. » Il sourit, de son sourire démoniaque. « J'espère avoir été très clair cette fois-ci.

— Très. De toute façon, je pensais m'en aller.

— Ne nous jugez pas trop sévèrement. Ce qui s'est passé à Dulce est tout à fait regrettable, j'en conviens, mais cela remonte à plusieurs années. La Directive Onze semblait une mesure nécessaire pour empêcher que le pays ne soit inondé de Juifs, mais ils n'en continuèrent pas moins à affluer. Et bientôt se posa la question de savoir ce que nous devions faire de tous ceux que nous avions arrêtés et internés. Finalement, il fut décidé que le plus commode serait de se débarrasser d'eux aussi rapidement et discrètement que possible.

— De sorte que Kammler dota l'Argentine de son propre camp de la mort.

— Oui, mais à une échelle beaucoup plus réduite que tout ce qu'il avait construit en Pologne. Il n'y avait que quinze à vingt mille Juifs tout au plus. Et depuis, les choses se sont grandement améliorées. L'année dernière, une amnistie a été accordée aux étrangers entrés illégalement dans le pays. Il n'y a plus de Juifs clandestins dans des camps comme Dulce. Et ceux qui ont mis en œuvre les Directives Onze et Douze ont été chassés. Ce qui fait qu'il y a même moins d'antisémitisme qu'auparavant. Nombre de Juifs sont aujourd'hui péronistes. Perón lui-même pense à présent que les Juifs peuvent aider l'Argentine, que leur argent et leurs entreprises peuvent contribuer à la croissance de notre économie. Après tout, pourquoi tuer la poule aux œufs d'or, comme on dit ? Les Juifs sont les bienvenus en Argentine. »

Le colonel leva l'index.

« Tous sauf un. Qui devrait peut-être se trouver sur ce bateau avec vous ce soir. Anna Yagubsky.

— Jamais entendu parler.

— Oui, ce serait probablement une bonne idée qu'elle vous accompagne ce soir, continua le colonel sans me prêter attention. Les choses pourraient devenir difficiles pour elle si elle restait en Argentine.

— J'ignore où elle est.

— Ma foi, elle n'a sûrement pas disparu. Sinon, je serais au courant, vous ne croyez pas ? Et, si elle n'a pas disparu, elle ne doit pas être difficile à retrouver. Pas pour un détective comme vous, Gunther. Du moins, je l'espère pour elle. Et qui sait ? Peut-être réussirez-vous à trouver le bonheur quelque part tous les deux. Certes, vous êtes un peu vieux pour elle, mais il y a des femmes qui préfèrent les hommes mûrs, à ce qu'il paraît.

— Et si elle refuse de venir avec moi ? Ses parents vivent ici. Ils sont âgés. Elle ne voudra pas les abandonner.

— Ce serait dommage pour vous, bien sûr, il faut reconnaître qu'elle est très belle, mais pour elle tout particulièrement. » Le colonel se leva. « J'espère que votre voyage en Uruguay vous plaira. Son gouvernement est stable, démocratique et politiquement évolué. Il y a même la sécurité sociale. Naturellement, les habitants sont entièrement d'origine européenne. Je crois qu'ils ont exterminé tous les Indiens. En tant qu'Allemand, vous ne devriez pas vous sentir trop dépaysé. »

25

BUENOS AIRES, 1950

Cela me prit trois heures pour dénicher Anna. Son père ne me fut d'aucune utilité. J'aurais aussi bien pu lui demander où se cachait Martin Bormann. Finalement, je me souvins que la personne qui logeait au-dessus d'Isabel Pekerman et qui avait signalé son « suicide » était également une amie d'Anna. Tout ce que je savais, c'était qu'elle s'appelait Hannah et qu'elle habitait dans Once.

Coupé en deux par la Calle Corrientes et par le quartier juif, le Once avait un aspect sinistre, avec une gare sinistre, devant une place sinistre au milieu de laquelle se dressait un monument plutôt sinistre. À un poste de police tout aussi sinistre, surnommé par les riverains le Miserere, je montrai ma carte du SIDE à un sergent de permanence à l'air sinistre et lui posai des questions sur l'affaire Pekerman. Il me communiqua l'adresse, et je me rendis à un immeuble sordide de la Calle Paso. Il était rempli de mauvaises odeurs et de mauvaise musique. Il n'y avait pas à dire, l'Argentine avait perdu de son charme pour moi.

Une femme brune aux traits épais vint à la porte de l'appartement situé au-dessus de celui d'Isabel Pekerman. Elle avait des cheveux semblables au crin d'une jument noriker, dont une bonne partie sur les joues, et un teint comme l'intérieur d'une cafetière.

« Anna est-elle ici ? » demandai-je.

La femme frotta son menton préhistorique avec des doigts vaguement hominidés et sourit d'un air hésitant qui découvrit des trous dans sa denture de la taille de touches de piano. Elle semblait la preuve vivante non seulement de quelque improbable théorie paléontologique, mais, plus important, de la première loi de Durkheim sur la solidarité féminine, selon laquelle toute jolie femme aura pour meilleure amie un monstre de laideur.

« De la part de qui ?

— C'est bon, Hannah », fit une voix.

Tout en tenant la porte, l'amie recula légèrement pour révéler Anna à quelques pas derrière elle. Elle portait une robe en gabardine à motif pied-de-poule bleu, cintrée à la taille. Ses bras étaient croisés devant elle en une attitude défensive, comme le font les femmes quand elles meurent d'envie de vous frapper avec un rouleau à pâtisserie.

« Comment m'as-tu trouvée ? demanda-t-elle tandis que son amie réintégrait son box.

— Je suis détective, rappelle-toi. C'est mon boulot. Trouver les gens. De temps à autre, j'arrive même à trouver des gens qui ne veulent pas qu'on les retrouve.

— Sur ce point, tu ne te trompes pas, Gunther. »

Je fermai la porte derrière moi et parcourus du regard le petit couloir miteux. Il y avait un portemanteau, un paillasson, un panier à chien vide qui avait connu des jours meilleurs, l'inévitable photo de Martel, le chanteur de tango, et le sac qu'Anna avait emporté à Tucumán.

« Alors, tu as parlé à tes amis de la police secrète de tes amis de la SS ?

— Comme c'est joliment dit. Oui, je leur ai parlé.

— Et ?

— J'imagine qu'ils sont actuellement en route. Comme j'ai tenté de te l'expliquer dans le train, la femme et l'enfant de Kammler sont en réalité la femme et l'enfant de quelqu'un d'autre. Et le bonheur domestique dont ils ont pu jouir jusqu'ici est désormais révolu.

— Et tu trouves ça une punition suffisante ? »

Je haussai les épaules.

« Quelquefois, les punitions sont un peu comme la beauté. Des choses subjectives. Les punitions durables, en tout cas.

— Je préfère les punitions que tout le monde peut comprendre.

— Ah, tu veux dire, les exécutions publiques.

— Il ne l'aurait pas volé, non ?

— Probablement, mais nous savons l'un et l'autre que ça n'arrivera pas. Je suppose que, sur le long terme, il aura ce qu'il mérite. Comme nous tous, en fin de compte.

— J'aimerais pouvoir le croire.

— Fie-toi à un spécialiste.

— Hmm. Je me demande.

— Tu es une femme dure, Anna.

— Nous vivons dans un monde dur.

— N'est-ce pas ? C'est pour ça que je suis ici. Maintenant que la police sait ce que je sais, on m'a suggéré de quitter le pays. Et pour être sûr que j'aie bien compris le message, on m'a emmené faire un petit tour en avion, porte ouverte, pour me montrer le Río de la Plata vu d'une altitude de quinze cents mètres. En résumé, j'ai le choix entre être sur le bateau de ce soir pour Montevideo, ou être en dessous.

— Ils t'ont vraiment menacé ? »

Je ris.

« C'est peu dire, Anna. J'avais un bandeau sur les yeux, le crâne en compote, les mains ligotées, et j'ai eu droit à une dernière cigarette. Pour faire bonne mesure, ils ont jeté de l'avion six personnes devant moi. Pendant un moment, j'ai cru que tu en faisais partie. Puis ça a été mon tour. Si je n'avais pas été en mesure de négocier l'information sur la femme et la fille de Kammler, je serais de la merde de requin en puissance. » Je poussai un soupir. « Dis, on ne pourrait pas s'asseoir ? Rien que d'y penser, j'en ai encore les jambes qui tremblent.

— Oui, bien sûr. Je t'en prie. Viens par ici. »

Nous pénétrâmes dans une salle de séjour du style artistico-prétentieux, manifestement plus prétentieux qu'artistique. Tout avait été peint au glacis à l'italienne : les murs, les meubles, les portes, le ventilateur électrique et jusqu'à une machine à écrire. Une palette de peintre et quelques pinceaux traînaient sur une table.

« Hannah est une artiste », expliqua Anna.

J'acquiesçai tout en me disant que je ne disposais probablement que d'une dizaine de minutes avant que Hannah n'arrive pour me peindre un motif sur le front. Lequel, du reste, en avait sans doute bien besoin. On finit par se lasser de voir tous les jours la même tête dans le miroir. C'est pour ça que les gens se marient.

« Eh bien, que vas-tu faire ? demanda-t-elle en s'asseyant.

— Je ne suis pas un très bon nageur. Surtout avec les mains attachées dans le dos. On m'a bien fait comprendre que je pouvais passer le restant de mes jours mort, ou partir. Aussi, je pars. Pour Montevideo. Ce soir.

— Je suis désolée, dit-elle, et elle m'embrassa la main. Vraiment désolée. » Puis elle laissa échapper un soupir. « Encore que ça ne devrait pas me surprendre. Les hommes gentils avec moi – et tu as été gentil avec moi, Bernie, ne crois pas que je ne te sois pas reconnaissante de ce que tu as fait – finissent presque toujours par s'en aller. Mon père prétend que c'est parce que je ne sais pas garder un homme.

— Avec tout le respect que je dois à ton père, c'est très simple, mon ange. Surtout dans le cas précis. Tu n'as rien à dire. Rien à faire. Pas la moindre chose. Sauf peut-être passer ton bras sous le mien et venir avec moi.

— À Montevideo ?

— Pourquoi pas ? C'est là que je vais.

— Je ne peux pas partir, Bernie. C'est mon pays. Mon père et ma mère vivent ici.

— Ils ont bien quitté la Russie à cause des persécutions ?

— Oui, mais c'était différent.

— Je ne pense pas que ton oncle et ta tante seraient de cet avis.

— Tu as dit que tu n'étais pas sûr. Qu'on ignorait qui étaient ces gens. Que cela pouvait être n'importe qui.

— Nous savons très bien l'un et l'autre que, si j'ai dit ça, c'est uniquement pour t'empêcher de nous faire tuer tous les deux.

— Oui. Je regrette seulement de ne pas t'avoir écouté dès le
début. Tu avais raison. Parfois, il vaut mieux ne pas savoir. Je pensais qu'après la mort tout était fini et qu'il ne pouvait y avoir de
pire. Eh bien, je sais à présent qu'il n'en est rien, mais peut-être
n'ai-je pas envie d'y penser pour l'instant.

— Je ne te demande pas de partir à cause de moi. Mais à cause
de toi. La police secrète m'a laissé entendre que, puisque tu sais ce
que je sais, il serait plus judicieux de ta part de quitter le pays également. Je suis navré d'avoir à te dire ça, Anna, mais j'appréhende
ce qui risque de t'arriver si tu restes. Il se pourrait fort bien que ce
soit toi qu'on jette du prochain avion au-dessus du Río de la Plata.

— Est-ce encore un mensonge ? Pour me forcer à venir avec
toi ? » Elle écarta de ses yeux la longue guirlande de ses cheveux et
secoua la tête. « Je ne peux pas partir. Je ne veux pas. »

Je posai mes mains sur ses épaules et la secouai avec douceur.

« Écoute-moi, Anna. J'aimerais que tu viennes avec moi. Mais,
si tu n'en as pas envie, je peux très bien le comprendre. Seulement
– avec ou sans moi –, il faut que tu partes, ce soir. Pas besoin que
ce soit l'Uruguay. Si tu veux, je te paierai un billet d'avion pour
l'endroit de ton choix. Il y a une agence Pluna au coin de la rue.
Nous allons nous y rendre, et je t'achèterai un billet pour
Asunción. La Paz. Où tu veux. Je te donnerai même de l'argent
pour te permettre de recommencer ailleurs. Dix mille dollars américains. Vingt. Mais tu dois absolument quitter le pays.

— Je ne peux pas laisser mes parents. Ils sont vieux.

— Alors, je paierai pour eux aussi. On les fera venir une fois installés à Montevideo. Ce n'est pas si loin. J'achèterai une grande
maison où nous pourrons vivre tous ensemble. Je te le promets.
Tout ira bien, on s'en sortira. Mais il faut me croire. La police est
au courant à ton sujet. Elle connaît ton nom. Très certainement
l'endroit où tu habites et celui où tu travailles. C'est sérieux, Anna.
Sous peu, un matin, alors que tu iras au bureau, ils t'arrêteront et
te conduiront à Caseros. Là, ils te dépouilleront de tes vêtements
et te violeront. Te tortureront. Et une fois qu'ils auront fini de te
torturer, ils te colleront dans un avion et te balanceront dans le
vide. Si tu ne pars pas, mon ange, il ne te reste que les prières. J'en

ai entendu une à bord de cet avion, hier, répétée à n'en plus finir. Et devine quoi ? Ça n'a pas marché. Ils l'ont balancé également. Ces types sont immunisés contre les prières. Ils écouteront les tiennes en se marrant comme des bossus, puis ils t'expédieront dans les airs.

— Non. » Il y avait des larmes dans ses yeux, mais elle secouait la tête d'un air dubitatif. « C'est juste un mensonge de circonstance. Comme de me dire que ces gens dans les fosses à Dulce n'étaient pas des Juifs. Tu ne supportes pas l'idée de t'en aller tout seul, c'est pour ça que tu me racontes tout ça. Je ne peux pas te reprocher de vouloir que je vienne. Si j'étais toi, je dirais probablement la même chose. Je t'aime beaucoup, Bernie, mais je m'en remettrai. Et toi aussi. Simplement, je préférerais que tu arrêtes de me faire peur. Ce n'est pas très joli de ta part.

— Tu ne penses pas que j'ai inventé ça ?

— Pourquoi pas ? Tout ce qui te concerne est faux. En fait, je ne sais rien de toi.

— Je t'ai dit dans le train tout ce qu'il y avait à savoir.

— Qu'est-ce qui me le prouve ? La seule chose dont je sois sûre, c'est que tu es ici avec un faux passeport. Même le vrai nom que tu es censé avoir donné à tes vieux camarades – ceux qui t'ont amené ici –, même ce nom-là n'est pas le tien. Cet homme au ranch. Heinrich Grund. Tu m'as déclaré que c'était un assassin, mais tu le connaissais. Il t'a accueilli comme un vieil ami.

— Il l'a été, autrefois. Avant la guerre. Avant Hitler. J'avais des tas d'amis avant Hitler.

— Pour moi, tu es comme eux. Comment pourrais-je te faire confiance ? Comment pourrais-je croire un mot de ce que tu dis ? Je suis une Juive et toi un ancien officier SS. Quelle confiance pourrait-il y avoir entre nous ?

— Tu es venue me demander de l'aide, lui rappelai-je. Je t'ai aidée autant possible. Et c'est ce que j'essaie de faire en ce moment. Je n'ai rien exigé en retour. Ce que tu as donné, tu l'as fait parce que tu le voulais bien. Je t'ai déjà sauvé la vie une fois et je m'efforce de te la sauver à nouveau. J'ai mis ma propre vie en péril pour toi. Je dois quitter le pays à cause de toi. Même si ça ne signifie pas grand-chose à tes yeux. Malgré tout, je ne regrette pas de l'avoir fait. Ce que j'essaie de dire, je suppose, c'est que je t'aime, Anna. Et alors ? Simplement ça. S'il y a une petite partie de toi qui éprouve la même chose, oublie tout le reste. Oublie ce que te dit ta tête et écoute ton cœur, parce que c'est la seule chose qui compte entre deux personnes. Je sais que je ne suis pas une affaire pour une fille comme toi. Que tu pourrais trouver beaucoup mieux, et, si tu n'étais pas dans la file d'attente pour le grand plongeon, je te dirais probablement d'aller tenter ta chance ailleurs. Mais tu es là. Je peux imaginer les marques sur ton visage et le vent dans tes cheveux. »

Je l'attirai vers moi et l'embrassai avec frénésie, comme pour lui insuffler un peu de bon sens. Elle me prit dans ses bras et m'embrassa à son tour, si bien que, pendant une minute ou deux, je crus avoir gagné.

Puis elle dit :

« Je suppose que je t'aime aussi, mais je ne quitterai pas le pays pour toi. Non. Ça m'est impossible. Chaque fois que je te vois, je ne peux pas m'empêcher d'y penser. À ce qui est arrivé à mon oncle et à ma tante. »

Je fus tenté de la gifler brutalement, sur les deux joues, comme on est censé le faire quand on a été dans la SS. Ce qui aurait peut-être été aussi une solution. Avec n'importe quelle femme, sauf Anna. La gifler serait revenu à faire le salut hitlérien. Ça n'aurait servi qu'à confirmer ses soupçons. Que j'étais un nazi.

Je la lâchai.

« Écoute, mon ange. Ça ne marchera probablement pas, mais je vais essayer encore une fois, après quoi je te ficherai la paix. Quand deux personnes s'aiment, elles sont censées veiller l'une sur l'autre.

— S'aimer ne change rien à l'affaire. Ce n'est pas une raison suffisante.

— Laisse-moi finir. Quand tu seras un peu plus vieille – trop vieille peut-être –, tu comprendras que ça change tout, au contraire. »

Alors même que je prononçais ces mots, je savais que ça n'arriverait pas. Que jamais elle ne vieillirait. Pas si le colonel Montalbán
tenait parole.

« L'amour est la seule raison qu'il te faut, mon ange. La seule
raison au monde que tu as de me faire confiance. Cela ne suffirait
peut-être pas à un philosophe grec. En tout cas, il faut donner sa
chance à l'amour si l'on veut être sûr d'avoir affaire à la bonne personne. Cela demande un peu de temps. Alors, voici ce que je te
propose. Viens passer quelques jours avec moi. Comme si nous
retournions à Tucumán. Et ensuite, si ça ne colle pas, tu pourras
toujours dire : va te faire voir, Gunther, je rentre à Buenos Aires
parce que j'aimerais mieux mourir que de rester avec un type
comme toi. Mais, pour le moment, n'ajoute plus un mot. Réfléchis
soigneusement à ce que je t'ai dit. Parle à ton père. Je lui ai moi-
même parlé. Il te donnera de bons conseils. Comme le font habituellement les pères. Nous pouvons être à Montevideo en moins
de temps qu'il n'en faut pour dire que je t'attendrai au bureau de
la Compañía de Navegación Fluvial Argentina. »

Et là-dessus, je m'en allai.

26

BUENOS AIRES, 1950

Ce soir-là, il pleuvait à grosses gouttes. Le fleuve était calme. La mer et la lune étaient pleines. Quelque part de l'autre côté du Río de la Plata se trouvait l'Uruguay. Dans le bureau de la CNFA, je contemplais par la fenêtre l'embarcadère, le bateau et les vagues clapotant contre la jetée. En même temps, j'avais un œil sur la pendule. À chaque vibration de la trotteuse, je sentais mes espoirs s'envoler. Je n'étais pas le premier homme à se faire poser un lapin par une femme. Ni le dernier. Voilà comment s'écrit la poésie.

Que faut-il faire quand vous savez que vous serez tué si vous restez en arrière pour une fille que vous aimez ? Affronter la mort ensemble comme si vous étiez tous les deux dans un petit film minable ? Ce n'est pas ainsi que ça fonctionne. On ne vous laisse pas sortir de l'image, main dans la main, au son d'un chœur invisible annonçant votre arrivée conjointe au paradis. Quand la mort survient, c'est généralement pénible, laid et brutal. J'étais payé pour le savoir. Je l'avais vu assez souvent.

Une voix s'échappa des haut-parleurs. Le dernier appel pour les voyageurs du vingt et une heures à destination de Montevideo.

Elle n'arrivait toujours pas.

Tandis que je marchais le long de l'embarcadère, je sentais le sol bouger sous mes pieds comme la poitrine frémissante d'un formidable géant. La pluie m'arrosait le visage. Une pluie mélancolique, les larmes de la brise nocturne qui agitait mes cheveux. Abandonnant l'Argentine, je montai sur le bateau. Il y avait d'autres passagers, mais je ne leur prêtai aucune attention. Je demeurai sur le pont, guettant le miracle qui n'aurait pas lieu. Je me pris même à espérer que le colonel se déplacerait pour me voir partir, ce qui me permettrait de le supplier de laisser la vie sauve à Anna. Mais il ne vint pas non plus.

Les moteurs ronronnants se mirent soudain à rugir. On larguait les amarres. L'eau bouillonna sous le bateau, qui s'écarta de l'embarcadère. Loin de Buenos Aires. Loin d'elle. Nous nous retirâmes dans les ténèbres comme une chose païenne indésirable, lancée à la dérive, hors du monde des hommes. En proie à l'apitoiement, au désarroi, à la révolte et au désir de m'enfuir, je faillis me jeter par-dessus bord dans l'espoir de nager jusqu'à la longue lisière du rivage. Au lieu de ça, je descendis.

Dans la coquerie, un steward alluma un petit réchaud à gaz afin de faire bouillir de l'eau pour le café. La flamme bleue ceignant le récipient le chatouillait sans bruit. Et je m'imaginai cette autre flamme : la douce petite flamme qui brûlait en moi, non de joie, ni de paix, ni d'espoir, ni de l'ardeur d'une douleur solitaire. Qui ne brûlait pas pour Adolf Hitler. Mais pour elle. Elle brûlait pour elle.

Note de l'auteur

Je suis redevable à l'excellent livre d'Uki Goñi, *The Real Odessa*, d'une grande partie de mes informations sur les nazis en Argentine. Pour quiconque écrit sur ce sujet, c'est la source indispensable.

La Directive Onze fut ratifiée le 12 juillet 1938 par le ministre des Affaires étrangères argentin, José María Cantilo, condamnant ainsi à mort près de 200 000 Juifs européens. À ce jour, son existence continue d'être niée.

Tout au long de la guerre, des rumeurs ne cessèrent de circuler, faisant état de camps de concentration destinés aux Juifs dans les forêts lointaines de l'Argentine. Selon Goñi, au sein du gouvernement argentin, plusieurs ministres réclamaient en effet « une solution au problème juif ». La création de tels camps n'a jamais été confirmée.

D'après la remarquable biographie de Gerald Posner et John Ware, *Mengele, the Complete Story*, une énorme quantité du butin nazi passa presque certainement sous le contrôle des Perón. Quatre des mandataires argentino-allemands de l'argent nazi furent assassinés entre 1949 et 1952.

Eva Perón fut atteinte d'un cancer du col de l'utérus en 1950. Malgré une hystérectomie pratiquée par l'éminent chirurgien américain George T. Pack, son cancer revint rapidement. Elle développa des métastases pulmonaires et fut la première femme en Argentine à suivre une chimiothérapie (une technique nouvelle à l'époque). En dépit de tous les traitements disponibles, elle mourut à l'âge de trente-trois ans, le 26 juillet 1952.

Le frère d'Eva, Juan Duarte, fut envoyé par Juan Perón à Zurich au début de 1953, prétendument pour persuader les autorités suisses de transférer la fortune personnelle d'Eva au nom de Perón. À son retour à Buenos Aires en avril 1953, Duarte se suicida. Mais beaucoup pensèrent qu'il avait été assassiné.

À l'âge de cinquante-huit ans, Perón prit une maîtresse de quatorze ans, Nelly Rivas, en octobre 1953. C'était une des nombreuses jeunes filles avec qui le président badinait ouvertement. Perón fut excommunié de l'Église catholique par le Vatican le 16 juin 1955. Il fut destitué peu de temps après.

Rentré en juin 1973, après dix-huit ans d'exil, Perón fut réélu président. Sa femme Isabel lui succéda et fut elle-même destituée par un coup d'État militaire en mars 1976. Une junte s'empara alors du pouvoir, associant à une persécution massive des dissidents politiques l'usage du terrorisme d'État. Près de trente mille personnes « disparurent ».

Josef Mengele fut l'un des milliers de criminels de guerre nazis à s'installer en Argentine après la guerre. En 1958, il fut arrêté par la police de Buenos Aires et accusé d'être un avorteur clandestin. Ayant soudoyé un policier, il réussit à s'enfuir au Paraguay. Il s'est probablement noyé à São Paulo, au Brésil, en 1979.

Adolf Eichmann fut enlevé en Argentine en mai 1960, jugé en Israël et pendu à Jérusalem le 31 mai 1962.

Ingénieur, le général Hans Kammler fut en charge de nombreuses installations pour des projets SS. Il conçut et fit construire les camps d'extermination, et supervisa la destruction du ghetto de Varsovie. À partir de janvier 1945, il devint le numéro trois au sein de la SS, à la tête de tous les programmes de missiles. Il disparut en mai 1945, et l'on soupçonne fortement qu'il fut emmené aux États-Unis dans le cadre de l'opération Paperclip. Après cela, on ne dispose d'aucune information sur lui. Mais Kammler est probablement le criminel de guerre nazi de plus haut rang dont, aujourd'hui encore, personne n'a jamais eu de nouvelles.

Uki Goñi rapporte que la plupart des documents ayant trait au passé nazi de l'Argentine, y compris la Directive Onze, toujours contestée, furent détruits par Perón en 1955 ; et en 1996, lorsque fut donné l'ordre de brûler les dossiers d'immigration confidentiels contenant les papiers de débarquement des criminels de guerre nazis.